Deutsche Akademie der Wissens

Abhandlungen der königlichen
Akademie der Wissenschaften Berlin

1897

Deutsche Akademie der Wissenschaften Berlin

Abhandlungen der königlichen Akademie der Wissenschaften Berlin

1897

Inktank publishing, 2018

www.inktank-publishing.com

ISBN/EAN: 9783747747216

ABHANDLUNGEN

DER

KÖNIGLICHEN

AKADEMIE DER WISSENSCHAFTEN

ZU BERLIN.

AUS DEM JAHRE
1897.

MIT 4 TAFELN.

BERLIN.

VERLAG DER KÖNIGLICHEN AKADEMIE DER WISSENSCHAFTEN.

1897.

IN COMMISSION BEI GEORG REIMER.

Inhalt.

Abhandlungen.

Philosophisch-historische Classe.

Anhang.

Abhandlungen nicht zur Akademie gehöriger Gelehrter.

Physikalische Abhandlungen.

Jahr 1897.

Öffentliche Sitzungen.

Sitzung am 28. Januar zum Gedächtnifs Friedrich's II. und zur Feier des Geburtstages Seiner Majestät des Kaisers und Königs.

Der an diesem Tage vorsitzende Secretar Hr. Waldeyer eröffnete die Sitzung mit einer Rede, in der er zunächst die Glückwünsche der Akademie zum Geburtsfeste Seiner Majestät des regierenden Kaisers und Königs darbrachte und mit Worten der Erinnerung Friedrich's des Grofsen gedachte. Alsdann legte er die Entwickelung der Naturwissenschaften im 17. und 18. Jahrhundert dar, um zu zeigen, dafs die vielfach üblich gewordene Benennung des 19. Jahrhunderts als des naturwissenschaftlichen in dieser allgemeinen Fassung nicht zulässig sei.

Darauf wurden die Berichte erstattet: über die »Politische Correspondenz Friedrich's des Grofsen« — über die »Acta Borussica« — über die »Sammlung der griechischen Inschriften« — über die »Sammlung der lateinischen Inschriften« — über die »Prosopographie der römischen Kaiserzeit« — über die »Aristoteles-Commentare« — über das »Corpus nummorum« — über den »Thesaurus linguae latinae« — über das »Historische Institut in Rom« — über die »Kant-Ausgabe« — über die »Humboldt«-, »Savigny«-, »Bopp«-, »Graf Loubat«-, »Eduard Gerhard«- und »Hermann und

Elise geb. Heckmann Wentzel«-Stiftungen. In dem Bericht über die zuletzt genannte Stiftung waren zugleich die Berichte über das »Wörterbuch der deutschen Rechtssprache« und über die »Ausgabe der griechischen Kirchenväter« enthalten.

Zum Schlufs berichtete der Vorsitzende über die seit dem letzten Friedrichs-Tage im Januar 1896 in dem Personalstande der Akademie eingetretenen Veränderungen.

Sitzung am 1. Juli zur Feier des Leibniz'schen Jahrestages.

Hr. Vahlen, als vorsitzender Secretar, eröffnete die Sitzung mit einer Rede über Leibniz als Schriftsteller.

Die neu eingetretenen Mitglieder der philosophisch-historischen Classe, HH. Koser und Lenz, hielten ihre Antrittsreden, die von Hrn. Vahlen als Classensecretar beantwortet wurden.

Ferner wurden Gedächtnifsreden auf zwei der seit dem letzten Leibniz-Tage verstorbenen Mitglieder, von Hrn. Köhler auf Ernst Curtius, von Hrn. Dames auf Heinrich Ernst Beyrich gehalten.

Endlich wurde ein Beschlufs der Commission für die Eduard Gerhard-Stiftung mitgetheilt.

Verzeichnifs der im Jahre 1897 gelesenen Abhandlungen.

Physik und Chemie.

Fischer, über die Constitution des Caffeins, Xanthins, Hypoxanthins und verwandter Basen. (G.S. 7. Jan.; *S. B.*)

Planck, über irreversibele Strahlungsvorgänge. Erste Mittheilung. (Cl. 4. Febr.; *S. B.*)

b

Cohen, Prof. E., das Meteoreisen von Forsyth Co., Georgia, V. St.
Vorgelegt von Klein. (Cl. 4. März; *S. B.* 18. März.)

Klein, über Ganggesteine und ihre Stellung im System der Eruptiv-
gesteine. (Cl. 8. Juli.)

Dames, über Brustbein, Schulter- und Beckengürtel der Archae-
opteryx. (Cl. 22. Juli; *S. B.*)

Leiss, C., über ein neues, aus Kalkspath und Glas zusammen-
gesetztes Nicol'sches Prisma. Vorgelegt von Klein. (Cl.
21. Oct.; *S. B.*)

Cohen, Prof. E., ein neues Meteoreisen von Beaconsfield, Colonie
Victoria, Australien. Vorgelegt von Klein. (Cl. 4. Nov.;
S. B. 18. Nov.)

Botanik und Zoologie.

Schwendener, die Gelenkpolster von *Mimosa pudica*. (G.S.
11. März; *S. B.*)

Brandes, Dr. G., die Spermatozoen der Dekapoden. Vorgelegt
von Schulze. (Cl. 18. März; *S. B.*)

Heymons, Dr. R., über die Organisation und Entwickelung von
Bacillus rossii Fabr. Vorgelegt von Schulze. (Cl. 18. März;
S. B.)

Schulze, Revision des Systems der Asconematiden und Rossel-
liden. (G.S. 13. Mai; *S. B.*)

Engler, über die systematische Anordnung der dikotyledoneen
Angiospermen. (G.S. 29. Juli.)

Heymons, Dr. R., Mittheilungen über die Segmentirung und den
Körperbau der Myriopoden. Vorgelegt von Schulze. (Cl.
21. Oct.; *S. B.*)

Möbius, die Fauna von Deutsch-Ostafrika. (Cl. 2. Dec.)

b*

Anatomie und Physiologie.

Hertwig, über einige am befruchteten Froschei durch Centrifugal-
kraft hervorgerufene Mechanomorphosen. (Cl. 14.Jan.; *S. B.*)

Kopsch, Dr. F., das Rückenmark von *Elephas indicus*. Vorgelegt
von Waldeyer. (Cl. 4.Febr.; *Abh.*)

Flatau, Dr. E., das Gesetz der excentrischen Lagerung der langen
Bahnen im Rückenmark. Vorgelegt von Waldeyer. (Cl.
18.März; *S. B.*)

Munk, weitere Untersuchungen über die Schilddrüse. (Cl. 22.April.)

Kopsch, Dr. F., über eine Doppel-Gastrula bei *Lacerta agilis*.
Vorgelegt von Waldeyer. (G.S. 3.Juni; *S. B.*)

Waldeyer, das Trigonum vesicae. (Cl. 17.Juni; *S. B.* 8.Juli.)

Krause, Dr. R., über Bau und Function der hinteren Speichel-
drüsen der Octopoden. Vorgelegt von Hertwig. (G.S. 9.Dec.;
S. B.)

Anthropologie.

Virchow, die Bevölkerung der Philippinen. (Cl. 18.März; *S. B.*)

Astronomie und Geophysik.

Auwers, über einen Fundamental-Catalog für den südlichen Himmel. (Cl. 1.April.)

Wien, Prof. W., über die Temperatur der Planeten. Vorgelegt
von Kohlrausch. (G.S. 8.April.)

Eschenhagen, Prof. M., über schnelle, periodische Veränderungen
des Erdmagnetismus von sehr kleiner Amplitude. Vorgelegt von v. Bezold. (G.S. 24.Juni; *S. B.*)

Vogel, über die Spectra der der ersten Spectralclasse angehören-
den helleren Sterne. (Cl. 21.Oct.)

Brenner, L., Beobachtungen des Planeten Mars in der Opposition 1896–97. Vorgelegt von Auwers. (Cl. 21.Oct.; *Abh.*)

Fauth, Lehrer Ph., Zeichnungen der Planeten Jupiter und Mars. Vorgelegt von Auwers. (Cl. 21. Oct.)

Mathematik.

Koenigsberger, über verborgene Bewegung und unvollständige Probleme. (Cl. 4. März; *S. B.*)

Schwarz, über ein bestimmtes Problem der Variationsrechnung, zu dessen vollständiger Lösung elementare Hülfsmittel ausreichen. (G.S. 8. April.)

Fuchs, zur Theorie der Abel'schen Functionen. (Cl. 20. Mai; *S. B.*)

v. Mangoldt, Prof. H., Beweis der Gleichung $\sum_{k=1}^{\infty} \frac{\mu(k)}{k} = 0$. Vorgelegt von Schwarz. (Cl. 20. Mai; *S. B.* 22. Juli.)

Weber, H., über die Differentialgleichungen der elektrolytischen Verschiebungen. (Cl. 21. Oct.; *S.B.* 4. Nov.)

Koenigsberger, über die Darstellung der Kraft in der analytischen Mechanik. (Cl. 21. Oct.; *S. B.*)

Schwarz, zur Lehre von den unentwickelten Functionen. (G.S. 11. Nov.; *S. B.*)

Frobenius, über die Darstellung der endlichen Gruppen durch lineare Substitutionen. (Cl. 18. Nov.; *S. B.*)

Molien, Th., über die Invarianten der linearen Substitutionsgruppen. Vorgelegt von Frobenius. (Cl. 16. Dec.; *S. B.*)

Philosophie.

Dilthey, über die Hermeneutik von Baumgarten und Semler. (Cl. 4. Febr.)

Geschichte.

Dümmler, über den furor Teutonicus. (Cl. 18. Febr.; *S. B.*)

Schürer, über die Juden im bosporanischen Reiche und die Genossenschaften der σεβόμενοι θεὸν ὕψιστον ebendaselbst. (Cl. 4. März; *S. B.*)

Köhler, über Probleme der griechischen Vorzeit. (G.S. 11. März; S.B.)

Harnack, zur ältesten Geschichte der K. Preußischen Akademie der Wissenschaften. (Cl. 18. März; *Abh.* unter dem Titel: Berichte des Secretars der Brandenburgischen Societät der Wissenschaften J. Th. Jablonski an den Präsidenten G. W. Leibniz (1700–1715) nebst einigen Antworten von Leibniz.)

Koser, über die von der Archivverwaltung aus dem Nachlaß von Feuillet de Conches angekaufte Sammlung der Briefe Friedrich's des Großen an Maupertuis. (G.S. 29. April.)

Lenz, über den Ausbruch des ersten Revolutionskrieges 1792. (Cl. 6. Mai.)

Harnack, über die »Ordinationes« im Papstbuch. (Cl. 17. Juni; S.B. 8. Juli.)

Wattenbach, über die Quirinalien des Metellus von Tegernsee. (Cl. 22. Juli; S.B.)

Harnack, über die jüngst entdeckten Sprüche Jesu. (Cl. 22. Juli.)

Klostermann, Dr. E., die Schriften des Origenes in Hieronymus' Brief an Paula. Vorgelegt von Harnack. (G.S. 29. Juli; S. B.)

Sachau, über eine arabische Chronik aus Sansibar. (Cl. 21. Oct.)

Hirschfeld, die Haeduer und Arverner unter Römischer Herrschaft. (G.S. 25. Nov.; S. B. 9. Dec.)

Borchardt, Dr. L., ein neuer Königsname der ersten Dynastie. Vorgelegt von Erman. (G.S. 25. Nov.; S.B.)

Staats- und Rechtswissenschaft.

Schmoller, über das deutsche Münzwesen des Mittelalters und der beginnenden neueren Zeit. (G.S. 21. Jan.)

Brunner, Bericht über die Herstellung eines wissenschaftlichen Wörterbuches der deutschen Rechtssprache. (Cl. 4. Febr.; S. B.)

Pernice, Fahrlässigkeit und Erfolghaftung im ältern römischen
Strafrechte. (G.S. 28. Oct.)

Brunner, zur Geschichte des germanischen Ständewesens. (Cl.
4. Nov.)

Schmoller, über die Entwickelung des deutschen Münzwesens
von der Einheitsmünze des Denars zu einem vielgliederigen
System kleiner, mittlerer und grofser Münzen 1300–1600.
(Cl. 16. Dec.)

Allgemeine, deutsche und andere neuere Philologie.

Weinhold, die mystische Neunzahl bei den Deutschen. (Cl.
4. März; *Abh.*)

Schmidt, E., die Quellen der »Comischen Einfälle und Züge«
Lessing's. (Cl. 1. April; *S. B.* 22. April.) Nachtrag. (G.S.
3. Juni; *S. B.*)

Tobler, über die Legende des heiligen Julian in der schönen
Litteratur. (G.S. 15. Juli.)

Schmidt, E., Uhland's »Märchenbuch des Königs von Frankreich«.
(G.S. 11. Nov.; *S. B.*)

Classische Philologie.

Diels, zur Pentemychos des Pherekydes. (G.S. 25. Febr.; *S. B.*)

Fränkel, Prof. M., Epigraphisches aus Aegina. Vorgelegt von
Kirchhoff. (G.S. 11. März; *Abh.*)

Vahlen, hermeneutische Bemerkungen zu Aristoteles' Poetik. (G.S.
3. Juni; *S. B.*)

Ziebarth, Dr. E., neue attische Hypothekeninschriften. Vorgelegt
von Kirchhoff. (Cl. 17. Juni; *S.B.*)

Schmidt, J., Kretische Pluralnominative auf -εν. (Cl. 18. Nov.)

Diels, über ein Fragment des Empedokles. (Cl. 2. Dec.; *S. B.*)

Wendland, Dr. P., eine doxographische Quelle Philo's. Vorgelegt von Diels. (Cl. 2. Dec.; *S. B.*)

Kunstwissenschaft und Archaeologie.

Stumpf, zur Theorie der Consonanz. (G.S. 25. Febr.)

Borchardt, Dr. L., über das Alter des Sphinx bei Giseh. Vorgelegt von Erman. (Cl. 8. Juli; *S. B.*)

Orientalische Philologie.

Erman, Bruchstücke koptischer Volkslitteratur. (Cl. 14. Jan.; *Abh.*)

Sachau, geographische Studien zu den Assyrischen Königsinschriften. (Cl. 22. April.)

Weber, A., Vedische Beiträge. VI. (Cl. 20. Mai; *S. B.*)

Schrader, über eine altbabylonische Thontafelinschrift. (Cl. 17. Juni.)

Verzeichnifs der im Jahre 1897 erfolgten Geldbewilligungen aus akademischen Mitteln zur Ausführung wissenschaftlicher Unternehmungen.

Es wurden im Laufe des Jahres 1897 bewilligt:

7200 Mark den Mitgliedern der Akademie Hrn. Diels und Stumpf zur Fortsetzung der Arbeiten für die Herausgabe der griechischen Commentatoren des Aristoteles.

25000 » dem Mitgliede der Akademie Hrn. Dilthey zur Herausgabe der Werke Kant's.

3000 Mark dem Mitgliede der Akademie Hrn. Kirchhoff zur Fortsetzung der Arbeiten für Sammlung der griechischen Inschriften.

6000 » den Mitgliedern der Akademie Hrn. Koser und Schmoller zur Fortführung der Arbeiten für Herausgabe der politischen Correspondenz König Friedrich's II.

2000 » dem Mitgliede der Akademie Hrn. Engler zur Herausgabe von Monographieen afrikanischer Pflanzenfamilien.

35000 » dem Mitgliede der Akademie Hrn. Schulze zur Bearbeitung und Herausgabe eines Werks »Das Thierreich«.

12000 » dem Mitgliede der Akademie Hrn. Conze zu einer topographischen Aufnahme der Umgegend von Pergamon.

3000 » dem Mitgliede der Akademie Hrn. Harnack zu weiteren Vorarbeiten für die zum bevorstehenden Jubiläum abzufassende Geschichte der Akademie.

18000 » dem Mitgliede der Akademie Hrn. Sachau zur Herausgabe der Geschichte des Islam von Ibn Saad.

800 » Hrn. Prof. Dr. Robert Bonnet in Greifswald zur Bearbeitung eines Werks über das elastische Gewebe der Blutgefäfse.

300 » Hrn. Dr. Gustav Brandes in Halle zu Studien über Nemertinen.

1500 » Hrn. Prof. Dr. Emil Cohen in Greifswald zu Untersuchungen von Meteoreisen.

700 » Hrn. Prof. Dr. Friedrich Dahl in Kiel zur Ordnung des von ihm in Ralum gesammelten faunistischen Materials.

500 » Hrn. Prof. Dr. Drechsel in Bern zur Fortführung seiner Untersuchungen organischer Jodverbindungen bei Thieren.

500 » Hrn. Lehrer Philipp Fauth in Landstuhl zur Herausgabe von Zeichnungen der Planeten Jupiter und Mars.

c

1500 Mark Hrn. Prof. Dr. Fritz Frech in Breslau zur Vollendung seiner geologischen Untersuchung der Radstädter Tauern.

900 » Hrn. F. K. Ginzel in Berlin zur Herausgabe des von ihm bearbeiteten speciellen Canons der Finsternisse für das Gebiet der classischen Alterthumsforschung.

3000 » Hrn. Hofrath Dr. B. Hagen in Frankfurt a. M. zur Herausgabe eines anthropologischen Atlas.

1000 » Hrn. Dr. Norbert Herz in Heidelberg zur weiteren Reduction der von ihm auf der v. Kuffner'schen Sternwarte in Wien beobachteten Zonen.

500 » Hrn. Dr. Richard Hesse in Tübingen zu Untersuchungen über die Augen niederer Seethiere.

1200 » Hrn. Dr. Carl Holtermann in Berlin zur Herausgabe eines Werks über ostindische Pilze.

850 » Hrn. Prof. Dr. Karl Hürthle in Breslau zur Beschaffung von Instrumenten für Momentaufnahmen von contrahirten Muskeln.

700 » Hrn. Dr. Martin Krüger in Berlin zu Untersuchungen über die in thierischen und pflanzlichen Organen vorkommenden Xanthinstoffe.

900 » Hrn. Dr. Gustav Lindau in Berlin zu lichenologischen Studien.

2000 » Hrn. Dr. Max Lühe in Königsberg zur Untersuchung der Fauna der Salzseen in Französisch Nordafrika.

1100 » Hrn. Prof. Dr. Fr. Paschen in Hannover zu Versuchen über die Energie in den Spectren schwarzer Körper.

3000 » Hrn. Prof. Dr. G. Schweinfurth in Berlin zur Herausgabe einer ersten Abtheilung der von ihm in der arabischen Wüste von Aegypten aufgenommenen Karten.

1500 Mark Hrn. Dr. Ludwig Wulff in Schwerin i. M. zur Fortsetzung seiner Versuche zur Herstellung künstlicher Krystalle.

3000 » Hrn. Oberbibliothekar Dr. Karl de Boor in Breslau zur Vorbereitung einer Ausgabe der Chronik des Johannes Monachos.

1000 » Hrn. Prof. Dr. Theodor Büttner-Wobst in Dresden als Honorar für die Herausgabe des 3. Bandes des Joannes Zonaras.

600 » Hrn. Prof. Dr. Konrad Burdach in Halle zu Untersuchungen über Ursprung und Ausbildung der neuhochdeutschen Schriftsprache.

500 » Hrn. Dr. Georg Ellinger in Berlin zu bibliothekarischen Untersuchungen über neulateinische Litteratur in Süddeutschland und Oberitalien.

1000 » Hrn. Prof. Dr. V. Fausböll in Kopenhagen zur Herausgabe des 7. (Register-) Bandes seines Jâtaka-Buchs.

800 » Hrn. Prof. Dr. Heinrich Finke in Münster i. W. zur Vollendung seiner Ausgabe der Acta concilii Constantiensis.

700 » Hrn. Prof. Dr. Jakob Freudenthal in Breslau zu Forschungen über das Leben Spinoza's.

750 » Hrn. Dr. Hans Graeven in Rom zu einer Gesammtausgabe der antiken Elfenbeindiptychen.

1000 » Hrn. Prof. Dr. Joseph Hansen in Köln zu Vorarbeiten für eine Geschichte der Inquisition in Deutschland.

1800 » Hrn. Dr. Joseph Paczkowski in Göttingen zur Fortsetzung seiner agrarhistorischen Untersuchungen.

1000 » Hrn. Dr. Konrad Plath in Berlin zu einer Ausgrabung der Königspfalz in Kirchheim im Elsafs.

c*

360 Mark der G. Reimer'schen Buchhandlung in Berlin zur Herausgabe von Gerhard, Etruskische Spiegel, Band 5. Heft 15. 16.

1000 » Hrn. Prof. Dr. Theodor Schiemann in Berlin zu Vorarbeiten für eine Geschichte Kaiser Nicolaus' I. von Rufsland.

500 » Hrn. Dr. Richard Schmidt in Eisleben zur Herausgabe einer Übersetzung des Kāmasūtram.

400 » Hrn. Bibliothekar Dr. Georg Steinhausen in Jena für die Herausgabe deutscher Privatbriefe des 14. und 15. Jahrhunderts.

540 » der E. Weber'schen Buchhandlung in Bonn für die Herausgabe des 3. Bandes des Joannes Zonaras.

Verzeichnifs der im Jahre 1897 erschienenen im Auftrage oder mit Unterstützung der Akademie bearbeiteten oder herausgegebenen Werke.

Commentaria in Aristotelem graeca. Vol. 4. Pars 5. Ammonius in Aristotelis de interpretatione commentarius ed. Adolfus Busse. — Vol. 14. Pars 2. Ioannis Philoponi in Aristotelis libros de generatione et corruptione commentaria ed. Hieronymus Vitelli. — Vol. 15. Joannis Philoponi in Aristotelis de anima libros commentaria ed. Michael Hayduck. Berolini 1897.

Corpus inscriptionum Atticarum. Appendix. Defixionum tabellae Atticae ed. Ricardus Wuensch. Berolini 1897. fol.

Corpus scriptorum historiae Byzantinae. Ioannis Zonarae epitomae
historiarum libri XVIII. Tom. 3. Libri XIII–XVIII. Ed. Theo-
dorus Büttner-Wobst. Bonnae 1897.

Politische Correspondenz Friedrich's des Grofsen. Bd. 24. Berlin
1897.

Prosopographia imperii Romani saec. I. II. III. Pars 1. 2. Ed. Eli-
marus Klebs et Hermannus Dessau. Berolini 1897.

Die griechischen christlichen Schriftsteller der ersten drei Jahrhunderte. Hrsg. von der Kirchenväter-Commission. Hippolytus.
Bd. 1. Leipzig 1897. (Unternehmen der Wentzel-Stiftung.)

G. Lejeune Dirichlet's Werke. Hrsg. von L. Kronecker. Fortgesetzt
von L. Fuchs. Bd. 2. Berlin 1897. 4.

Ergebnisse der Plankton-Expedition der Humboldt-Stiftung. Bd. II.
F. f. Heinrich Simroth: Die Brachiopoden. — Bd. II. K. b.
Carl Chun: Die Siphonophoren. Kiel und Leipzig 1897. 4.

Altmann, Wilhelm. Die Urkunden Kaiser Sigmunds (1410–1437).
Bd. 1. Lief. 2. Bd. 2. Lief. 1. Innsbruck 1897. 4.

Bethe, Albrecht. Das Nervensystem von Carcinus Maenas. Th. 1.
Mitth. 1. 2. Bonn 1897. Sep.-Abdr.

————— —— . Vergleichende Untersuchungen über die Functionen des Centralnervensystems der Arthropoden. Bonn 1897.
Sep.-Abdr.

Deussen, Paul. Sechzig Upanishad's des Veda aus dem Sanskrit
übersetzt und mit Einleitungen und Anmerkungen versehen.
Leipzig 1897.

Dove, Karl. Deutsch-Südwest-Afrika. Ergebnisse einer wissenschaftlichen Reise im südlichen Damaralande. Gotha 1896.

Fausböll, V. The Jātaka together with its commentary being
tales of the anterior births of Gotama Buddha. For the
first time edited. Vol. 7. (Postscriptum and Index.) London
1897.

Gerhard, Eduard. Etruskische Spiegel. Bd. 5. Bearbeitet von A. Klügmann und G. Körte. Heft 15. 16. (Schlufs.) Berlin 1897. 4.

Philonis Alexandrini opera quae supersunt ed. Leopoldus Cohn et Paulus Wendland. Vol. 2. Berolini 1897.

Salomon, Wilhelm. Über Alter, Lagerungsform und Entstehungsart der periadriatischen granitischkörnigen Massen. Habilitationsschrift. Wien 1897.

Schmidt, Richard. Das Kāmasūtram des Vātsyāyana, die indische ars amatoria nebst dem vollständigen Commentare (Jayamangalā) des Yaçōdhara aus dem Sanskrit übers. und hrsg. Leipzig 1897.

Volkens, Georg. Der Kilimandscharo. Berlin 1897. (Unternehmen der Humboldt-Stiftung.)

Veränderungen im Personalstande der Akademie im Laufe des Jahres 1897.

Zum Ehren-Mitgliede der Gesammt-Akademie wurde gewählt:

Se. Majestät der König von Schweden und Norwegen, Oskar II., am 29. Juli 1897, bestätigt durch K. Cabinetsordre vom 14. September 1897.

Zu correspondirenden Mitgliedern wurden gewählt:

in der physikalisch-mathematischen Classe

Hr. Otto Bütschli in Heidelberg am 11. März 1897,

» Gaston Darboux in Paris am 11. Februar 1897,

• Ernst Ehlers in Göttingen am 21. Januar 1897,

» August Weismann in Freiburg i. B. am 11. März 1897;

in der philosophisch-historischen Classe

Hr. Ernst Immanuel Bekker in Heidelberg am 29. Juli 1897,
» Karl Adolf von Cornelius in München am 28. October 1897,
» Bernhard Erdmannsdörffer in Heidelberg am 28. October 1897,
» Gaston Maspero in Paris am 15. Juli 1897,
» Girolamo Vitelli in Florenz am 15. Juli 1897.

Gestorben sind:

das ordentliche Mitglied der physikalisch-mathematischen Classe:
Hr. Karl Weierstrafs am 19. Februar 1897;

das ordentliche Mitglied der philosophisch-historischen Classe:
Hr. Wilhelm Wattenbach am 20. September 1897;

die correspondirenden Mitglieder der physikalisch-mathematischen Classe:
Hr. Francesco Brioschi in Mailand am 13. December 1897,
» Alfred-Louis-Olivier Des Cloizeaux in Paris am 8. Mai 1897,
» Remigius Fresenius in Wiesbaden am 11. Juni 1897,
» Rudolf Heidenhain in Breslau am 13. October 1897,
» Victor Meyer in Heidelberg am 8. August 1897,
» Ernst Schering in Göttingen am 2. November 1897,
» Albrecht Schrauf in Wien am 29. November 1897,
» Japetus Steenstrup in Kopenhagen am 20. Juni 1897,
» James Joseph Sylvester in London am 15. März 1897,
» August Winnecke in Strafsburg am 2. December 1897.

Verzeichnifs

der

Mitglieder der Akademie der Wissenschaften.

Am Schlusse des Jahres 1897.

I. Beständige Secretare.

	Gewählt von der		Datum der Königl. Bestätigung
Hr. *Auwers*	phys.-math. Classe		1878 April 10.
- *Vahlen*	phil.-hist. -		1893 April 5.
- *Diels*	phil.-hist. -		1895 Nov. 27.
- *Waldeyer*	phys.-math. -		1896 Jan. 20.

II. Ordentliche Mitglieder

der physikalisch-mathematischen Classe	der philosophisch-historischen Classe	Datum der Königlichen Bestätigung
	Hr. *Heinrich Kiepert*	1853 Juli 25.
Hr. *Karl Friedr. Rammelsberg*		1855 Aug. 15.
	- *Albrecht Weber*	1857 Aug. 24.
	- *Theodor Mommsen*	1858 April 27.
	- *Adolf Kirchhoff*	1860 März 7.
- *Arthur Auwers*		1866 Aug. 18.
- *Rudolf Virchow*		1873 Dec. 22.
	- *Johannes Vahlen*	1874 Dec. 16.
	- *Eberhard Schrader*	1875 Juni 14.
	- *Alexander Conze*	1877 April 23.
- *Simon Schwendener*		1879 Juli 13.
- *Hermann Munk*		1880 März 10.
	- *Adolf Tobler*	1881 Aug. 15.
	- *Hermann Diels*	1881 Aug. 15.

der physikalisch-mathematischen Classe	der philosophisch-historischen Classe	Datum der Königlichen Bestätigung	
Hr. *Hans Landolt*		1881	Aug. 15.
- *Wilhelm Waldeyer*		1884	Febr. 18.
	Hr. *Alfred Pernice*	1884	April 9.
	- *Heinrich Brunner*	1884	April 9.
	- *Johannes Schmidt*	1884	April 9.
- *Lazarus Fuchs*		1884	April 9.
- *Franz Eilhard Schulze*		1884	Juni 21.
	- *Otto Hirschfeld*	1885	März 9.
- *Wilhelm von Bezold*		1886	April 5.
	- *Eduard Sachau*	1887	Jan. 24.
	- *Gustav Schmoller*	1887	Jan. 24.
	- *Wilhelm Dilthey*	1887	Jan. 24.
- *Karl Klein*		1887	April 6.
- *Karl Möbius*		1888	April 30.
	- *Ernst Dümmler*	1888	Dec. 19.
	- *Ulrich Köhler*	1888	Dec. 19.
	- *Karl Weinhold*	1889	Juli 25.
- *Adolf Engler*		1890	Jan. 29.
	- *Adolf Harnack*	1890	Febr. 10.
- *Hermann Karl Vogel*		1892	März 30.
- *Wilhelm Dames*		1892	März 30.
- *Hermann Amandus Schwarz*		1892	Dec. 19.
- *Georg Frobenius*		1893	Jan. 14.
- *Emil Fischer*		1893	Febr. 6.
- *Oscar Hertwig*		1893	April 17.
- *Max Planck*		1894	Juni 11.
	- *Karl Stumpf*	1895	Febr. 18.
	- *Erich Schmidt*	1895	Febr. 18.
	- *Adolf Erman*	1895	Febr. 18.
- *Friedrich Kohlrausch*		1895	Aug. 13.
- *Emil Warburg*		1895	Aug. 13.
- *Jakob Heinrich van't Hoff*		1896	Febr. 26.
	- *Reinhold Koser*	1896	Juli 12.
	- *Max Lenz*	1896	Dec. 14.

d

III. Auswärtige Mitglieder

der physikalisch-mathematischen Classe	der philosophisch-historischen Classe	Datum der Königlichen Bestätigung	
Hr. *Robert Bunsen* in Heidelberg		1862	März 3.
- *Charles Hermite* in Paris		1884	Jan. 2.
	Hr. *Otto von Boehtlingk* in Leipzig	1885	Nov. 30.
- *Albert von Kölliker* in Würzburg		1892	März 16.
	- *Eduard Zeller* in Stuttgart	1895	Jan. 14.

IV. Ehren-Mitglieder.

	Datum der Königlichen Bestätigung	
Earl *of Crawford and Balcarres* in Dunecht, Aberdeen	1883	Juli 30.
Hr. *Max Lehmann* in Göttingen	1887	Jan. 24.
- *Ludwig Boltzmann* in Wien	1888	Juni 29.
Se. Majestät *Oskar II.*, König von Schweden und Norwegen .	1897	Sept. 14.

V. Correspondirende Mitglieder.

Physikalisch-mathematische Classe.

Datum der Wahl

Hr. *Ernst Abbe* in Jena	1896	Oct. 29.
- *Alexander Agassiz* in Cambridge, Mass.	1895	Juli 18.
- *Adolf von Baeyer* in München	1884	Jan. 17.
- *Friedrich Beilstein* in St. Petersburg	1888	Dec. 6.
- *Eugenio Beltrami* in Rom	1881	Jan. 6.
- *Eduard van Beneden* in Lüttich	1887	Nov. 3.
- *Otto Bütschli* in Heidelberg	1897	März 11.
- *Stanislao Cannizzaro* in Rom	1888	Dec. 6.
- *Elwin Bruno Christoffel* in Strafsburg	1868	April 2.
- *Ferdinand Cohn* in Breslau	1889	Dec. 19.
- *Alfonso Cossa* in Turin	1895	Juni 13.
- *Luigi Cremona* in Rom	1886	Juli 15.
- *Gaston Darboux* in Paris	1897	Febr. 11.
- *Richard Dedekind* in Braunschweig	1880	März 11.
- *Ernst Ehlers* in Göttingen	1897	Jan. 21.
- *Rudolf Fittig* in Strafsburg	1896	Oct. 29.
- *Walter Flemming* in Kiel	1893	Juni 1.
Sir *Edward Frankland* in Reigate, Surrey	1875	Nov. 18.
Hr. *Karl Gegenbaur* in Heidelberg	1884	Jan. 17.
Sir *Archibald Geikie* in London	1889	Febr. 21.
Hr. *Wolcott Gibbs* in Newport, R. I.	1885	Jan. 29.
- *David Gill*, Königl. Sternwarte am Cap der Guten Hoffnung	1890	Juni 5.
- *Karl Wilhelm von Gümbel* in München	1895	Juni 13.
- *Julius Hann* in Graz	1889	Febr. 21.
- *Franz von Hauer* in Wien	1881	März 3.
- *Wilhelm His* in Leipzig	1893	Juni 1.
- *Wilhelm Hittorf* in Münster	1884	Juli 31.
Sir *Joseph Dalton Hooker* in Sunningdale	1854	Juni 1.
- *William Huggins* in London	1895	Dec. 12.
Lord *Kelvin* in Glasgow	1871	Juli 13.
Hr. *Leo Koenigsberger* in Heidelberg	1893	Mai 4.
- *Carl von Kupffer* in München	1896	April 30.
- *Rudolf Leuckart* in Leipzig	1887	Jan. 20.
- *Franz von Leydig* in Würzburg	1887	Jan. 20.
- *Rudolf Lipschitz* in Bonn	1872	April 18.
- *Moritz Loewy* in Paris	1895	Dec. 12.
- *Éleuthère Mascart* in Paris	1895	Juli 18.
- *Karl Neumann* in Leipzig	1893	Mai 4.

d*

		Datum der Wahl	
Hr. *Georg Neumayer* in Hamburg	1896	Febr. 27.
- *Simon Newcomb* in Georgetown Heights, D. C.	1883	Juni 7.
- *Max Nöther* in Erlangen	1896	Jan. 30.
- *Wilhelm Pfeffer* in Leipzig	1889	Dec. 19.
- *Eduard Pflüger* in Bonn	1873	April 3.
- *Henri Poincaré* in Paris	1896	Jan. 30.
- *Georg Quincke* in Heidelberg	1879	März 13.
- *William Ramsay* in London	1896	Oct. 29.
Lord *Rayleigh* in Witham, Essex	1896	Oct. 29.
Hr. *Friedrich von Recklinghausen* in Strafsburg	1885	Febr. 26.
- *Gustav Retzius* in Stockholm	1893	Juni 1.
- *Ferdinand* Freiherr *von Richthofen* in Berlin	1881	März 3.
- *Wilhelm Konrad Röntgen* in Würzburg	1896	März 12.
- *Heinrich Rosenbusch* in Heidelberg	1887	Oct. 20.
- *George Salmon* in Dublin	1873	Juni 12.
- *Giovanni Virginio Schiaparelli* in Mailand	1879	Oct. 23.
Sir *George Gabriel Stokes* in Cambridge	1859	April 7.
Hr. *Eduard Strasburger* in Bonn	1889	Dec. 19.
- *Otto von Struve* in Karlsruhe	1868	April 2.
- *August Töpler* in Dresden	1879	März 13.
- *Gustav Tschermak* in Wien	1881	März 3.
- *Heinrich Weber* in Strafsburg	1896	Jan. 30.
- *August Weismann* in Freiburg i. B.	1897	März 11.
- *Gustav Wiedemann* in Leipzig	1879	März 13.
- *Heinrich Wild* in Zürich	1881	Jan. 6.
- *Alexander William Williamson* in High Pitfold, Haslemere	1875	Nov. 18.
- *Johannes Wislicenus* in Leipzig	1896	Oct. 29.
- *Adolf Wüllner* in Aachen	1889	März 7.
- *Ferdinand Zirkel* in Leipzig	1887	Oct. 20.
- *Karl Alfred von Zittel* in München	1895	Juni 13.

Philosophisch-historische Classe.

Hr. *Wilhelm Ahlwardt* in Greifswald	1888	Febr. 2.
- *Graziadio Isaia Ascoli* in Mailand	1887	März 10.
- *Theodor Aufrecht* in Bonn	1864	Febr. 11.
- *Ernst Immanuel Bekker* in Heidelberg	1897	Juli 29.
- *Otto Benndorf* in Wien	1893	Nov. 30.
- *Franz Bücheler* in Bonn	1882	Juni 15.
- *Georg Bühler* in Wien	1878	April 11.
- *Ingram Bywater* in Oxford	1887	Nov. 17.
- *Antonio Maria Ceriani* in Mailand	1869	Nov. 4.

Datum der Wahl

Hr. *Karl Adolf von Cornelius* in München	1897	Oct. 28.
- *Edward Byles Cowell* in Cambridge	1893	April 20.
- *Léopold Delisle* in Paris	1867	April 11.
- *Heinrich Denifle* in Rom	1890	Dec. 18.
- *Wilhelm Dittenberger* in Halle	1882	Juni 15.
- *Louis Duchesne* in Rom	1893	Juli 20.
- *Bernhard Erdmannsdörffer* in Heidelberg	1897	Oct. 28.
- *Julius Ficker*, Ritter *von Feldhaus* in Innsbruck	1893	Juli 20.
- *Kuno Fischer* in Heidelberg	1885	Jan. 29.
- *Paul Foucart* in Paris	1884	Juli 17.
- *Karl Immanuel Gerhardt* in Halle a. S.	1861	Jan. 31.
- *Theodor Gomperz* in Wien	1893	Oct. 19.
- *Wilhelm von Hartel* in Wien	1893	Oct. 19.
- *Karl von Hegel* in Erlangen	1876	April 6.
- *Johann Ludwig Heiberg* in Kopenhagen	1896	März 12.
- *Antoine Héron de Villefosse* in Paris	1893	Febr. 2.
- *Hermann von Holst* in Chicago	1889	Juli 25.
- *Théophile Homolle* in Athen	1887	Nov. 17.
- *Friedrich Imhoof-Blumer* in Winterthur	1879	Juni 19.
- *Vratoslav Jagić* in Wien	1880	Dec. 16.
- *Karl Justi* in Bonn	1893	Nov. 30.
- *Panagiotis Kabbadias* in Athen	1887	Nov. 17.
- *Georg Kaibel* in Göttingen	1891	Juni 4.
- *Franz Kielhorn* in Göttingen	1880	Dec. 16.
- *Georg Friedrich Knapp* in Strafsburg	1893	Dec. 14.
- *Siginnund Wilhelm Koelle* in London	1855	Mai 10.
- *Stephanos Kumanudes* in Athen	1870	Nov. 3.
- *Basil Latyschew* in St. Petersburg	1891	Juni 4.
- *Giacomo Lumbroso* in Rom	1874	Nov. 12.
- *Gaston Maspero* in Paris	1897	Juli 15.
- *Konrad von Maurer* in München	1889	Juli 25.
- *Adolf Michaelis* in Strafsburg	1888	Juni 21.
- *Max Müller* in Oxford	1865	Jan. 12.
- *Theodor Nöldeke* in Strafsburg	1878	Febr. 14.
- *Julius Oppert* in Paris	1862	März 13.
- *Gaston Paris* in Paris	1882	April 20.
- *Georges Perrot* in Paris	1884	Juli 17.
- *Wilhelm Pertsch* in Gotha	1888	Febr. 2.
- *Wilhelm Radloff* in St. Petersburg	1895	Jan. 10.
- *Félix Ravaisson* in Paris	1847	Juni 10.
- *Otto Ribbeck* in Leipzig	1896	Juli 16.

			Datum der Wahl
Hr. *Emil Schürer* in Göttingen		1893	Juli 20.
- *Theodor von Sickel* in Rom		1876	April 6.
- *Christoph von Sigwart* in Tübingen		1885	Jan. 29.
- *Friedrich von Spiegel* in München		1862	März 13.
- *William Stubbs* in Oxford		1882	März 30.
Sir *Edward Maunde Thompson* in London		1895	Mai 2.
Hr. *Hermann Usener* in Bonn		1891	Juni 4.
- *Girolamo Vitelli* in Florenz		1897	Juli 15.
- *Curt Wachsmuth* in Leipzig		1891	Juni 4.
- *Heinrich Weil* in Paris		1896	März 12.
- *Ulrich von Wilamowitz-Möllendorff* in Westend, Berlin		1891	Juni 4.
- *Ludwig Wimmer* in Kopenhagen		1891	Juni 4.
- *Ferdinand Wüstenfeld* in Hannover		1879	Febr. 27.
- *Karl Zangemeister* in Heidelberg		1887	Febr. 10.

Wohnungen der ordentlichen Mitglieder.

Hr. Dr. *Auwers*, Prof., Geh. Regierungs-Rath, Lindenstr. 91. SW.

- - *von Bezold*, Prof., Geh. Regierungs-Rath, Lützowstr. 72. W.
- - *Brunner*, Prof., Geh. Justiz-Rath, Lutherstr. 36. W.
- - *Conze*, Professor, Villen-Colonie Grunewald, Wangenheimstr. 17.
- - *Dames*, Professor, Fasanenstr. 82. W.
- - *Diels*, Prof., Geh. Regierungs-Rath, Magdeburgerstr. 20. W.
- - *Dilthey*, Prof., Geh. Regierungs-Rath, Burggrafenstr. 4. W.
- - *Dümmler*, Prof., Geh. Regierungs-Rath, Königin Augusta-Str. 53. W.
- - *Engler*, Prof., Geh. Regierungs-Rath, Motzstr. 89. W.
- - *Erman*, Professor, Südende, Bahnstr. 21.
- - *Fischer*, Professor, Geh. Regierungs-Rath, Dorotheenstr. 10. NW
- - *Frobenius*, Professor, Charlottenburg, Leibnizstr. 70.
- - *Fuchs*, Professor, Rankestr. 14. W.
- - *Harnack*, Professor, Fasanenstr. 43. W.
- - *Hertwig*, Professor, Geh. Medicinal-Rath, Maafsenstr. 34. W.
- - *Hirschfeld*, Professor, Charlottenburg, Carmerstr. 3.
- - *van't Hoff*, Professor, Charlottenburg, Uhlandstr. 2.
- - *Kiepert*, Professor, Lindenstr. 11. SW.
- - *Kirchhoff*, Prof., Geh. Regierungs-Rath, Matthäikirchstr. 23. W.

Hr. Dr. *Klein*, Prof., Geh. Bergrath, Am Karlsbad 2. W.
- - *Köhler*, Professor, Königin Augusta-Str. 42. W.
- - *Kohlrausch*, Professor, Charlottenburg, Marchstr. 25ᵇ.
- - *Koser*, Prof., Geh. Ober-Regierungs-Rath, Director der Königl. Staatsarchive und des Geheimen Staatsarchivs, Charlottenburg, Hardenbergstr. 20.
- - *Landolt*, Prof., Geh. Regierungs-Rath, Albrechtstr. 14. NW.
- - *Lenz*, Professor, Augsburgerstr. 52. W.
- - *Möbius*, Prof., Geh. Regierungs-Rath, Sigismundstr. 8. W.
- - *Mommsen*, Professor, Charlottenburg, Marchstr. 8.
- - *Munk*, Professor, Matthäikirchstr. 4. W.
- - *Pernice*, Prof., Geh. Justiz-Rath, Genthinerstr. 13ᶠ. W.
- - *Planck*, Professor, Tauentzienstr. 18ᵃ. W.
- - *Rammelsberg*, Prof., Geh. Regierungs-Rath, Grofs-Lichterfelde, Belle-vuestr. 15.
- - *Sachau*, Prof., Geh. Regierungs-Rath, Wormserstr. 12. W.
- - *Erich Schmidt*, Professor, Matthäikirchstr. 8. W.
- - *Joh. Schmidt*, Prof., Geh. Regierungs-Rath, Lützower Ufer 24. W.
- - *Schmoller*, Professor, Wormserstr. 13. W.
- - *Schrader*, Prof., Geh. Regierungs-Rath, Kronprinzen-Ufer 20. NW.
- - *Schulze*, Prof., Geh. Regierungs-Rath, Invalidenstr. 43. NW.
- - *Schwarz*, Professor, Villen-Colonie Grunewald, Boothstr. 33.
- - *Schwendener*, Prof., Geh. Regierungs-Rath, Matthäikirchstr. 28. W.
- - *Stumpf*, Professor, Nürnbergerstr. 14/15. W.
- - *Tobler*, Professor, Kurfürstendamm 25. W.
- - *Vahlen*, Prof., Geh. Regierungs-Rath, Genthinerstr. 22. W.
- - *Virchow*, Prof., Geh. Medicinal-Rath, Schellingstr. 10. W.
- - *Vogel*, Prof., Geh. Regierungs-Rath, Potsdam, Astrophysikalisches Observatorium.
- - *Waldeyer*, Prof., Geh. Medicinal-Rath, Lutherstr. 35. W.
- - *Warburg*, Professor, Neue Wilhelmstr. 16. NW.
- - *Weber*, Professor, Ritterstr. 56. SW.
- - *Weinhold*, Prof., Geh. Regierungs-Rath, Hohenzollernstr. 15. W.

Gedächtnifsrede auf Ernst Curtius.

Von

Hrn. ULRICH KÖHLER.

———

Gehalten in der öffentlichen Sitzung am 1. Juli 1897

[Sitzungsberichte St. XXXIII. S. 712].

Zum Druck eingereicht am gleichen Tage, ausgegeben am 7. Juli 1897.

Es ist eine lobenswerthe Einrichtung unserer Akademie, an dem Tage, welcher dem Andenken ihres Stifters gewidmet ist, auch der Mitglieder zu gedenken, welche im Laufe des Jahres aus dem Leben abberufen worden sind. Einer der ersten schweren Verluste, welcher unseren Kreis im verflossenen akademischen Jahre getroffen hat, war der Tod von Ernst Curtius. Wenn ich es übernommen habe, dem Verstorbenen, mit welchem mich von meiner Studienzeit in Göttingen her mannigfache Bande der Dankbarkeit und immer erneuter wissenschaftlicher und persönlicher Beziehungen verknüpft haben, hier die Worte des Gedächtnisses zu sprechen, so habe ich mich nicht ohne ernste Bedenken dazu entschlossen. Was Curtius als Gelehrter und als Mensch für die Akademie, zu deren langjährigsten Mitgliedern er gehörte und der er mehr als zwanzig Jahre als Secretar einen Theil seiner besten Kraft gewidmet hat, für die Wissenschaft und für die gebildete Welt gewesen ist, erschöpfend darzustellen, würde nicht allein mein Vermögen, sondern auch die Grenzen der mir vergönnten Zeit weit überschreiten. Meine Aufgabe muß sich darauf beschränken, seine wissenschaftliche Thätigkeit in ihren Hauptrichtungen, wenigstens in den Umrissen zu zeichnen und so gut ich es vermag, ein Bild seiner Persönlichkeit zu entwerfen; denn wenn von einem unserer großen Gelehrten der Satz gilt, daß die persönliche Bedeutung von der wissenschaftlichen Wirksamkeit nicht zu trennen sei, so trifft er für Curtius zu. Auch in dieser Beschränkung aber hat sich mir die Aufgabe, wenn sie nicht allzu sehr hinter dem Ziele zurückbleiben soll, als eine nicht leichte dargestellt.

Keinem, der Curtius' Leben überblickt, kann die Bemerkung entgehen, daß dasselbe von Anfang an unter ungewöhnlich günstigen Bedingungen verlaufen ist; Curtius hat viel Glück gehabt in seinem Leben, wie

man es wohl aussprechen hört. Im Jahr 1814 in der alten Hansestadt
Lübeck als Sohn eines hochgebildeten, patriotisch gesinnten Vaters geboren
und von der Natur körperlich wie geistig mit freigebiger Hand ausgestattet,
ist er in Verhältnissen aufgewachsen, welche eine harmonische Ausbildung
der ihm verliehenen Gaben und Fähigkeiten ermöglichten und ihn gegen
den niederdrückenden Einfluß materieller Nothdurft sicher stellten. Seiner
Vaterstadt hat Curtius, auch nachdem ihm die geschichtliche Mission
Preußens in Deutschland zum Bewußtsein gekommen und nachdem die
Stunde der Erfüllung geschlagen hatte, mit der pietätvollen Treue, welche
einen Grundzug seines Wesens bildete, angehangen. Curtius' Universitäts-
studien fallen in die Zeit, in welcher die classische Philologie, die ihn schon
auf dem Gymnasium an sich gezogen hatte, als Alterthumskunde einen
neuen Inhalt gewonnen hatte und damit zu ihrer größten Blüthe gelangte,
und es ist ihm vergönnt gewesen, in Bonn, Göttingen und Berlin den Lehr-
vorträgen derjenigen Männer, welche an der Spitze dieser wissenschaftlichen Bewegung standen, zu folgen und dieselbe in vollem Maße auf seinen
empfänglichen Geist einwirken zu lassen. An die Lehrjahre haben die
Wanderjahre sich angeschlossen: eine glückliche Fügung hat Curtius unmittelbar von der Universität weg nach Griechenland, welches er sich bereits gewöhnt hatte als seine geistige Heimath anzusehen, geführt und ihn
während eines mehrjährigen Aufenthaltes in Athen im Hause des dahin
übergesiedelten Philosophen Brandis, eines seiner Bonner Lehrer, und
durch Reisen auf dem Festlande, sowie auf den Inseln, die lebendige An-
schauung des classischen Bodens und seiner Denkmäler sich erwerben lassen,
die von so großer Bedeutung für seine spätere wissenschaftliche Thätigkeit
gewesen ist. Curtius' Heimkehr aus Griechenland fällt in den Anfang
des Jahres 1841; ein Paar Jahre später, nachdem er mittlerweile eine öffent-
liche Lehrthätigkeit in Berlin übernommen hatte, ist er, wie bekannt in
Folge eines vor einem auserlesenen Publicum gehaltenen Vortrags über die
Akropolis von Athen als Erzieher des jungen Prinzen Friedrich Wilhelm
in das persönliche Verhältniß zu dem, dem Throne am nächsten stehenden
Zweige des preußischen Königshauses getreten, welches den Höhepunkt
seiner Entwickelung bezeichnet. In seiner Stellung zum Hofe hat sich Curtius den freien Blick, der über die Schranken des berufsmäßigen Gelehrten-
thums weit hinaus reichte, und zugleich die weltmännischen Formen, welche
auch den Gelehrten zieren, angeeignet; sein Verhältniß als Prinzenerzieher

brachte ihn ungesucht in Berührung mit allen Gröfsen auf den Gebieten der Wissenschaft, der Litteratur und Kunst, welche in der Mitte des Jahrhunderts in Berlin versammelt waren, und diente auch insofern dazu, seinen geistigen Horizont auszudehnen. Die Bedeutung, welche es für die Wissenschaft hatte, dafs Curtius durch die erfolgreiche Hingebung, mit welcher er sich seiner paedagogischen Aufgabe widmete, in immer steigendem Mafse sich die Huld und das Vertrauen der fürstlichen Eltern, des nachmaligen Königs und Kaisers Wilhelm und seiner hochsinnigen Gemahlin, erwarb, sollte später zu Tage treten. Gewifs, Curtius hat viel Glück im Leben gehabt, aber eben so sicher ist es, dafs die Gunst des Geschickes nie einem Würdigeren zu Theil geworden ist.

Curtius selbst hat in seinen späteren Jahren mit dem frommen Sinn, der ihm eigen war, in der Gestaltung seines Lebens die Hand Gottes erkannt. Den Männern, welche ihn in die Wissenschaft eingeführt und seinen Studien die Richtung gegeben hatten, hat er bis zum letzten Athemzuge die Dankbarkeit gewahrt. Ungezählte Male nennt er in seinen Schriften Böckh, Welcker und K. Otfr. Müller als seine Lehrer und Vorbilder. Zu Welcker scheint er in ein näheres persönliches Verhältnifs nie getreten zu sein; um so inniger gestalteten sich nach der Heimkehr aus Griechenland seine Beziehungen zu Böckh. Am stärksten hat doch Otfr. Müller auf Curtius eingewirkt, nicht allein weil dieser ihm im Lebensalter näher stand als Böckh und Welcker, sondern weil Curtius und Müller grundverwandte Naturen waren. Der angeborene Sinn für die Form und die ideale Auffassung waren Beiden ebenso gemeinsam wie die lebhafte Einbildungskraft, nur dafs diese für den Gelehrten und Schriftsteller wesentlichen Eigenschaften bei Curtius, ich möchte sagen, in der höheren Potenz vorhanden, der Formensinn noch ausgebildeter, die Phantasie blühender waren. Wenn Curtius an Müller die Frische des Geistes, welche die Schönheit des Alterthums mit poetischem Sinne auffafste und in edler Form zum Ausdruck brachte, und an einer anderen Stelle die unglaubliche geistige Elasticität preist, die denselben auf den verschiedensten Gebieten thätig sein liefs, so läfst sich das alles unverändert auf ihn selbst anwenden. Curtius' erstes bedeutendes Werk, durch welches er sich die ihm gebührende Stelle in der gelehrten Welt eroberte, ist in Folge einer directen Anregung Otfr. Müller's entstanden. Schon durch die Lehrvorträge Müller's in Göttingen war in Curtius der Sinn für die geographischen und topographischen Verhältnisse

der classischen Länder wachgerufen worden. In Müller war seit der Ab-
fassung der Geschichten hellenischer Stämme und Städte der Gedanke gereift, eine allgemeine Geschichte des griechischen Volkes zu schreiben, welche
alle Seiten des nationalen Lebens umspannen sollte; als derselbe auf seiner
griechischen Reise, von welcher er nicht heimkehren sollte, in Athen angekommen war, machte er Curtius den Vorschlag, sich mit ihm zu ver-
einigen und eine Beschreibung des griechischen Landes als einleitendes
Werk zu der allgemeinen Geschichte zu liefern. Daraus ist als Torso Curtius' Werk über den Peloponnes entsprungen, dessen beide Bände in den
Jahren 1851 und 1852 ans Licht traten. Als historisch-geographische Beschreibung hat Curtius seinen Peloponnes auf dem Titelblatt bezeichnet;
er hat damit selbst dem Leser im voraus den Schlüssel zum Verständnifs
des Werkes als Ganzes in die Hand gegeben. Die nach allen Seiten hin
bahnbrechende wissenschaftliche Bewegung, die in der ersten Hälfte dieses
Jahrhunderts in Berlin herrschte, hatte sich auch auf die Erdkunde erstreckt; es waren die durch Karl Ritter begründeten Anschauungen von
der Wechselwirkung der natürlichen Verhältnisse der Länder und des geschichtlichen Lebens der Bewohner, welche von Curtius in eigenartiger
und selbstständiger Weise auf einen Theil von Griechenland angewendet
wurden. Die lebendige Gestaltungskraft und die Beherrschung des Stoffes
war dem Begründer der vergleichenden Erdkunde versagt. An Reisewerken
über den Peloponnes fehlte es nicht; das in diesen aufgespeicherte Material
wurde von Curtius nach bestimmten Gesichtspunkten gesichtet und durch
die localen Anschauungen, welche er selbst sich auf seinen Wanderungen
erworben hatte, bereichert und belebt: auf Grund der eigenen und der
fremden Beobachtungen führt er dem Leser in durchsichtiger Klarheit und
plastischer Anschaulichkeit, mit feinsinnigem Verständnifs immer nur das
Wesentliche und Charakteristische im Auge habend, im beständigen Hin-
blick auf die Geschichte ein Bild des Peloponnes nach seiner natürlichen
Gliederung im Ganzen und im Einzelnen und seiner antiken Denkmäler und
Überreste vor. So steht das Werk über den Peloponnes bis auf den heutigen
Tag als ein in seiner Art unerreichtes Vorbild da; Curtius selbst hat
meines Bedünkens das, was er im Peloponnes als Forscher und Schriftsteller geleistet hat, in keinem seiner späteren Werke überboten. Partien
wie die lichtvolle Schilderung der Landschaft Lakonien im zweiten Bande
gehören zu dem Gelungensten, was Curtius geschrieben hat. In der all-

gemeinen Einleitung des Werkes, in welcher der Bau der gewaltigen Halbinsel, die in den Peloponnes als letztes Glied ausläuft, vor den Augen des Lesers zergliedert wird, sind auch die Gründe angegeben, welche eine besondere Behandlung dieses Theiles Griechenlands rechtfertigen; die Wissenschaft hat es zu beklagen, dafs der ursprüngliche Plan, welcher das ganze griechische Land umfafste, nicht zur Ausführung gekommen ist.

Das Werk über den Peloponnes erschlofs Curtius die Pforte der Akademie; in der Ansprache, mit welcher er sich am Leibniz-Tage 1853 in den akademischen Kreis einführte, finde ich den frühsten Hinweis auf das Werk, welches Curtius' Namen weit über die gelehrten Kreise hinaus in der gebildeten Welt bekannt machen sollte. Schon 1857 konnte der erste Band der griechischen Geschichte erscheinen; damals nahm Curtius bereits seit einem Jahre den Lehrstuhl an der Georgia-Augusta ein, den vor ihm Welcker und Otfr. Müller innegehabt hatten. In der Stille des Göttinger Lebens, welche erst durch das Kriegsjahr 1866 unterbrochen wurde, ist die griechische Geschichte zu Ende gereift; der Abschlufs des dritten Bandes, erschienen 1867, bezeichnet in litterarischer Beziehung auch den Abschlufs von Curtius' Thätigkeit in Göttingen; im nächsten Jahr ist Curtius zurückgekehrt nach Berlin, um hier die Doppelstellung als Vertreter der Archäologie an der Universität und Abtheilungsdirector in den Königlichen Museen zu übernehmen, welche er, zum Segen der beiden Anstalten, bis zu seinem Ende bekleidet hat. Den rechten Standpunkt für eine Würdigung von Curtius' griechischer Geschichte zu gewinnen, ist schon heutzutage nicht ganz leicht. Curtius wurzelte mit seinen Anschauungen vom Alterthum in der goldenen Zeit der deutschen Litteratur; das Hellenenthum war für ihn, was es für Herder, Goethe, Schiller gewesen war, der Inbegriff freier und edler Menschlichkeit. Nur in einem idealen Lichte konnte Curtius die Geschichte des griechischen Volkes darstellen wollen. Die Culturbewegung, die fortschreitende Entwickelung in Litteratur und Kunst, in Religion und Wissenschaft ist dasjenige, was ihm am Herzen liegt; das staatliche und politische Leben steht ihm weniger nahe; um so lebhafter werden die wirklichen oder vermeintlichen Stammesunterschiede in der Geschichtserzählung betont. Die griechische Colonisation wird mit besonderer Liebe beschrieben, weil durch die Coloniegründungen der griechischen Cultur und Bildung neue Stätten geschaffen wurden. Dafs die griechische Geschichte bei dieser Auffassung von Curtius nicht über den Beginn des politischen und geistigen

Verfalles der Nation hinabgeführt werden konnte, ist klar. Die localen Anschauungen, welche er gewonnen hatte, lieferten ihm den festen Hintergrund für die Geschichtserzählung, liefsen ihn aber auch Manches richtiger sehen als seine Vorgänger. Dafs zwischen den westlichen und östlichen Gestaden des ägeischen Meeres seit den ältesten Zeiten ein Völkerverkehr stattgefunden haben müsse, hatte ihm der Blick auf die Inselwelt gelehrt. In bestimmtem Gegensatz zu Otfr. Müller, dem er so gern folgte und dessen Anschauungen auf seine Auffassung der älteren Zeit wesentlich eingewirkt haben, trat er energisch dafür ein, dafs die griechische Cultur in ihren Anfängen von der älteren orientalischen abhängig gewesen sei. Die monumentalen Entdeckungen in der Argolis und in anderen Theilen Griechenlands haben Curtius in der Hauptsache Recht gegeben. Man sollte meinen, die Entdeckung der prähistorischen Fürstengräber auf dem Burghügel von Mykene wäre von Curtius mit Genugthuung begrüfst worden, das war jedoch nicht der Fall. Von einem Ausfluge nach Mykene, den er im Spätherbst 1877 am Schlusse der Ausgrabung gemeinschaftlich mit seinem Freunde Charles Newton von Athen aus machte, kehrte er verstimmt zurück; das Prunken mit Gold, welches sich ihm in der Ausstattung der Gräber kund gab, schien ihm so gar unhellenisch zu sein; der Eindruck des Barbarischen, den er erhalten hatte, war so stark, dafs ihm Zweifel an dem Alter und dem Ursprung der ans Licht gezogenen kostbaren Gefäfse, Waffen und Schmucksachen entstanden waren. Bestand haben konnte diese Skepsis nicht. Aber in der Darstellung der Vorzeit im ersten Bande der griechischen Geschichte hat Curtius auch in der letzten Auflage seines Werkes nichts geändert, sei es nun, dafs es seinem ästhetischen Gefühl widerstrebte, an dem fertigen Bau zu flicken oder dafs er andere Gründe gehabt hat, den ursprünglichen Text unverändert zu lassen; lieber hat er die geschichtliche Bedeutung der monumentalen Entdeckungen in einem Anhang am Schlusse des Bandes gewürdigt. Die grofsen Vorzüge des Curtiusschen Geschichtswerkes haben dasselbe in weiten Kreisen im In- und Ausland wirken lassen, wie allein schon die Zahl der Auflagen und die Übersetzung in alle Cultursprachen Europas beweist; dafs man in engeren fachmännischen Kreisen fand, Curtius habe, besonders in der Darstellung der älteren Zeit, der Phantasie einen zu grofsen Spielraum gelassen und zwischen beglaubigter Geschichte und sagenhaft-mythischer Tradition zu wenig geschieden, konnte daran nichts ändern. In Frankreich und England hat Curtius' Griechische

Geschichte vielleicht eine nachhaltigere Wirkung ausgeübt, als selbst in Deutschland.

Seitdem Curtius zur Geschichtsschreibung übergegangen war, hat auch das Problem der Geschichte als Wissenschaft seinen Geist beschäftigt. In der akademischen Rede über Philosophie und Geschichte, gehalten am Leibniz-Tage 1873, bezeichnet er es als die Aufgabe des Historikers, »das fragmentarisch Überlieferte in seinem Zusammenhange und das Vollendete in seinem Werden zu verstehen«; dazu gehört als Vorstufe »Quellenforschung und Urkundensammlung«. Das Haupterfordernifs des Historikers ist Unbefangenheit und Unparteilichkeit in den politischen und religiösen Fragen. Die Anklänge an die Anschauungen Ranke's sind unverkennbar. Gegenüber der Tendenz, das geschichtliche Leben der Völker und Staaten aus wirthschaftlichen und socialen Gesetzen zu erklären, will Curtius, in Übereinstimmung mit seinem jüngeren Collegen und Freunde Heinrich von Treitschke, der sittlichen Freiheit und Verantwortlichkeit in der Geschichte ihr Recht gewahrt wissen, ohne deshalb das Anregende und Fruchtbringende jener Betrachtungsweise in Abrede zu stellen; an einer anderen Stelle nennt er neben den sittlichen Mächten die Offenbarung eines göttlichen Willens. Um die schädliche Einwirkung eines einseitigen Parteistandpunktes auf die Geschichtsbetrachtung darzuthun, verweist er auf die Darstellungen der griechischen Geschichte von Mitford und Grote; die Bedeutung des Grote'schen Geschichtswerkes hat er trotz des principiellen Gegensatzes jederzeit anerkannt, sowie ihm überhaupt nichts ferner lag, als die Leistungen Anderer herabzusetzen, um sich selbst auf ein höheres Piedestal zu stellen. Curtius war ein ungemein fruchtbarer Schriftsteller; den grofsen darstellenden Werken gingen zu jeder Zeit Abhandlungen und kleinere Aufsätze zur Seite, welche theils als Vorstudien zu jenen gedacht, theils durch sie hervorgerufen sich allmählich auf fast alle, auch sehr entlegene Gebiete des griechischen Alterthums erstreckten. In seinem Peloponnes hatte er mehrfach Gelegenheit gehabt, auf die Spuren alter Kunststrafsen auf der Halbinsel hinzuweisen; daraus ist die berühmte Abhandlung »Zur Geschichte des Wegebaus bei den Griechen« erwachsen, in welcher ein bis dahin von Niemandem ins Auge gefafster Gegenstand von ihm in bahnbrechender und zugleich abschliefsender Weise tractirt wurde. Und ähnlich in anderen Fällen. Gemeinsam ist allen diesen Arbeiten die Beziehung auf das Allgemeine im geschichtlichen Zusammenhange. Auch wo Curtius

von einem bestimmten Monument, einem Kunstwerk, einer Inschrift oder
einer Münze ausgeht, weifs er sofort sich zu allgemeinen Gesichtspunkten zu
erheben, von denen aus das jedes Mal vorliegende Object betrachtet wird.
Das ist es, was seinen kleineren Arbeiten das Gepräge giebt und auch den
an sich weniger bedeutenden einen bleibenden Werth verleiht. Strenge
Untersuchung im Kleinen war nicht seine Sache. An den Ansichten, welche
sich Curtius mehr durch Intuition aus sich heraus als auf inductivem Wege
gebildet hatte, hielt er fest wie an Glaubenssätzen; so stark waren seine
Überzeugungen, dafs sie ihn leicht auch begründete Einwendungen über-
hören liefsen. In vertrautem Gespräch konnte er sich unmuthig darüber
äufsern, dafs man seine Arbeiten, statt sie als Ganzes, wie sie concipirt
seien, aufzufassen und zu widerlegen oder ihm zuzustimmen, in Einzelheiten
zerpflücke und diese bestreite.

Während Curtius, wenn immer es galt in Rede oder Schrift ideale
Interessen zu vertreten, einen feierlichen Ernst an den Tag legte, war ihm
sonst eine strahlende Heiterkeit, der unmittelbare Ausflufs eines harmonisch
gestimmten Seelenlebens, eigen, die in jedem Kreis, in welchen er eintrat,
Licht und Wärme um ihn verbreitete und ihn auch in schicksalschweren
Momenten seines Lebens nicht ganz verliefs. Die liebenswürdigen Züge in
Curtius' Wesen, die ursprüngliche Frische, die ungetrübte Heiterkeit und
die freie Sicherheit traten vielleicht bei keiner anderen Gelegenheit erfreu-
licher zu Tage als auf seinen Reisen im Süden in dem ungebundenen Verkehr
besonders auch mit seinen jüngeren Reisegefährten. Unvergefslich ist mir
das Bild, wie eines Tages der fast Sechzigjährige Allen voran einen steilen
Hügel an der Bai von Salamis hinanstürmte und mitten im Klettern die
Wacht am Rhein anstimmte. Seiner persönlichen Liebenswürdigkeit hauptsächlich auch ist es zuzuschreiben, dass er für die wissenschaftlichen Unternehmungen, die er zu verschiedenen Zeiten ins Leben rief, in nicht zur
gelehrten Welt gehörigen fachmännischen Kreisen stets zu jedem Opfer an
Kraft und Zeit bereite Gehülfen und Genossen fand.

Unter den kleineren Arbeiten von Curtius nehmen die Beiträge zur
griechischen Landeskunde, der sein Werk über den Peloponnes gewidmet
war, einen breiten Raum ein, nur dafs sich in der späteren Zeit sein Interesse mehr und mehr auf Attika und die Topographie von Athen con-
centrirte. Nicht weniger als drei Mal hat Curtius es unternommen, die
Grazie der attischen Landschaft in Worten zu schildern, eine Aufgabe,

welche Welcker in dem Tagebuche seiner griechischen Reise für unlöslich erklärt. Ihren Abschlufs erhielten diese Studien in der Stadtgeschichte von Athen, erschienen 1891, genau 50 Jahre, nachdem Curtius in seiner Promotionsschrift *De portubus Athenarum* zum ersten Male eine Frage der attischen Topographie selbstständig behandelt hatte. Man kann vielleicht verschiedener Meinung darüber sein, in wie fern es theoretisch gerechtfertigt sei, eine Stadt als solche, und sei es auch Athen, zum Gegenstand einer geschichtlichen Darstellung zu machen; dafs und wie es praktisch ausführbar ist, hat auf dem Gebiete des Alterthums Curtius an Athen in mustergültiger Weise gezeigt. Den Vorarbeiten für die Stadtgeschichte ging die Herausgabe der Karten von Attika durch Curtius und den Geh. Kriegsrath Kaupert zur Seite. Einen Genossen in höherem Sinne hatte sich Curtius geworben in dem Generalfeldmarschall Moltke, der in der Erinnerung an die von ihm selbst in jüngeren Jahren in der römischen Campagna, in der Umgebung von Constantinopel und in Kleinasien ausgeführten kartographischen Arbeiten dem Unternehmen von Anfang an das lebhafteste Interesse widmete und nicht allein Curtius in Kaupert den geeignetsten Mitarbeiter zuwies, sondern auch dafür Sorge trug, dafs unter dessen technischer Leitung durch Officiere des grofsen Generalstabes die Aufnahmen in Attika zu Ende geführt wurden. So ist ein Kartenwerk entstanden, welches der geschichtlichen Forschung eine sichere Grundlage gewährt und nur bedauern läfst, dafs der Plan auf die eine Landschaft von Griechenland beschränkt geblieben ist; man kann sich denken, mit wie hoher Freude Curtius diese schönen Blätter, von denen jedes in der sauberen Ausführung wie ein kleines Kunstwerk erscheint, hat entstehen sehen. In der Gedächtnifsrede, welche Curtius dem Grafen Moltke als Ehrenmitglied der Akademie am Leibniz-Tage 1891 gehalten hat, hat er mit warm empfundenen Worten den grofsen Strategen als Förderer der geographischen und historischen Wissenschaft und classischen Schriftsteller gefeiert. Wenn Curtius auch das griechische Alterthum nie anders denn als ein Ganzes aufgefafst hat und dasselbe in seinen verschiedenen Erscheinungsformen aufzuhellen und zu beleuchten bemüht gewesen ist, so hat er doch stets der griechischen Landes- und Ortskunde das lebendigste Interesse entgegengebracht, so dafs man wohl von einer besonderen Veranlagung sprechen darf, und die Nachwelt wird vermuthlich dieser Seite seiner wissenschaftlichen Thätigkeit den Preis zuerkennen. Aber Curtius' Interesse beschränkte

sich nicht auf die Formen des Bodens und die Überreste des geschichtlichen Lebens auf der Oberfläche; während des mehrjährigen Aufenthaltes
in Griechenland war ihm die Erkenntnifs aufgegangen, dafs unter dem
Boden Schätze der Erlösung harrten und dafs der gelehrten Forschung die
experimentirende, wie er sich ein Mal ausdrückt, zur Seite gehen müsse.

Im Anfang des Jahres 1852 hatte Curtius vor einem auserlesenen
Kreise von Zuhörern seinen Vortrag über Olympia gehalten, in welchem
er am Schlusse, anknüpfend an Winckelmann, die Aufdeckung dieser
alten Feststätte mit der ihm eigenen Beredsamkeit als eine unabweisliche
Forderung der Wissenschaft hinstellte. Seitdem hat er unermüdlich in
diesem Sinne gewirkt. Als am 23. October 1869 der damalige Kronprinz
Friedrich Wilhelm im Strahle der griechischen Morgensonne, selbst strahlend in männlicher Schönheit und fürstlicher Würde, vor den Säulen des
Erechtheion stand, äufserte er, nachdem ihm zu Theil geworden sei, die
Akropolis von Athen durch den Augenschein kennen zu lernen, sei in ihm
der Wunsch, Olympia möge ausgegraben werden, aufs Höchste gewachsen;
einer der Begleiter des Prinzen erhielt den Befehl, seinen Herrn nach der
Rückkehr in das königliche Schlofs daran zu erinnern, ein Telegramm an
Curtius zu richten. Das bedarf keiner Erläuterung. In Erfüllung gehen
sollte der Wunsch des Kronprinzen erst nach der Aufrichtung des deutschen
Reiches. Dem Sinne Kaiser Wilhelm's I. mufste die Motivirung, auf die
Thaten und Errungenschaften des grofsen Krieges ein Friedenswerk folgen
zu lassen, an welchem ideell die gebildeten Kreise aller Nationen Theil
hätten, besonders zusagen; der Fürst-Reichskanzler lieh dem Unternehmen
seinen starken Arm und die gewählten Vertreter des deutschen Volkes gaben
einmüthig ihre Zustimmung. Nachdem die erforderlichen Unterhandlungen
mit der griechischen Regierung zu Ende geführt waren, konnten im Herbst
1875 die Ausgrabungen beginnen. Die oberste Leitung des Unternehmens
hatten Curtius und Friedrich Adler übernommen; die Leitung der Arbeiten an Ort und Stelle wurde während der sechsjährigen Dauer von einer
Reihe von wissenschaftlich oder technisch geschulten jüngeren Männern,
meist Schüler des einen oder des anderen der beiden obersten Leiter, versehen. Das harmonische Zusammenwirken der in Olympia versammelten
Arbeitsgenossen gereichte Curtius zu besonderer Freude. Von den Ergeb-
nissen der Ausgrabungen brauche ich nicht zu sprechen; nicht mit Unrecht
ist gesagt worden, die Auffindung des Hermes des Praxiteles allein habe

die aufgewendeten Mittel reichlich gelohnt. Die Sache hat aber noch eine andere Seite. Es war das erste Mal, dafs eine Stätte der griechischen Cultur nach einem wissenschaftlichen, auf das Ganze angelegten Plan und mit Zuziehung verschieden geschulter Männer als Leiter ausgegraben wurde. Das Beispiel hat gewirkt; seit der zweiten Hälfte der siebziger Jahre haben Regierungen, gelehrte Gesellschaften und Private gewetteifert, der historischen Wissenschaft an andern Stellen des griechischen Landes den gleichen Dienst zu erweisen. Mit dem Freimuth, der ihm so gut stand, hat Curtius es in weiteren Kreisen ausgesprochen, welchen Werth er darauf legte, so viel an ihm lag, den Anstofs zu diesem Wettstreit gegeben zu haben.

Ich würde glauben, eine nicht zu entschuldigende Lücke in dem Bilde von Curtius' Wirksamkeit zu lassen, wenn ich von seinem Verhältnifs zu unserer wissenschaftlichen Station in Griechenland schweigen wollte. Es verdient wohl aufbewahrt zu werden, dafs die erste Anregung zur Gründung des archäologischen Instituts in der griechischen Hauptstadt von Curtius ausgegangen und dafs der Keim während seines Besuches in Athen im Herbst 1871 gelegt worden ist. Anfänglich war es nur darauf abgesehen, einen deutschen Gelehrten als Vertreter der Interessen der Alterthumswissenschaft daselbst zu fixiren, aber noch in Athen steckte Curtius das Ziel höher; »der Kronprinz wird helfen« getröstete er sich. In einem Vortrag über die Ergebnisse seiner Reise, den er bald nach der Heimkehr in Berlin vor einem gröfseren Publicum hielt, wies er auf die Nothwendigkeit hin, der deutschen Wissenschaft in Griechenland eine bleibende Stätte zu bereiten; schon im Herbst 1874, gerade ein Jahr vor dem Beginn der Ausgrabungen in Olympia, konnte das athenische Institut als Schwesteranstalt des nicht lange vorher aus einer preufsischen in eine Reichsanstalt verwandelten römischen seine Thätigkeit eröffnen. Dafs die Entwickelung des neu gegründeten Instituts sich nicht ganz so vollzog, wie Curtius wohl gewünscht hätte, hat ihn nicht davon abgehalten, demselben seine werkthätige Theilnahme bis zum letzten Augenblicke zu widmen.

Curtius war zart gebaut, aber kerngesund; nach dem Muster seiner Hellenen liefs er es sich angelegen sein, den Körper geschmeidig zu erhalten; noch in der Göttinger Zeit konnte man ihn am Reck und ein Pferd tummelnd sehen; später ersetzten längere Reisen die gymnastischen Übungen. Um so tiefer mufs er es empfunden haben, als gegen das Ende die Gebresten des Alters in herbster Form über ihn hereinbrachen, aber die Heiterkeit des Gemüths hat ihn auch in diesen schweren Stunden nicht verlassen, so wenig wie die Klarheit des Geistes. Curtius ist, obwohl körperlich gebrochen, in voller geistiger Rüstung aus dem Leben geschieden; die letzte gröfsere Arbeit, welche er vollendet hat, bezieht sich auf die Geschichte von Olympia. Sein Andenken wird in unserer Akademie, zu deren Säulen und Zierden er nahezu ein halbes Jahrhundert gehört hat, unvergänglich fortleben; sein Name gehört der Geschichte des geistigen und litterarischen Lebens des ablaufenden Jahrhunderts an.

aual. I.

PHILOSOPHISCHE UND HISTORISCHE

ABHANDLUNGEN

DER

KÖNIGLICHEN

AKADEMIE DER WISSENSCHAFTEN

ZU BERLIN.

AUS. DEM JAHRE
1897.

BERLIN.

VERLAG DER KÖNIGLICHEN AKADEMIE DER WISSENSCHAFTEN.

1897.

GEDRUCKT IN DER REICHSDRUCKEREI.

IN COMMISSION BEI GEORG REIMER.

Inhalt.

ว

Bruchstücke koptischer Volkslitteratur.

Von

Hⁿ ADOLF ERMAN.

Philos.-histor. Abh. 1897. 1.

1

Gelesen in der Sitzung der phil.-hist. Classe am 14. Januar 1897
[Sitzungsberichte St. III. S. 19].
Zum Druck eingereicht am 11. Februar, ausgegeben am 13. April 1897.

Was ich hier veröffentliche, steht auf losen Blättern gewöhnlichen Papiers, wie sie in dem Schutte der mittelalterlichen Städte Aegyptens gefunden werden, und ebenso unscheinbar wie dieses Äufsere und wie diese Herkunft ist auch der Inhalt dieser Texte. Aber sie haben uns zweierlei zu bieten, was man in der officiellen Litteratur der Kopten vergeblich sucht: eine natürliche Sprache, die nicht vom Griechischen beeinflufst ist, und, was noch wichtiger ist, unzweifelhafte Beispiele koptischer Metrik. Und diese Metrik scheint, soweit ich sehen kann, nichts mit der griechischen zu thun zu haben, die sich ja auch nur sehr gewaltsam auf die koptische Sprache übertragen liefse; ist sie aber einheimischen Ursprungs, so gewinnen wir damit die Hoffnung, dafs sie uns einmal auch die alten aegyptischen Verse lesen lehrt, die in ihrer vokallosen Schrift bisher jeder Bemühung gespottet haben.

Über das Alter dieser Bruchstücke kann man eigentlich nur sagen, dafs das, was sich von derartigen koptischen und arabischen Papierblättern in den Sammlungen datiren läfst, meist in das zehnte und elfte Jahrhundert gehört. Auch der sprachliche Charakter unserer Texte stimmt gut zu den von Krall (Corpus Papyrorum Raineri Nr. I und II) veröffentlichten Notizen aus dem Jahre 1019 n. Chr.

Beim Abdruck der Texte habe ich unsichere Buchstaben durch untergesetzte Punkte, fehlende durch Sternchen bezeichnet. Diese letztere Angabe aber bitte ich mit Vorsicht zu benutzen, denn die ungeschulte Schrift dieser Blätter erlaubt keine genaue Abschätzung. Auf dem gleichen Raume stehen je nachdem 4, 5, 6 oder 7 Buchstaben, und es kommt dem Schreiber auch nicht darauf an, mitten drin ohne Grund einen leeren Fleck zu lassen

1*

53

oder eine Zeile nicht bis zum Ende voll zu schreiben. Meine Angaben der Lücken werden in der Regel ihre Maximalgröfse angeben. — Den sprachlichen Charakter dieser Texte sowie den Bau ihrer Verse behandeln besondere Exkurse.

I. Archellites und seine Mutter. (Ein Gedicht.)

Zwei Blätter im Format 14 cm Höhe × 13 cm Breite, die im Jahre 1887 in die Königlichen Museen zusammen mit dem von Steindorff, ÄZ. 1892, 37 veröffentlichten Bannbrief eines Bischofs von Schmun gelangten; heute P 3213. Es sind ein äuſseres Blatt einer Lage und ein inneres einer anderen, ich scheide sie als A und B. Sie sind so schlecht erhalten, daſs die Schrift auf den unteren Enden der Seiten vielfach auch bei scharfer Beleuchtung kaum noch sichtbar ist; sie dürften leider bald ganz unlesbar werden. Die Verse werden durch Punkte, die Halbstrophen und Strophen durch besondere Interpunktionszeichen geschlossen. Auf den Rändern und zwischen den Strophen stehen einzelne nicht zum Text gehörige Worte, die ich unten (S. 43) besprochen habe.

A.1.   ⲧⲛⲁⲣⲓⲥⲉ ⲁⲛ
1.   ⲀⲨⲱⲛ ⲡⲁϥ ⲛ̄ⲧⲉⲧⲛ̄ⲧϥ̄' ⲉϩⲟⲩⲛ.
     ⲧⲁϩⲟϥ ⲉⲣⲁⲧϥ̄ ⲙ̄ⲡⲁⲙⲧⲟ ⲉⲃⲟⲗ.
     ⲧⲁⲛⲁⲩ ⲉⲡⲉϥϩⲟ ϫⲉ-ⲟⲩⲉⲃⲟⲗ ⲧⲱⲛ ⲡⲉ.
     ⲡⲉϫⲁϥ ⲉϭⲓ-ⲡⲉⲡⲣⲟⲉⲥⲧⲟⲥ.
     ⲧⲁⲧⲓϫⲱϥ ⲙ̄ⲡⲉⲥⲭ̄ⲏⲙⲁ ⲛ̄ⲛⲁⲅⲅⲉⲗⲟⲥ.
     ⲧⲁⲛⲱ ⲙ̄ⲙⲟϥ ϧⲙ̄-ⲡⲙⲱⲛⲁⲥⲧⲏⲣⲓⲟⲛ.
     ⲟⲩⲛ-ϩⲛ̄ⲧⲁⲗϭⲟ ⲛⲁϣⲱⲡⲉ ⲉⲃⲟⲗ ϩⲓⲧⲟⲟⲧϥ̄.
     ⲛ̄ⲧⲉ-ⲣⲱⲙⲉ ⲛⲓⲙ ϫⲱ ⲙ̄ⲡⲉϥⲧⲁⲓ[ⲟ:] ⏦

2.   ⲧⲛⲁⲣⲁⲕⲁⲗⲓ ⲙ̄ⲙⲟⲕ ⲡⲁⲓⲱⲧ.
     ⲡⲉⲡⲣⲟⲉ[ⲥ]ⲧⲟⲥ ⲉⲡⲓⲙⲱⲛⲁⲥⲧⲏⲣⲓⲟⲛ.
     ⲉⲕⲉⲁⲁⲧ ⲉⲙ[ⲟ]ⲛ̄[ⲁ]ⲭ̄ⲟⲥ ϩⲁϩⲧⲏⲕ.
     ⲧⲁϭⲱ ϩⲁⲧⲟⲁⲓⲃⲥ ⲉⲛⲉ•••ⲛⲓ.
     ⲙ̄ⲡⲉⲣⲛⲟϫⲧ ⲉⲃⲟⲗ ⲡⲁϫⲟⲉⲓⲥ ⲉⲓⲱⲧ.
     ϫⲉⲛⲧⲟⲕ ⲛ̄ⲛⲁⲧⲓⲗⲟⲅⲟⲥ ϩⲁⲡⲁⲥⲛⲟϥ.

---

1. ⲛ̄ⲧϥ̄ ist sicher.

пц[ογτ]ε нтпе пе павонөос.
ере-пароογ[ш пнӕ е]роц:' ———

апри²

3. •о̣ι апон•••оогн есраι.
ειε ογ пе п••••••о̣ц.
арχ ελλιтнс пашнре[ммерιт.]
папран ецролуσ ріта[т]апро
•••••• ане••проуп е••••••

A. 2. шаιсолсλ емнпе еіпаγ епенро.
пенна мпенιωт рωшероі³ немаи.
оγпоσ пе племнар ернт: ——— аλλос.

4. Ершапоγрωме вωн епшемо.
тецероγромпе шацитоц епецні.
аарχ ελλιтнс вωн етапснц.
еіс оγмнше проог епіпаγ епецро.∹
ешωпе текопар пашнре ммеріт.
ере пōс пастон •ӡωι.
ешωпе он анна-сωма⁴ ерраι.
••ре-пōс ероγпа немаи: ——— паιω••

паιан'

5. †ероñве нан пашнре ммер[іт.]
[ар]χ ελλιтнс петіме ммоц.
папран е[ц]ролσ ріатапро.
емнптаι емаγ •савλλац.
паспнγ мен петсо[оγп] емоι.
мароγероγ̂ве³ нçелγпн н•••⁶
еӡм-пмоγ мпашнре ммеріт[.]
••••мç епептацшωпе ммо[ц: ———]
(Hier fehlen vermuthlich 4 Seiten).

---

1. Die Ergänzung, zu der der Raum wohl genügt, nach Vers 21.   2. So, über der
Zeile.   3. Sic.   4. Korrigirt aus арпа-.   5. Das м in марог korrigirt aus ес.
6. Gewifs немаι, doch ist der Raum etwas knapp dafür.

A. 3. Letztes Wort einer verlorenen Strophe: ⲥⲱϣⲧ: ⸺

6. ⲃⲁⲙⲟⲓ ⲉⲡⲉ-ⲛⲧⲁⲡⲁⲓ ⲉϣⲃⲱⲕ ⲉⲡⲙⲟⲛⲁⲥⲧⲏⲣⲓⲟⲛ.[1]
ⲉⲁⲡⲁ ϩⲣⲱⲙⲁⲡⲟⲥ.
ϣⲁⲡⲡⲉⲧⲟⲩⲁⲁⲃ ϫⲉ-ⲁⲣⲭⲉⲗⲗⲓⲧⲏⲥ.
ⲧⲉϥⲡⲁⲣⲁⲕⲁⲗⲓ ⲙⲙⲟϥ.
ⲧⲉϥϣⲗⲏⲗ ⲉⲡⲛⲟⲩⲧⲉ ⲉϩⲣⲁⲓ ⲉϫⲱϥ.
ϣⲁⲣⲉ-ⲡⲟⲩϫⲁⲓ ⲧⲁϩⲟϥ[2]
ϫⲉ-ⲉⲣⲉⲡⲛⲟⲩⲧⲉ ⲛⲧⲡⲉ.
ϣⲟⲟⲡ ⲛⲉⲙⲁϥ: ⸺

7. ϩⲓ' ⲧⲥⲟⲡⲥ ⲉⲙⲱⲧⲛ ⲛⲁⲓⲟⲧⲉ ⲉⲧⲟⲩⲁⲁⲃ.
ⲧⲛⲁ ⲧⲁⲙⲟⲓ ⲉⲡⲙⲁ ⲉⲣⲉ-ⲡⲓⲣⲱⲙⲉ ⲉⲛϩⲏⲧϥ.
ⲧⲁⲃⲱⲕ ⲧⲁⲡⲁⲣⲁⲕⲁⲗⲓ ⲙⲙⲟϥ.
ⲁⲣⲏⲩ ϣⲁⲣⲉ-ⲡⲉϥⲡⲁ ⲧⲁϩⲟⲓ.
ⲙⲟⲛ ⲉⲣⲉ-ⲟⲩϣⲱⲛⲉ ϩⲓⲡⲁⲥⲁ ⲛϩⲟⲩⲛ.
ⲉⲓⲥ ⲟⲩⲙⲏϣⲉ ⲛϩⲟⲟⲩ ⲙⲡⲓⲉⲓⲙⲉ ⲉⲡⲉϥⲧⲱϣ.
ⲧⲁⲃⲱⲕ ⲧⲁⲡⲁⲣⲁⲕⲁⲗⲓ ⲙⲙⲟϥ.
ⲁⲣⲏⲩ ϣⲁⲣⲉ-ⲡⲟⲩϫⲁⲓ ⲧⲁϩⲟⲓ[3]

8. ⲕⲁⲓ ⲧⲉϭⲓⲙⲉ ⲉⲛⲧ• •ⲩⲥⲕⲉⲟⲥ ⲉⲥⲱϥ.[5]
ⲥⲉⲧⲛ ⲙⲉⲣⲉϣⲃⲱⲕ ⲉⲡⲙⲁ ⲉⲧⲙⲙⲁⲩ.
ⲉ ϩⲁϩ ⲉⲗⲏⲣⲓⲟⲛ ϩⲓⲧⲉϩⲓⲏ.
ⲁⲩⲱ ⲟⲛ •••••• ϣⲧ.
ⲁⲩ •[6] ⲡⲉⲧⲟⲩⲁⲁ[ⲃ]••[7] **A. 4.** ϫⲉ-ⲁⲣⲭⲉⲗⲗⲓⲧⲏⲥ.
ⲙⲉⲥⲛⲁⲩ ⲉⲡⲣⲟ ⲛⲥϭⲓⲙⲉ ϣⲁⲉⲛⲉϩ: ⸺ ⸺ ⲁⲗⲗⲟⲥ

9. ϣⲗⲏⲗ ⲉϫⲱⲓ ⲡⲁⲣⲭⲏⲉⲡⲓⲥⲕⲟⲡⲟⲥ.
ⲧⲁⲃⲱⲕ ϣⲁⲧⲉϩⲣⲱⲙⲁⲛⲓⲁ.
ⲙⲟⲛ ⲁⲓⲥⲱⲧⲙ ⲉⲧⲃⲉ-ⲁⲣⲭⲉⲗⲗⲓⲧⲏⲥ.
ϫⲁϥⲉⲣⲟⲩⲛⲟϭ ⲉⲧⲉⲗⲓⲟⲥ.

1. Der Vers ist wohl unrichtig getheilt, der Punkt sollte vielleicht hinter ⲃⲱⲕ stehen.
2. So, wohl ohne Punkt; ob er irrig hinter ⲧⲡⲉ gesetzt ist? 3. Die letzten Worte in
Ligaturen, da der Raum am Zeilenende knapp war. Aus diesem Grunde fehlt auch das
Zeichen des Versschlusses. 4. Oder ⲁ statt ⲝ? Auch ⲕ ist fraglich. 5. ⲉϫⲱϥ
kann man kaum lesen, doch ist das ϭ wohl nur ein mifsgestaltetes ϫ. 6. Reste, die
vielleicht ⲛⲓ gewesen sind; es geht aber nicht an, davor noch ein ⲱ zu ergänzen.
7. Es fehlt wohl nichts, er wird das Zeilenende nicht ganz beschrieben haben.

ⲧⲁⲃⲱⲛ ⲧⲁⲉⲣⲙⲱⲛⲁⳃ ⲏ ⲅⲁⲣⲧⲏ ⳽.
ⲧⲉⲡⲁⲣⲁϣⲉ ⲍⲱⲕ ⲉⲃⲟⲗ ⳽

10. ⲕⲁⲓ⳿ ⲡⲁⲓⲱⲧ ⲡⲁⲣⳃⲏⲉⲡⲓⲥⲕⲟⲡⲟⲥ.
ⲙⲟ ⲡⲁⳃⲣⲏⲙⲁ ⲧⲉⲛⲕⲁⲁⲩ ⲅⲁⲣⲧⲏⲛ.
ⲙⲟⲛ ⲁⲅⲉⲛⲣⲱⲙⲉ ⲉⲣⲙⲏⲧⲣⲉ ⲕⲁⲓ.
ⲍⲉ-ⲁⲣⳃ[ⲉ]ⲗⲗⲓⲧⲏⲥ ⲡⲁϣⲉⲣⲉ ⲟⲛⲁⲅ.
ⲉⲓϣⲁⲛⲃⲱⲕ ⲧⲁⲕⲧⲟⲓ ⲧⲁⲉⲓ.
ϣⲁⲓⲧⲓ ⲛⲟⲩⲙⲉⲣⲟⲥ ⲉⲧⲉⲕⲕⲗⲏⲥⲓⲁ.
ⲉⲓϣⲁⲛⲃⲱⲕ ⲟⲛ⳽ ⲛⲧⲁⲥⲱ ⲅⲁⲣⲧⲏ ⳽.
ⲧⲁⲁⲩ ⲉⲛⲣⲏⲛⲉ ⲙⲉⲛⲟⲣⲫⲁⲛⲟⲥ: ⸻

B. 1. ϣⲟⲙⲧ ⲉⲣⲱ ⳽[3]
11. ⲧⲛⲁⲗⲁⲣⲏ ⲛⲧⲁⲥⲃⲓ ⲅⲁⲣⲟⲕ.
ⲁⲧⲱ ⲡⲉⲛⲓⲃⲉ ⲛⲁⲓ ⲉⲧⲁⲛⲍⲓ ⲙⲙⲟⲟⲩ.
ⲉⲧⲟⲟⲩ ⲛⲉ ⲛⲁⲓ ⲉⲧⳃⲓⲛⲉ ⲛⲥⲱⲕ.
ⲁⲣⳃⲉⲗⲗⲓⲧⲏⲥ ⲡⲁⲙⲉⲣⲓⲧ.
ⲡⲓⲧⲁⲣⲕⲟ ⲙⲙⲟⲕ ⲉⲛⲉⲣⲓⲥⲉ.
ⲉⲧⲁⲡⲉⳍⲥ ϣⲟⲡⲟⲩ ⲅⲁⲣⲟⲕ.
ⲉϣⲱⲡ⳽ ⲙⲉⲕⲉⲓ ⲉⲃⲟⲗ ⲧⲁⲛⲁⲩ ⲉⲛⲉⲕⲣⲟ⳽
ⲧⲉⲡⲁⲣⲁϣⲉ ⲍⲱⲕ ⲉ[ⲃⲟⲗ][6]

12. ⲁⲗⲗ⳿ Ⲃⲱⲕ ⲁⲍⲓⲥ ⲉⲁⲣⳃⲩⲗⲗⲓⲧⲏⲥ.
ⲍⲉ ⲧⲉⲛⲙⲁⲁⲩ ⲧⲉⲥⲁⲅⲉⲣⲁⲧⲥ[7] ⲉⲣⲟⲛ.
ⲛⲧⲁⲓⲉ[8] ϣⲁⲣⲟⲕ ⲧⲁⲛⲁⲩ ⲉⲛⲉⲕⲣⲟ.
ⲉⲓϣⲁⲛⲛⲁⲩ ⲉⲣⲟⲕ ⲙⲁⲣⲓⲙⲟⲩ.
ⲁⲙⲟⲩ ⲉⲃⲟⲗ ⲡⲁⲙⲉⲣⲓⲧ.
ⲧⲉⲛⲧⲓ ⲛⲟⲩⲥⲟⲗⲥⲗ ⲉⲧⲁϥⲯⲩⳃⲏ.
ⲧⲁⲛⲁⲩ[ⲉⲛ]ⲉⲕⲣⲟ.

---

1. Das letzte Wort in Ligatur wegen des Zeilenendes; daher fehlt auch wieder das Schlufszeichen. 2. o könnte wohl auch ⲁ sein, von ⲛ ist nur ⲓ erhalten. 3. So, über der Zeile. 4. Sic. 5. Ob hinter ⲉⲃⲟⲗ ein Punkt stand, ist nicht zu sehen. Vermuthlich sollte auch hinter ⲛⲉⲕⲣⲟ ein Punkt stehen, der Schreiber vergafs ihn aber und trug ihn dann über der Zeile nach, und zwar aus Flüchtigkeit hinter ⲧⲉ. 6. ⲉⲃⲟⲗ scheint in einer Abkürzung über dem Zeilenende gestanden zu haben; des Raummangels wegen fehlt auch das Schlufszeichen. 7. Sic, ⲧⲉⲥ-. 8. Sic.

ⲧⲉⲡⲁϧⲏⲧ ⲉⲙⲧⲟⲛ [ⲉⲙⲟϥ: ⸺]
ϣⲉϫ•• [1]

B. 2.   13.   Ⲁⲓⲥⲙⲓⲛⲉ ⲉⲡⲟⲩⲗⲓⲁⲑⲏⲓⲁ.
ⲙⲉⲡⲛⲟⲩⲧⲉ ⲙⲓⲛϣⲡⲁⲣⲁⲃⲁ ⲙⲙⲟⲥ.
ϫⲉ-ⲙⲓⲏⲣⲥⲁⲃⲟⲗ ⲉⲡⲓⲣⲟ.
ⲙⲡⲁⲩ ⲉⲡϧⲟ ⲛϧⲣⲓⲙⲉ ϣⲁⲉⲛⲉϧ.⸗
ⲉϣⲱⲡⲉ ϣⲁⲣⲥⲱ ⲙⲡⲓⲙⲁ.
ⲱ ⲧⲁⲙⲁⲁⲩ ⲕⲱ ⲑⲏⲓⲛⲧⲉ ⲛⲏ.
ⲉϣⲱⲡⲉ ϣⲁⲣⲃⲱⲕ ⲉⲡⲟⲩⲛⲓ.
ⲉⲣⲉ ⲡⲟ̄ⲥ̄ ϫⲓⲙⲟⲉⲓⲧ ⲡⲉ [2]

14.   Ⲁⲓⲕⲱ ⲛⲧⲉϧⲣⲱⲙⲁⲛⲓⲁ ⲛⲥⲱⲓ.
ⲁⲓⲉⲓ ⲛⲉⲧⲟϣ ⲉⲧⲡⲁⲗⲁⲥⲧⲓⲛⲏ.
ϫⲓⲟⲩⲱϣ ⲧⲁⲡⲁⲩ ⲉⲡⲉⲛϧⲟ [3]
ⲁⲣⲭⲉⲗⲗⲓⲧⲏⲥ ⲡⲁϣⲏⲣⲉ ⲙⲙⲉⲣⲓⲧ.
ⲡⲉ ⲛⲉϧⲣⲓⲙⲉ ⲛⲑⲁⲗⲁⲥⲥⲁ.
ⲛⲧⲁⲓⲡⲗⲉⲁ ⲛϧⲏⲧⲟⲩ. ⸺
ϯϧⲓⲥⲉ ⲛⲁⲓ.
ⲛⲑⲉ ⲙⲡϣⲁϫⲉ ⲛⲧⲁⲛⲁⲅⲟϥ [4].
ϫⲉ-ⲙⲓⲛⲁⲩ ⲉⲡϧⲟ ⲛϧⲣⲓⲙⲉ ϣⲁⲉⲛⲉϧ: ⸺ ⲡⲁⲗⲗⲟⲥ

15.   ⲡⲁⲗⲗⲟⲥ Ⲁϫⲓⲥ ⲉⲡⲁϣⲏⲣⲉ ⲡⲁⲙⲉⲣⲓⲧ.
ϫⲓⲥ ⲛⲉⲕⲓⲃⲉ ⲛ[ⲉ]ⲧⲁⲩⲥⲁⲛⲟⲩϣⲓ.
ⲥⲉⲁϧⲉⲣⲁⲧⲟⲩ ⲉⲣⲟⲛ.
ⲉⲩⲉⲛⲟⲩⲙⲓ ⲛⲛⲁⲩ ⲉⲣⲟⲛ⸗
ⲁⲣⲭⲉⲗⲗⲓⲧⲏⲥ ⲡⲁⲙⲉⲣⲓⲧ.
ⲁⲙⲟⲩ ⲉⲃⲟⲗ.
ⲧⲁⲡⲁⲩ ⲉⲣⲟⲛ.
ⲧⲁⲁⲥⲡⲁⲍⲉ ⲙⲙⲟⲛ [5]
ⲧⲉⲡⲁⲣⲁϣⲉ ϫⲱⲛ ⲉⲃⲟⲗ [6]

---

1. Unter der letzten Zeile des Blattes.   2. Wegen des Raummangels am Zeilenende die letzten Worte in Ligatur, und kein Schlußzeichen.   3. Hier ist gewiß ein
Punkt ausgelassen; Zeilenende.   4. Lies ⲧⲁⲧⲟⲩ.   5. Der Raum am Zeilenende so
knapp, daß kaum Platz für einen Punkt blieb.   6. Kein Platz für ein Schlußzeichen.

16. Ⲃⲱⲕ ⲁϫⲓⲥ ⲉⲧⲥⲩⲛⲕⲗⲩⲧⲓⲕⲏ ⲧⲁⲙⲁⲁⲩ.
ϫⲉ-ⲁⲓⲥⲙⲓⲛⲉ ⲛⲟⲩⲇⲓⲁⲑⲏ.[1]
ⲙⲉⲡⲛⲟⲩⲧⲉ [ⲛ]ⲧⲡⲉ.
ⲁⲛⲟⲛ ⲙⲓⲛϣⲡⲁⲣⲁⲃⲁ ⲙⲙⲟⲥ.
ⲡⲁⲛⲟⲩⲥ ⲧⲁ[ⲡⲁⲧ ⲉ]ⲡⲟⲩⲣⲟ.[2]
ϩⲛ ⲧⲙⲛⲧⲉⲣⲟ ⲛⲉⲡⲛⲩⲉ.
ⲉⲓⲧⲁ•⁙••••• ⲧⲁⲡⲓⲗⲟⲅⲟⲥ.
ϩⲁⲛⲉⲛⲧⲁⲓⲁⲁⲩ: [••••]

B. 3. 17. ⲧⲛⲁ ϩⲓⲥⲉ Ⲃⲱⲕ ⲉⲛⲡϣⲁϫⲉ ⲙⲉⲧⲁⲙⲁⲁⲩ.
ϫⲉ-ⲧⲟ•••ⲃⲱⲕ ϣⲁⲧⲟⲩⲡⲁⲧⲣⲓⲥ.
ⲙⲟⲛ ⲁⲓⲧⲓ ⲛⲟⲩⲗⲟⲅⲟⲥ ⲉⲡⲛⲟⲩⲧⲉ ⲛⲧⲡⲉ:[3]
ⲛⲛⲓⲛⲁⲩ ⲉⲡⲣⲟ ⲛⲥⲣⲓⲙⲉ ϣⲁⲉⲛⲉϩ.
ⲙⲓⲛϣⲡⲁⲣⲁⲃⲁ ⲛⲇⲓⲁⲑⲏⲕⲏ.[4]
ⲧⲁⲓ ⲛⲧⲁⲓⲥⲙⲓⲛⲧⲉ ⲙⲉⲡⲛⲟⲩⲧⲉ.
ⲙⲛⲡⲟ ⲛϥϣⲱⲡⲧ ⲉⲣⲟⲓ[5]
ⲛⲥⲡⲟϫⲉ[6] ⲥⲁⲃⲟⲗ ⲉⲙⲟϥ: •••• ⲁⲗⲗⲟⲥ

18. Ⲃⲱⲕ ⲛⲉⲛϣⲁϫⲉ ⲙⲉⲡⲁϣⲏⲣⲉ.
ⲁⲣⲭⲉⲗⲗⲓⲧⲏⲥ ⲡⲉϯⲙⲉ ⲙⲟϥ.
ϫⲉ-ⲁⲛⲟⲛ ⲡⲉ ⲧⲥⲩⲛⲕⲗⲩⲧⲓⲕⲏ ⲧⲉⲕⲙⲁⲁⲩ.
ⲉⲧⲁⲓⲉⲓ ⲉⲡⲓⲙⲁ ⲧⲁⲛⲁⲩ ⲉⲣⲟⲛ.
ⲉⲓⲥ ⲛⲉⲕⲓⲃⲉ ⲛⲁⲓ ⲉⲧⲁⲕϫⲓ ⲙⲙⲟⲟⲩ.
ⲧⲛⲁⲗⲁⲩ ⲉⲧⲁⲥⲧⲱⲟⲩⲛ ϩⲁⲣⲟⲛ.
ⲥⲉⲁϩⲉⲣⲁⲧⲥ[7] ⲉⲛⲃⲟⲗ ⲉⲡⲓⲣⲟ.
ⲉⲥⲟⲩⲱϣ ⲉϣⲁϫⲉ ⲛⲉⲙ[8]

19. Ⲁ̇ⲓⲧⲁⲣⲕⲟ[9] ⲱ ⲧⲁⲙⲁⲁⲩ.
ⲉⲡⲣⲁⲛ ⲉⲡⲟ̅ⲥ̅ ⲉⲛⲉⲥⲟⲙ.
ⲉϣ[ⲱ]ⲡⲉ ϣⲁⲣⲧⲓⲣⲓⲥⲉ ⲛⲁⲓ.
ⲧⲁⲉⲉⲓ[10]ⲉⲃⲟⲗ ⲧⲁⲛⲁⲩ ⲉⲡⲟⲩⲣⲟ.
ⲁⲓⲧⲓ-ⲗⲟⲅⲟⲥ.

---

1. Sic.   2. Von ε noch ein Rest erhalten.   3. Sic.   4. Anstatt ⲛⲁ. könnte man zur Noth ⲧⲣⲁ. lesen.   5. Ohne Punkt, Zeilenende.   6. Sic.   7. Sic. 8. Abkürzung für ⲛⲉⲙⲁⲕ, wegen Raummangel am Zeilenende; daher auch kein Schlußzeichen.   9. ⲟ korrigirt aus?   10. Sic.

ⲉⲡⲛⲟ́ⲩⲧⲉ ⲛⲧⲡⲉ.
ϫⲉ-ⲙⲡⲁⲩ ⲉⲡⲣⲟ ⲉⲡ[ⲥϩⲓⲙⲉ]¹ ϣⲁⲉⲛⲉϩ.
ⲙⲓⲛϣⲡⲁⲣⲁⲃⲁ ⲙⲙⲟⲥ.
ⲧⲉⲡⲁⲕⲟⲩⲧⲉ ⲛⲟⲝ ⲉⲃⲟⲗ: ———

20. Ⲁⲓⲧⲁⲣⲕⲟⲛ ⲉⲡⲛⲟⲩⲧⲉ ⲛⲧⲡⲉ²
ⲁⲣⲭⲉⲗⲗⲓⲧⲏⲥ ⲡⲁϣⲏⲣⲉ ⲙⲙⲉⲣⲓⲧ.
ϣⲉⲛⲉϩⲧⲏⲕ ϩⲁⲣⲟⲓ ⲁⲙⲟⲩ ⲉⲃⲟⲗ ⲛⲁⲓ ⲧⲁⲛⲁⲩ ⲉⲣⲟⲕ.³
ⲁⲣⲓ-ⲡⲙⲉⲅⲉ ⲟ ⲡⲁϣⲏⲣⲉ.
ⲛⲛⲉϩⲓⲥⲉ ⲛⲧⲁⲓϣⲟⲡⲟⲩ ⲛⲉⲙⲁⲕ.
ⲉⲛⲁⲗⲏ ⲉⲝ•ⲛⲁϭⲓⲝ.
ⲉⲓⲧⲓ-ⲉⲕⲓⲃⲉ ⲉϩⲟⲩⲛ ⲉⲣⲱⲕ.
ⲉ••••ⲛⲁⲩ ⲉⲡ[ⲉⲕ]ϩⲟ.
ⲡⲁⲙⲉⲣⲓⲧ ⲡⲟⲩⲟⲉⲓⲛ ⲉⲛⲁⲃⲁⲗ[.]
••• ••• •• • ••• ••• •ⲛϭ••ⲛⲟⲩⲧⲉ: ———

B. 4. •ⲛⲉⲣϩ•••••ⲛⲣⲟⲙⲡⲉ⁴
21. Ⲥϩⲓⲙⲉ ⲛⲓⲙ ⲉⲧⲁⲩϫⲡⲉ-ϣⲏⲣⲉ.
ⲥⲱⲟⲩϩ ⲛⲧⲉⲧ[ⲛⲣ]ⲓ[ⲙⲓ] ⲛⲉⲙⲁⲓ.
ϫⲟⲩϣⲏⲣⲉ ⲛⲟⲩⲱⲧ ⲁⲓϫⲡⲟϥ.
ⲁⲛⲟⲕ ⲡⲉⲛⲧⲁⲓⲙⲡⲉϥⲙⲟⲩ ⲛⲁϥ.⸵
ϯⲟⲩⲱϣ ⲟⲩⲥⲟⲡ⁵ ⲉϣⲁⲓⲛⲁⲩ ⲉⲣⲟⲕ.
ⲙⲡⲁⲣⲁ ⲛⲉⲭⲣⲏⲙⲁ ⲧⲏⲣⲟⲩ ⲙⲡⲛⲟⲥⲙⲟⲥ.
ⲡ︤ϭ︥ⲥ ⲡⲉ ⲡⲁⲃⲟⲏⲑⲟⲥ.
ⲉⲣⲉⲡⲁⲣⲟⲟⲩϣ ⲛⲏϫ ⲉⲣⲟϥ:⁶

22. Ⲛⲉⲥϩⲓⲙⲉ ⲉⲛⲧⲁⲩϫⲡⲉ-ϣⲏⲣⲉ.
ⲥⲱⲟⲩϩ ⲛⲧⲉⲧⲛⲣⲓⲙⲓ ⲛⲉⲙⲁⲓ.
ϫⲉ-ⲟⲩϣⲏⲣⲉ ⲛⲟⲩⲱⲧ ⲁⲓϫⲡⲟϥ.
ⲁⲛⲟⲕ ⲡⲉⲛⲧⲁⲓⲙⲡⲉϥⲙⲟⲩ ⲛⲁϥ⸵
ⲁⲓϫⲟⲟⲩⲕ ⲉⲗⲁⲑⲏⲡⲉⲟⲥ.
ⲙⲉⲛⲃⲉⲣⲉⲧⲟⲥ ϫⲉⲛⲁⲛⲟⲓ ⲉⲥϩⲁⲓ.

---

1. Er hat eine Verschreibung verbessert und dabei ⲥϩⲓⲙⲉ ausgelassen. 2. Ohne Punkt wegen Raummangels. 3. Offenbar zwei oder drei Verszeilen, doch wage ich nicht, sie zu trennen. 4. Überschrift wie bei A.1, B.1; vor ⲛ fehlt kaum etwas. 5. Wohl nicht ⲉⲩⲥⲟⲛ. 6. Für das ganze Schlußzeichen fehlte der Raum.

ⲁⲕⲕⲁ-ⲡⲁⲓ ⲧⲏⲣⲟⲧ ⲛⲥⲱⲕ.
ⲁⲕⲃⲱⲕ ⲁⲕⲉⲣⲙⲱⲛⲁⲭⲟⲥ: ——— ϣⲟⲛⲧ ⲉⲣⲱϥ

23. Ⲁ̀ⲓⲥⲉⲕ-ⲡⲛⲟϭ ⲉⲡⲉⲗⲁⲅⲟⲥ.
ⲝⲓⲛ ⲉⲧⲡⲟⲗⲓⲥ ⲟⲣⲱⲙⲛ.
ⲁⲓⲉⲓ ϣⲁⲣⲟⲛ.
ⲁⲣⲭⲉⲗⲗⲓⲧⲏⲥ ⲡⲁϣⲏⲣⲉ ⲛⲟⲧⲟⲧ.
ⲡⲟⲧⲟⲉⲓⲛ ⲉϥϭⲓⲛⲁⲃⲁⲗ.ⲋ
ⲁⲛⲟⲕ ⲁⲓⲕⲕⲁⲓ ⲧⲏⲣⲟⲧ ⲉⲝⲱⲓ.
ⲱ ⲡⲁϣⲏⲣⲉ ⲁⲣ[ⲭⲉⲗ]ⲗⲓⲧⲏⲥ.
ⲁ̀ⲣⲟⲓ ⲁⲛⲟⲕ ⲉⲡⲓⲥⲟⲟⲩⲛ ϩⲟⲩ•••ⲉⲓ[1]
ⲁⲓⲛⲛⲡⲉⲕⲙⲟⲩ[2] ⲛⲁⲕ: ———

24. Ⲃⲓⲁⲧⲕ [ⲉ]ϩⲣⲁⲓ[3] ⲧⲉⲕⲛⲁⲧ ⲉⲡⲁϩⲟ.
ⲁⲣⲭⲉⲗⲗⲓⲧⲏⲥ ⲡⲁϣⲏⲣⲉ ⲙⲙⲉⲣⲓⲧ.
ⲁⲛⲟⲕ ⲡⲉ ⲧⲥⲩⲛⲕⲗⲩⲧⲓⲕⲏ ⲧⲉⲕⲙⲁⲁⲧ[4]
ⲛⲧⲁⲓⲉⲓ ⲉⲡⲓⲙⲁ ⲧⲁⲛⲁ[ⲧ ⲉ]ⲣⲟⲕ.ⲋ
ⲛⲡⲁ[5]ⲛⲧⲁⲓⲉⲓ ⲧⲁⲛⲁ[ⲧ] ⲉⲣⲟⲕ.
ⲧⲉ•ⲛ•ⲓⲝⲓ•••••• ⲉⲣⲟⲓ.
ⲁⲓⲉⲓ ϣⲁⲣⲟⲕ ⲡⲁϣⲏⲣⲉ ⲙⲙⲉⲣⲓⲧ[6]
ⲙⲉⲓⲛⲁⲧ•••••ⲙⲟⲩ: ———

---

1. Das ꜣ stände vor ⲥⲟⲟⲩⲛ, mit dem eine neue Zeile beginnt, am Rande, wie eine Korrektur. — Hinter ⲉⲓ wohl kein Punkt. 　2. Streiche ein ⲛ. 　3. Hinter ⲉϩⲣⲁⲓ noch der Rest eines Zeichens? 　4. Ob ein Punkt stand, ist nicht zu sehen (Zeilenende). 5. Oder ⲙⲛⲁ? 　6. Punkt nicht sichtbar.

Von der folgenden Strophe (25) sind nur noch einzelne Worte lesbar: (7 Buchstaben) ⲛⲡⲓ ⲁⲥϣⲱ (10 Buchstaben) ⲛⲟⲩϣⲏⲣⲉ (13 Buchstaben) ϣⲏⲣⲉ ⲛⲟⲩⲱ[ⲧ] (24 Buchstaben) ⲁϩⲣⲟⲛⲁⲟⲕ (25 Buchstaben) ⲁⲛ (23 Buchstaben bis zum Schlufs der Seite).

Dafs der Text in der Hauptsache aus Wechselreden zwischen einem heiligen Archellites und seiner Mutter Tsynklytike[1] besteht, die ihn im Kloster aufsucht und die er nicht wiedersehen will, sieht man leicht,

---

[1] Der ⲁⲣⲭⲉⲗⲗⲓⲧⲏⲥ (in Vers 12: ⲁⲣⲭⲧⲗⲗⲓⲧⲏⲥ) ist ein Ἀρχυλίδης, die ⲧⲥⲩⲛⲕⲗⲩⲧⲓⲕⲏ eine Συγκλητική. Da dieser letztere Name hier stets den Artikel hat, mufs der Verfasser unseres Textes sich noch seiner Bedeutung bewufst gewesen sein.

2*

aber wäre uns nicht (worauf mich Oscar von Lemm hinwies) die Geschichte dieses Heiligen im Synaxarium erhalten, so würde es schwerlich
jemandem glücken, alles zu errathen, was zwischen diesen einzelnen Reden
geschieht und sie veranlafst. Ich mufs daher zunächst mittheilen, was der
koptische Heiligenkalender unter dem 14. Tybi, dem Todestage unseres
Heiligen, berichtet; ich gebe unten (S. 22) den arabischen Text nach den
Göttinger Hss., deren Abschrift ich der Güte Pietschmann's verdanke.
Eine vollständige Übersetzung findet sich in Wüstenfeld's Synaxarium
S. 237 ff.

Arschelides entstammte einer vornehmen Familie Roms und war der Sohn
eines Johannes und einer *Seklatika* (var. *Scheklatiki*), die beide fromm waren.

*Als er sein zwölftes Lebensjahr erreicht hatte, ging sein Vater in Frieden
zur Ruhe, und seine Mutter beschlofs, ihn zu verheirathen, er wollte es aber nicht.
Da rieth sie ihm, zum König zu gehen und die Stelle seines Vaters zu nehmen,
und sie sandte zwei von seinen Dienern mit ihm und viele Geschenke, dafs er
sie dem Könige bringe und die Stelle seines Vaters nehme*[1].

Auf dieser Reise leidet der Jüngling Schiffbruch, rettet sich aber allein
an den Strand, und hier ist es, wo ihm ein vom Meere ausgespülter
Leichnam die Nichtigkeit *dieser vergänglichen Welt* und das ما آل الناس اليه
so vor Augen führt, dafs er der Welt zu entsagen beschliefst.

*Dann lief er schnell und begab sich nach einem Kloster, das dem heiligen
Rumanius (var. Rumanus) geweiht war, und blieb in ihm, nachdem er ihnen
gegeben hatte, was ihm noch an Schätzen und an Kleidern geblieben war.*

Dort kasteite er sich und gelangte *zur äufsersten Vollkommenheit, und der
Herr gab ihm die Gnade, Kranke zu heilen, und wer zu ihm kam von sämmt-
lichen Krankheiten, über dem betete er und er wurde geheilt. Er machte mit dem
Messias einen Vertrag, dafs er kein Frauengesicht sehen werde.*

*Als eine Zeit vorbei war und die Nachricht von ihm bei seiner Mutter aus-
blieb und sie nicht wufste, was mit ihm geschehen war, so meinte sie, er sei
gestorben und trauerte sehr über ihn.*

*Dann baute sie eine Herberge (funduk) und stiftete sie für die Fremden
und Reisenden, darin einzukehren. Dann machte sie ein Zimmer darin und
bewohnte es.*

---

[1] Es sind etwa die Verhältnisse des vierten Jahrhunderts vorausgesetzt, da der Kaiser
nach dem folgenden in Konstantinopel residirt.

Eines Tages hörte sie, wie ein Kaufmann dem anderen von dem heiligen Arschelides erzählte und von seiner Heiligkeit und seiner Frömmigkeit und von der göttlichen Gnade[1], die er hatte. Dann beschrieb er sein Wesen und seine Abzeichen. Da machte sie sich an den Kaufmann und erfuhr (?) von ihm über ihren Sohn und erkannte, dafs es ihr Sohn war. Da machte sie sich augenblicklich auf und reiste zu dem Kloster. Sie sandte zu ihm, ihm ihre Ankunft zu melden und die Zusammenkunft mit ihm zu erstreben. Da sandte er und sagte ihr, dafs er sich gegen den Herrn, den Messias, verpflichtet habe, keineswegs ein Weibergesicht zu sehen und dafs es ihm unmöglich sei, die Verpflichtung zu übertreten. Da wiederholte sie ihm ihre Bitte und beschwor ihn, dafs sie ihn sähe, und liefs ihn wissen, dafs, wenn er nicht mit ihr zusammenkäme, sie in die Wüste gehen würde, dafs die Thiere sie fräfsen. Als er erkannte, dafs sie ihn nicht verlassen würde und dafs er die Verpflichtung, welche er mit dem Messias eingegangen war, nicht übertreten werde, so betete er und bat den Herrn, den Messias, dafs er seine Seele nähme. Dann sagte er zu dem Thürhüter: »bitte sie, einzutreten«, und der Herr nahm seine Bitte an und erhörte sein Gebet und nahm seine geheiligte Seele.

Als sie zu ihm eintrat, fand sie, dafs er seine Seele schon hingegeben hatte, und sie schrie mit lauter Stimme und weinte. Dann bat sie den Herrn, dafs er auch ihren Geist empfinge, und der Herr nahm ihre Bitte an und nahm ihren Geist.

Beim Begräbnifs aber kam aus dem Leibe des Heiligen eine Stimme und bat, sie beide in einem Grabe beizusetzen, wie es denn auch geschehen ist.

So die Fassung des Synaxariums. Wo unser Gedicht beginnt, steht Archellites an der Pforte des Klosters des Romanus und der Vorsteher befiehlt, ihn einzulassen:

> 1. *Öffnet ihm und führt ihn herein,*
> *stellt ihn hin vor mich,*
> *dafs ich sein Gesicht sehe, von wannen er ist.*
> *Der Vorsteher sagte:*
> *ich vergleiche[2](?) sein Haupt der Art der Engel*
> *und[3] ich setze ihn in das Kloster.*

---

[1] Nämlich seiner Heilkraft.

[2] Das etwa mag die Wendung »ich gebe sein Haupt dem σχῆμα ·der Engel· bedeuten, die ich sonst nicht kenne.

[3] Der Sinn ist gewifs: »weil er mir wie ein Engel erscheint, nehme ich ihn auf«, aber wie sind diese Konjunktive, denen kein anderes Verb vorhergeht, zu erklären? Die Fälle elliptischen Gebrauchs des Konjunktivs, die Stern, Gramm. § 446 aufführt, sind nicht ähnlich.

Heilungen werden durch ihn geschehen
und alle Leute werden seinen Ruhm sagen.

Der Heilige bittet ihn, ihn unter die Mönche aufzunehmen:

2. *Ich rufe dich an, mein Vater,*
   du Vorsteher dieses Klosters.
   Du sollst mich zum Mönche bei dir machen,
   dafs ich unter dem Schatten des . . . bleibe.
   Mein Herr und Vater[1] wirf mich nicht heraus,
   denn du wirst Rechnung für mein Blut ablegen.
   Gott vom Himmel ist mein Helfer,
   meine Sorge ist auf ihn geworfen.

Ohne weiteres wird nun der Schauplatz der Handlung nach Rom verlegt,
wo die Synklytike um ihren Sohn klagt. Sie hatte ihn (es ist das eine
Abweichung von der arabischen Fassung) »zur Schule« geschickt oder wie
Vers 22 es genauer ausführt, »nach Athen und Beryt, um schreiben zu lernen«
und nun ist er verschollen[2].

3. *. . . ich . . . . . zum schreiben[3],*
   was ist . . . .?
   Archellites, mein lieber Sohn,
   dessen Name süfs ist für meinen Mund[4].
   . . . . .[5]
   bin ich täglich getröstet, wenn ich dein Gesicht sehe.
   Die Habe deines Vaters genügt mir und dir.
   Grofs ist mein Kummer.

4. *Wenn ein Mann in die Fremde geht*
   und er verbringt ein Jahr, so kehrt er zu seinem Hause zurück.
   Archellites ging zu der Schule —

---

[1] Das Fehlen des Artikels in ειωτ ist merkwürdig.

[2] Das Motiv, dafs der heilige Jüngling zum Studium nach Beryt geschickt wird, aber
lieber ins Kloster geht, findet sich im Synaxarium in der Geschichte von Johannes und Arcadius,
die mit der unseren auch sonst Verwandtes hat (Synaxarium, übers. von Wüstenfeld S. 124).

[3] Vielleicht ist zu lesen ϫοοⲧⲕ ⲉϭⲁⲓ, und die Mutter klagt wie in 22 darüber,
dafs sie ihn zur Erlernung des Schreibens ausgeschickt habe.

[4] Gegen die Grammatik, aber doch sicher so gemeint. Ebenso unten in 7, 11, 12 und 23.

[5] Es stand wohl etwa: Wenn du zurückkehrst, so bin ich getröstet, denn ich habe
ja für uns beide genug zu leben.

seit vielen Tagen sah ich nicht sein Gesicht.
Wenn du lebst, mein lieber Sohn,
so wird dich der Herr zu mir zurückführen[1],
wenn aber,[2] du gestorben bist,
so möge der Herr mit dir Mitleid haben.

5. *Ich traure um dich, mein lieber Sohn,*
Archellites, den ich liebe,
dessen Name süfs ist für meinen Mund,
aufser dem ich keinen habe.
Meine Brüder und meine Bekannten,
mögen sie mit mir trauern und klagen
über den Tod meines lieben Sohnes,
[ich weifs nicht][3], was [ihm] begegnet ist.

Damit endet das erste Bruchstück; 10 Strophen, wenn nicht mehr, sind verloren gegangen. Synklytike hat ihre Herberge gegründet und (hier entfernen wir uns wieder von der arabischen Fassung) »heilige Väter«, also wohl Mönche[4], sind bei ihr eingekehrt. Sie hören von jemand, der an einer Krankheit gestorben ist, und erzählen daraufhin von dem Wunderthäter.

6. *Ach hätte[5] dieser doch gehen können*
zum Kloster des Apa Romanus,
zu diesem Heiligen, Namens Archellites,
und er hätte ihn angerufen[6]
und er hätte zu Gott für ihn gebetet,
(so) richtet ihn die Genesung auf,
denn Gott vom Himmel
ist mit ihm.

---

[1] сто hat hier gewifs diese Bedeutung, die für das B. ᴛᴀᴄⲱ die gewöhnliche ist, vergl. auch unten S. 33.

[2] ⲟⲛ heifst in diesem Text auch »aber«, vergl. auch Vs. 10.

[3] Lies etwa ⲙⲓⲉⲓⲙⲉ.

[4] Falls das »heiliger Vater« nicht etwa bei diesen späteren Kopten nur zu einer ehrenden Bezeichnung — etwa wie heute ‎أبونا‎ — geworden ist, vergl. unten S. 30 und S. 35.

[5] Die auffallende Verbindung ⲉⲛⲉ ⲛⲧⲁ- hat Stern, Gramm. § 630 schon belegt. Nur durch die dichterisch lebhafte Sprache läfst es sich erklären, dafs sich an dieses Perfectum das praesentische ⲩⲁⲣⲉ- schliefsen kann; man erwartet: »es hätte ihn die Heilung aufgerichtet«.

[6] ⲝⲁⲣⲁⲕⲁⲗⲉⲓⲛ.

Synklytike merkt, dafs es ihr Sohn ist und will auch zu ihm, dafs er sie von ihrer Krankheit, dem Kummer, heile.

> 7. *Ich bitte euch, meine heiligen Väter,*
> *sagt mir den Ort, wo dieser Mann weilt,*
> *dafs ich gehe und ihn anrufe;*
> *vielleicht richtet mich sein Mitleid auf.*
> *Eine Krankheit ist ja[1] in meinem Innern,*
> *seit vielen Tagen kenne ich ihre . . .[2] nicht;*
> *dafs ich gehe und ihn anrufe;*
> *vielleicht richtet mich die Genesung auf.*

Die Väter warnen sie vor diesem nutzlosen Beginnen:

> 8. *Du Weib, wir . . . ein . . . auf ihn[3]:*
> *du kannst nicht zu jenem Orte gehen.*
> *Es sind viele . . .[4] auf dem Weg*
> *und weiter . . . [schauen]*
> *. . .[5] den Heiligen, Namens Archellites,*
> *er sieht ewiglich kein Weibergesicht.*

Sie aber beharrt auf ihrem Entschlufs und geht zum Erzbischof, ihm ihre Habe anzuvertrauen.

> 9. *Bitte für mich, du Erzbischof,*
> *und so gehe ich nach der Romania.*
> *Ich habe ja von Archellites gehört,*
> *dafs er ein grofser Vollkommener geworden ist.*
> *Und ich gehe und werde Nonne bei ihm*
> *und meine Freude wird voll.*

> 10. *Mein Vater, du Erzbischof,*
> *nimm[6] meine Schätze und lege sie zu dir.*

---

[1] Dies ⲙⲟⲛ, das auch in Vers 9. 10. wiederkehrt, wird wohl ⲙⲟⲛⲟⲛ sein, das aber eine leise begründende Bedeutung angenommen zu haben scheint.

[2] ⲧⲱⲙ.

[3] Man mufs wohl lesen: ⲉⲛⲧ[ⲓ ⲟ]ⲅⲥⲛⲉⲟⲥ ⲉⲣⲱϥ, was ich aber nicht verstehe.

[4] ⲗⲏⲣⲓⲟⲛ; man erwartet: Räuber, wilde Thiere oder ähnliche Schrecknisse. Ob ⲑⲏⲣⲓⲟⲛ zu lesen ist?

[5] Der Sinn ist natürlich: »und selbst wenn du hingelangst, so kannst du den Heiligen doch nicht sehen«. Demnach ist [ϭⲱ]ϣⲧ zu lesen, aber weiter wage ich nicht zu ergänzen.

[6] Das Wort ist aus dem Boheirischen bekannt; dafs es auch sahidisch vorkommt, habe ich von O. von Lemm erfahren, der die Belege in der Festschrift für Ebers mittheilen wird.

Es haben mir ja Leute bezeugt,
dafs mein Sohn Archellites lebt.
Wenn ich gehe und umkehre und zurückkomme,
so gebe ich einen Theil an die Kirche[1];
wenn ich aber gehe und bei ihm bleibe,
so gieb sie den Armen und den Waisen.

Zwischen diesen letzten Versen und dem Anfang des dritten Bruchstückes fehlen mindestens 5 Strophen. Synklytike ist zum Kloster gekommen und sendet einen Boten zu ihrem Sohne, ihn herauszurufen, er aber
weigert sich zu kommen. Ob dieses Gespräch bei Vers 11 erst beginnt, wie
man zunächst denkt, bleibe dahingestellt; es ist sehr wohl möglich, dafs sie
sich das Alles schon einige Male vorher gesagt haben, wie sie es sich ja
auch nachher noch einige Male sagen.

11. Synklytike: *Der Leib, der dich getragen hat,*
  und diese Brüste, die du genommen hast,
  sie sind diese, die[2] dich suchen,
  Archellites, mein Geliebter.
  Ich beschwöre dich bei den Schmerzen,
  die Christus für uns erlitten hat,
  dafs[3] du herauskommst, und dafs ich dein Gesicht sehe,
  dafs meine Freude voll werde.

12. *Geh und sage zu Archyllites:*
  Deine Mutter ist's, die an deiner Thür steht.
  Ich bin zu dir gekommen, dafs ich dein Gesicht sehe.
  Wenn ich dich sehe, mag ich sterben.
  Komm heraus, mein Geliebter,
  und gieb meiner Seele Trost,
  dafs ich dein Gesicht sehe,
  dafs mein Herz sich beruhige.

---

[1] Nämlich als Dank für die Aufbewahrung.

[2] Dieselbe ungrammatische Verbindung wie in 3,'7 und wie im folgenden Verse.

[3] Auch von dieser Verwendung der Conditionalpartikel ⲉϣⲱⲡⲉ weifs das ältere Koptisch
nichts. Nach unserer Stelle und der ihr parallelen, Vers 19, giebt es also:

   ⲧⲓⲧⲁⲣⲕⲟ ⲙⲙⲟⲕ ⲉϣⲱⲡⲉ ⲩⲅⲁⲕⲉⲓ ⎱ = ich beschwöre dich,
wörtlich: »ich beschwöre dich, wenn du kommst« ⎰ nicht zu kommen

   ⲧⲓⲧⲁⲣⲕⲟ ⲙⲙⲟⲕ ⲉϣⲱⲛ ⲙⲉⲕⲉⲓ ⎱ = ich beschwöre
wörtlich: »ich beschwöre dich, wenn du nicht kommst« ⎰ dich, zu kommen.

13. Archellites: *Ich habe einen Vertrag gemacht
    mit Gott, ich kann ihn nicht übertreten,
    daß ich nicht aus dieser Thür herausgehe
    und kein Weibergesicht ewiglich sehe.
    Wenn du hier bleibst,
    o meine Mutter, so habe[1] das Kloster;
    wenn du zu deinem Hause gehst,
    so weist der Herr dir den Weg.*

14. Synklytike: *Ich ließ die Romania hinter mir[2],
    ich kam zu den Gauen von Palaestina,
    denn ich will dein Angesicht sehen,
    Archellites, mein lieber Sohn.
    Nicht haben die Fluthen des Meeres,
    auf denen ich gefahren[3] bin,
    mir (solchen) Schmerz bereitet,
    wie dies Wort, das du geredet hast:
    »ich sehe kein Weibergesicht ewiglich«.*

15. *Sage meinem geliebten Sohn:
    Sieh, die Brüste, die dich ernährt haben,
    sie stehen an deiner Thür,
    sie begehren dich zu sehen.
    Archellites, mein Geliebter,
    komm heraus,
    daß ich dich sehe,
    daß ich dich grüße,
    daß meine Freude voll werde.*

16. Archellites: *Geh und sage zu Tsynklytike, meiner Mutter:
    »ich habe einen Vertrag gemacht
    mit Gott vom Himmel.*

---

[1] So wörtlich, falls der Text richtig ist.

[2] Nämlich auf meiner durch die R. führenden Reise. Es ist wohl hier so dem Wortlaut entsprechend zu übersetzen; gewöhnlich verwendet man aber ⲕⲱ ⲛ̄ⲥⲁ einfach für »verlassen«.

[3] ⲛ̄ⲡⲗⲉⲁ; auf diese eigenthümliche Umbildung von ⲡⲗⲟⲓ̈ⲛ hat schon Revillout in seinen »Mélanges d'épigraphie« (in den Mélanges d'Archéologie égyptienne et assyrienne II, 167) hingewiesen. Auch ⲛ̄ⲡⲗⲁⲁ findet sich in der unlängst von Turajeff herausgegebenen Grabschrift (Kais. Russ. Archaeolog. Gesellsch. 1896 S. 79).

Ich kann ihn nicht übertreten.
Es ist gut, dafs¹ ich dein Angesicht sehe
in dem Königreich der Himmel
.... und ich lege Rechnung ab
von dem, was ich gethan habe.

17. *Geh und sprich mit meiner Mutter:*
Du(?) gehst zu deinem Vaterland.
Ich habe Gott vom Himmel gelobt²:
»ich werde kein Weibergesicht ewiglich sehen«.
Ich kann diesen Vertrag nicht übertreten,
den ich mit Gott geschlossen habe,
damit er mir nicht zürne
und mich(?)³ von ihm verstofse.

18. Synklytike: *Geh und sprich mit meinem Sohne,*
Archellites, den ich liebe:
Ich bin die Synklytike, deine Mutter,
die ich hierher gekommen bin, dafs ich dich sehe.
Sieh, diese Brüste, die du genommen hast,
der Leib, der dich getragen hat,
sie stehen vor dieser Thür
und wollen⁴ mit dir reden.

19. Archellites: *Ich habe dich beschworen, o meine Mutter,*
bei dem Namen des Herrn der Heerscharen,
dafs du mich nicht quälst,
dafs ich herausgehe und dein Gesicht sehe.
Ich habe gelobt
Gott vom Himmel:
»ich sehe ewiglich kein Weibergesicht«.

---

¹ Der Sinn wird sein: wenn ich dich jetzt im Leben sehen würde, so würde ich den Himmel und damit auch die Hoffnung, dich ewig zu sehen, verlieren.

² Dies mufs hier und in 19 ⲧⲛⲟⲩⲗⲟⲅⲟⲥ und ⲧⲗⲟⲅⲟⲥ nach dem Zusammenhang heifsen, im Unterschied von ⲧⲗⲟⲅⲟⲥ »Rechenschaft ablegen« das in Vers 2 und 16 vorkommt.

³ Dafs ⲛⲉⲛⲟⲝⲉ in ⲛϥⲛⲟⲝⲉ zu verbessern ist, wird durch Vers 19 wahrscheinlich. An beiden Stellen habe ich übersetzt, als stände nicht ⲛⲟⲝⲉ oder ⲛⲟⲝⲉⲃⲟⲗ »dich verstofsen« sondern ⲛⲟⲝⲧ »mich verstofsen«, wie das ja der Zusammenhang fordert. Sprach man etwa das Suffix *et* damals *t*? in Vers 2 schreibt er freilich korrekt ⲛⲟⲝⲧ.

⁴ Oder — je nachdem man die Confusion des Textes so oder so ändert — »er (der Leib) steht ... und er will ....«,

3*

Ich kann es nicht übertreten,
daſs mich mein Gott nicht verstoſse[1]*.*

20. Synklytike: *Ich habe dich bei Gott vom Himmel beschworen,*
    Archelliles, mein lieber Sohn,
    habe Mitleid mit mir,
    komm heraus zu mir, daſs ich dich sehe.
    Gedenke, o mein Kind,
    an die Schmerzen, die ich mit dir erlitt,
    als ich dich auf meinen Händen trug (?)[2]
    und deinem Munde die Brust gab.
    ...... dein Gesicht sehe,
    mein Geliebter, du Licht meiner Augen,
    ...... Gott ......

Daſs zwischen diesen Worten der Mutter und den folgenden nun die
Katastrophe liegt, das scheinbare Nachgeben des Heiligen, sein Gebet, Gott
wolle ihn zu sich nehmen, und sein Tod, würde niemand aus unserem Ge-
dichte allein ersehen. Erst durch den arabischen Text erkennt man die
folgenden Verse als die Totenklage der Mutter und versteht es, warum sie
sich in ihnen anklagt, daſs sie selbst ihrem Sohne den Tod gebracht habe.

21. *Alle ihr Frauen, die ihr Kinder gebart,*
    sammelt euch und weint mit mir,
    denn einen einzigen Sohn gebar ich
    und ich war es, die ihm seinen Tod brachte.
    Ich wünsche mehr, dich einmal zu sehen
    als alle Schätze der Welt.
    Der Herr ist mein Helfer,
    meine Sorge ist auf ihn geworfen.

22. *Ihr Frauen, die ihr Kinder gebart,*
    sammelt euch und weint mit mir,
    denn einen einzigen Sohn gebar ich
    und ich war es, die ihm seinen Tod brachte.
    Ich habe dich nach Athen[3] *geschickt*

---

[1] Eigentlich »und so verstöſst mich Gott«, als ginge vorher: »ich übertrete es«.
[2] Ich denke an ⲉⲕⲁⲗⲏⲧ ⲉⲝⲏⲛⲁⲥ̄ⲧⲝ; ⲉϥⲁⲗⲏⲧ sagt auch der Physiologus (ÄZ. 1895, 56)
vom Vogel auf dem Baume.
[3] ⲁⲑⲏⲛⲉⲟⲥ (d. h. eigentlich wohl Ἀθηναῖος) und ⲫⲉⲣⲉⲧⲟⲥ.

und nach Berytos, damit du schreiben lerntest[1].
Du hast alles dieses verlassen,
du gingst und wurdest Mönch.

23. *Ich habe dies grofse Meer durchfahren (?)*[2]
von der Stadt Rom an,
ich bin zu dir gekommen,
Archellites, mein einziger Sohn,
du Licht, das in meinen Augen ist.
Ich habe dies Alles über mich gebracht,
o mein Sohn Archellites
Warum . . . ich . . .
ich habe dir deinen Tod gebracht.

24. *Blicke auf und sieh mein Gesicht,*
Archellites, mein lieber Sohn.
Ich bin Tsynklytike, deine Mutter,
die ich hierher kam, dafs ich dich sähe.
. . . . . . die ich kam, dafs ich dich sähe,
. . . . zu mir.
Ich kam zu dir mein lieber Sohn,
ich sehe nicht . . . . . . Tod.

Wie man sieht, ist es für das Verständnifs all dieser locker an einander gereihten Reden nothwendig, dafs man sich den Gang der Handlung
ständig vor Augen hält. Man kann daher nicht wohl bezweifeln, dafs der
Vortrag unserer Verse einst noch von einer gleichzeitigen Wiedergabe der
Legende begleitet war, die ihn erst ganz verständlich machte. Und da
weiter, wie unten (S. 43) dargelegt ist, die Beischriften einzelner Strophen
diese als selbständige Lieder mit besonderer Melodie kennzeichnen, so wird
unser Text eben nur das enthalten, was bei der Vorführung der Archellites-
geschichte gesungen wurde.

Es liegt uns nun am nächsten, uns diese Vorführung als eine drama-
tische zu denken; Schauspieler stellen die Geschichte des Heiligen dar, indem sie die gewöhnlichen prosaischen Gespräche improvisiren, aber die
besonders rührenden Reden singen. Indessen darf man eine Stelle unseres
Textes nicht übersehen, die diese Erklärung mindestens erschwert. Das ist

---

[1] voeîv.

[2] cwꞅ in dieser Bedeutung ist mir nicht bekannt.

Vers 1, in dem ein *der Vorsteher sagte* mitten im Verse ganz wie ein Stück
Erzählung aussieht[1]. Ich möchte daher einer anderen Auffassung den Vor-
zug geben, bei der diese Stelle weniger anstößig ist: die Geschichte wird,
etwa von einem öffentlichen Erzähler, frei vorgetragen sein, der seine Prosa
dann an den Hauptstellen durch Gesang dieser Verse unterbrach. Das wäre
dann dieselbe Art, in der noch heute in Kairo die Geschichten von Abu
Zeid vorgetragen wurden[2].

Der arabische Text der Archellites-Geschichte.

اليوم الرابع عشر من طوبه¹ فى هذا اليوم تنيح الاب القديس المجاهد² ارشيلدس³
هذا كان من اولاد اكابر رميه⁴ واسم⁵ ابيه يوحنا واسم امه سكلاتيكا⁶ وكان كلاهما باربن⁷
قدام الله تعالى⁸ᵃ سالكين فى وصاياه بغير عيب عيب فلما بلغ⁸ᵇ عمره اثنى عشر سنه تنيح والده
بسلام⁹ فقصدت والدته ان تزوجه فلم يفعل فاشارت عليه ان يمضى الى الملك وياخذ مكان¹⁰
ابيه وقد¹¹ ارسلت معه غلامين من غلمانه وهدايا كثيرة ليقدموها الى الملك وياخذ وضيعت
ابوه¹² فلما توسطوا البحر هاج عليهم ريح شديد¹³ وانكسرت السفينة فتعلق القديس ببعض
خشب المركب¹⁴ فاوصله الى البر فلما صعد وجد انسانا ميتا¹⁵ قد طرحه البحر¹⁶ فجلس يبكى
عليه ويفكر فيما ال الناس اليه¹⁷ فجعل يخاطب نفسه ويقول لها ما لى ومال¹⁸ هذا العالم
الزايل وبعد هذا اموت واصى الى التراب ثم نهض وصلا وطلب من السيد المسيح له المجد
ان يهديه الى الطريق¹⁹ المستقيمه ثم اندفع الى²⁰ المشى وقصد بعض²¹ الدياره الذى²² على
اسم القديس رومانيوس²³ فاقام فيه بعد ما اعطام²⁴ ما كان فضل معه من²⁵ المال ومن الكسوه
ثم سلك الطريق الضيقه الصعبه المحزنه فى الشقشق²⁵ من الماكول وكان يغتدى ببقول الارض²⁶ لا غير

Der Text nach der Göttinger Handschrift, Ms. arab. 112. Ich gebe die wesentlichen
Varianten der anderen Göttinger Handschrift, Ms. arab. 113.

1. Ohne اليوم. 2. Die Titulatur des Heiligen ist hier انبا المجاهد.
3. ارشيلدس wie 112 auch weiter unten giebt. 4. رميه مدينه. 5. واسم.
6. شكلاتيكى. 7. وكانا باربن كلهما. 8a. Ohne تعالى. 8b. لما بلغ من. 9. بسلام.
10. موضع fehlt. 11. Nur و. 12. Wohl für ابيه; وضعه 113 hat nur ليقدمها الملك.
13. عليهم باربح شديده. 14. خشبها. 15. ميبت. 16. الموج. 17. ثم ارتدكم.
18. مالى انا وملك (ohne اليه). 19. السيد يسوع المسيح يهديه للطريق.
20. فى. 21. فاتا الى احد. 22. Ohne الذى. 23. رومانيوس. 24. ما قد كان معه من.
25. Lies التقشف wie auch 113 hat; für من hat es فى. 26. Nur ببقول.
فضلة.

---

[1] Die ungezwungene Erklärung der Stelle ist: [der Vorsteher sagte:] *Öffnet ihm und
bringt ihn hin vor mich.* [Er ward hineingebracht.] *Der Vorsteher sagte: Er sieht ja wie ein
Engel aus* u. s. w.

[2] Vergl. Lane, Manners and customs II 117.

فوصل الى حد الكمال واعطاه الرب سبحانه نعمة شفا لمرضى²⁷ وكان كلمن²⁸ يقصده من ساير
الامراض فيصلى عليه فيشفا²⁹ وقرر مع المسيح له المجد³⁰ ان لا يبصر وجه امراة فلما كملت
له مدة³¹ وابطا خبره عن³² والدته وهو تعلم ما كان من امره فظننت³³ انه³⁴ مات فحزنت
عليه حزنا كثيرا³⁵ ثم بنت فندق واوقفته برسم الغربا والمسافرين ينزلوا فيه ثم عملت³⁶
فيه حجرة سكنتها وفى³⁸ بعض الايام سمعت بعض التجار يحدث صاحبه³⁹ باخبار القديس
ارشليدس وقدسه ونسكه ونعمة الله تعالى³⁹ التى عليه ثم وصف صفته واماره فاجتمعت بالتاجر
وتقصة⁴⁰ منه على⁴¹ ولدها وتحققت انه ولدها⁴² فنهضت من ساعتها وسارت الى الدير وارسلت
اليه تعرفه بوصولها وتقصد الاجتماع به فارسل يقول لها انه قد عاهد السيد المسيح له
المجد⁴³ انه لا يبصر⁴⁴ وجه امراة لبتة⁴⁵ وانه ما بقا⁴⁶ يمكنه فسخ العهد فكررت عليه السوال⁴⁷
واستحلفته ان تبصره وتعرفه انه⁴⁸ اذا لم يجتمع بها⁴⁹ والا مضت الى المرية باكلوها الوحوش
فلما عرف انها لا تتركه وانه لا يفسح العهد الذى قرره مع المسيح فصلى وطلب من السيد
المسيح له المجد⁵⁰ ان ياخذ نفسه ثم قال للبواب دعها⁵¹ تدخل فقبل الرب سبحانه⁵² سواله
واستجاب صلاته⁵³ واخذ نفسه المقدسة فلما دخلت اليه⁵⁴ وجدته قد اسلم نفسه
فصرخت⁵⁵ باعلا صوتها وبكت ثم سالت الرب سبحانه⁵⁶ ان يقبض روحها ايضا⁵⁷ فقبل الرب
سبحانه⁵⁸ سوالها واخذ روحها ولما قصدوا ان يجنزوه⁵⁹ طلبوا ان يفرقوا بينهما⁶⁰ فاتاهم من
جسده صوت⁶¹ يقول اتركوا جسدى مع جسد والدتى لاى لم ادلب قلبها ان تنظرنى فى
الحياة⁶² فجعلوا الاثنين جميعا⁶³ فى قبر واحد واظهر الله تعالى⁶⁴ من جسد القديس اشفية
كثيرة لجميع الامراض صلواته تكون معنا ومع المهتم والناسخ⁶⁵ امين

---

27. Lies mit ١١٣ شفى المرضى. 28. فكان كل مريض. 29. فيشفى. 30. مع المسيح.
أخذت. 31. Nur فلما ملت. 32. على. 33. فظننت. 34. انه قد. 35. عظيما. 36. وعاقده.
37. فى. 38. فسكنتها فى. 39. يخاطب صاحبا له. 39. تعالى Ohne. 40. وتقصدت. 41. عن.
42. ابنها. 43. Nur عاهد المسيح. 44. ينظر. 45. لبتة fehlt. 46. Nur ما.
يلدعها. 47. فكررت السوال له. 48. ينظرها وتهدده بانها. 49. به. 50. من المسيح. 51.
52. سبحانه fehlt. 53. Erst صلاته, dann سواله. 54. امه. 55. الروح صرخت.
56. الله. 57. فى ايضا. 58. الله. 59. يجنزوم. 60. بينهم. 61. صوت من جسده.
62. تبصرنى Nur. 63. Ohne جميعا. 64. تعالى Ohne. 65. Nur صلواته معنا.

II. Ein Mährchen von Salomo.

Die Texte II—IV sind den Resten einer Sammelhandschrift entnommen, in der sich ein Kopte (nach S. 19 wird es *Humisi, Sohn des Apa David*
gewesen sein) Mährchen und Lieder zusammengetragen hat[1]. Sie befinden
sich im Besitze des Hrn. Dr. Carl Schmidt, der mich durch ihre freundliche

---

[1] Er benutzte für seine Handschrift altes Papier, denn auf dem unteren Theile von
S. 5 stehen Reste eines arabischen Textes, die älter sind als der koptische.

Mittheilung zu besonderem Danke verpflichtet hat. Erhalten sind 16 Seiten im Format 18^{cm} hoch × 13^{cm}5 breit, Reste zweier auf einander folgender Lagen, deren jede aus drei Blättern bestanden haben wird. Erhalten sind von den 24 Seiten dieser beiden Lagen:

Seite 5–7 Schluſs eines Mährchens von Salomo.
Seite 8 Lied ⲉⲓⲟⲩⲉϣ-ⲟⲩⲣⲱⲙⲓ.
Seite 11–18 Mährchen von Theodosius und Dionysius.
Seite 19 Titelblatt und erste Zeile eines Liedes.
Seite 20. 23. 24 Lieder; da auf Seite 23 der Schluſs zu dem auf S. 20 beginnenden Liede steht, so müssen auch 21 und 22 dazu gehört haben.

Von dem ersten Mährchen ist nur das folgende erhalten:

⁵ⲅⲉⲅⲁⲣ ⲁϥ·· [ⲛⲟⲩⲁⲡⲟⲧ] ⲛⲉⲣⲡ ⲁ·ⲧⲁⲁⲃ ⲛⲁⲥ····· ⲡⲉϥⲓⲥ[ⲟ]ⲩⲣ ⲉⲡⲉⲥⲏⲧ' ⲉⲣⲁϥ ⲁⲥⲁⲃⲟ······· ϣⲁϫⲉ ⲛⲙⲁϥ ϫⲉ-ⲉⲓϣ···ϛⲱ ⲛⲟⲩⲁⲡⲟⲧ ⲛⲉⲣⲡ ⲉⲧⲟⲓⲧⲉⲕⲥⲓⲁ ϣⲁⲓⲑⲉⲃⲓⲟ ⲙⲡ[ⲉ]ⲕⲙⲧ[ⲟ] ⲉⲃ[ⲟⲗ]

ⲁⲓⲛⲁ·ⲧⲟⲧ ⲛⲧⲁ·ⲓⲏⲡⲁ· ⲛⲟⲧⲟ ⲧⲁϣⲁϫⲉ ⲛⲉⲙ·ⲁ·· ⲥⲱⲗⲟⲙⲟⲛ ⲡ[ⲟⲥ] ⲉⲛⲉⲣ[ⲣⲱⲟⲩ] ⲉϣⲱⲡⲉ ⲧ········· | ² ⲁⲛ ⲟⲩⲉⲣⲣⲱ····· ⲕⲑⲉ[ⲃⲓⲟ]· | ³ ···ⲱ···· ⲡ·ⲟⲥ········ ⲡⲓⲁⲡ[ⲟⲧ ⲛⲉⲣⲡ]··· ··· ··⁶·······ⲑⲉⲃⲓⲟ ⲙⲡⲉⲕⲙ[ⲧⲟ ⲉ]ⲃⲟⲗ

ⲟ···ⲥⲧⲩⲗⲗⲟⲥ ⲅⲓⲧⲁⲭⲟⲣⲁ ⲱ ⲥⲱⲗⲟⲙⲟⲛ ⲡ[ⲟⲥ] ⲉⲛⲉⲣⲣⲱⲟⲩ ⲕϣⲁⲛϫⲁⲟⲩ ⲧⲉⲛⲉⲓⲛⲧϥ ⲉⲡⲓⲙ[ⲁ] ϣⲁⲃⲉⲣϣⲟⲟⲩ ⲅⲓⲡⲉⲕⲡⲁⲗⲗⲁ†ⲓⲟⲛ (leer)⁴ ⲙⲁϥ ⲕⲁⲧⲁ ⲡⲓⲟⲩⲁⲛ ϛⲱⲟ[ⲩ]ⲣⲁ ⲉⲣⲁⲓ ⲛⲉⲧⲉⲙⲱⲛⲓⲟⲛ ⲧⲏ[ⲣ]ⲟⲩ ⲉⲧⲣⲁⲧⲉⲕϩⲟⲩⲥⲓ[ⲁ] ··ⲟⲧⲉⲓ ··ⲣⲁⲓ ⲙⲡⲉⲥⲧⲩⲗⲗⲟⲥ ····ϣⲁⲣⲡ †ⲡⲉϥⲟⲩⲁⲓ ϫⲉ ⲟⲩ····[ϣ] ⲁ-ⲣⲟⲩϛⲓ ⲁⲡⲙⲉⲣϩ······ ⲛⲧⲉⲩⲛⲟⲩ: ⲁⲧⲡⲁ[ϣⲓ ⲛⲧⲉⲙ]ⲟⲛⲓⲟⲛ †ⲡⲉϥⲟⲩⲁⲓ ϣⲁⲥⲱⲗⲟⲙⲟⲛ ϫ[ⲉ]-ϫⲓⲡⲡⲛⲓ[ⲃⲓ] ·····ϣ[ⲁ]ⲡⲛⲓⲃⲓ (leer)⁵ ⁷ϣⲁⲓⲉⲛⲉ ϣⲁⲣⲁⲛ ⲉⲡⲓⲥⲧⲩⲗⲗⲟⲥ

ⲏⲧⲁ ⲉⲣⲉ-ⲡϣⲁϫⲉ ϩⲛ-ⲣⲟϥ ⲛⲥⲱⲗⲟⲙⲟⲛ ⲉⲓ[ⲥ-ⲧ]ⲡⲁϣⲓ ⲡⲁⲉⲙⲟⲛⲓⲟⲛ ⲁⲥⲓ⸱ ⲉⲣⲉⲡⲉⲥⲧⲩⲗⲗⲟⲥ ⲅⲓⲭⲙⲡⲉⲥⲧⲉⲛⲁϩ ⲉϥⲡⲱⲛⲓ (leer) ⲡⲱⲛⲓ ⲉⲡⲓⲥⲁ ⲙⲉⲡⲁⲓ ⲕⲟⲏ ⲛⲛⲉϩⲁⲓⲉ ⲙⲉⲛⲉⲙ····

1. ⲉⲛ glaube ich in Resten zu sehen; jedenfalls fehlen nur zwei Zeichen.   2. 3. Auf dem untersten Theil der Seite standen schon einzelne arabische Worte, die von einer früheren Benutzung des Blattes herrühren. Der Schreiber hat die dazwischen liegenden freien Stellen beschrieben, die Gröſsen der Lücken sind daher nicht zu ermessen.   4. Anscheinend leer gelassene Stelle inmitten der Zeile, von drei Zeichen Breite.   5. Desgleichen am Zeilenende; es könnten aber allenfalls noch unter dieser letzten Zeile Worte gestanden haben.

Θεωρια ηιμ ετ••••ηαϩ ϲεⁱ̈ⁿ ϲηϩ ϩραι ϩ•••πεϲτγλοϲ ερ••••†οη ⲙⲡⲣⲏ ⲙⲏⲡ•••• ϩιⲝⲱϥ ⲟγϣⲡ[ⲏ]ⲣ[ⲓ ⲙⲙⲁ]† ⲉ̄ⲛⲁⲧ ⲉⲣⲟϥ (leer) ••••ⲧⲁⲡⲓⲝ ⲁγⲉⲧ¹

1. Anscheinend fehlt nichts.

Denn er [nahm?] einen Becher Wein und gab ihn ihr [und legte?] seinen Ring in ihn hinein¹ ...² [Sie] sagte zu ihm: »Wenn ich einen Becher Wein trinke, der in deiner Hand ist, so demüthige ich mich vor dir«.
»Ich werde .... und ich spreche mit [dir?], o Salomo, du [Herr] der Könige. Wenn ..... eine Königin³ .... diesen Becher [Wein] .... [ich] demüthige mich vor dir.«
»[Es ist eine] Säule in meinem Lande, o Salomo, du Herr der Könige. Wenn du hinschickst und sie hierher bringst, so ist sie nützlich(?)⁴ in(?) deinem Palast«⁵.
»Versammelt euch zu mir, alle ihr Geister, die ihr unter der Macht⁶ steht .... die Säule.« ... der erste eilte und sagte⁷: ».... bis zum Abend«. Der zweite ...: »... sogleich«. Die Geisterhälfte(?)⁸ eilte .... und sagte: »Von dem Athem ...... an bis zu dem Athem⁹ bringe [ich] dir die Säule«.

---

¹ Vergl. unten S. 30 Anm. 6 ⲁϥⲧⲁⲁγ ⲉⲡⲉⲥⲏⲧ ⲉγⲗⲉⲛ†ⲟⲛ »er legte sie (die Werkzeuge) in ein Tuch«, wo der starke Ausdruck für »herunter« noch anstößiger ist als an unserer Stelle.

² Mit dem ⲁⲥⲁⲃⲟ ... vermag ich nichts anzufangen, falls darin nicht etwa der Name der Königin steckt.

³ Hier können ganze Sätze fehlen.

⁴ Man denkt an ϣⲁγ, doch kommt die irrige Schreibung von o für korrektes ⲁ sonst nicht vor. Das folgende ϩⲓ- wohl für ϩⲏ- (d. h. ϩⲏ̄ⲛ-), vergl. S. 28 Anm. 2; 30 Anm. 12.

⁵ Die hierhinter stehende Bemerkung gehört nicht zum Text.

⁶ Lies »unter meiner Macht«; dies spricht Salomo, wie aus dem folgenden hervorgeht.

⁷ Dieses ⲝⲉ für ⲉϥⲭⲱ ⲙⲙⲟⲥ ⲝⲉ kenne ich bisher nur aus dem von mir veröffentlichten Zaubertext U. B. M. Kopt. 1, 2. Die Stelle ist auch inhaltlich der unseren merkwürdig ähnlich. Hier wie dort müssen die verschiedenen Geister angeben, wie schnell sie den Auftrag ausrichten wollen und hier wie dort ist der dritte der schnellste und geht so schnell wie der Athem. So kann man ⲧⲣⲁϣⲓ ⲛⲧⲉⲙⲟⲛ̄ⲟⲛ unbedenklich übersetzen, aber diese Übersetzung ist wohl kaum richtig. Denn »die dämonische Hälfte« wäre ein seltsamer Ausdruck für »die Hälfte der Dämonen« und dann, was soll die »Hälfte der Geister« als dritter Theil zu dem »ersten« Geist und zu dem »zweiten« Geist? Was man erwartet, ist, dafs ein bestimmter dritter Geist genannt wird. Und in der That ist ⲧⲣⲁϣⲓ nach dem folgenden ein bestimmtes geflügeltes Wesen; vielleicht irgend ein Geistervogel.

⁸ Hier fehlt wohl ein Genitiv. Der eben genannte Zaubertext läfst den Geist fortgehen »im Athem deines Mundes«, und wiederkehren »im Athem deiner Nase«, als nähme er an,

Philos.-histor. Abh. 1897. I.   4

Dann, als das Wort[1] (noch) im Munde Salomo's war, siehe, da kam die Geisterhälfte(?) und die Säule war auf ihrem Flügel und wandte sich hierhin und dorthin wie die . . .[2] und die . . . .

Alle Wissenschaft, die [auf der] Erde ist, steht geschrieben auf der Säule, und das . . . der Sonne und des [Mondes?] stehen auf ihr. Es ist ein Wunder, sie zu sehen[3].

Es sind das nur geringe Reste einer Erzählung, aber man kann doch nicht ohne Wahrscheinlichkeit ihren Inhalt errathen. Die Königin von Saba ist zu Salomo gekommen, und er bringt sie durch irgend eine List dazu, aus einem Becher zu trinken, in den er seinen Zauberring gelegt hat. Da demüthigt sie sich vor ihm und schenkt ihm eine Säule, auf der alle Weisheit geschrieben ist. Salomo sendet die schnellsten seiner Geister hin und sie bringen sie ihm.

Über die hinter dem dritten und dem letzten Abschnitt stehende Bemerkung

ⲙⲁⲛ ⲕⲁⲧⲁ ⲛⲓⲁⲟⲩⲁⲛ

• • • • ⲧⲁ ⲛⲓⲁⲩⲉⲧ

vergleiche unten S. 43.

III. Mährchen von Theodosius und Dionysius.

ⁿⲡⲟⲩⲱⲣⲙⲡⲥⲧⲟⲭ ⲟⲥ • • • • • • •[1]

Ⲝⲙ[ⲁ]ⲟⲩ ⲱⲁ ⲑⲉⲧⲁ ⲱ[ⲥⲓⲟⲥ ⲡⲉⲣⲣⲟ][3] ⲭⲉ- ⲡⲉ ⲱⲃⲉⲣ ⲙⲉⲗⲟⲥ ⲉ ⲭⲓⲛ[3] • • • • • • • ⲁ[ⲓ]ⲱⲛⲏⲥⲓⲟⲥ ⲡⲣⲟⲥⲕ • • • • • • • ⲉ ⲃⲉⲛⲉ ⲑⲉⲙⲓ ⲁ ⲛⲁⲩ ⲉⲣⲁⲛ ⲭ • • • • ⲉⲣ ⲛⲱ ⲃ ⲏ ⁽ᵉⁿ⁾ ⲉⲧ ⲙⲉⲧ ⲙⲉⲧ ⲟ • • • •[4] ⲙⲛⲛ • ⲟ • • ⲥ ⲉⲧ ⲟⲓ ⲧⲉ • • ⲛ ⲧ • • • ⲙⲛ ⲧⲣⲁ ⲥ ⲟⲩ ⲛ ⲧⲁ ⲛ ⲛⲁⲩ ⲉⲣⲁ[ⲥ] • • ϩⲓⲧ ⲉⲣ ⲛⲁⲥⲓⲁ ⲙⲡⲁ ⲛⲉⲧⲱ ⲃ ⲓ

1. Über der Seite in einer Umrahmung; vergl. S. 44. den Schluß (S. 28) gesichert, doch ist der Raum für sie knapp. wird zu lesen sein ⲉⲧⲉ ⲛ ⲙⲉⲧ(ⲙⲉⲧ) ϩⲣⲏ ⲛ.

2. Die Ergänzung durch 3. Nicht ⲉ ⲭⲉⲛ. 4. Es

---

daß der Mensch abwechselnd mit Mund und Nase athme. Danach möchte man auch hier ergänzen: »von dem Athem [deines Mundes] an bis zu dem Athem [deiner Nase]«, d. h. zwischen zwei Athemzügen.

[1] Nämlich der Befehl, den er der ⲛⲁ ⲱⲓ geben will; ehe er ihn ausspricht, hat sie ihn vollbracht.

[2] Auch die ϱⲁⲓⲉ sind nicht bekannt; wir können daher auch nicht beurtheilen, ob wir das ⲛⲱⲛⲓ richtig übersetzen.

[3] Was noch nach dem Zwischenraum folgte, gehört nicht zum Text.

Ппетоеіш епеиіωт етотаав апа керос пархнепіскопоос¹ ею пиωт
ріжеи-ростаифиотпωліс ере-иеррωот рипωтажсе пач атсωотра еиѕі
пеноѕ етпωліс

¹²....тепатос ататли мперро......пиωт апа κтрос.......
пмач ехω мос.... ри ерóтп екλирік[ос]....на раі епиотф мпе
...иот[е]рро тевмаан' маи.....и пѕсоот минтот... п[е]же пиωта³
апа κтрос... же шωрп ерасте кіріаии шапѕоотра тири етекиλесіа
тиишλиλ епиотф раприо̅ч .от·и⁴ рωме сиат приие пер[каст]нс
пшмма ите-техора иниме прап еота приот пе ѳетλωсіос прап
епиеота пе аіωписіос⁵ ¹³Аѳетλωсіос пат етрасот ачжаас пешшвер
аіωписіос пепшаввоλ⁶ ераі итрасот шаіер-отреваомас перг··
испач еіерроч пач ажеи-векн риперкасіа мп[а]петовı Mit kleiner
Schrift: таλос λежіс

Ниат ераі рпотророма ешже еірпотсωше есотар евоλ ере-
отмиише иѕсоот шооп ерите миѳѳеріои мпетечпаге аінат еиерωме
мпма ѳтмат пм'иеѳ[е]ріои мпетевпаге птат[еі] тирот мпамто
евоλ атпартот атпросκти маі аіиат етріеив евотωм е¹⁴рωф итав-
тωре емаі иотиер ечот··ч авф пошитни·[п]еоот ріжоі иотстωли⁸
мпаотаи епиотв атф⁹ иотрооплои ритасіх пѳотр мпотсевісти етасіх
потпам аѳемсоі ріжп-отероиос арωмі и¹⁰фѳоот паі аві шароі иѕі-от-
рωме иотоеіи авф паі иотминише пшаѕт мпіешшмѕам амарф ммат
аітаат епеиѕіх фωписіос· ката трасот итаииат ерос арнт аребфф
отωш аан иерро тектф паі пешашт епеиапшонки

¹⁵Аѳетλωсіос шаже пемач же-тωоти тевои тепернасіа женот-
асв ммаф мпа[ра]¹¹ пшіа¹² афωписіос шаж[е пе]мач тωоттеивок¹³
етекеλіса(сіа)¹⁴ теииат еперро пшатташч ріжои терωме иим прос-
κти мач атτωоти атвои етекλесіа атарпратот ріпароτминише¹⁵ етве-
тметрики етотшооп ерите итере-пиат мпрісраτіе¹⁶ шопе еіс отаітос

1. Sic.   2. Verbessert aus маон.   3. Sic.   4. Es wird nur отеи gestanden haben.   5. Hier endet wohl ein Abschnitt, der aber, weil er mit dem Ende der
Seite zusammenfiel, nicht besonders bezeichnet ist.   6. Das п könnte nur noch ein ı
sein.   7. Sic.   8. Lies мпот-?   9. Nicht ач.   10. Lies пıм.   11. Oder
Raum für zwei Zeichen, falls er wegen des Zeilenendes besonders eng geschrieben hatte.
12. Sic; zwischen den beiden а eine grofse Lücke, die den Abschnitt bezeichnet.
13. Sic.   14. Das Eingeklammerte gestrichen; vor der Verbesserung stand етепеλюасіа.
15. Sic.   16. Sic.

4*

αϥι εβολ ϩππε‘ ερε-ογηλαμ ηωηι μμαρηαριτηс μηογϭεροϥ εποτβ
πωϥας ερε-πμλειη επεϲ†ο̄ϲ ϩιϫοϥ [16][ε]ρε-πιαιτος ϥωρι μαγ εβερ-
ογοειη εϩογ̄πρη εγμογ† επεϥραπ ϫεϩραφαηλ πατσαλπιϩ ετμεϩ πραϣε
παρχαγγελος εϣογταιοϥ αϥτωρπ •θεγλωсιос αϥθμςοϥ ϩιϫμ-
πεθροπος απλαος τηρ̄ϥ ωϣ εβολ ϫε-ηγριελειсоп ⲉθγλωсιос αϥερρο’ Mit
kleinerer Schrift ⲗⲉϫⲓс

Ητερε-θεγλωсιос ερερρо αβερπωϣϣ ελιωηηсιос μπεϥερπεϥ ηπεсπ
ετβε-τμετϩηαη ετϩιϫοϥ ητερε-πϫωκ εραμπε сηη† αλιωηηсιос ϫι-πεсκεγс
εγερϩοϥ ετμετπαπετωωβι αβταⲁ̄ επεсητ εγλεπτοπ αβταλαγ ϩιϫπ-
τεβπαϭϳε³

[17]Αβι επρо μπαλλα†ιοη αϥμογ† εγсιογρ ητε-περρо ϫε-ϫι ηπαι
ϣαθεγλωсιос πε̲[ρρо] ϫογμεстηριοη ητεπερρ[ωογ] παρχεоп ητεβ-
ϫιτоγ [ε]ϩογη ϣαπερρо αβϭоⲗ εβολ επλεπτοη αβϭιπεсκεγε εγερϩоϥ
πϩητоγ ερε-πεϥραπ μππωβ ϩιϫоογ απερρо τωογη ϩιϫπ-πεϥθροπос
αβι ϣαπεⲃϣⲃεερ εβϫω μμας ϫε-ηω π[α]ι παιωτ ετογααβ αβϫι[τ]ϥ
[εϩ]оⲩ̄‘ πεϥπρλα†ιоп⁵ αταριстα μη•ερηγ

Ατсωσαϩ τηρоγ επϭι-πεκλ̄ηρос αγει ϣαθεγλωсιос [18][π]ερρо
ατωϣ εβολ εϫω μος ϫε саβ† ηαη πογεπισκοπос⁶ ϫε απηιωτ [α]πα
κγρос μоⲩ αϥαμαϩ[†]⁷ πϭιϫ ετωηηсιос αβαβ παρχ ηεπισκοπос αβ-
ϣωπε ηιωτ ετεβεκκλεсιⲁ Mit kleiner Schrift: ταλος

Απετсηϩ ϫωκ βол ϩιϫоογ ϫε-огμετερро огμητогηηβ ϩιогсап’
κατα πετсηϩ ϩιηεκραφη ϫιπλоⲩ⁹ ϣαθεγλосιос περρо

1. Sic.   2. Lies αϥερρо.   3. Der Abschnitt ist nicht besonders bezeichnet,
da er mit dem Ende der Seite zusammenfällt.   4. Man möchte lesen εϩогη ε, doch stand
hinter огη wohl nichts mehr.   5. So korrigirt aus πεϥαλλα†оп.   6. Korrigirt aus
επιссоπос.   7. Zu einem zweiten Buchstaben ist kaum Platz.   8. сαη als Korrektur
eingefügt.   9. Sic.

*Melde von mir dem Könige Theodosius: »Der Freund[1] ...... Dionysius
verehrt dich und wünscht dich zu sehen, [denn ich habe nicht] unsere [Dürftig]keit
vergessen und das [Gespräch], das zwischen (?) uns war[2], und den Traum, den du
gesehen hast, sammt (?) der Ziegelarbeit.*

---

[1] Was sich in dem folgenden Worte ⲙⲉⲗⲟс verbirgt, vermag ich nicht zu errathen. —
Dieser erste Absatz ist wohl als ein Brief des Dionysius zu fassen, mit dem er dem Kaiser
die folgende Geschichte ihrer Jugend übersendet.
[2] Ich lese π[λ]о[το]с ετϩπε[πⲙ]π†, wobei ϩι- wieder für ϩπ- (d. h. ϩ̄π-) stände.

Zur Zeit unseres heiligen Vaters, des Erzbischofs Apa Kyros, der Vater war
über Konstantinopel, indem die Könige ihm untergeben[1] waren, versammelten sich
die Großen der Stadt. ......[2] in die Halle des Königs ...... unser Vater
Apa Kyros. [Sie verhandelten?] mit ihm und sagten: »...... Geistliche ......
Gott, [wir haben?] keinen König [gefunden?], der uns weide; [wir sind wie] diese
Schafe, wenn sie keinen [Hirten] haben«. Unser Vater Apa Kyros sagte [zu
ihnen]: »Morgen früh, am Sonntag, versammeln wir uns alle in der Kirche
und beten zu Gott für diese Sache«. Es waren zwei arme fremde Arbeitsleute
vom Lande Aegypten, von denen einer Theodosius, der andere Dionysius hieß.
Theodosius sah einen Traum und sagte zu seinem Freund Dionysius: »wer mir
diesen Traum deutet, dem will ich eine Woche Blut(?)-Arbeit[3] thun und ohne
Lohn in der Ziegelarbeit für ihn arbeiten«.

Ich sah mich in einem Traumgesicht, als wäre ich auf einem ......[4] Felde
und eine Menge Schafe waren auf ihm und Thiere und Vieh. Und ich sah, wie
die Leute jenes Ortes und die Thiere und das Vieh alle vor mich kamen; sie
warfen sich nieder und verehrten mich. Ich sah, wie ein saugendes Lamm mich
mit ...... Öl salbte; es legte mir ein Ehrenkleid an und(?) eine Stola von
der Farbe des Goldes. Man gab eine Waffe(?) in meine linke Hand und
einen ......[5] in meine rechte Hand. Es setzte mich auf einen Thron und
alle Leute priesen mich. Ein strahlender Mann kam zu mir und gab mir eine
Menge Schlüssel; ich konnte sie nicht fassen und gab sie in deine Hände, Dionysius.« — »Nach dem Traum, den du gesehen hast, will Gott vielleicht dich
zum König machen und du giebst mir die Schlüssel deiner Speicher.«

Theodosius sprach zu ihm: »Stehe auf, daß wir zu unserer Arbeit gehen,
denn wir sind sehr, über die Maßen müssig«. Dionysius sprach zu ihm:
»Stehe auf, daß wir zur Kirche gehen, daß wir den König sehen, den man
über uns setzt, daß ihn alle Leute verehren«. Sie standen auf und gingen
zur Kirche und stellten sich hinter [die] Menge wegen der Dürftigkeit, in der
sie waren. Als die Zeit des Τρισάγιος kam, siehe, da kam ein Adler vom

---

[1] ὑποτάσσειν.
[2] Auch in dem ϩⲁⲧⲟⲥ steckt wohl etwas Griechisches.
[3] So, wenn der Text richtig ist; lieber würde man aber ⲉⲣϩⲟⲃ ⲛⲁϥ verbessern.
[4] Was ist ⲉⲥⲟⲩⲁϩⲥ (oder ⲉⲥⲟⲩⲁϩⲥ) ⲉⲃⲟⲗ? Steht es etwas für ⲟⲩⲁϩⲉ »weit«?
[5] Die σεβαστή könnte der Reichsapfel sein, wie ihn die byzantinischen Kaiser tragen.
Auch in dem ὅπλον möchte ich hier das sehen, was sie wirklich in der Hand führen, das
Scepter, den »goldnen Stab, auf dem das Kreuzzeichen ist«, wie unser Text es weiter unten
beschreibt.

Himmel, [in dessen Krallen?][1] *eine Krone von Steinen und Perlen war und ein Stab von Gold und Elfenbein*(?)[2]*, auf dem das Zeichen des Kreuzes war. Der Adler trug sie, indem er mehr als die Sonne leuchtete; man nennt ihn Raphael, den mit der freudevollen Posaune, den verehrungswürdigen Erzengel. Er rifs den Theodosius fort und setzte ihn auf den Thron. Das ganze Volk schrie: Kyrie eleison, Theodosius ist König geworden.*

Als Theodosius König wurde, vergafs er des Dionysius und [dachte][3] *nicht wieder an ihn wegen der Dürftigkeit, die auf ihm lag. Als das Ende zweier Jahre [gekommen war]*[4]*, nahm Dionysius die Werkzeuge*[5]*, mit welchen sie die Ziegelarbeit verrichteten, und legte sie auf ein Leinen*[6] *und nahm sie auf seinen Nacken.*

Er ging zur Thür des Palastes und rief einem Eunuchen des Königs zu: »Nimm dies zu dem Könige Theodosius, denn es ist ein Geheimnifs der alten Könige« und er nahm sie herein zum Könige. Er löste das Tuch auf und fand[7]*` die Werkzeuge, mit denen sie arbeiteten, auf denen sein Name und der seinige*[8] *stand. Der König stand auf seinem Throne auf und ging zu seinem Freunde und sagte zu ihm: »verzeih mir, mein heiliger Vater*[9]*«.*

Er nahm ihn hinein in seinen Palast und sie frühstückten mit einander. Alle Geistlichen versammelten sich und gingen zum König Theodosius und riefen: »Verschaffe[10] *uns einen Bischof, denn unser Vater Apa Kyros ist gestorben«. Er fafste die Hände des Dionysius und machte ihn zum Erzbischof; er wurde Vater seiner Kirche.*

Es erfüllte sich an ihnen[11]*, was geschrieben steht: »Königthum und Priesterthum zusammen« gemäfs dem, was in*[12] *den Schriften steht. Melde von mir dem Könige Theodosius.*

---

[1] Diese Worte hat der Schreiber irrig übergangen.

[2] Lies ελεφας?

[3] Hinter neq ist wohl мееγε ausgelassen.

[4] Der Schreiber hat ϣωπε übergangen.

[5] σκεῦος. Dies Lieblingswort der Kopten heifst hier ϲκεγϲ.

[6] Über das ενεϲητ siehe oben S. 25 Anm. 1. Gemeint ist, dafs er sie in das Tuch einwickelt, wie aus dem Folgenden erhellt.

[7] In αλθϊnεϲκεγϲ hat man αqθʹn-neϲκεγϲ zu erblicken; ebenso schreibt die Handschrift in einem Liede (unten S. 35) αϊθʹnoγnooϲ.

[8] D. h. natürlich: der des Dionysius.

[9] Man darf aus dieser Anrede schwerlich folgern, dafs diese Ziegelarbeiter Mönche oder Geistliche sind; sie ist wohl zum Höflichkeitsausdruck geworden. Vergl. oben S. 15 Anm. 4.

[10] Wörtlich »bereite«.

[11] Über die Übersetzung dieser Formel vergleiche das unten S. 32 Anm. 2 Bemerkte.

[12] Wieder ϩι- für ϩn-.

Daſs unser Mährchen aegyptischen Ursprungs ist, zeigt schon die Angabe über die Herkunft der beiden Leute; daſs es aus einer Zeit stammt, in der das Band zwischen Aegypten und Konstantinopel längst zerschnitten war, zeigt seine naive Vorstellung von den dortigen Verhältnissen. Trotzdem enthält es eine historische Reminiscenz, denn (ich verdanke das Folgende der freundlichen Mittheilung Harnack's) es hat wirklich in Konstantinopel einen Patriarchen Kyros gegeben und zwar im Anfang des 8. Jahrhunderts (etwa 705—712). Und ungefähr in die gleiche Zeit fällt auch ein Kaiser Theodosius (Th. III, 716—717). Dagegen ist der Patriarch Dionysius freie Erfindung, denn der einzige Patriarch dieses Namens lebte gegen Ende des 15. Jahrhunderts, ist also gewiſs jünger als unsere Handschrift.

Über die Bemerkungen, die auch in diesem Text am Ende der einzelnen Abschnitte stehen, siehe unten S. 42.

IV. Lieder aus dem Schmidt'schen Bruchstück.

Die Enden der Verszeilen sind hier nur durch gröſsere Zwischenräume bezeichnet; die Strophen sind durch Striche getrennt.

a.

⟨ ⲡⲟⲩⲱⲣⲙⲉⲧⲟⲭⲟⲥ ⲧⲏⲁ '
ⲉⲓⲟⲩⲉϣ-ⲟⲩⲣⲱⲙⲓ ⲛⲁⲧⲙⲟⲩ ϣⲁⲉⲛⲉϩ
ⲧⲁⲭⲱ ⲉⲣⲁϥ ⲉⲛⲁⲙ·ⲕⲁϩ' ⲉϩⲏⲧ
ⲉⲓϣⲁⲛⲙⲟⲩ ⲧⲉϥϣⲗⲏⲗ ϩⲓⲭⲟⲓ
ⲡⲉⲭⲉ-ⲡⲁⲡⲗⲁⲥ ⲉⲛⲟⲩⲃ ⲓⲱ
ⲭⲉ-ⲣⲱⲙⲉ ⲛⲓⲙ ⲉⲧⲣⲓⲭⲙ-ⲡⲛⲁϩ
ϣⲁⲣⲉ-ⲡⲉⲧϭⲏ[ϩ ⲭ]ⲱⲕ ⲉⲃⲟⲗ ϩⲓⲭ[ⲟ]ⲟⲩ
•••••• ⲭⲓⲧⲛ ⲧⲏⲣⲛ
•••ⲧⲉⲙⲁ ⲙⲡⲛⲟⲩⲧⲉ
••••ϩ ⲛⲁⲃⲉ •••••••••ⲣⲁϥ^{ⲛ} ³

1. Steht als Überschrift der Seite in einer Umrahmung.   2. Der Punkt zwischen
ⲙ und ⲛ, als solle man *pam kak* trennen.   3. ⲛ Korrektur.

Ich suche¹ einen Mann, der niemals stirbt,
daſs ich ihm meinen Kummer sage,

¹ ⲟⲩⲱϣ hier gebraucht wie das alte *wſ*, auf das es ja nach STEINDORFF's Bemerkung auch zurückgeht.

wenn ich sterbe[1], dafs er für mich bete.
Johannes mit der goldenen Zunge sprach:
Alle Menschen, die auf Erden sind,
was geschrieben steht, erfüllt sich an[2] ihnen.
[Der Tod?] nimmt uns alle
[nach dem Willen?] Gottes,
... Sünde ... gegen (?) ihn[3].

b.

19 Blatt, das als Titel des folgenden Theiles der Handschrift dienen
sollte. Zwischen Linien:

ѳⲱ
ⲥⲟⲛ ⲟⲛⲡⲡⲟⲩⲧⲉ': ⲛϣⲟⲣⲡ: ⲛⲣⲱⲃ
ⲛⲓⲙ: (ⲁⲛⲟⲕ: ⲟⲟⲩⲙⲓⲥⲓ: ⲡ̄ ⲛ̄ⲡ̄ · ⲁⲁ • • ⲁ ·)[3]
ⲡⲟⲥ ⲥⲙⲟⲩ ⲉⲣⲁϥ: ⲟⲁⲙⲏⲛ ⲉⲥϣⲱⲡⲉ[3]

Mit Gott. Im [Namen] Gottes zuvor. Ich Humisi, der Sohn des Apa David.
Der Herr segne ihn. Amen, so sei es.

Darunter als Anfang eines Liedes:

Ⲁⲩϫⲓⲧ ⲉϫⲛ-ⲟⲩⲧⲟⲩ' ⲉϥϫⲟⲥ[ⲉ]

Sie führten mich auf einen hohen Berg ...

    1. Sic.   2. Das Eingeklammerte hat ein späterer Besitzer des Buches getilgt.
3. Sic.   4. Sic.

c.

20 Als Überschrift der Seite in einer Umrahmung:

[ⲡ]ⲟⲩⲱ[ⲟⲙ] : ⲥⲧⲉ : ϫⲟⲥ ⲡⲛⲟϭ

Ⲟⲩⲙⲉ[ⲧ]ϣⲃⲉⲉⲣ ⲁⲛ' ⲡⲉ ⲟⲩⲱⲙ ⲟⲓⲥⲱ
ⲁⲗⲗⲁ ⲧⲙⲉⲧϣⲃⲉⲣ ⲛⲁⲛⲟⲩⲥ ⲧⲉ ⲧⲁⲓ

    1. Der Schreiber trennt ⲟⲩⲙⲉⲧϣ ⲃⲉⲉⲣⲁⲛ ⲡⲉⲟⲩⲱⲙ, was vielleicht nicht zufällig ist.

---

    [1] Man wird diesen Satz mit dem folgenden verbinden wollen (»dafs er bei meinem
Tode für mich bete»), aber ist das grammatisch möglich?
    [2] So wird man ⲟⲓⲭⲛ̄- hier und oben S. 30 Anm. 11 doch wohl übersetzen müssen, ob-
gleich ich es sonst so nicht belegen kann. Doch steht im Bohairischen Matth. 13, 14 ⲉⲥⲉϫⲱⲕ
ⲉⲃⲟⲗ ⲉϫⲱⲟⲩ ⲛϫⲉ ⲧⲡⲣⲟⲫⲏⲧⲓⲁ ⲡⲧⲉⲛⲥⲁⲕⲥ »es wird für sie die Prophezeiung des Jesaias
erfüllt werden», wo ⲉϫⲛ̄- wenigstens ähnlich gebraucht ist.
    [3] Verbessert in »uns».

ерщан-пенщвер ҩоүпараптома
тен†-текѱүхн нсш† ҩатоц'

Пещвеер палам-те' пехрс
мнаү етацҩн'тевпаравасіс
ацтпецсшма мнн-пецсноц ҩароц
щантевстац етецархн ннесоп

1. Sic.   2. Sic.   3. Sic.

Freundschaft ist nicht Essen und Trinken,
sondern die gute[1] Freundschaft ist diese:
wenn dein Freund in Sünde ist[2],
und du giebst deine erlösende Seele[3] für ihn.

Der Freund Adam's ist Christus
als er[4] in seiner Übertretung fiel (?).
Er gab seinen Leib und sein Blut für ihn,
bis er ihn aufs neue in seine Herrschaft zurückführte[5].

Man möchte fast vermuthen, die erste Zeile wende sich gegen ein bekanntes weltliches Lied, das die Freundschaft im Essen und Trinken suchte.

d.

аллас
Оүа евол тон пе пршме ноүоеїн
нтацер-нісам ҩнпарістон
оүа ев[ол] ..... ni[1]
21-22 fehlen.
23 .... ҩнтралілаіа

1. ni steht unter der letzten Zeile der Seite und ist wohl bedeutungslos.

---

[1] Man möchte zunächst ετπαноүс herstellen, es wird aber dem Sprachgebrauch dieser Texte entsprechend das participiale εναποүс sein.

[2] Man kann sagen ερεπεκщ. ҩноүп. -dein Freund ist in Sünde- ohne ein anderes Verb des Seins als ере, aber kann man nun wirklich in diesen Satz noch щам einschieben? Muſs da nicht щооп zugefügt werden?

[3] Man erwartet -du giebst deine Seele zur Erlösung-, doch darf man schwerlich so übersetzen.

[4] Das мнаү hier und S. 41 steht nach dem S. 55 Bemerkten für мннаү -zur Zeit (wo)- ; vielleicht ist herzustellen мнаү етацҩн ҩтеввп.

[5] Über сто vergl. das oben S. 15 Anm. 1 Bemerkte.

ⲉϥⲉⲡ ⲡⲕⲉⲛⲟⲥ ⲉⲧⲁⲅⲉⲓⲁ
ⲟⲩⲁ ⲉⲃⲟⲗ ⲧⲟⲛ ⲡⲉ ⲡⲓⲙⲁⲑⲏⲧⲓⲥ
ⲛⲁⲓ ⲛⲧⲁϥⲥⲁⲡⲧⲟⲩ [ⲉ]ⲟⲩⲁϩⲟⲩ ⲛⲥⲱϥ
ⲁⲉⲣ'-ⲡⲥⲁ ⲛⲧⲉⲡ[ⲓ]ⲑⲉⲙⲓⲁ
ⲙⲛⲧⲉⲭⲁⲣⲓⲥ ⲉⲧ•••• ⲉⲣⲁⲩ
ⲁⲣⲏⲩ ⲡⲉⲥⲁϩ ⲡⲉϥϯⲥⲃⲱ ⲛⲁⲩ
ϣⲁⲛⲧⲉⲃⲧⲥⲁⲃⲁⲩ ⲉⲛⲉⲃⲙⲉⲧⲥⲁⲃⲏ
ⲧⲉϥϫⲓⲧ[ⲟ]ⲩ ⲉϩⲟⲩⲛ ⲉⲡⲉⲁⲣⲓⲥⲧⲟⲛ
ⲧ•ⲩⲉⲣϣⲁ ϩⲓⲧⲉⲃⲙⲉⲧⲉⲣⲣⲟ

1. Sic. Siehe die Bemerkungen S. 59.

> *Von wo[1] ist dieser strahlende Mann,*
> *der die Wunder bei diesem Mahle gethan hat?*
> *von wo ist dieser ......*
>   [Es fehlen 20—30 Verszeilen.]
> *...... in Galilaea,*
> *er wird zum Geschlechte David's gezählt[2].*

> *Von wo[3] sind diese Jünger,*
> *die er erwählt hat, um ihm zu folgen?*
> *sie (?) ... die Seite (?) der Begierde*
> *und der Gnade, die sie ......*
> *Vielleicht ist es der Meister, der[4] sie unterrichtet,*
> *bis er sie seine Weisheit lehrt*
> *und sie hinein zum Mahle nimmt,*
> *dafs sie das Fest in seinem Königreiche feiern. ·*

e.

In einer Umrahmung (inmitten der Seite):

ⲡⲟⲩⲱ ϩⲙ ⲥⲧⲟ ⲭ•ⲥ ⲡⲛⲟϭ

---

[1] Eigentlich: »Einer von wo«, man erwartet dafür ⲟⲩⲉⲃⲟⲗ ⲧⲱⲛ, aber vergl. Stern, Gramm. § 264.

[2] Was der Schreiber geschrieben hat, heifst »er zählt das Geschlecht«, was er meint, ist aber wohl ⲉϥⲏⲡ ⲉⲡⲅⲉⲛⲟⲥ.

[3] Dafs hier der Gleichheit der Versanfänge zu Liebe »Einer von wo sind diese Jünger« steht, ist seltsam.

[4] Für ⲡⲉⲧϯⲥⲃⲱ, wie oben S. 7 ⲧⲉⲥⲁϩⲉⲣⲁⲧⲥ.

Dann:

> ⲁⲩⲣⲱⲙⲉ ⲉⲣⲟⲩⲛⲁⲃⲓ ⲁⲩⲙⲏⲏϣⲉ ⲙⲟⲩ
> ⲁⲛⲉⲟⲩⲁ ⲧⲉⲃⲁⲃ ⲁⲩⲙⲏⲏϣⲉ ⲱⲛⲁϩ
> • • • ⲓⲁⲁⲓⲟⲥ[1] ⲉⲧ • • ⲉⲃⲉⲣⲛⲁⲃⲓ
> • • ⲅⲛⲱⲗⲁⲍⲉ • • ⲁϥ ²⁴ⲉⲛⲁⲧⲉϥⲙⲟⲩ

1. An dem ersten ⲁ ist korrigirt; die Spuren, die von den ersten Buchstaben noch sichtbar sind, verbieten nicht ⲫⲁⲣⲓⲥⲁⲓⲟⲥ zu lesen.

> *Ein Mensch sündigte und eine Menge starb,*
> *ein anderer reinigte ihn und eine Menge lebte.*
> *. . . . . . [Pharisäer?] . . . . . . er sündigt,*
> *[sie?] züchtigen ihn, ehe er stirbt.*

Wie in dem Liede c. sind sich Adam und Christus gegenübergestellt.

f.

> ⲁⲓⲉⲓ ⲉⲙⲟⲟϣⲉ ϩⲓⲧⲉϩⲓⲏ
> ⲁⲓϭⲓⲛⲟⲩⲛⲟⲟⲥ ⲉϥⲙⲏⲣ • • ⲙⲟⲟⲩⲧ
> ⲁⲓⲃⲁⲗ ⲉⲃⲟⲗ ⲁⲃⲝⲉⲛⲁⲓ ⲛⲁⲓ
> ⲁⲓⲉⲓ ϣⲁⲣⲁⲩ ⲡⲁⲓⲱⲧ ⲉⲧⲟⲩⲁⲁⲃ
> ⲧⲉⲛⲃⲟⲗ ⲉⲣⲁⲩ ϩⲓⲧⲉⲛⲥⲱⲫⲓⲁ

> *Ich ging, um zu wandeln, auf dem Wege*
> *und fand eine Leiche[1], gebunden und todt.*
> *Ich löste [sie][2] und sie sagte mir dieses:*
> *»ich bin zu dir gekommen, mein heiliger Vater,*
> *dafs du mich(?) lösest in(?) deiner Weisheit«.*

So dunkel dies klingt, so läfst sich der Sinn doch errathen, wenn man sich erinnert, dafs ja auch sonst in koptischen Legenden der Heilige eine Leiche findet und durch ihren Anblick zur richtigen Schätzung der Welt geführt wird[3]. So trifft er auch hier eine Leiche, und als er sie von ihren

---

[1] Der ⲛⲱⲱⲥ ist eine bestattete Leiche, z. B. eine Mumie. Danach möchte man auch ⲙⲏⲣ als »eingewickelt« fassen, aber kann ⲙⲟⲩⲣ das bedeuten?

[2] Da hier nicht die absolute Form ⲃⲟⲗ (= ⲃⲱⲗ), sondern die Suffixform ⲃⲁⲗ• (= ⲃⲟⲗ•) steht, so mufs man wohl ⲃⲁⲗϥ herstellen.

[3] Geschichte des Archellites (Wüstenfeld, Synaxarium S. 237), des Schenute (ebenda S. 172), des Gesius und Isidorus (ÄZ. 1883, S. 141) und gewifs auch sonst.

5*

Binden »löst«, mag sie etwa zu ihm sagen, er solle lieber das Räthsel des Todes »lösen« — ⲃⲱⲗ heißt ja auch erklären.

g.

ⲁⲗⲗⲟⲥ

Ⲟⲩϣⲏⲛ ⲉϥϫⲟⲥⲉ ⲉϥⲱ ⲛⲛ̄⳿ⲉⲧⲁⲣ'

ⲉϥⲥⲟⲡⲧ ⲉⲙⲁ⳨ ϩⲁⲡⲉⲓ ⲏⲡⲉⲣⲣⲟ²

ⲁϥϧⲏ ⲉⲡⲕⲁϩ ⲛⲟⲩⲥ[ⲁ]ⲡ ⲛⲟⲩⲱⲧ

ⲁⲡⲉϥⲕⲁⲣⲡⲟⲥ ⲃⲟⲕ ⲉⲡⲧⲁⲕⲁ

ⲟⲩⲫⲓⲁⲗⲓⲥϧⲏⲧⲟⲩⲝ ⲉⲡⲉⲣⲣⲟ

ⲉϥⲥⲱ ⲙⲡⲉϥⲉⲣⲡ ⲉⲃⲟⲗ

1. Den anscheinenden Rest des ⲛ und den horizontalen Strich über dem Worte würde man zu einem ⲟⲩ verbinden, wenn nur der Schreiber den Strich seines ⲟⲩ sonst nicht immer steil in die Höhe richtete. 2. ⲕ ist wahrscheinlicher als ⲙ.

Ein hoher Baum, der . . . . . .[1] war,
der sehr geschätzt[2] war im Hause des Königs,
er fiel mit einem Male zur Erde
und seine Früchte gingen zum Verderben.

Eine Schale, die in der Hand des Königs war,
aus [der] er seinen Wein trank . . . . . .

V. Lieder aus einem Bruchstück der Berliner Sammlung.

Ein Doppelblatt mit 4 Seiten im Format von 18ᶜᵐ Höhe × 13ᶜᵐ5 Breite. In das Königl. Museum 1894 mit der Sammlung Mosse gelangt, heute P 8127.

Seite 1 und 2 enthalten Lieder von Salomo und Elias; Seite 3 und 4 Marienlieder; zwischen Seite 2 und 3 können die inneren Blätter der Lage fehlen.

Man könnte sich fragen, ob dieses Bruchstück nicht zu derselben Handschrift gehöre wie die Blätter in Dr. Schmidt's Besitz, doch ist die Sprache (oder vielleicht richtiger die Orthographie) eine andere; unser Bruchstück bezeichnet das alte kurze ŏ stets mit ⲁ, jenes ist darin schwankend.

---

[1] Bei dem ⲧⲁⲣ hat man vielleicht an ⲧⲁⲣ »Spitze« zu denken.
[2] Eigentlich: »auserlesen«.

Dafs auch diese Texte Lieder sind, zeigt das ⲡⲟⲧⲱⲣⲉⲙ ⲥⲧⲱⲭ ⲉⲥ über Seite 3; die Enden der Verszeilen sind theils durch Punkte und Doppelpunkte, theils nur durch Zwischenräume bezeichnet. Diese letzteren sind nicht immer mit Sicherheit von zufälligen Zwischenräumen zu unterscheiden und diese Lieder sind daher mit Vorsicht zu benutzen.

a.

ⁱⲧⲁⲗⲁⲥ ¹

ⲡⲓⲉⲣⲁ ⲉⲧⲟⲙⲁⲁⲥ ⲟⲉⲭⲉⲛ-ⲡⲉⲃⲟⲣⲱⲛⲱⲥ.

ⲉⲃϯⲟⲁⲡ ⲏⲁⲗⲱⲥ.

ⲟⲉⲛ-ⲟⲩⲥⲁⲩⲧⲉⲛ

ⲉⲣⲉⲛⲓⲁⲭⲁⲧ² ⲟⲉⲡⲉⲃⲏⲓ

ⲡⲁⲓ ⲡⲉ ⲥⲱⲗⲱⲙⲱⲛ ⲡϣⲏⲣⲉ ⲏⲁⲁⲅⲉⲓⲁ

ⲉⲣⲉⲛⲁⲉⲙⲱⲛⲓⲱⲛ ⲟⲉⲙⲡⲉⲃⲉⲓ³   ⲟⲧⲉⲣⲓⲏⲟ⁴

1. Klein oben am Rand.   2. Sic.   3. ⲙ aus ⲛ korrigirt.   4. Mit kleinerer Schrift.

Dieser König, der auf seinem Throne sitzt
und schön richtet,
mit Billigkeit,
während diese . . . .¹ in seinem Hause sind.
Dies ist Salomo, der Sohn David's,
während die Geister in seinem Hause sind.

Das davorstehende ⲧⲁⲗⲁⲥ (s. unten S. 42) macht es wahrscheinlich, dafs dies nur ein Abschnitt, nicht ein am Anfang vollständiges Stück ist. Vergleicht man es aber mit dem folgenden, so möchte man glauben, dafs auf das »dies ist Salomo« eigentlich noch eine längere Ausführung, das eigentliche Gedicht, folgen sollte. Salomo mit seinen Geistern deutet auf ein volksthümliches, nicht kirchliches Lied.

b.

ⲡⲉⲭⲁⲁⲃ ⲏⲟⲓ-ⲡⲏⲁ⳿ ⲉⲥⲁⲟ ⲓⲱⲟⲁⲏⲏⲥ

ⲭⲉ-ⲡⲓⲉⲣⲏⲁⲧⲉⲥ ⲉⲃⲉⲣⲟⲱⲃ ⲏⲁⲗⲱⲥ

ⲉⲣⲉⲡⲉⲥⲡⲟⲧ ⲙⲓ ⲙⲁ⳿

ⲏⲧⲁⲃⲉϯ ⲛⲟⲩⲡⲱⲗⲓⲥ

ⲁⲩⲧⲁϣⲉ⳿ ⲟⲓⲭⲱⲥ

¹ Die einfachste Deutung des räthselhaften ⲁⲭⲁⲧ ist noch ⲁⲧϣⲁⲧ »nutzlos«.

ⲁⲡⲉⲥϣⲱⲃ ϣⲱⲡⲓ ϩⲓⲭⲉⲛ-ⲛⲉⲃⲥⲓⲭ

ⲡⲁⲓ ⲡ[ⲉ ϩ]ⲉⲗⲓⲁⲥ ⲡⲉⲡⲣⲱⲫⲏⲧⲉⲥ

• ⲡⲁⲃⲉ • • • ⲛⲥⲁϣⲃⲓ [ⲛⲣⲁⲙ]ⲡⲓ ⲛ̄ⲣⲓⲃⲱⲟ[ⲛ]

• • ⲕⲁⲛⲉⲩⲉⲛ • • •

ⲁⲃⲥⲱⲧ • • • ⲛⲥⲁ ⲡⲉ • • • • • ⲛ̄ϭⲓ-ⲡⲛⲟⲩⲧⲉ

ⲡ̄ϯⲙⲓⲟⲩⲣⲅ[ⲱⲥ]

ⲁⲃⲉⲣⲧ[ⲡ]ⲉ ⲛ̄ϩⲁⲙⲉⲧ.

ⲁⲃⲉⲣⲡⲕⲁϩ ⲛ̄ⲡⲉⲛ[ⲧ]ⲉ
               1   ⲟⲩⲧⲉ ⲓⲱⲧⲉ²

• ⲛ̄ⲡⲉⲛⲉⲧ'ⲧⲉ ⲙⲱⲛϩⲱⲩ ϩⲉ • • • • • •

• ϣⲁⲙⲧⲉ ⲛ̄ⲣⲁⲙⲡⲉ ⲙⲉⲥⲁ[ⲩ ⲛⲉⲃⲁⲧ]

• • • • • • • ⲙⲉⲧ • ⲙⲉⲧ • • • • • • • • • • ϩ ⲕⲁϩ

²ⲉⲧⲉ³ⲉⲧⲁϣⲉ ⲛ̄ⲡⲁⲛⲁⲃⲓ ⲉⲩⲉⲓⲣ[ⲉ] ⲙⲁⲩ

ⲁⲡⲛⲟⲩⲧⲉ ⲛⲁ ⲛ̄ⲡⲉϩⲉⲗⲓⲁⲥ ⲛⲁ

ⲁⲃⲛⲁϣ ⲡⲉⲭⲣⲱⲛⲱⲥ.

ϩⲓⲭⲱⲃ ⲛⲉⲙⲁⲃ

ⲁⲃϭⲁⲡ ϣⲁⲙⲧⲉ ⲛ̄ⲣⲁⲙⲡⲓ ⲙⲉⲥⲁⲩ ⲛⲉⲃⲁⲧ

ⲁⲃϯ ⲛⲁⲃ ⲡ̄ϣⲁⲙⲧⲉ ⲛ̄ⲣⲁⲙⲡⲉ⁴ ⲙⲉⲥⲁⲩ ⲛⲉⲃⲁⲧ

ⲁⲃⲟⲗ⁵ ⲧⲡⲉ ⲉⲃⲁⲗ⁶ ⲉⲥⲱ ⲛ̄ϩⲁⲙⲉⲧ.

ⲙⲉⲛⲡⲕⲁϩ ⲉⲃⲱ ⲡⲉⲛⲡⲓ⁷

ⲁϥϣⲟⲩⲁ ⲓⲱⲧⲉ ⲉⲡⲉⲥⲉⲧ

ϩⲓⲙⲉⲛϩ • • • ⲩ ⲧⲁⲗⲟⲥ̄

ⲁⲡⲛⲁϩ ⲉⲛⲧⲁⲃ ⲁⲃϯⲅⲁⲣⲡⲱⲥ

ⲁⲛⲉϣⲏⲛ ⲣⲱⲩ⁸ • • • • ϯⲡⲉⲩⲧ[ⲁ]ⲣⲡⲱⲥ.

ⲁⲛⲓⲣ[ⲱ]ⲙⲉ ⲱⲛⲁϩ • • ⲉ⁹ⲛⲉⲩⲧⲉⲃⲛ[ⲁⲩ]ⲉⲓ

• • • ϯ-ⲉⲁⲁⲩ ⲉⲡⲥⲧ̄

1. 1 als Korrektur.   2. Klein über der Zeile.   3. Korrigirt aus ⲉⲥⲉ, ⲉⲥⲟ.
4. Vielleicht ist hier eine Trennung.   5. Allenfalls auch ⲁⲗ.   6. Vielleicht Trennung.
7. Sic.   8. Zwischen ⲱ und ⲩ ist kaum für ⲟ Platz; es wird trotz der Gröſse der
Lücke wohl ⲣⲱⲩ[ⲧ ⲁⲩ]ϯ zu lesen sein.   9. Wohl nur ⲙⲉ-.

Der groſse Meister Johannes sagte:
Dieser Arbeiter, der schön arbeitete,
und den sein Herr liebte,
er forderte eine Stadt¹.

_____

¹ So als ⲡⲧⲁϥⲁⲓⲧⲉⲓ kann man jedenfalls die Stelle auffassen; aber vielleicht versteckt
sich ganz Anderes darin.

Er wurde über sie gesetzt,
ihre Verwüstung geschah auf seinen Händen[1].
Dies ist Elias der Prophet
.... *sieben Jahre Hungersnoth*
....
Es hörte auf das, was [er sagte]
Gott der Schöpfer.
Er machte den Himmel aus Erz,
er machte die Erde aus Eisen
...... *weder Thau [noch] Regen* (?)[2]
.... *drei Jahre und sechs Monate*
...... *die Erde*
...... *der Menge der Sünden*[3], *die sie thun.*
Gott hatte Erbarmen, Elias hatte kein Erbarmen.
Er theilte die Zeit zwischen sich und ihm,
er nahm (sich) drei Jahre und sechs Monate
und gab ihm drei Jahre und sechs Monate.
Er nahm den Himmel fort, der aus Erz war,
und die Erde, die von Eisen war,
er träufelte Thau hernieder und Regen.

Die Erde aber trug Frucht,
die Bäume wuchsen [und] trugen ihre Frucht.
Die Menschen lebten mit ihrem Vieh
[und sie] priesen den Herrn.

Man hat also etwa folgenden Inhalt. Der zornige Elias bittet Gott über eine sündige Stadt eine siebenjährige Dürre zu verhängen und Gott macht den Himmel strahlend wie Erz und die Erde hart wie Eisen. Als die Hälfte der sieben Jahre verstrichen ist, hat Elias noch kein Erbarmen, denn die Menschen sündigen noch. Gott aber erläfst ihnen die ihm zustehende Hälfte der Strafzeit und läfst wieder regnen. — Auch dieses Lied, das Elias und Jonas zu vermischen scheint, möchte man nicht für kirchlich halten, trotzdem es ebenso wie das

---

[1] Wohl irgend eine Redensart.
[2] Ich verbessere ⲟⲩⲧⲉ ⲕⲁⲧⲉ ⲟⲩⲧⲉ ⲙⲟⲩⲛⲅⲱⲟⲩ.
[3] Lies ⲛⲛⲉⲛⲁⲃⲓ.

nächstfolgende und wie das Lied S. 31 von Johannes Chrysostomus zu
sein behauptet.

c.

³πο•ϧεμ ϲⲧⲱⲭ̅ⲉⲥ. (In einer Umrahmung über der Seite.)
ⲁ̅ⲁϭⲉⲣⲁⲙⲡⲓ ⲛ̅ⲛⲟⲩⲃ̅ ⲛⲁⲧⲁ ⲧⲥⲱⲫⲓⲁ ⲛ̅ⲥⲱⲗⲱⲙⲱⲛ:
ⲁ̅ⲁⲡⲉⲧⲉⲛⲁϧ ⲉϧⲁⲧ ⲛⲁⲧⲁ ⲡⲉⲧⲥⲉϧ:
ϧⲉⲁⲁⲅⲉⲓⲁ
ⲧⲟⲩϭⲓⲛϧⲉⲙⲁⲁⲥ.
ⲙⲉⲛⲧⲟⲩϭⲓⲛⲧⲟⲩ• ⲧⲉ ⲡϧⲁⲣⲙⲁ ⲛ̅ⲛⲉⲭⲱⲣⲱⲃⲓⲛ
ⲡⲁⲓ ⲉⲩϧⲉⲛⲁⲙⲡⲉⲩⲉ
ϧⲁⲧⲉⲛ-ⲡⲟⲩϣⲏⲣⲓ ⲙⲙⲁⲛⲟⲩⲏⲗ
ⲉⲩⲧⲁⲩ ⲙⲣⲓⲥϧⲁⲛⲓⲱⲥ
ⲝⲉ-ⲛⲟⲩⲁⲁⲃ ⲛⲟⲩⲁⲁⲃ ⲛⲟⲩⲁⲁⲃ
ⲛϣⲁⲙⲉⲧ [ⲉⲥⲁ]ⲡ
ⲡⲉⲣⲁ ⲉⲩϧⲉⲛⲁⲙⲡⲉⲩⲉ

Meine goldene Taube nach der Weisheit Salomo's,
du mit silbernen Flügeln, wie geschrieben steht
durch David,
dein Sitzen und dein . . . . ist der Wagen der Cherubim,
die im Himmel sind
bei deinem Sohn Immanuel,
indem sie Trishagios sagen:
Heilig, heilig, heilig bist du — dreimal,
du König, der im Himmel ist.

Wie das folgende ein Marienlied.

d.

••••ⲙ ⲉⲡⲁⲣⲭ[ⲛⲉⲡⲓⲥ]ⲕⲱⲡⲱⲥ ⲓ̅ⲱ̅••ⲛⲏⲥ.
ⲡⲉⲭ̅ⲣⲕⲱⲥⲧⲱⲙⲱⲥ ••••••ⲉⲡⲉⲁⲁⲩ ⲙⲉⲛⲡⲧⲁⲓⲁ
ⲛ̅ⲧⲡ[ⲁⲣⲑⲉⲛⲱⲥ]ⲉⲧⲟⲩⲁⲁⲃ ⲙⲁⲣⲓⲁ
⁴ⲡⲉⲝⲁⲁⲃ ⲝⲉ-ⲁⲩⲧⲁϧⲉ-ⲧⲡⲁⲣⲑⲉⲛⲱⲥ.
ⲉϧⲟⲩⲛ ⲡⲉⲣⲡⲏ.
ⲛⲟⲩⲧⲉⲣⲱⲛⲉⲡ̅ⲟⲥ̅ ⲛⲛⲉϧⲁⲙ
ⲙ̅ⲡ[ⲁⲣ]ⲁ ⲡⲉⲡⲁⲣⲑⲉⲛⲱⲥ ⲧⲏⲣⲟⲩ ⲛⲙⲡⲛⲁϧ'

1. Sic.

ⲛ[ⲧ]ⲟⲩⲥⲉⲛ-ⲡⲉⲧⲥⲁⲡⲧ ⲉⲙⲁⲣⲓⲁ ⲧⲉⲣⲱ:
ⲙⲡⲁⲩ ⲉⲥⲉⲛϧⲟⲩⲛ¹ ⲉⲡⲏⲓⲧⲱⲛ ⲉⲓⲱⲥⲉⲫ
ⲉⲣⲉ-ⲛⲁⲅⲉⲗⲱⲥ.
ⲛⲉⲩ ϣⲁⲣⲁⲥ
ⲉⲩⲡⲣⲱⲥⲛⲓⲛⲓ ϧⲓⲥⲉⲛⲧⲉⲥⲁⲡⲏ
[ⲟ]ⲅⲉⲛⲟⲩⲕⲗⲁⲙ ⲛⲱⲛⲓ ⲉⲙⲉ:
ⲉⲙⲁⲣⲏⲁⲣⲓⲧⲏⲥ.
ϧⲓⲥⲉⲛⲧⲁⲡⲏ ⲉⲙⲁⲣⲓⲁ ⲧⲉⲣⲱ:
ⲉⲣⲉ-ⲙⲉⲧⲥⲣⲱⲩⲥ² ⲛⲱⲛⲓ ⲉⲙⲉ ϧⲓⲥⲉⲛⲡⲉⲛⲗⲁⲙ:
ⲉⲥϣⲁⲛⲡⲓⲣⲉ ⲉⲡⲉ[ⲥ]ϧⲁ ⲉⲡⲥⲁ ⲉⲛⲉⲙⲁϣⲁ
ϣⲁⲣϣⲁⲙⲉⲧ [ⲛⲱⲛⲓ] •••• [ⲟ]ⲅⲁⲓⲛ ⲉⲣⲁⲥ
ⲛⲁⲧⲁ ⲡⲧⲉ ••••••••••• ⲟⲩⲁⲁⲃ
ⲉⲥⲉⲛⲧⲉϧⲟⲉⲓⲧⲉ •••••••
ⲉⲥϣⲁⲛⲡⲓⲣⲉ ⲉⲡⲉⲥϧⲁ ⲉⲡⲥⲁ[ⲉⲛⲉⲙⲉⲛ]ⲧ
ϣⲁⲣⲉ-ϣⲁⲙⲉⲧ ⲛⲱⲛⲓ •• [ⲟⲩⲁⲓⲛ ⲉ]ⲣⲁⲥ
ⲉⲡ •••• ⲉⲛϣⲁⲙⲉⲧ[ⲛⲱⲛⲓ]
••ⲧⲁ ⲡⲉⲛ•••••••ⲛ ⲉϧⲟⲩⲛ
ⲁⲫⲱ³

1. Sic.   2. ⲱ als Korrektur über ⲁ?   3. Unter der letzten Zeile.

.... *des Erzbischofs Johannes des Chrysostomus* .... *zu dem Lobe und der Ehre der heiligen Jungfrau Maria.* Er sprach:

> *Sie stellten die Jungfrau*
> *hinein in den Tempel*
> *.....¹ des Herrn der Heerscharen*
> *über alle Jungfrauen der Erde*
> *und sie fanden das Erlesenste für Maria, die Königin,*
> *als sie² in dem Gemach³ des Joseph war.*
> *Die Engel kamen zu ihr*
> *und verehrten⁴ .... auf ihrem Haupt.*
> *Eine Krone von Edelstein und Perlen*
> *ist auf dem Haupt der Königin Maria.*

---

¹ Mir unverständlich.
² Vergl. oben S. 33 zu ⲙⲛⲁⲩⲉⲧⲁϧⲣⲏⲧⲉⲛⲡⲁⲣⲁⲃⲁⲥⲓⲥ.
³ ⲕⲟⲓⲧⲱⲛ.
⁴ Es fehlt wohl »die Krone«, wie nach dem Folgenden zu vermuthen ist.

Zwölf Edelsteine sind auf der Krone.
Wenn sie ihr Gesicht neigt nach der Seite des Ostens[1],
so leuchten drei Steine . . . zu ihr (?)
gemäfs dem . . . . .
. . . . heilig . . . auf dem Kleide . . . . . .
Wenn sie ihr Gesicht neigt nach der Seite des Westens,
so leuchten drei Steine . . . . zu ihr (?) . . .
die drei Steine . . . . .

VI. Die Beischriften für den Vortrag der Gedichte.

Ich habe oben bei der Übersetzung der Texte die einzelnen Worte unübertragen gelassen, die ihnen am Rande, am Anfang oder am Schlusse beigefügt sind und augenscheinlich Anweisungen für den Vortrag des betreffenden Stückes enthalten.

In dem Theodosiusmärchen sind so die Worte ⲧⲁⲗⲟⲥ und ⲗⲉϫⲓⲥ gebraucht:

1. Erzählung der Wahl. — Es gab damals zwei Leute, deren einer träumte. ⲧⲁⲗⲟⲥ ⲗⲉϫⲓⲥ.

2. Erzählung des Traumes und seiner Deutung. — Theodosius wird König. ⲗⲉϫⲓⲥ.

3. Theodosius vergifst seinen Freund. Die Wiedererkennung. Dionysius wird Patriarch. ⲧⲁⲗⲟⲥ.

4. Schlufsformeln.

Von diesen Worten ist das ⲗⲉϫⲓⲥ schon Lagarde in liturgischen Handschriften begegnet[2], der bemerkt, dafs es durch ﻻﻈ übertragen wird. Aus seinen Inhaltsangaben dieser Handschriften ergiebt sich, dafs es hier eine Besonderheit bei der Recitation der Psalmen sein mufs: es wird z. B. Psalm 44, 11 vorgetragen, dann folgt: ⲗⲉϫⲓⲥ Vers 12. Man wird also wohl noch aus dem heutigen koptischen Gottesdienste feststellen können, was die ⲗⲉϫⲓⲥ ist.

Das ⲧⲁⲗⲟⲥ (das τέλος sein könnte) kehrt auch in unserem Gedicht von Elias (oben S. 37) wieder und zwar am Ende seines vorletzten Abschnittes; auch

---

[1] ⲙⲁⲛϣⲁ.

[2] Lagarde, Orientalia S. 4: »das oft wiederkehrende ⲗⲉϫⲓⲥ zu erläutern, überlasse ich anderen«.

das ⲧⲁⲗⲁⲥ, das auf denselben Blättern, scheinbar am Anfang des Gedichtes von Salomo, steht, wird damit identisch sein. Vielleicht auch das ⲛⲁⲗⲗⲟⲥ, mit dem Strophe 14 des Archellites schliefst und Strophe 15 beginnt.

In dem Salomomärchen finden sich am Schlufs eines Abschnittes und am Ende des Textes Worte, die etwa ⲙⲁⲛ ⲛⲁⲧⲁⲡⲓⲁⲟⲩⲁⲛ »... gemäfs dieser Farbe« lauten und die etwa »in dieser Art weiter auszuführen« bedeuten könnten.

Interessanter sind die Beischriften der poëtischen Texte. Zwar das ⲁⲗⲗⲟⲥ, das in dem Schmidt'schen Bruchstück zweimal den Beginn eines neuen Liedes bezeichnet, während es im Archellitesgedicht am Ende einzelner Strophen[1] steht, mufs eine allgemeine Bedeutung haben und auch das ⲟⲩⲉⲣⲓⲕⲟ am Schlufs des Salomoliedes (S. 37) bleibt besser bei Seite. Aber die anderen Beischriften beziehen sich gewifs zumeist auf die Melodie, in der der betreffende Vers zu singen ist oder die man dazu zu spielen hat. Es sind:

1. ⲧⲛⲁϩⲓⲥⲉ ⲁⲛ Arch. 1; ⲧⲛⲁϩⲓ′ ib. 7; ⲧⲛⲁϩⲓⲥⲉ ib. 17 — ⲡⲟⲩⲱⲣⲙ ⲥⲧⲟⲭⲟⲥ ⲧⲛⲁ Schmidt (S. 31).
2. ⲛⲁⲓⲁⲛ′ Arch. 5; ⲛⲁⲓ′ ib. 10.
3. ⲡⲟⲩⲱⲣⲙⲥⲧⲟⲭⲟⲥⲛⲛⲟϭ Schmidt (S. 32 und 34).
4. ⲛⲁⲓⲱ•• Arch. am Schlufs von 4.
5. ϣⲟⲙⲧ ⲉϩⲱϥ Arch. 11 und am Schlufs von 22.
6. ⲁⲡⲣⲏ Arch. 3.
7. ⲛⲁⲓⲥⲉⲡⲉ Arch. 8 (Lesung fraglich).
8. ⲁⲗⲗ′ Arch. 12 (vielleicht nur ein ⲁⲗⲗⲟⲥ).
9. •ⲕⲉⲣϩ•••••ⲛⲣⲟⲙⲡⲉ Arch. 21.
10. Zerstört: ϣⲉϫ•• am Schlufs von Arch. 12 — ⲛⲟ•ϩⲉⲙⲥⲧⲱⲭⲉⲥ•••• Marienlied (S. 40) — ⲡⲟⲩⲱⲣⲙⲡⲥⲧⲟⲭⲟⲥ•••• über dem Theodosiusmärchen.

Dafs diese Worte: *ich leide nicht, der Diakon, der grofse, mein Vater, drei Dinge, die Sonne hat* Liederanfänge sind, liegt auf der Hand. Auch von den koptischen Kirchenliedern der »Theotokia«, mit denen wir uns unten noch zu beschäftigen haben, tragen einige ähnliche Angaben am Schlufs:

ⲛⲭⲟⲥ ⲃⲁⲧⲟⲥ بلاحن واطس »Melodie Dornbusch«

---

[1] Es sind 3, 8, 17, vielleicht auch 15, falls das oben erwähnte ⲛⲁⲗⲗⲟⲥ auch dazu gehört. In allen diesen Fällen folgt auf die betreffende Strophe eine andere von gleichem Metrum und so könnte das ⲁⲗⲗⲟⲥ hier vielleicht bedeuten: »eine andere (gleicher Art)«.

6*

ⲏϫⲟⲥ ⲙⲡⲓⲗⲱⲁⲙϣ ϣⲉⲧⲭⲱ يقال بطريقة البش »Melodie des Daches(?), zu sprechen (?)«[1].

Wo es in diesen Kirchenliedern ⲏϫⲟⲥ heifst, heifst es in den Schmidt-schen Texten und in unserem Marienlied ⲡⲟⲩⲱⲣⲙⲥⲧⲟϫⲟⲥ, ⲡⲟⲩⲱⲣⲙⲡⲥⲧⲟ ϫⲟⲥ, ⲡⲟ[ⲩⲱ]ⲣⲉⲙⲥⲧⲱϫⲉⲥ. Dafs dabei das ⲥⲧⲟϫⲟⲥ ein στοῖχος ist, ist klar, aber was ist ⲡⲟⲩⲱⲣⲙ? Ich möchte nicht an ⲟⲩⲱⲣⲙ denken, sondern glaube, dafs nach dem S. 55 Bemerkten die korrekte Form ⲡⲟⲩⲱ ⲣⲙ-ⲡⲥⲧⲟϫⲟⲥ ist: »das ⲟⲩⲱ in dem Verse . . .«. Für ⲡⲟⲩⲱ weifs ich freilich keinen Rath, es sei denn, man denke an das ϫⲓ-ⲡⲁⲟⲩⲱ, mit dem die Theodosiusgeschichte nach der Überschrift ⲡⲟⲩⲱ ⲣⲙ-ⲡⲥⲧⲟϫⲟⲥ beginnt; die einleitende Musik könnte ja wohl »die Meldung« heifsen.

VII. Zur koptischen Metrik.

Wir gehen am besten von dem Archellitesgedichte aus, bei dem die einzel-nen Verszeilen und Strophen unzweideutig in der Handschrift geschieden sind.

Man sieht zunächst, dafs die meisten Strophen (17 unter 24) aus acht Zeilen bestehen, von denen wieder je vier eine Halbstrophe bilden[2]. Da-neben kommen auch andere Strophen vor und zwar:

Strophe 8 und 9: sechszeilig.

Strophe 14 und 15: neunzeilig.

Strophe 19 und 20: vielleicht beide zehnzeilig.

Strophe 23: anscheinend neunzeilig.

Die ungewöhnlichen Strophen treten also paarweise auf, offenbar als Wechselgesänge an besonders pathetischen Stellen; 8 und 9 enthalten die Warnung vor der Reise und den Entschlufs, sie doch zu wagen, 14 und 15 die Klage der Mutter über die Abweisung, in 19 und 20 »beschwören« sich Sohn und Mutter gegenseitig[3].

Dafs der metrische Bau dieser Verse auf dem Wortaccente beruht, der ja im Koptischen eine so grofse Rolle spielt, ist von vornherein anzunehmen.

---

[1] Theotokia p. ١٣٠., ١٩., ١٩.. Dem arabischen Übersetzer sind diese Meldiennamen noch so geläufig gewesen, dafs er ⲃⲁⲧⲟⲥ und ⲡⲓⲗⲱⲁⲙϣ nicht übersetzt, sondern in arabischer Schrift wiedergegeben hat.

[2] Das Zeichen der Halbstrophe steht in 4. 7. 13. 15. 16. 17. 18. 21. 22. 23. 24; es fehlt in 1. 2. 5. 6. 10. 11. 12.

[3] Auch die beiden Strophen vor 19 und 20 und die beiden nach denselben bilden Paare unter einander, so dafs also die ganze Stelle 17—22 aus drei Strophenpaaren besteht.

Aber wenn wir diesen Accent auch in der Grammatik zur Genüge zu kennen glauben, hier, wo es sich darum handelt, seine Verwendung in der Metrik festzustellen, ergeben sich doch allerlei Zweifel und Schwierigkeiten. Vor allem, wie steht es in längeren Wortgruppen mit dem Nebenton? In ⲉⲣⲉⲟⲩϣⲱⲛⲉ, in ⲉⲧⲁⲩϫⲡⲉϣⲏⲣⲉ oder ⲡⲉⲛⲧⲁⲓⲙⲡⲉϥⲙⲟⲩ liegt ja nach der Grammatik der Accent allein auf ϣⲱ-, ϣⲏ- und ⲙⲟⲩ, und alle Silben, die davor liegen, sind theoretisch tonlos, aber unmöglich kann man doch ⌣⌣⌣⊥⌣, ⌣⌣⌣⊥⌣, ⌣⌣⌣⌣⊥ sprechen, ohne auch einer der theoretisch unbetonten Silben einen Nebenton zu verleihen. Aber welche war dies im einzelnen Falle[1]? und in wie weit zählte sie in der Metrik mit?

Wie steht es weiter mit der Betonung der griechischen Lehnworte und Namen? Nach der Art, wie sie in den Reimen der Kirchenlieder verwendet werden, möchte man glauben, dafs die Endungen -ⲟⲥ und -ⲟⲛ betont sind, während bei Worten wie ⲙⲁⲣⲓⲁ, ⲥⲟⲫⲓⲁ u. s. w. der Accent auf dem ⲓ liegt. — Zählen ferner Worte wie ⲟⲏⲧϥ, ⲛⲟϫⲧ oder wie ⲛⲁⲓ, ⲙⲟⲉⲓⲧ, ⲣⲟⲟⲩϣ oder wie ⲧⲁⲁⲩ, ⲕⲁⲁⲩ als ein- oder zweisilbig? Hat man ein ⲡⲛⲟⲩⲧⲉ ⲛⲧⲡⲉ *pnute 'ntpe* zu lesen oder *pnute'ntpe*? Und endlich giebt es nicht vielleicht auch Fälle, wo ein der Theorie nach betontes Wort im Verse als unbetont oder schwach betont gebraucht wird? Wenn in zwei im Übrigen gleichlautenden Halbstrophen (21 und 22) es das eine Mal heifst ⲛⲉⲥϭⲓⲙⲉ ⲉⲛⲧⲁⲩϫⲡⲉ-ϣⲏⲣⲉ *nesh́ime entauźpeśere* und das andere Mal ϭⲓⲙⲉ ⲛⲓⲙ ⲉⲧⲁⲩϫⲡⲉ-ϣⲏⲣⲉ *sh́ime nim etauźpeśere*, so fragt es sich wirklich, ob das metrisch verschieden sein soll; es wäre wohl möglich, dafs man das dem Substantiv nachhinkende ⲛⲓⲙ trotz seiner theoretischen Selbständigkeit halb tonlos gesprochen hätte. Und ebenso möchte man dem Verse ⲛⲉⲛⲕⲁ ⲙⲡⲉⲛⲓⲱⲧ ⲣⲱϣⲉⲣⲟⲓ ⲛⲉⲙⲁⲛ (3), der zwischen solchen mit vier Hebungen steht, nicht gern fünf zuschreiben; ich glaube eher, dafs das ⲣⲱϣ ⲉⲣⲟⲓ hier nur mit einem Ton (⌣⌣-) zu lesen war, nicht mit zwei (-⌣-), wie es die grammatische Theorie erfordern würde[2].

---

[1] Nur ausnahmsweise kann man auch einmal in der Grammatik einen Nebenton feststellen. Im Futurum I und II ϥⲛⲁⲥⲱⲧⲙ ist das ⲛⲁ- theoretisch tonlos, wie es ja denn auch als solches verkürzt ist. Aber der altfaijumische Dialekt, der betontes ⲁ in ⲉ verwandelt, unbetontes als ⲁ bewahrt, sagt ⲡⲉⲧⲛⲉⲥⲱϯ, ⲉⲧⲉⲧⲛⲛⲉϣⲱⲡⲓ, ⲥⲉⲛⲉⲟⲩⲁⲙⲟⲩ u. s. w.; er spricht also gewifs das ⲛⲁ- mit schwacher Betonung.

[2] Ebenso möchte man in der ersten Zeile des Gedichtes ⲁⲩⲱⲛ ⲛⲁϥ ⲛⲧⲉⲛⲛⲁⲧϥ ⲉⲣⲟⲩⲛ das ⲛⲁϥ für metrisch unbetont halten.

Angesichts dieser Schwierigkeiten beschränke ich mich darauf, hier die folgenden Punkte festzustellen:

1. Berücksichtigt man nur die Hauptaccente der Worte und nimmt man an, dafs vier- und fünfsilbige griechische Worte zwei Tonstellen hatten, so haben weitaus die meisten Verse drei oder vier Hebungen, z. B.

drei: ◡-◡-◡◡-   ⲛⲁⲛⲟⲧⲥ ⲧⲁⲛⲁⲩ ⲉⲡⲟⲩⲣⲟ
        ◡◡-◡-◡-   ⲧⲉⲡⲁⲣⲁϣⲉ ϫⲱⲕ ⲉⲃⲟⲗ
        ◡◡◡-◡-◡◡-   ⲉⲣϣⲁⲛⲟⲩⲣⲱⲙⲉ ⲃⲱⲕ ⲉⲡϣⲉⲙⲟ
        ◡◡-◡◡-◡-   ϫⲉⲧⲉⲕⲙⲁⲁⲩ ⲧⲉⲥⲁϧⲉⲣⲁⲧⲥ ⲉⲣⲟⲕ
        -◡-◡◡-◡   ⲃⲱⲕ ⲛⲉⲛϣⲁϫⲉ ⲙⲉⲡⲁϣⲏⲣⲉ (ungewöhnlich)

Ein rein iambisches Mafs (◡-◡-◡-) scheint nicht vorzukommen.

vier: ◡-◡-◡-◡◡-   ⲃⲓⲁⲧⲕ ⲉϩⲣⲁⲓ ⲧⲉⲕⲛⲁⲩ ⲉⲡⲁⲣⲟ
        ◡-◡-◡◡-◡◡- ϯⲥⲟⲡⲥ ⲉⲙⲱⲧⲛ ⲛⲁⲓⲟⲧⲉ ⲉⲧⲟⲩⲁⲁⲃ
        ◡-◡◡-◡◡-◡◡- ϣⲁⲓⲥⲟⲗⲥⲗ ⲉⲙⲏⲛⲉ ⲉⲓⲛⲁⲩ ⲉⲡⲉⲕⲣⲟ
        ◡-◡-◡◡◡-◡- ⲧⲁⲙⲟⲓ ⲉⲡⲙⲁ ⲉⲣⲉ- ⲡⲣⲱⲙⲉ ⲉⲛϧⲏⲧϥ
        ◡-◡-◡-◡-   ϯⲟⲩⲱϣ ⲉⲩⲥⲟⲡ ⲉϣⲁⲓⲛⲁⲩ ⲉⲣⲟⲕ
        ◡◡-◡-◡-◡-   ⲉⲧⲁⲓⲉⲓ ⲉⲡⲙⲁ ⲧⲁⲛⲁⲩ ⲉⲣⲟⲕ
        ◡-◡-◡-◡-   ⲧⲉϥϣⲗⲏⲗ ⲉⲡⲛⲟⲩⲧⲉ ⲉϩⲣⲁⲓ ⲉϫⲱϥ
        ◡◡◡-◡-◡◡-   ⲟⲩⲡⲟⲛⲧⲁⲗⲥⲟ ⲛⲁϣⲱⲡⲉ ⲉⲃⲟⲗ ϩⲓⲧⲟⲟⲧϥ

Ein rein iambisches Mafs (◡-◡-◡-◡-) scheint nicht vorzukommen. Die Verse mit drei und vier Hebungen scheinen als ziemlich gleichwerthig zu gelten und stehen in derselben Strophe durcheinander.

Weit seltener sind Verse mit zwei Hebungen, die besonders in den nicht achtzeiligen Strophen vorkommen und lebhaft zu sein scheinen:

        ◡-◡◡-   ⲧⲁⲛⲁⲩ ⲉⲡⲉⲕⲣⲟ
        ◡-◡-   ⲁⲙⲟⲩ ⲉⲃⲟⲗ
        ◡◡◡-◡◡-   ⲥⲉⲁϧⲉⲣⲁⲧⲟⲩ ⲉⲣⲟⲕ
        ◡◡◡-◡◡   ⲣⲛⲧⲙⲛⲧⲉⲣⲟ ⲛⲉⲡⲏⲩⲉ (ungewöhnlich)
        -◡-   ϣⲟⲟⲡ ⲛⲉⲙⲁϥ (ungewöhnlich)

Die drei oder vier Verse, die fünf Hebungen zu haben scheinen[1], und die zwei, die scheinbar nur eine haben[2], sind so vereinzelt, dafs man sie bis auf weiteres besser unberücksichtigt läfst.

---

[1] ⲁⲩⲱ ⲛⲉⲕⲃⲉ ⲛⲁⲓ ⲉⲧⲁⲝⲓ ⲙⲙⲟⲟⲩ(11) und ⲉϣⲱⲡ ⲙⲉⲕⲉⲓ ⲉⲃⲟⲗ ⲧⲁⲛⲁⲩ ⲉⲡⲉⲕⲣⲟ(11); vielleicht auch ϧⲁⲙⲟⲓ ⲉⲛⲉⲛⲧⲁⲛⲁⲓ ⲉϣⲃⲱⲕ ⲉⲛⲙⲟⲛⲁⲥⲧⲏⲣⲓⲟⲛ(16) und ⲃⲱⲕ ⲁϫⲓⲥ ⲉⲧⲥⲩⲛⲕⲗⲏⲧⲓⲕⲏ ⲧⲁⲙⲁⲁⲩ(16).

[2] ⲁⲡⲗⲟⲅⲟⲥ(19) und ϧⲁⲛⲉⲛⲧⲁⲓⲁⲁⲩ(16).

2. Die Verse mit vier Hebungen zerfallen in zwei Hälften, die zwei Satztheilen oder Sätzchen entsprechen:

ϣⲁⲓⲥⲟⲗⲥⲗ ⲉⲙⲏⲛⲉ ‖ ⲉⲓⲛⲁⲩ ⲉⲡⲉⲕⲣⲟ (3) ⌣–⌣⌣–⌣‖⌣–⌣⌣–

ϯⲉⲣⲟⲏⲃⲉ ⲛⲁⲕ ‖ ⲡⲁϣⲏⲣⲉ ⲙⲙⲉⲣⲓⲧ (5) ⌣–⌣⌣–‖⌣–⌣⌣⌣–

ⲧⲉϥϣⲗⲏⲗ ⲉⲡⲛⲟⲩⲧⲉ ‖ ⲉϩⲣⲁⲓ ⲉϫⲱϥ (6) ⌣–⌣⌣–⌣‖⌣–⌣–

ⲙⲉϥⲛⲁⲩ ⲉⲡⲣⲟ ⲛⲥϭⲓⲙⲉ ϣⲁⲉⲛⲉϩ (8) ⌣–⌣⌣–‖⌣–⌣⌣⌣–

Nur lange griechische Worte reichen über diese Theilung hinweg:

ⲁⲛⲟⲕ ⲡⲉ ⲧⲥⲩⲛ|ⲕⲗⲏⲧⲓⲕⲏ ⲧⲉⲣⲙⲁⲁⲩ (24)

ⲡⲁⲓⲱⲧ ⲡⲁⲣⲭ‖ⲏ|ⲉⲡⲓⲥⲕⲟⲡⲟⲥ (10)

3. Wie schon die obigen Beispiele zeigen, beginnen fast alle Verse mit unbetonten Silben und enden auf eine betonte; auch die erste Vershälfte endet gern auf eine Hebung und die zweite beginnt fast immer mit einer Senkung. Es herrscht also fast immer ein iambischer oder anapaestischer Rhythmus.

Freilich ist dies überhaupt der natürliche Rhythmus der koptischen Sprache; ihre Worte beginnen mit tonlosen Vorsilben (Praepositionen, Hülfsverben u. s. w.) und schliefsen mit einem Substantivum oder Verbum, die ja beide zum grofsen Theil den Accent auf der letzten Silbe haben. Auch ein Prosatext bewegt sich daher meistens in einem Rhythmus wie

⌣–⌣–⌣⌣–‖⌣––‖⌣⌣–‖⌣⌣–⌣⌣–‖⌣–⌣⌣⌣–⌣–[1]

Auch die Abweichungen von diesem Rhythmus ergeben sich von selbst: ein Imperativ oder ein Substantiv z. B., die einen Vers beginnen, werden ihn in der Regel zu einem trochaeischen oder daktylischen machen:

ⲡⲛⲟⲩⲧⲉ ⲛⲧⲡⲉ ⲡⲉ ⲡⲁⲃⲟⲏⲑⲟⲥ (2)

ⲃⲱⲕ ⲉⲛϭϣⲁϫⲉ ⲙⲉⲧⲁⲙⲁⲁⲩ (17)

Man darf aber wohl annehmen, dafs der Dichter sich der verschiedenen Wirkung dieser Verse bewufst gewesen ist und sie absichtlich herbeigeführt hat.

4. Die gewöhnlichen achtzeiligen Strophen bestehen, wie schon oben gesagt, aus zwei vierzeiligen, die syntaktisch gar nicht oder doch nur lose (z. B. durch einen Konjunktiv) verbunden sind. Die einzelnen Verszeilen

---

[1] Luc. 15, 18. Die ersten Worte ϯⲛⲁⲧⲱⲟⲩⲛ ⲧⲁⲃⲱⲕ ϣⲁⲡⲁⲉⲓⲱⲧ bilden einen richtigen Vers mit drei Hebungen.

haben zumeist drei oder vier Hebungen; für die Schlufszeilen der beiden Halbstrophen scheinen drei Hebungen beliebt zu sein. Als Probe gebe ich Strophe 4:

> eršan-uróme bók epšemo
> tefer-urompe, šafktof epef-éj.
> a-Archellites bók etanséf
> is-uméše ᵉnhow epinau epefho.
>
> ešópe tekonah, pašére ᵉmmerit
> ere-pžojs nastok ežój
> ešópe on akka-sóma ehraj,
> mare-pžojs er-una nemak.

Unter den Liedern des Schmidt'schen Bruchstückes sind c und g derartige achtzeilige Doppelstrophen, während e aus einer einzelnen vierzeiligen Strophe besteht.

Seltener finden sich in den achtzeiligen Strophen auch Verse mit nur zwei Hebungen gebraucht, so sicher die siebente Verszeile von Strophe 12, wo das kurze ⲦⲀⲚⲀⳒ ⲉⲡⲉⲕⳋⲟ den Wunsch der Mutter leidenschaftlich wiederzugeben scheint.

5. Neben den vierzeiligen Strophen, deren Wiederholung die achtzeilige Strophe bildet, giebt es auch dreizeilige Strophen, die ebenfalls aus Versen mit drei oder vier Hebungen bestehen. Aus ihnen sind die sechszeiligen Strophen 8 und 9 des Archellitesgedichtes und das neunzeilige Lied a des Schmidt'schen Bruchstückes zusammengesetzt. Also:

> eńoeš-urómi ᵉnatmu šaeneh,
> tažó eraf epaᵉmkah ehét,
> eišanmu, tefšlél hižój.

Dagegen gehören die neunzeiligen Strophen 14, 15, 23 nicht hierher, da sie eine Halbstrophe von fünf Zeilen enthalten.

6. Eine Strophe von fünf Zeilen zu drei und vier Hebungen bietet das Schmidt'sche Lied f und die neunzeiligen Strophen 14. 15. 23 des Archellites enthalten ebenfalls, wie die Theilung in 15 und 23 zeigt, eine

derartige Halbstrophe. Die ungewöhnlichen vielzeiligen Strophen wie 19 und 20 des Archellitesgedichtes oder wie die Lieder des Berliner Bruchstückes entziehen sich einstweilen jeder Beurtheilung.

— — — — — —

Das ist etwa, was sich unseren Texten heute über die koptische Metrik entnehmen läfst; es ist nicht viel, aber es ist doch genug, um uns nun auch andere koptische Verse erkennen zu lassen, deren metrischer Bau bisher nicht bemerkt worden ist.

Zunächst das merkwürdige faijumische Bruchstück, das ich UBM. kopt. Nr. 30 veröffentlicht und zweifelnd als »poëtische Bearbeitung der Leidensgeschichte« bezeichnet habe. Wer es heute ansieht, erkennt leicht in ihm ein Seitenstück zum Archellitesgedicht. Es sind drei durch ☉ geschiedene Strophen; in der ersten redet der Heiland zu Judas, in der zweiten redet die Frau des Pilatus, in der dritten hält Christus dem Judas seinen Verrath vor; was dazwischen lag, wurde eben so wie dort frei erzählt. Die Verszeilen sind nur selten getrennt, und ich wage daher über die beiden ersten Strophen nichts zu sagen. Dagegen ist die dritte die gewöhnliche achtzeilige Doppelstrophe:

Ιογλας μπελναϧι λεн.

ογλε ανετιμαϲτιμανεн.

αнϫι нтατιμιн αнτειτ εϧαλ

ανειογλει ϫιτ αн·αнρογμε·

τι[ογ]ωμ αγω τιϲω неμεн

τιμογττι λϧн ϫεпαϲαн.

αнτι-пертιϧεϲ εϙραι ϙιϫ[ωι]

ανϧλαγμα ταμετερα ☉

Judas, ich sündigte nicht gegen dich

und . . . .

Du nahmst Geld(?) für mich, du verkauftest mich,

die Juden führten mich zu den . . . . .

Ich esse und ich trinke mit dir,

ich rufe dich »mein Bruder«;

du hast deine Sohle auf mich gesetzt,

du . . . . . . mein Reich.

Weiter haben die bohairischen Kirchenlieder, deren Sammlung von Tuki abgedruckt ist[1], durchweg ein bestimmtes Metrum, Strophen von vier Zeilen, die in der Regel zwei, seltener drei Hebungen haben[2]. So z. B.:

Coptic	Meter	German
ϫⲉ ⲧⲉⲛⲛⲁⲥⲙⲟⲩ ⲉⲣⲟⲕ:	◡ ◡ ◡ – ◡ –	Wir preisen dich,
ⲱ ⲡⲉⲛⲟ̅ⲥ̅ Ⲓⲏ̅ⲥ̅:	◡ – ◡ –	unser Herr Jesus.
ⲛⲁϧⲙⲉⲛ ϩⲉⲛⲡⲉⲕⲣⲁⲛ:	– ◡ ◡ ◡	Erlöse uns durch deinen Namen,
ϫⲉ ⲁⲛⲉⲣϩⲉⲗⲡⲓⲥ ⲉⲣⲟⲕ ⳾	◡ ◡ ◡ – ◡ ◡ –	denn wir hofften auf dich. (Th. p.ⲙ̅ⲓ̅)
ⲡⲉⲕⲣⲁⲛ ϩⲉⲛⲛⲓⲫⲏⲟⲩⲓ:	◡ – ◡ ◡ – ◡	Dein Name im Himmel
ϫⲉ Ⲣⲁⲫⲁⲏⲗ ⲡⲓϫⲱⲣⲓ:	◡ ◡ ◡ – ◡ – ◡	Raphael der Starke,
ϣⲁⲩⲙⲟⲩϯ ⲉⲣⲟⲕ:	◡ – ◡ ◡ –	man nennt dich:
ϫⲉ ⲟⲩⲛⲟϥ ⲛϩⲏⲧ ⳾	◡ ◡ – ◡ –	Herzensfreude. (Th. ⲫ̅ⲏ̅)
ⲣⲱϥ ⲅⲁⲣ ⲙⲡⲉⲕⲓⲱⲧ:	– ◡ ◡ ◡ –	denn deines Vaters Mund
ⲉⲧⲟⲓ ⲙⲙⲉⲑⲣⲉ ϩⲁⲣⲟⲕ:	◡ – ◡ ◡ – ◡ –	ist's, der für dich bezeugt:
ϫⲉ ⲛ̇ⲑⲟⲕ ⲡⲉ ⲡⲁϣⲏⲣⲓ:	◡ ◡ – ◡ ◡ – ◡	»du bist mein Sohn,
ⲁⲛⲟⲕ ⲁⲓϫⲫⲟⲕ ⲙⲫⲟⲟⲩ ⳾	◡ – ◡ – ◡ –	heute habe ich dich gezeugt«. (Th. ⲩ̅ⲓ̅)
ⲁⲕⲓ ⲉⲡⲓⲕⲟⲥⲙⲟⲥ:	◡ – ◡ ◡ – ◡	du kamst in die Welt
ϩⲓⲧⲉⲛ-ⲧⲉⲕⲙⲉⲧⲙⲁⲓⲣⲱⲙⲓ:	◡ ◡ ◡ ◡ ◡ ◡ – ◡	durch deine Menschenliebe;
ⲁϯⲕⲧⲏⲥⲓⲥ ⲧⲏⲣⲥ:	◡ ◡ – ◡ –	die ganze Schöpfung
ⲑⲉⲗⲏⲗ ϩⲁⲡⲉⲕϫⲓⲛⲓ ⳾	◡ – ◡ ◡ ◡ – ◡	jauchzte bei deinem Kommen. (ib.p.ⲙ̅ⲍ̅)

In diesem letzten Beispiele wird die zweite Zeile wohl noch einen zweiten Accent (etwa auf ⲙⲉⲧ-) haben, wie denn überhaupt die Behandlung des grammatischen Accentes in diesen bohairischen Liedern vielfach eine sehr freie zu sein scheint. Man vergleiche z. B. die erste Zeile der folgenden Strophe.

ⲁⲩⲓⲛⲓ ⲛⲁϥ ⲛⲟⲩⲗⲓⲃⲁⲛⲟⲥ ϩⲱⲥ ⲛⲟⲩϯ:	sie brachten ihm Weihrauch als Gott
ⲛⲉⲙ ⲟⲩⲛⲟⲩⲃ ϩⲱⲥ ⲟⲩⲣⲟ:	und Gold als König
ⲛⲉⲙⲟⲩϣⲁⲗ ⲉϥϯⲙⲏⲓⲛⲓ:	und Myrrhe, die hinwies
ⲉⲡⲉϥϫⲓⲛⲙⲟⲩ ⲛⲣⲉϥⲧⲁⲛϧⲟ ⳾	auf seinen belebenden Tod. (Th. ⲓⲓⲓ̅ⲩ̅)

---

[1] Die sogenannte »Theotokia«: ⲡⲓϫⲱⲙ ⲛⲧⲉ ⲛⲓ ⲑⲉⲟⲧⲟⲕⲓⲁ ⲛⲉⲙ ⲕⲁⲧⲁ ⲧⲁⲝⲓⲥ ⲛⲧⲉ ⲡⲓ ⲁⲃⲟⲧ ⲭⲟⲓⲁⲕ (Rom 1764).

[2] Die Punkte, die die Verse scheiden, sind öfters in Tuki's Abdruck irrig ausgelassen, doch ist man selten über die richtige Theilung im Unklaren.

Es ist wirklich ein Kunststück, diese erste Zeile den anderen einigermaßen entsprechend zu lesen:

> *auini naf* ᵉ*nulibanos hós nuti*
> *nem unub hós uro*
> *nem uʃal eftiméini*
> *epefʒinmu* ᵉ*nreʃtanḫo.*

Auch die Willkürlichkeit, mit der in den meisten Liedern die Endsilbe behandelt wird — bald ist sie betont und bald nicht — zerstört für unser Ohr den Rhythmus. Diejenigen Lieder, die sich auch des Reimes bedienen, sind gewiß auch die jüngsten; auch sie haben noch das gleiche Metrum, wenn es auch neben dem Reime wenig zur Geltung kommt:

пιпιϣϯ пречριωιϣ:	◡–◡◡◡◡–	Der große Prediger
ꙅⲉⲛϯϫⲱⲣⲁ ⲛⲧⲉ Ⲭⲏⲙⲓ:	◡◡–◡◡◡–◡	im Lande Aegypten,
Ⲡⲁⲣⲕⲟⲥ ⲡⲓⲁⲡⲟⲥⲧⲟⲗⲟⲥ:	◡–◡◡–◡–	Markus, der Apostel,
пⲉⲥϣⲟⲣⲡ пречⲉⲣϧⲉⲙⲓ ✝	◡–◡◡◡◡◡	sein erster Steuermann. (Th. ⲣ̅ⲛ̅)

> ⲧⲉⲛⲟ̄ⲓⲥⲓ ⲙⲙⲟ ⲛⲉⲙ Ⲉⲗⲓⲕⲁⲃⲉⲧ: ◡–◡◡–◡◡–◡–
> ꙅⲉⲛⲛⲉⲛⲥⲫⲟⲧⲟⲩ ⲛⲉⲙⲛⲉⲛϧⲏⲧ: ◡◡–◡◡◡–
> ⲁⲣⲡⲉⲛⲙⲉⲩⲓ ⲱ пιⲛⲁⲏⲧ: ◡◡◡–◡◡◡–
> ⲉⲑⲃⲉ-ⲧⲉⲕⲙⲁⲩ ⲛϣⲉⲗⲉⲧ ✝   ◡◡◡–◡◡–

> Wir preisen dich und Elisabeth
> mit unseren Lippen und unseren Herzen.
> Gedenke unserer, o du Mitleidiger,
> wegen deiner bräutlichen Mutter. (Th. ⲣ̅ⲡ̅.)

Auf der gleichen Stufe wie diese letzten Beispiele steht dann auch das einzige sahidische Gedicht, das wir bisher kannten, die späte Reimerei, die in *süßen Worten* den Brüdern *den Nutzen dieser aegyptischen Sprache* lehren soll, d. h. die schon geschrieben ist, um das Koptische in seinem Kampfe gegen das Arabische zu unterstützen[1]. Sieht man von den Künsten und

---

[1] Veröffentlicht sind bisher nur die von Zoëga gegebenen Proben (Catalogus p. 642 ff.); ein vollständiger Abdruck wird schon wegen des reichen Wortschatzes des seltsamen Textes nicht zu umgehen sein. Doch muß dann nothwendig der arabische Text mit abgedruckt werden, der zum Verständniß dieser Barbarei nicht zu entbehren ist.

7*

Gewaltsamkeiten ab, zu denen diesen »Dichter« die Reimnoth gezwungen hat, so findet man, daſs bei den meisten Strophen der metrische Bau deutlich ins Ohr fällt, wie er denn auch Zoëga offenbar nicht entgangen ist[1]. Sie haben alle, wie üblich, vier Zeilen. Z. B.

Mit drei Hebungen, fast rein iambisch, wie es im Archellites nicht vorkommt:

ntoq nenϣⲱc ⲙⲡoⲣe	∪−∪−∪−∪
eⲧϯ ⲙⲡⲱⲛϩ ⲙⲛⲡⲁⲣe	∪−∪−∪−∪
ⲁⲭ̈ⲓⲥ ⲛⲁⲓ ⲧⲉⲛoⲩ ⲭⲉⲁⲣe	∪−−∪−∪−∪
neqϩⲁⲛ ne ϩⲉⲛⲁⲛⲓⲣoⲛ	∪−∪∪−∪−

Mit drei und vier Hebungen, dem Archellitesmetrum ähnlich:

ⲙⲡⲣϣⲱⲛe nⲑe nϣⲏⲣe nⲛeⲣⲃⲱ	∪∪−∪∪−∪−∪∪∪−
ⲭⲉⲛⲛeqⲧⲁⲣoⲧⲛ nⲥ̈ⲓ nⲛoⲥ̄ nⲣⲃⲁ	∪∪∪∪−∪∪∪−∪−
ⲛⲱϩ ⲭe eⲛeⲛⲧⲁqoⲩⲱϩ ϩⲛⲣeⲛⲣⲃⲱ	−∪∪∪−∪∪∪−
eqⲥⲱⲡⲧ eⲧⲡoⲗⲓc ⲛⲁⳉ eⲓⲣoⲡeⲓⲛⲧoⲛ	∪−∪−∪∪∪−∪−∪−

Mit vier Hebungen, die dritte Zeile rein iambisch:

ϯoⲧⲱϣ ⲧeⲛoⲩ eⲧⲣⲁⲃⲱⲕ eϩⲣⲁⲙⲁ	∪−∪−∪∪−∪−∪
ⲧⲁϣⲓⲛe ⲙⲙⲁⲩ ⲛⲥⲁⲣⲁϩ nⲣⲱⲙe	∪−∪∪−∪∪−∪−∪
ⲧⲁⲃⲱⲛ ⲛⲙⲙⲁⲩ eⲧⲡoⲗⲓc ϩⲣⲱⲙⲏ	∪−∪−∪−∪−∪
ⲧⲁoⲩⲱϩ nⲣⲏⲧc nⲑe ⲙⲡⲁⲅⲗoc ⲡⲁⲣ̈ⲭⲛⲁⲉⲛⲧⲱⲛ	∪−∪−∪−∪−∪∪−∪−

Mit fünf und vier Hebungen, wenn nicht mit mehr:

ntoq oⲛ nentⲁqⲧⲁⲙⲓe-ⲡⲥoⲩⲛϩooⲣ ⲙⲛⲡϣⲱⲛϣ	∪−−∪∪∪∪−∪−∪
ⲁqoⲧeⲣⲥⲁⲣⲛe nⲛoⲩⲛⲏⲃ eⲣoⲛϩ ⲙⲡϩⲛⲡⲁⲣ ⲙⲛⲡϣⲱⲛϣ	∪∪−∪∪−∪−∪−∪∪∪
nⲑe eⲧoⲩⲣoⲛϩ ⲙⲡceeⲛe eⲧⲛⲁϣⲱⲭⲡ	∪−∪∪−∪−∪∪∪−∪
eⲃoⲗ ϩⲙⲡecooⲩ ⲙⲡⲛⲁⲥ̈ⳉⲁ ϩⲛoⲩⲙⲛⲧⲁⲧϯⲧⲱⲛ	∪−∪∪−∪−∪∪∪∪∪∪−

Einzelne Strophen haben sogar Verse zu sechs und sieben Hebungen; die vierte Verszeile, die durch das ganze Gedicht auf oⲛ reimt, weicht auch in der Zahl der Hebungen meist von den anderen ab.

---

[1] Er sagt: Iuvat barbarae poëseos exhibere specimina nonnulla, selectis iis quae faciunt ad linguae notitiam augendam vel ad rhythmi illius indolem demonstrandam — eine Bemerkung, die unbeachtet geblieben ist.

VIII. Zur Grammatik.

Die Texte, die ich hier veröffentlicht habe, gehören alle dem ober-
aegyptischen Dialekte an und gewifs auch ein und derselben Zeit, aber
sie unterscheiden sich doch nicht unwesentlich von einander. Vielleicht
entstammen sie daher verschiedenen Gegenden Oberaegyptens, vielleicht
aber rühren diese Differenzen auch nur von dem verschiedenen Bildungs-
grade ihrer Schreiber her. Denn was man in dieser Zeit schrieb, war
wohl längst nicht mehr der lokale Dialekt der einzelnen Stadt; der war
nicht schriftmäfsig. Es war vielmehr eine gemeinsame aus dem Sahidischen erwachsene Schriftsprache, die nur von dem einen »richtiger«, d. h.
weniger dialektisch, als von dem anderen gehandhabt wurde. Selbst ein
Faijumer schreibt, wenn er gebildet ist, ein leidliches Sahidisch, bei dem
höchstens das ⲁ für ⲟ noch an den alten faijumischen Dialekt erinnert,
wie er uns aus seiner Bibelübersetzung bekannt ist. Anders der Ungebildete,
dem sich aus der Sprache des täglichen Lebens Formen und Laute ein-
drängen, von denen das Sahidische nichts weifs[1].

Wenn daher beispielsweise das Archellitesgedicht, das wahrscheinlich
aus Schmun stammt, das ⲟ stets richtig bewahrt, während die anderen
Texte schwanken, oder wenn jenes im Konjunktiv ⲉⲛⲅ und ⲛⲁⲩ hat, wo
diese ⲧⲉⲛ und ⲧⲉⲩ setzen, so kann das zwar auf eine verschiedene Heimat
dieser Schreiber deuten, es kann aber auch nur daher rühren, dafs die einen
weniger in der alten Litteratur bewandert waren als die anderen.

Wenn ich eben die Sprache unserer Texte als oberaegyptische Schriftsprache bezeichnet habe, so bitte ich, dabei freilich nicht an die Sprache der
alten sahidischen Litteratur und der Bibelübersetzung zu denken, denn von
dieser liegt sie weit ab. Fort sind die langen Perioden, die das alte
Koptische dem Griechischen nachgebildet hatte, und fort sind fast alle die
griechischen Konjunktionen, die man einst der Sprache aufgepfropft hatte.
All diese Unnatur ist wieder abgestofsen, und was übrig geblieben ist, ist

---

[1] Ich möchte bei dieser Gelegenheit auf ein gutes Beispiel für das hier Gesagte auf-
merksam machen. Wir haben zwei Texte, deren Schreiber wahrscheinlich in demselben
Dorfe des Faijum zur gleichen Zeit gelebt haben, die Notiz des Diakon Joseph, die Quatre-
mère, Recherches sur la langue p. 248 veröffentlicht hat, und die Sammlung von Volksmitteln
UBM. kopt. Nr. 26. Jener schreibt ein etwas wildes Sahidisch, dieser einen ausgesprochenen
Vulgärdialekt.

eine Sprache, die einen wirklich aegyptischen Eindruck macht. So sind diese Bruchstücke auch sprachlich wohl zu beachten.

Die folgende Übersicht soll zusammenstellen, wie sich die einzelnen Texte in charakteristischen Punkten verhalten; ich berücksichtige dabei zum Vergleich noch die kleine Bannbulle eines Bischofs von Schmun, die Steindorff (ÄZ. 1892 S. 37) herausgegeben hat und die mit dem Archellites zusammen erworben ist, sowie zwei andere ähnliche Bruchstücke unserer Sammlung, die ich schon an anderer Stelle veröffentlicht habe, das Bruchstück des Physiologus[1] und die Sammlung von Volksmitteln[2]. Alle drei dürften unseren Stücken etwa gleichzeitig sein; die Volksmittel stammen wahrscheinlich aus dem Faijum und sind im 11. Jahrhundert geschrieben. Noch Anderes heranzuziehen erschien mir bei diesem ersten Versuche nicht rathsam.

Ich bezeichne mit

    A.:   das Archellitesgedicht,
    Bb.:   die Bannbulle,
    Sch.:   die Schmidt'schen Bruchstücke (oben S. 23. 26. 31),
    BL.:   unser Bruchstück P 8127 (oben S. 36),
    Ph.:   den Physiologus,
    Vm.:   die Volksmittel.

Konsonanten.

ⲝ und ϭ.

Alle wie im Sahidischen; *Vm.* schreibt auch ⲛⲁⲝⲁϥ- für ⲛⲉⲧⲩⲁϥ-.

ⲣ und ⲗ.

Alle wie im Sahidischen; auch *Vm.* macht keine Ausnahme, falls man nicht das eine ϩⲓⲗⲉϥ »auf ihm« (das offenbar der alten faijumischen Form ϩⲗⲉϥ entspricht) als solche rechnen will.

ⲃ und ϥ.

Alle gebrauchen ⲃ im Auslaut auch für ϥ; *Sch.* schreibt auch umgekehrt ϩⲱϥ für ϩⲱⲃ und *Vm.* ϩⲏϥⲧⲟⲙⲁⲥ für ϩⲉⲃⲣⲟⲙⲁⲥ.

Anlautendes ϩ.

Sch. und *Vm.* schreiben für ϩⲃⲟⲩⲣ »links« auch ⲃⲟⲩⲣ (mit Artikel ⲛⲉⲃⲟⲩⲣ).

---

[1] ÄZ. 1896 S. 53.
[2] UBM. kopt. Nr. 26.

Anlautende Doppelkonsonanz.

BL. schreibt ϭⲉⲣⲁⲙⲡⲓ, ϧⲉⲙⲁⲁⲥ.

Bb. schreibt ⲙⲛⲟⲩⲧⲉ und ⲙⲛⲟⲙⲟⲥ, also *ᵉmnu* für *ᵉmpnu.* — *Sch.* schreibt ⲙⲡⲣⲓⲥϭⲁϭⲓⲉ, ⲙⲛⲁⲩ und ⲡⲟⲩⲱⲣⲙⲥⲧⲟⲭⲟⲥ neben ⲡⲟⲩⲱⲣⲙⲡⲥⲧⲟⲭⲟⲥ, also *ᵉmpris* für *ᵉmptris*, *ᵉmnau* für *ᵉmpnau*, *hᵉmstochos* für *hᵉmpstochos.* — *BL.* schreibt ebenfalls ⲡⲟ[ⲩⲱ]ⲣⲉⲙⲥⲧⲱⲭⲉⲥ, und ⲙⲛⲁⲩ und sogar ⲙⲣⲓⲥϭⲁⲛⲓⲱⲥ d. h. *ᵉmris* für *ᵉmptris.*

Sch. schreibt ϧⲛⲛⲉ, also *hᵉnpe* für *hᵉntpe.*

Behandlung des ᵉn, en.

In allen diesen Texten schwindet dieses *ᵉn* leicht. Geht das vorhergehende Wort konsonantisch aus, so wird es zu *e*, während es nach einem Vokal sich meist an diesen anschliefst. — Die Verdoppelung des ⲛ vor ⲟⲩ- (*ennu* für *en-u*), die z. B. im alten Faijumischen so häufig ist, hat nur *Bb.*: ⲁⲩϧⲱϭⲧ ⲛⲛⲟⲩⲛⲁⲡ, ⲟⲩⲡⲗⲏⲣⲟⲫⲟⲣⲓⲁ ⲛⲛⲟⲩϧⲏⲩ.

ⲛ des Genetivs.

A. Geht das vorhergehende Wort konsonantisch aus, so wird ⲛ zu *e*: ⲡⲁⲉⲙⲛⲁϧ ⲉϧⲏⲧ; geht es vokalisch aus, so bleibt es ⲛ[1]: ⲟⲩϣⲏⲣⲉ ⲛⲟⲩⲱⲧ. Es ist dies wohl *uᵉre'nuốt* zu sprechen[2].

Bb. Wie *A.*; (dabei auch ⲡⲛⲓ ⲉϭⲣⲁⲙⲡⲟⲗⲓⲥ, also ⲛⲓ *ḗj* mit konsonantischem Auslaut gesprochen). — Das ⲡⲓⲉⲗⲁⲭ´ ⲉⲛⲉⲡⲓⲥⲕⲟⲡⲟⲥ erklärt sich aus dem zu *BL.* Bemerkten.

Sch. Wie *A.*; doch hält sich ⲛ manchmal auch nach konsonantischem Auslaut[3].

BL. Wie *A.*[4]; doch ist zu bemerken: 1. Fängt das Nomen rectum vokalisch an, so steht stets ⲛ: ϣⲁⲙⲉⲧ ⲕⲱⲛⲓ (lies *šamet nốni*?). 2. Fängt es mit ⲛ oder ⲙ an, so verschmilzt ⲛ mit diesen zu *enne, emme*: ⲧⲁⲡⲛ ⲉⲙⲁⲣⲓⲁ (lies *emmaria*), ⲡ̄ⲟ̄ⲥ̄ ⲛⲛⲉϭⲁⲙ.

Ph. ⲉⲛ, ⲛ und ⲉ wechseln fast regellos (sogar ϧⲁⲗⲏⲧ ⲧⲏⲣⲟⲩ ⲉⲧⲡⲏ); zuweilen ist das Genetivpraefix auch gar nicht in der Schrift bezeichnet, so ϣⲁⲙⲧ ϧⲁⲁⲩ neben ϣⲁⲙⲧ ⲉϧⲁⲁⲩ, ϣⲓ ⲥⲛⲁⲩ ⲕⲟⲩⲃ für *ši snau 'nnub.*

---

[1] In diesem Fall wird es vor ⲛ und ⲙ meist wie im S. zu ⲙ; ebenso in den anderen Texten.

[2] Nach dem Suffix ϥ bleibt ⲛ: ⲉⲣⲁⲧϥ ⲙⲡⲁⲙⲧⲟ.

[3] Nach dem Suffix ϥ wieder ⲛ: ⲣⲟϥ ⲛⲥⲱⲗⲟⲙⲟⲛ.

[4] Nach dem Suffix ⲥ steht ⲉⲛ: ⲉⲥⲉⲛϧⲟⲩⲛ.

eine Sprache, die einen wirklich ·
diese Bruchstücke auch sprachlic·
Die folgende Übersicht so'
Texte in charakteristischen Pu
Vergleich noch die kleine Ba
dorff (ÄZ. 1892 S. 37) he·
sammen erworben ist,
Sammlung, die ich scho·
des Physiologus[1] und
unseren Stücken etw·
lich aus dem Faij·
deres heranzuzie'
Ich bezei<
A.:
B/
S

 selten en); nach konsonantischem
Nomen rectum mit einem Vokal,
·ισeнι, пнι ноүкоүкоүпет), doch
hirt wird (пнeg eүeрт »Rosenöl«,
anenecчтegeн ist der Genetivex-
mit dem ihm vorhergehenden ê

. zu e- (aхιc eпaщяpe)[1]. Nach vo-
ftajo); die Schreibung en- kommt nur
.ufällig sein wird. — Bemerkenswerth ist,
.ι konsonantisch auslautenden Worten zählen.
γ; doch auch hier vor vokalischem Anlaut ιι:
ι en-u zu ennu wird.
.ι findet sich ιι auch nach konsonantischem Auslaut,
.eн (aaк нeppo)[2]. — Zuweilen ist die Praeposition in
.ιιcht bezeichnet: aчxaac нeймйeр.
ιι vokalischem Auslaut ιι, nach konsonantischem e und ιι.
.ιιaсh vokalischem Auslaut ιι und eн, nach konsonantischem e, eн
. Auch hier zuweilen gar nicht ausgeschrieben.
ι ιιι. Nach vokalischem Auslaut ιι, nach konsonantischem e oder, falls
. Vokal folgt, ιι (oүaщк нoтнaσ).

Ϻϻoч.

A. Nach vokalischem Auslaut ммoч (тттaрко ммoк), wofür einmal auch
.ιιoч vorkommt (пeϯмe моч neben пeтιмe ммoч). Nach konsonantischem
Auslaut eмoч (caйoλ eмoч).

Bb. Nach vokalischem Auslaut ммoч.

Sch. Nach vokalischem Auslaut мaч (selten ммaч), nach konsonantischem eмaч.

BL. Nach vokalischem Auslaut мaч.

Ph. Nach vokalischem Auslaut мaч (selten eмaч), nach konsonantischem
eмaч (in пeтeмaү »jener«).

Vm. wie Ph.

---

[1] Nach dem Suffix ч wieder ιι: xωч мпecхялα.
[2] Nach ч theils ιι (goч нgнтoγ). theils e (epaч eпaмялg).

Partikel ฿ฺฮi.

A. Nach konsonantischem Auslaut eฬi.

Sch. Nach vokalischem Auslaut eนฬi, eฬi.

BL. Nach konsonantischem Auslaut นฬi.

Ph. Nach vokalischem und konsonantischem Auslaut eนฬi.

Pronomen ฿ฺoч.

. Am Versanfang eтooʏ; nach vokalischem Auslaut นтoн.

Relativ ฿ฺт- vor dem Perfektum.

A. Nach vokalischem Auslaut häufiger นтaч- als eтaч-, die indessen geradezu mit einander wechseln. Einmal auch eนтaч- (nach cฺ̥ิмe). Nach konsonantischem Auslaut einmal eтaч-.

Bb. Nach konsonantischem Auslaut นтaч-.

Sch. Nach vokalischem Auslaut นтaч-.

Ph. Nach konsonantischem Auslaut тa- (sic), nach ฺ̥aaʏ steht eนтa.

Vm. Nach นнн steht eт[a]-.

Negirtes Perfektum мпeч-.

A. Nach ฺ̥ooʏ steht sowohl мпi- als eпi; am Versanfang steht пe-.

Sch. Nach konsonantischem Auslaut мпeч-, doch kommt für ฿ฺпaтฮ̄ч nach konsonantischem Auslaut eпaтeч- vor.

BL. Nach vokalischem Auslaut นпe-.

฿ฺฺн »und«.

A. Vor Konsonanten theils мe (мeппoʏтe, мeтaмaaʏ), theils мeн (мeнฺ̱ɓeрeтoc).

Bb. Vor Konsonanten мн; mit dem pluralischen Artikel bald zusammengezogen (мнec-), bald nicht (мннeтeн-).

Sch. Meist мн oder мнн (мннⲱฺ̱̱ɓ, mit dem pluralischen Artikel мнeθeрioн), aber auch мeнai.

BL. wie *A.*

Ph. Meist мeн, мн (mit dem pluralischen Artikel мeнe-, мннe-, мн-), aber auch мeнcтai.

Vm. Nur мe, auch vor einem Vokal (мeoʏнฺ̥).

ϩⲛ- »in«.

A. ϩⲛ- (bez. ϩⲙ-) vor Konsonanten.

Bb. Vor Konsonanten und Vokalen ϩⲛ-, ϩⲉⲛ-.

Sch. ϩⲛ- vor ⲟⲩ und in ϩⲛⲛⲉ »im Himmel«; sonst vor ⲡ und ⲧ stets ϩⲛ- oder ϩⲓ-.

BL. ϩⲉⲛ- vor ⲟⲩ; sonst meist ϩⲉ- (ϩⲉⲡⲉⲏⲛⲓ, neben ϩⲉⲙⲡⲉⲃⲉⲓ).

Ph. Vor Konsonanten ϩⲓ-[1].

Vm. Vor Vokalen ϩⲉ- (ϩⲉⲟⲩⲥⲁⲛⲓ, ϩⲉⲩⲙⲉϣⲓ).

ϩⲉⲛ- unbestimmter Artikel.

Bewahrt in *A.* (auch ϩⲛ), *Bb.* (ϩⲛ) und *Vm.* sein ⲛ.

ϩⲓⲝⲏ und verwandtes.

A. Neben ⲉⲍⲙⲡⲙⲟⲩ einmal ⲉⲍⲁⲛⲁⲥⲓⲝ (d. h. ⲉⲍⲛⲛⲁⲥⲓⲝ).

Bb. In einer Bemerkung von anderer Hand schon ϩⲓⲝⲱ ⲛⲗⲁⲟⲥ; vergl. bei *Vm.*

Sch., *BL.* bewahren das ⲛ; *Ph.* zieht es mit dem pluralischen Demonstrativ zusammen ϩⲓⲝⲛⲓⲡⲉϥ-.

Vm. Theils korrekt ϩⲓⲝⲉⲛⲡⲉϩⲟⲩⲣ, ⲉⲍⲉⲛⲡⲉⲧⲉⲣⲉ, theils mit Verlust
des *n* ϩⲓⲝⲉⲡⲟⲩⲛⲁⲙ. Dafür nach Analogie der Suffixform dann auch: ϩⲓⲝⲟ
ⲡⲉⲛⲝⲉⲛϩ und ⲉⲍⲱ ⲟⲩⲣⲱⲙⲓ.

S. *mênt.*

A. ⲙⲏⲧⲣⲉ, ⲙⲏⲧⲉⲣⲟ. *Sch.* ⲙⲉⲧⲉⲣⲣⲟ, ⲙⲏⲧⲟⲩⲏⲏⲃ. *Ph.* ϣⲁⲙⲧ, ⲙⲉⲧⲣⲉ.

Verschiedenes.

A. ⲏⲧϥ (d. h. *ettef*) für ⲏⲧϥ (*entef*).

Sch. ⲧⲱⲟⲩⲧⲉⲛⲃⲟⲕ und ⲧⲱⲟⲩⲛⲧⲉⲃⲟⲕ für *towen tenbôk.*

Ph. ⲉϥⲧⲉⲧⲟⲧ (neben ⲧⲉⲛⲧⲟⲕ) für *tentonet.*

Vokale *o* und *a.*

S. *ŏ* wird *a.*

A. und *Bb.* behalten das *ŏ* ganz wie die alte Schriftsprache bei.

Sch. Jedes *ŏ* ist wohl zu ⲁ geworden, doch wird es nicht immer
als solches geschrieben: ⲉⲣⲁϥ — ⲉⲣⲟϥ; ϣⲁⲣⲁⲕ — ϣⲁⲣⲟⲓ; ⲥⲁⲡ — ⲕⲟⲥ;

---

[1] Die Praepositionen ϩⲛ- und ϩⲓ- fallen also in *Ph.* und *Sch.* lautlich zusammen.

ⲟⲩⲟⲉⲓⲛ — ⲟⲩⲁⲓ; ⲧⲥⲁⲃⲁⲩ — ⲉⲥⲟⲟⲩ u. s. w. — Ausnahme ⲟ, das Particip
von ⲉⲓⲣⲉ.

BL. Jedes *o̊* ist ⲁ und wird auch so geschrieben. — Ausnahme das
Particip von ⲉⲓⲣⲉ.

Ph. Wie *Sch.* (ⲣⲁⲁⲩ — ⲣⲟⲟⲩ; ⲛⲁϭ — ⲛⲟϭ).

Vm. Wie *BL.*, mit der gleichen Ausnahme.

S. o̊ bleibt o̊.

A. und *Bb.* behalten jedes ⲟ bei.

Sch., *BL.* und *Vm.* behalten S. ⲟ »seiend« bei, das sie stets ⲱ
schreiben.

S. ó bleibt ó.

A. schreibt es theils ⲱ, theils ⲟ (ⲣⲱⲛ = ⲣⲟⲛ »deine Thür«).

Bb. schreibt stets ⲱ, mit Ausnahme von ⲥⲟⲟⲩⲁⲣ (neben ⲥⲱⲟⲩⲁⲣ).

Sch. Wie *A.* (ⲣⲟϥ »sein Mund«, ⲣⲓϫⲟⲓ neben ⲣⲓϫⲱϥ).

BL. bezeichnet das *ó* nur mit ⲱ und schreibt auch jedes griechische
ⲟ und ⲱ mit ⲱ (ⲭⲣⲱⲛⲱⲥ u. s. w.).

Ph. Wie *A.* und *Sch.*

Vm. Wie *BL.*

au und ó.

Ph. schreibt ⲛⲱ für ⲛⲁⲩ »Zeit«.

Vm. schreibt ⲛⲁⲧⲁⲩ neben ⲛⲉⲧⲱ »welcher ist«.

aë für auë.

Sch. ⲁⲉⲣⲡⲥⲁ für ⲁⲩⲣ̄-.

Ph. ⲁⲉⲣⲙⲉⲧⲣⲏ für ⲁⲩⲣ̄- und ϣⲁⲁⲉ für ϣⲟⲟⲩⲉ.

a zu ĕ.

A., *Bb.*, *Sch.*, *BL.* behalten stets *a* wie im S.

Ph. desgleichen, doch hat er einmal ⲛⲉⲛ für ⲛⲁⲛ.

Vm. verwandelt betontes ⲁ in ⲉ: 1. vor ⲣ (ⲥⲉⲣϯ, ϭⲁⲗⲉⲣⲧ, ⲧⲉⲣϥ,
ⲟⲩⲉⲣϥ, ⲧⲉⲣⲥⲉⲃ, ⲗⲉⲣⲙⲉϥ); 2. in ⲓⲉⲉⲥ »sie waschen«, aber nicht in ⲧⲁⲁϥ;
3. in ⲛⲟⲧⲕⲟⲧⲡⲉⲧ »Wiedehopf«. — In allen anderen Worten bleibt betontes
und unbetontes ⲁ unverändert.

8*

Vokale *é* und *ĕ*.

ĕ wird ⲁ.

A. nur in ⲉⲕⲁⲛⲟⲓ (Fut. III = ⲉⲕⲉⲛⲟⲓ̈) und in ⲉⲭⲁⲛⲁⲥⲓⲁ für ⲉⲭⲏⲛⲁⲥⲓⲁ.

Sch. in ⲁⲛⲁⲩ »um zu sehen«, in ⲉⲣⲟⲩⲁⲡⲣⲏ »mehr als die Sonne«.

Vm. in ⲡⲁⲧⲁⲩ für ⲡⲉⲧⲱ; ⲛⲁⲭⲁⲥⲁⲩ für ⲛⲉⲧϣⲁⲥⲁⲁⲩ.

S. *é*.

A. schreibt es theils ⲏ, theils ⲉ (ϣⲏⲣⲉ — ϣⲉⲣⲉ).

Sch. Wie *A.* (ⲉⲣⲡ).

BL. schreibt häufiger ⲉ als ⲏ (ⲉⲓ — ⲏⲓ; ⲥⲉϧ; ⲙⲡⲉⲩⲉ; ⲧⲁϣⲉ »Menge«).

Ph. schreibt es stets ⲏ.

Vm. schreibt häufiger ⲉ als ⲏ.

S. *ĕ* als tonlose Endung.

A. stets ⲉ; Ausnahme ⲣⲓⲙⲓ.

Bb. stets ⲉ.

Sch. Unterschiedslos ⲓ und ⲉ, aber für *tĕ* stets ϯ.

BL. Unterschiedslos ⲓ und ⲉ, und zwar auch ⲡⲛⲟⲩⲧⲉ, ϣⲁⲙⲧⲉ.

Ph. Wie *BL.*; sogar ⲉⲧⲃⲓ.

Vm. Stets ⲓ, sogar ⲛⲓ für ⲡⲉ; Ausnahme ⲕⲉⲥⲉⲡⲉ, ϣⲏⲣⲉ.

S. *ĕ* als betonte Endung.

A. ⲡⲉ Himmel, ϧⲉ Art, ⲙⲉ lieben.

Bb. ϧⲉ Art, ⲙⲉ lieben, aber ⲣⲙϧⲉ frei.

Sch. ⲡⲉ Himmel, aber ϧⲏ Art, ϧⲏ fallen, ⲥⲁⲃⲏ weise.

BL. ⲡⲉ Himmel, ⲉⲣⲡⲏ Tempel.

Ph. ⲡⲏ Himmel, ⲙⲉⲧⲣⲉ, ⲙⲉⲧⲣⲏ Zeuge.

Elision des *ĕ* in ⲭⲉ.

A. ⲭⲁϥ⸱ (für ⲭⲉⲁϥ⸱), ⲭⲉⲛ⸱ (für ⲭⲉ ⲉⲛ⸱), ⲭⲓ⸱ (für ⲭⲉ ⲉⲓ⸱), ⲭⲓⲥ (für ⲭⲉ ⲉⲓⲥ), ⲭⲟⲩϣⲏⲣⲉ neben ⲭⲉ ⲟⲩϣⲏⲣⲉ im selben Vers. Aber ⲭⲉ ⲉⲣⲉ⸱ und stets ⲭⲉ ⲁⲣⲭⲉⲗⲗⲓⲧⲏⲥ.

Bb. ⲭⲓⲛⲧⲁ⸱ für ⲭⲉ ⲛ̅ⲧⲁ⸱.

Sch. ⲭⲉⲛ⸱ für ⲭⲉ ⲉⲛ⸱, ⲭⲟⲩ⸱ für ⲭⲉ ⲟⲩ⸱; aber ⲭⲉ ⲉⲓ⸱ und ⲭⲉ ⲁ⸱.

Ph. ⲭⲁⲁⲙⲓⲧⲉⲧⲛ (sic) für ⲭⲉ ⲁⲙⲏⲓⲧⲛ.

Elision der Praeposition e.

A. ρωϣεροι (für ρωϣε εροι); ⲁⲓⲉⲓⲛⲉⲧⲟϣ (für ⲁⲓⲉⲓ ⲉⲛⲉⲧⲟϣ).

Bb. ⲉⲓⲙⲉⲛⲣⲱⲃ (für ⲉⲓⲙⲉ ⲉⲛⲣⲱⲃ).

Sch. ⲧⲉⲃⲟⲛ ⲧⲉⲛⲉⲣⲛⲁⲥⲓⲁ (für ⲉⲧⲉⲛⲉⲣⲛ.); ϫⲱⲛ ⲃⲟⲗ (für ϫⲱⲛ ⲉⲃⲟⲗ).

BL. ⲉⲣⲟⲅⲛ ⲛⲉⲣⲡⲛ (für ⲉⲛⲉⲣⲡⲛ).

Ph. ⲉⲓⲛⲉϭⲙⲁ (für ⲉⲓ ⲉⲛⲉϭⲙⲁ).

Anderweitige Verschleifung eines e.

Sch. ⲟⲩϥⲓⲁⲗⲓⲥⲣⲛⲧⲥⲓⲁ (für ⲟⲩϥⲓⲁⲗⲏ ⲉⲥⲟⲛ-); ⲧⲙⲉⲧϣⲃⲉⲣ ⲛⲁⲛⲟⲩⲥ (für ⲉⲛⲁⲛⲟⲩⲥ statt ⲉⲧⲛ.).

Die Schreibung des ε̆.

ε̆ nicht bezeichnet.

A. Bb. Sch. BL. Ph. Der Gebrauch, das ε̆ durch einen Strich über der Linie zu bezeichnen, ist abgekommen. Wo nicht wie gewöhnlich für ε̆ ein voller Vokal geschrieben ist, fehlt jede Andeutung.

Vm. Als Zeichen dient wie in den bohairischen Hdss. ein Punkt, der aber ebenso oft auch fehlt: ⲉⲣⲡ »Wein«, ⲭⲃϫⲱⲃⲟⲩ, ⲥⲁⲕϭ, ⲟⲩⲁϣϭ, ⲟⲩⲁⲣϭ. Auch ein volles e wird oft unrichtig so geschrieben: ⲛϭ- »sein«, ⲛⲃⲁⲧ und ⲛⲟⲩⲱϣ (für ⲉⲛ-), ⲛⲣ »Öl«.

Merkwürdig ist nun aber, daſs dieser Punkt zuweilen auch da gesetzt wird, wo ein Vokal vor dem letzten Konsonanten steht, und zwar in ⲉⲣⲁϭ, ⲣⲁⲣⲁϭ, ⲙⲁϭ, ⲣⲓⲗⲉϭ (auch ⲣⲓⲗⲉϭ) und in ⲙⲁⲣⲉϭ »binde sie« und in dem unklaren ϣⲁϣⲱⲃ; sodann in ⲣⲃⲟⲩⲣ und ⲁⲗⲭⲁⲃⲱⲱⲣ, in ⲟⲩⲱⲛ und in ⲟⲩⲛⲁⲙ. Also bei -ϭ, -ⲙ, -ⲛ und -ⲣ; man ist versucht, zu glauben, daſs das mehr als eine Marotte des Schreibers ist und daſs er wirklich *hbiḗr*, *wŏ́n*, *wnaᵉ́m*, *eraᵉ́o*, *hilĕ́ᵉo* zu hören glaubte. — Dagegen ist der Punkt, den er auslautenden Vokalen beischreibt, wohl nur ein Lesezeichen, wie es ja auch in alten sahidischen Hdss. ähnlich vorkommt.

Bezeichnung des ε̆ durch e.

A. In ⲛⲉⲙⲁϭ und ⲉⲙⲧⲟⲛ.

Sch. In ⲛⲉⲙⲁϭ, ⲉⲣⲣⲟ, ⲉⲣ-, ⲑⲉⲃⲓⲟ und ⲧⲉⲃⲁⲃ (d. h. ⲧⲃⲃⲟϭ).

BL. In ⲛⲉⲙⲁⲃ; in ⲉⲣ-, ⲉⲣⲁ »König«, ⲉⲣⲱ »Königin«, ϣⲁⲙⲉⲧ.

Ph. ⲉⲣ-, ⲧⲉⲥ-, ⲧⲉⲛⲧⲟⲛ und ⲛⲉⲣⲟⲟⲩ, ⲛⲣⲟⲟⲩ »die Könige«.

Vm. ⲛⲉⲙⲁⲣ, ⲉⲣ-, ⲟⲩⲉⲣⲧ, ⲧⲉⲣⲉϭ, ⲛⲁⲣϣⲉϭ u. s. w.

Bezeichnung des ě durch ҥ.

A. ҥp-, ҥϣ-, ммҥтаι, смҥҥтс, соλсҥλ.

Sch. мҥҥтоγ, сҥҥϯ, мҥҥ-.

Andere Färbung des ě.

A. сωογаϩ und das merkwürdige ϩολγσ neben ϩολσ.

Bb. сωογаϩ.

Sch. теҥаϩ; сωογаϩ (zweimal), neben сωογϧа (dreimal). Die letztere
Form erinnert an die alten achmimischen Formen.

BL. теҥаϩ, ωҥаϩ.

Vm. маpаϥ neben маpеϥ »binde es«, also mit Angleichung des ě an
den vorhergehenden Vokal.

Die sogenannte Brechung.

A. ϣооп, тоотϥ, огааϧ, мааγ, тааγ, ҥааγ, аат. Aber мҥϣе,
меγе, ϩҥҥнте.

Bb. korrekt ҥеес; irrig тооϣ als Singular; schwankend in ϣааp, ϣаp.

Sch. мҥҥϣе, ϣϧееp neben ϣϧеp, тωωϧι neben тωϧι, ϣооп, огааϧ,
тааγ und тааϧ. Aber аϧ (für аաϥ), пωни.

BL. огааϧ, ϩемаас (d. h. ϩмоос) und gegen den Gebrauch des
sahidischen пеϫааϧ.

Ph. ааγ, aber таϧ (für тааϥ) und gegen den Gebrauch пеϫаас
und сωωнт.

Vm. ιеес (für еιаас), ҥеес, ϫаас und мееγeι. Aber меϣι (für мҥҥϣe).
Bemerkenswerth das ωω in dem arabischen аλϫаϧωωp.

Demonstrativ und Artikel.

Demonstrativ.

Bei allen absolut паι u. s. w. (in *Vm.* nicht belegt), verbunden пι- u. s. w.

Artikel.

A. п-, т- (vor Doppelkonsonanz пе). Aber im Plural stets ҥе- vor
Konsonanten und п- nur vor Vokalen.

Sch. Wie *A.* — Das песаϩ, пеаpιстоҥ in dem Lied S. 34 ist vielleicht Demonstrativ.

BL. Wie *A.* (Ausnahmen ⲧⲉϙⲟⲉⲧⲧⲉ und ⲛⲁⲉⲙⲱⲛⲓⲱⲛ).

Ph. Wie *A.* — Ein ⲛⲉⲣⲟⲙⲉ scheint »dieser Mensch« zu heifsen.

Vm. Wie *A.* (Das ⲛⲉⲥⲓϣⲓ ist ⲛⲉⲥⲥⲓϣⲓ).

Verbum.

Der Verbalstamm vor direktem Objekt.

A. korrekt bis auf ⲕⲱ ⲟⲏⲛⲕⲧⲉ.

Sch. Unverkürzt in ⲟⲩⲱⲙ ⲉⲣⲱϯ und ⲟⲩⲱϣ ⲁⲁⲕ. Von ⲥⲓⲛⲉ bildet er
ⲥⲓⲕ- in ⲥⲓⲛⲉⲥⲕⲉⲩⲥ und ⲥⲓⲛⲟⲧⲕⲟⲟⲥ.

BL. Gebraucht ⲛⲁϣ-, ⲥⲁⲛ-, ϣⲟⲩⲁ-, ⲧⲁⲩⲁ- vor direktem Objekt, also
die mit Suffixen üblichen Formen[1]. Daneben aber auch korrekt ⲧⲁϙⲉ-, ⲥⲉⲛ-.

Vm. Ähnlich wie *BL.*: ⲥⲁⲛ-, ⲥⲁⲣ-, ⲃⲁⲧ-, ⲧⲥⲁ-. Daneben korrekt
ⲧⲁϣⲉ-, ⲭⲓ-.

Praesens II.

Sch. Neben ⲉⲓ-, ⲉϥ-, ⲉⲡⲉ- auch einmal ⲁⲡⲉ-. Ferner neben ⲉⲓϣⲁⲛ-
auch einmal ⲕϣⲁⲛ-.

Vm. ⲕⲟⲩⲱϣ »wenn du willst« (also für ⲉⲕⲟⲩⲱϣ). Sodann ⲛⲉⲧⲉ-
ⲕⲟⲩⲏϣϥ und ⲛⲉⲧⲁⲕⲟⲩⲁϣϥ für »wen du willst«.

Futur. III neg.

A. ⲛⲛⲓ- für ⲕⲛⲁ.

Konjunktiv.

A. Vor nominalem Subjekt ⲧⲉ- und ⲕⲧⲉ-. — Sing. ⲓ. ⲧⲁ-, ⲕⲧⲁ-,
2. masc. ⲧⲉⲕ-, ⲉⲕⲧ-, ⲕⲉⲕ-, 3. masc. ⲧⲉϥ-, ⲛϥ-, 3. fem. ⲛⲥ-. — Plur.
2. ⲕⲧⲉⲧⲛ-, 3. ⲛⲥⲉ. — Gebrauch sehr weit und oft rein final.

Sch. Vor nominalem Subject ⲧⲉ-. — Sing. ⲓ. ⲧⲁ-, 2. masc. ⲧⲉⲕ-,
3. masc. ⲧⲉϥ-, ⲧⲉⲃ-, ⲕⲧⲉⲃ-. — Plur. ⲓ. ⲧⲏⲛ-, ⲧⲉⲕ-, ⲧⲉ-. — In den Liedern
auch final gebraucht.

BL. 3. Plur. ⲛ[ⲧ]ⲟⲩ-.

Ph. 1. Sing. ⲧⲁ-.

Vm. Sing. 2. masc. ⲧⲉⲕ-, 3. masc. ⲧⲉϥ-, ⲧⲉⲃ-, 3. fem. ⲧⲉⲥ-.

---

[1] Dieselbe Erscheinung auch sonst im Faijumischen, wo schon in der Jesaiasübersetzung
ⲥⲟⲩⲱⲛ- vor nominalem Objekt vorkommt; das Purpurrecept UBM. kopt. Nr. 21 gebraucht
ebenso ⲥⲁⲛ- (neben ⲥⲉⲛ-), ⲧⲁⲗⲁ-, ⲥⲉⲕⲧ- (von ⲥⲓⲕⲉ). Ebenda ⲉϣⲧ als absolute Form für
ⲉⲓϣⲉ. — Ähnliches auch vereinzelt im Achmimischen.

Relativsätze.

Particip an ein bestimmtes Nomen angeschlossen.

A. пран ечхолб, пма ерепрwме енхнтч, етоог не наі егшіне und sogar текмаат тесахератс »deine Mutter ist es, welche steht«.

Sch. пескегс егерхоч нхнтог, тметшнер наногс (für енаногс) und sogar песах печтсйw »der Meister ist es, welcher lehrt«.

BL. піернатес ейерхwй u. s. w., п[е]найі егеір[е]маг, наі егхенампеге.

Ph. пестаі ешwш falls dies nicht als *essós* (für *etsós*) zu fassen ist.

Relativ von шач-.

Sch. ншагташч und sogar mit dem Artikel пеншаййол.

Ph. еншагбапч.

Griechische Partikeln.

A. kein ле; überhaupt nur: das ш der Anrede, пара, мнпо »damit nicht« und мон, falls dies auf монон zurückgeht.

Bb. епітн.

Sch. kein ле; überhaupt nur нта und тесар.

BL. Ph. keine.

Vm. Das ман in ман огхаріс пі аха огwш пі енексогсіа »es ist eine Gnade und ist reich an Macht« ist vielleicht das мон von *A.* Sonst nichts.

Syntaktisches.

A. Anrede ohne Artikel S. 14 Anm. 1. — Gebrauch von шач S. 15 Anm. 5. — Absoluter Gebrauch des Konjunktivs S. 13 Anm. 3. — ене нтач⸗ »ach dafs doch« S. 15 Anm. 5. — Merkwürdige Verwendung von ешwпе nach тарко S. 17 Anm. 2.

Sch. Gebrauch von ершан⸗ S. 33 Anm. 2. — хе allein für »indem er sagte« S. 25 Anm. 7.

Die mystische Neunzahl bei den Deutschen.

Von

Hm. KARL WEINHOLD.

Gelesen in der Sitzung der phil.-hist. Classe am 4. März 1897
[Sitzungsberichte St. XIII. S. 199].
Zum Druck eingereicht am gleichen Tage, ausgegeben am 8. April 1897.

Durch die Untersuchungen von Herm. Diels in seinen Sibyllinischen Blättern (Berlin 1890), durch A. Kaegis Abhandlung über die Neunzahl bei den Ostariern (Philologische Abhandlungen für Heinrich Schweizer-Sidler 50–70), durch die Samlungen von Ed. Wölfflin über novem und septem in seinem Archiv für lateinische Lexikographie und Grammatik IX, 333–351, ist in den letzten Jahren die Aufmerksamkeit wiederholt auf die mystische Bedeutung der Neunzahl bei West- und Ostariern gelenkt worden[1]. Es ist auch bekannt, daſs die Neun, dieses Quadrat der heiligen Drei, in den religiösen Anschauungen und Gebräuchen der Germanen sich bedeutend zeigte und von da auch in das profane Leben sich eindrängte. Wenn die Zeugnisse dafür nicht aus dem höchsten Alterthum stammen, so ist die Zahl derselben doch eine überraschend groſse und sie reichen durch lange Jahrhunderte bis in die Gegenwart hinein. Eine geordnete Zusammenstellung derselben unter den gehörigen Gesichtspunkten verspricht daher nicht unwichtige Ergebnisse. Es schien mir der Mühe wert, diese Arbeit zu unternehmen.

———

.   Juris idem tribus est quod ter tribus, omnia in istis

kann man als Motto über Untersuchungen der mystischen Neunzahl stellen, denn was von der Neun gilt, gilt ebenso und zwar als ursprünglich von

---

[1] Nachdrücklich hat Gius. Pitrè, Canti popolari siciliani. II. ed. Vol. 1, p. 136f. auf die groſse Bedeutung der Drei und Neun in der süditalienischen und sicilianischen Poesie hingewiesen. Bekannt ist, wie Dante in der Vita nuova überall in Beatricens Leben Beziehungen auf die Zahl neun findet. und das Wunderbare in ihr damit begründet. In der lettischen Volksdichtung begegnet man nach Aug. Bielensteins Zeugnis der Neun sehr häufig.

der Drei. Eine vollständige Behandlung der Zahlenmystik müfste die Drei nicht blofs mit herbeiziehen, sondern zu Grunde legen, wobei sich ergeben würde, dafs der einfacheren Zahl ganz dieselben Kräfte inwohnen als der dreifachen, und dafs erst das jüngere Bedürfnis nach verstärkten Mitteln die 3×3 erzeugt hat, wie dann weiter die 9 zur 3×9 gesteigert und als der perfectissimus numerus die 9×9 angesehen und angewandt ist.

Ich verzichte im folgenden auf die Behandlung der magischen Drei im allgemeinen und ziehe sie nur hier und da herbei, so gleich im Anfang, wo ich die Gruppen himlischer und irdischer Wesen samle.

Die ältesten Nachrichten über den germanischen Götterglauben zeigen Triaden.

Caesar b. g. VI, 21 kennt als die einzigen göttlichen Mächte, an welche die Germanen glaubten, Sol, Luna, Vulcanus. Plinius h. n. IV, 99 und Tacitus germ. 2 nennen die drei Verbände der Ingvaeonen, Istvaeonen und Erminonen, die sich durch halbgöttliche Stammväter auf die Götter Ing, Ist und Ermin zurückleiten, die unter den Namen Nerthus, Wodan und Tius allgemein bekant sind. Tacitus germ. 9 weifs von der Verehrung des Mercurius, Mars und Hercules; so übersetzten die Römer die deutschen Wodan, Tiu und Thunar. Thuner, Woden, Saxnot (= Tiu) mufsten die heidnischen Sachsen abschwören, als sie Karl d. Gr. zur Taufe zwang (Sächsisches Taufgelöbnis).

In dem Upländischen Tempel in Upsalir stunden die Bilder der Götter der drei skandinavischen Hauptkulte: Thorr in der Mitte, zu den Seiten Odin und Freyr (Fricco), wie Adam von Bremen IV, 27 berichtet.

In den nordgermanischen schriftlichen Quellen finden sich die Triaden Odin, Hoenir, Lodr (Voluspa 17.18); Odin, Hoenir, Loki (Sigurd. Fafnisb. II. Einleit.; Sn. E. Bragaroed. c. 2); Hler (Aegir), Logi, Kari (Fundinn Noregr); Byleystr, Helblindi, Loki (Gylfaginn. c. 33); und die jüngeren Odin, Vili, Vé oder Vidrir, Vili, Vé, so wie Har, Iafnhar, Thridi. Mögen auch diese letzteren den Einflufs der kristlichen Trinität verraten, so verbürgen doch die übrigen auch für die Germanen den Zug, göttliche Gestalten zu dreien zu verbinden. Auch die Dreiheit der Nornen ist, obschon die Urdr (Wurth) als älter und bedeutender wie Skuld und Werdandi, gewissermafsen als die Urnorne anzusehen ist, auf jenen Grundzug zu stützen, den die Moiren und Parzen, so wie die drei süddeutschen Schicksalsfrauen weiter beweisen.

Gruppen von neun hohen Gottheiten, wie die uralten sabinischen Novensides (Novensiles) gewesen sein mögen, oder wie die neun tuskischen Gewittergötter (Plin. h. n. II, 182), denen man die lettischen drei, neun oder dreimal neun Pehrkoni vergleichen könte, ganz zu schweigen der egyptischen grofsen Götterneunheit, kanten die Germanen nicht. Nur untere göttliche Wesen werden neunzählig genannt. Vor allen Meerweiber: so die neun Töchter des Aegir von der Rán (Sn. E. Skaldsk. 25. 61), Verkörperungen der wilden brandenden Wogen, die man nicht aus dreimaligem Dreischlag der See zu deuten braucht. Meerweiber sind auch die neun Mütter Heimdalls (Hyndlul. 35–38), die zwar andre Namen tragen, aber schwerlich von den Aegistöchtern zu trennen sind. Auch in der Saga von Hialmtér und Qlver (c. 12) treten neun Meernixen auf, und Beowulf erlegt neun Seeungeheuer (niceras nigene, Beow. 575). Die Skaldskaparmál führen unter den Heiti neun Odins Mädchen mit echten Walkürennamen auf, die an die novem Jovis concordes filiae sorores erinnern könten, wie Naevius (ap. Cæsium Bassum p. 266. K.) die Musen nennt.

Neun Jungfrauen umgeben die göttliche Menglod, das ist Frigg oder Freyja (Fiolsvinnsm. 37. 38). Neun Zwerge werden in den Fiolsvinnssprüchen (34)[1] als Gesellen bei kunstreicher Arbeit genannt.

Die jüngere Olaf Tryggvasonsaga c. 215 erzählt von zwei geisterhaften Scharen: neun Disir in schwarzen Gewändern nähern sich dem Hofe Halls Thorsteins; im Kampfe gegen sie findet Thidrandi, Halls Sohn, den Tod. Sie werden als Fylgjen (Schutzgeister) seines Geschlechts gedeutet, die sich vor dem Untergange der alten Zeit noch ein Opfer aus dem Hause holen wolten. In der Niála c. 97 wird darauf angespielt. Eine Schar von neun weifsen Disen ist in der Olafssaga dazu erfunden.

Die Zahl von neun elbischen (auch hexenhaften) Weibern ist aus deutschen Überlieferungen zu erweisen. In Mecklenburg hat sich eine Schutzformel gegen neunerley elwen gefunden[2]. In Hans Sachsens Schwank vom Unhuldenbannen treten die Truden oder Unhulden in der Neunzahl auf (Kellers H. Sachs IX, 273)[3]. Eine obersteirische Geschichte weifs von neun Hexenpferden, das sind neun in Rosse verwandelte verwünschte Sen-

---

[1] Bugges Edda S. 447.

[2] Wossidlo in der Rostocker Zeitung vom 29. September 1895.

[3] Weshalb H. Sachs in einem andern Gedicht (Keller V, 285) fünf Unhulden nennt, ist nicht abzusehen.

nerinnen, die auf der Alm des Messerrückenberges ihren Spuk treiben (Meine Zeitschr. f. Volkskunde 5, 409).

Eine Schar von sieben und zwanzig Walküren (þrennar niundir meyja) reitet in der Helgaquida Hjörv. (28, 1) einher. Dreimal neun priesterliche Jungfrauen kennen wir aus dem römischen und griechischen Cultus (Diels, Sibyllin. Blätter 38. 45). Eine dunkle Erinnerung an die heidnische Neunzahl bei Kulthandlungen können die neun Knaben sein, die in Neuhausen bei München den Pfingstumritt hielten (Panzer, Bayrische Sagen und Bräuche II, 81) und die neun Buben, die in Holzheim in Schwaben an den drei Sonntagen vor Pfingsten mit Haselruten in der Hand, Sprüche sprechend von Haus zu Haus gehn oder gingen (Panzer ebd. 85).

Auch in der Zahl der gebrachten Opfer finden wir die Neun. Bei dem grofsen dänischen Opferfest in Ledra, das alle neun Jahre gefeiert ward, fielen nach Thietmar von Merseburg (I. 9) neunmal neun Menschen und ebenso viel Rosse, Hunde und Hähne den Göttern zur Sühne[1]. An dem grofsen schwedischen Fest zur Frühlings-Tag- und Nachtgleiche, das zu Upsala alle neun Jahr begangen ward, fielen neun Häupter jeder männlichen Gattung (Adam. hist. eccl. Hamab. IV, 27). Die Ynglingasaga c. 29 erzählt von dem schwedischen Könige Aun oder Ani, dafs er dem Odin alle neun Jahre (hit tiunda hvert ár) einen Sohn in Upsalir für die Verlängerung seines Lebens opferte. Nachdem er so neun Söhne dargebracht, verbot ihm das Volk, auch den zehnten dem Odin zu geben, und er starb.

Die Neunzahl mystischer Bedeutung hat auch auf die Gruppirungen zu Neun im gewöhnlichen Leben gewirkt. Auf der Grenze stehn gewissermafsen die neun Mähder des Baugi im Odrerirmythus.

In den heiti der Skáldskaparmál heifst es in der Aufzählung von Menschenmehrheiten von 1-100 zur Neun: nautar eru niu, neun Männer werden Genossen genannt, wobei man an Varros Worte (ap. Gellium 13. 11, 2) denken kann: convivarum numerum incipere debere a tribus et consistere in novem; allenfalls auch der Worte Ulrichs von Singenberg (MS. 1, 153*): so enfunde ich niht der niunden, der mirs gunde.

Neun Schiedsrichter kennt die Niála c. 143. Über den Landfrieden am Rhein waren im 14. Jahrhundert bei streitigen Sachen die Nüner ge-

---

[1] Kägi, Neunzahl 19 verglich dazu die nach Vendid. XXII, 20 dem Ahura geopferten 9 Hengste, Kamele, Bullen und 9 Stück männlichen Kleinviehs.

setzt (Schab, Geschichte des rheinischen Städtebundes II. n. 115. a. 1335).
Wenn sich die grade Zahl der Richter über ihren Spruch nicht einigen
konte, pflegte einer hinzugezogen werden, so dafs ein dritter, fünfter,
siebenter, neunter als obirman, overman hinzutrat (Haltaus, Glossar. med.
aevi 1, 245. 547. 1414). Als Schiedsrichter kennt Fischart im Gargantua
180ᵇ die Neuner, und in Baiern waren die Neuner beim Kegelspiel als
Schiedsleute noch in neuer Zeit bekannt (Schmeller, B. Wb. I², 1748).

Der Abt von Tholey ernante für das Jahrding von S. Walafrid neun
aus seinen Hofleuten, die dann zu Meier, Schöffen und Büttel bestellt wurden (Weist. 2, 91).

In Luzern hat durch Jahrhunderte zur Aburtheilung leichterer Polizei-
vergehen das Gericht der Neuner oder Neunmänner bestanden, gegen deren
Entscheidung keine Berufung galt (Brandstetter, Reception der neuhochd.
Schriftsprache in Luzern S. 10. Einsiedeln 1891).

Der Familienname Neuner geht auf Theilnahme an solchen Körper-
schaften zurück.

Gelehrten und wol auch fremden Ursprungs sind die Triaden heidnischer, jüdischer und kristlicher Helden, die seit dem Ausgang des Mittelalters von deutschen Künstlern in Bildwerken und Gemälden dargestellt
wurden. Die neun starken Helden am schönen Brunnen in Nürnberg, die
Fresken in der Runkelsteiner Burg und in dem Hansasaal des Kölner Rat-
hauses geben bekante Beispiele.

In einem Fastnachtspiele des 15. Jahrh. (Keller Nr. 47) erzählen neun
Ritter, wodurch sie die Ritterwürde erlangten; in einem andern (Nr. 30)
treten neun Narren auf. Hans Sachs berichtet von den neun ellenden
Wanderern (Keller V, 282), er dichtet von den neun getrewen Mändern
und neun getrewen Frauen (ebd. II, 305), von den neun getrewen Haiden
(II, 299) und reimt das Meisterlied von den neun Schwaben, die Quelle
der volksthümlichen Geschichte von den sieben Schwaben, in der die alte
Neun von der jüngeren Sieben seit Anfang des 17. Jahrh. verdrängt worden ist (J. Bolte in meiner Zeitschr. f. Volkskunde 4, 432).

Die Volksthümlichkeit der Neunzahl zeigt sich auch durch ihr Leben
in Sagen, Märchen, Liedern und sprichwörtlichen Redensarten. Nach der
Sage hat die Stifterin des Nonnenklosters in Lausnitz dasselbe zuerst mit
neun Jungfrauen aus Halle besetzt (Eisel, Sagenbuch des Vogtlandes
Nr. 825).

Von neun Burschen in der Spinnstube, denen sich heimlich ein zehnter, der Teufel, beigesellt, erzählt eine Braunschweiger Sage (Voges Nr. 48). In dem balladenartigen Volksliede von Ulrich und Rautendelein (Erk-Böhme, Liederhort I. 42ᵈ) hat ein schlesischer Text statt der zwölf gemordeten Mädchen neun (Hoffmann-Richter, Schles. Volksl. Nr. 12. S. 26). Das Grimmsche Märchen von den Zwölf Brüdern (Nr. 9) wird in Litauen (Schleicher, Litauische Märchen, Sprichworte, Rätsel und Lieder S. 35) von neun Brüdern und in Poitou von neuf frères erzählt (Pineau, Folklore de Poitou S. 1 f.)[1]. In der südslavischen Gestalt der Geschichte von den Mönchen von Kolmar treten statt der gewöhnlichen drei (v. d. Hagen, Gesamtabent. III, S. XXXV) neun Franziskaner auf (Fr. S. Kraufs, Sagen und Märchen der Südslaven I. n. 98). Ihrer Neun rauften nach der Überlieferung während einer Hungersnot im Türkenkriege um eine Maus (Leeb, Sagen Niederösterreichs Nr. 152).

Eine Mecklenburger Redensart bei heftigem Winde ist: Dat is'n storm dat negen (Var. seven) oll wiwer nich 'n bessenstēl hollen können (Meine Zeitschr. 5, 442). Die enge Zusammengehörigkeit der Gevattern drückt Oberpfälzer Volksmund so aus, dafs neun Gevattern am Lichtmefstage von einer Lerchenzunge essen sollen (Schönwerth, Aus der Oberpfalz I, 164).

Uralt scheint der Satz, dafs Neun Kinder dem zeugungskräftigen Manne zukommen.

Das friesische Emsigoer Recht (224, 6 Richthofen) bestimmt, dafs einem Manne, der durch Verwundung zeugungsunfähig geworden, 9 Mark Bufse gebühren für die 9 Kinder, die er hätte zeugen können. Entsprechend setzt das Hunsigoer Recht (332, 9 Richth.) fest: wenn ein Mann so in das Gemächte verwundet wird, dafs er keine Kinder mehr zeugen kann, so sind ihm neun Totschläge (niugen dadele) zu büfsen.

Neun mufs auch bei den Nordgermanen der volle Kindersatz gewesen sein. Es ergibt sich aus den lästerlichen Vorwürfen gegen Männer, denen zeitweilige Verwandlung in Weiber zugeschrieben ward, wobei neun Kinder, die sie geboren haben sollen, genannt werden (Helgaqu. Hund. I, 39. Kristnisaga c. 4).

Neun Buben einer Familie erscheinen in einer Tiroler Geschichte (Meine Zeitschrift 6, 318). Nach der Sage von der Gräfin von Querfurt

---

[1] In einem lettischen Hochzeitliede hat die Braut neun Brüder, Em. Bielenstein, Wie die Letten gefreit haben S. 112.

gebiert dieselbe neun Knaben auf einmal (Kuhn-Schwartz, Nordd. Sagen Nr. 234)[1]. Verwandt ist darin die Sage vom Grafen Uffo, der in der Fremde träumt, seine Frau habe in seiner Abwesenheit neun Kinder geboren. Sie ergeben sich als neun von ihr gestiftete Kirchen (Grimm, Deutsche Sagen Nr. 549). Das bekante Märchen vom Gevatter Tod beginnt in Oberpfälzer Fassung: Ein Schneider hatte für sein neuntes Kind keinen Gevatter (Schönwerth 3, 12)[2].

Neun Söhne sind auch in neugriechischen Volksliedern typisch (Sakellarios, Kyprische Volksl. Nr. 517. Jeannaraki, Kretas Volksl. Nr. 5) und dazu stimmen die neun Brüder (Sakellarios Nr. 31. 413. 523).

Aus allem vorgetragenen empfängt die mittelrheinische Redensart »Dreimal drei ist Bubenrecht« ihre Erklärung: Neun Buben ist der perfectus numerus. Den Satz von neun Kindern kannte auch Ed. Mörike, als er seinem Freunde O. Schönhuth bei der Geburt von dessen erstem Töchterchen scherzend zusang: Es macht die Neunzahl schön zu füllen, Ein hörnen Siegfried den Beschlufs (Gesammelte Schriften 1, 221. Stuttg. 1878).

Auch Thiere werden zu neun gruppirt. Hadamar von Laber führt in seinem allegorischen Gedicht die Jagd (Str. 10–13) eine None allegorischer Hunde auf. In dem Grimmschen Märchen Nr. 122 zanken sich neun Vögel um den Wunschmantel. Nach Lechthaler Volksmeinung ist unter neun Elstern, die beisammen sitzen, eine Hexe (Zingerle, Sitten, Bräuche und Meinungen Nr. 333). Ein siebenbürgisch-sächsisches Märchen (Haltrich Nr. 33) erzählt von neun Schweinen. Wallonischer Aberglaube macht neun Hammel zur guten Vorbedeutung (Monseur, Folklore Wallon Nr. 658). In Beschwörungsformeln gegen die wurmartigen Krankheitsdämonen finden sich diese zu 3, zu 9 u. s. w. gedacht. Darüber wird bei dem Abschnitt über die Zahl 9 im Heilverfahren des weiteren gehandelt werden.

Die Neunzahl lebender Wesen, die bei Sühnopfern fielen, findet ihr entsprechendes auch bei Opfern aus dem Pflanzenreich. Bis in die Gegenwart haben hessische Kinder, wenn sie in den Wald gingen, Heidel-

---

[1] Eine Variante giebt sieben an.
[2] Von einem Tiroler mit neun Buben wird aus der Wirklichkeit in meiner Zeitschr. 6, 318 erzählt.

beren zu lesen, die schönsten neun Beren, die sie fanden, in die Hölung
eines Baumes »als Zehnten« gelegt, zuweilen mit einem Blumenstraufs
(Mülhause, Gebräuche der Hessen in d. Zeitschr. f. hess. Gesch. N. F. 1, 274).
Beachtenswert dabei ist, dafs in Treysa im Kr. Ziegenhain und in Rosen-
thal die neun Beren zu je drei Stück rückwärts auf die Erde geworfen
werden und in Treysa ein Knoten in eine Grasschmele unter die Rispe
geknüpft wird.

Opfer sind ursprünglich auch die neunerlei Kräuter, die zu heiligen
Zeiten gepflückt und verschieden verwandt werden.

Als Opferspeise erscheinen sie am Gründonnerstage. Wer sie nicht
geniefst (d. i. das Opfer der Gottheit nicht bringt), trägt übele Folgen davon: er bekommt das Fieber (Chemnitzer Rockenphilos. III. c. 95. Panzer,
Bayr. Sagen und Sitten 1, 258). In ganz Niederdeutschland wird an diesem
Neunkräutergericht, das Gesundheit, Stärke und langes Leben verleihen
soll, am Gründonnerstage überall festgehalten, und es besteht meist aus
denselben Frühlingskräutern, deren Zahl von selbst bei zeitigen Ostern
überdies beschränkt ist. Zur Négensterke (Neunstärke), wie das Gericht
im Braunschweigischen heifst, werden genommen Sprossenkohl, Brennnessel,
taube Nessel, Giersch (Gesche), Kälberkropf (*Chaerophyllum*) oder Kuh-
blume (*Leontodon tarax.*), Scherbock (*Ranunc. ficar.*), Rapunze, Brunnen-
kresse, Malve. Die gleichen Kräuter werden in Mecklenburg dazu genommen; fast dieselben in Hannover, wo das Gericht auch Neunstärke
heifst; gleiche und verwante in Westfalen[1]. Die Zahl neun gilt auch in
Oldenburg, in Brandenburg, in Anhalt und wie es scheint auch am Nieder-
rhein[2]. Anderwärts wird nur im Allgemeinen darauf gehalten, dafs am
Gründonnerstage eine Kräutersuppe gegessen werde oder grünes Gemüse
auf den Tisch komme[3]. Theils soll es Gesundheit geben, theils gegen
mancherlei Unangenehmes schützen. Man sieht, wie der alte Brauch von
seiner bestimten Art und Bedeutung verliert.

---

[1] R. Andree, Braunschweiger Volkskunde S. 244 f. mit Anmerk. Seemann, Hannoversche Sitten und Gebräuche (Leipz. 1862) S. 8. Kuhn, Westfäl. Sagen II, 133. U. Jahn,
Opfergebräuche 145.

[2] Strackerjan II, 41. Engelien-Lahn, Volksmund 232. Meine Zeitschr. 7, 75.

[3] E. Meier, Sagen aus Schwaben 386. Zingerle, Sitten d. Tiroler Volkes Nr. 727.
Kehrein, Volkssprache in Nassau 2, 258. Wolf. Beiträge 1, 70 (Wetterau). Ebenso in
der Oberlausitz und in Schlesien.

Das Neunkräutergericht war hier und da auch zu Johannis üblich. Den um Reichenhall früher zu Sunnwenden gebackenen Johanniskücherln waren folgende neun Kräuter beigemischt: Brennessel, Gundermann, Holler (*Sambucus*), Kukuksklee (*Oxalis acetosella*), Raute, Salbei, Sauerampfer, Schwarzwurz, Weinstock (dafür auch Löwenzahn: Anzeiger f. Kunde deutscher Vorzeit 28, 204).

Zu Weihnachten hat sich hier und da der Brauch erhalten, neun Gerichte aufzutragen. So in der Gegend des östlichen Grenzgebirges zwischen Niederoesterreich und Steiermark, in der Christnacht nach der Mette (A. Hofer, Weihnachtlieder aus Niederoesterreich. Wiener Neustadt 1890. S. 6). Auch aus dem Vogtlande lassen sich die neun Speisen vom Christ-, Sylvester- oder Fastnachtabend nachweisen (Wuttke, Deutscher Aberglaube § 341). Im Erzgebirge und in der Karlsbader und Duppauer Gegend pflegt man sieben- oder neunerlei Gerichte am Weihnachtabend zu essen, um gesund zu bleiben (Wuttke § 78. Wilhelm, Aberglaube aus dem Karlsbad-Duppauer Gelände S. 23).

Nach steirischem Aberglauben giebt der Genuſs von neunerlei oesterlichem Weihfleisch, zumal wenn es in neun verschiedenen Häusern genossen wird, Stärke und schützt gegen tolle Hunde (Pfeiffer, Germania 35, 396).

Übertragen ward die Neunzahl der Opferspeisen auf bestimte weltliche Malzeiten. So muſsten dem Abt von Mettlach bei dem Jahrding zu Beringen a. d. Saar neun Gerichte vorgesetzt werden (Weist. 2, 63).

Ursprünglich waren diese Kräuterspeisen an heiligen Zeiten Pflanzenopfer, die von den Darbringern ebenso verzehrt wurden, wie Theile der Opferthiere. Entsühnungen und Segnungen gingen deshalb von ihnen aus.

Weit verbreitet ist der Glaube, daſs Johanniskraut (*Hypericum perfor.*), in der Johannisnacht von neun verschiedenen Stauden gepflückt, gegen Feuer, Gewitter, Hexen und böse Geister schütze und starke Heilkraft habe (Wuttke § 92). In Masuren pflückt man am Johannisabend stillschweigend neun bestimte blühende Pflanzen, windet schweigend Kränze daraus und hängt sie in den Stuben auf. Sie haben groſse heilende Kraft (Toeppen, Aberglaube aus Masuren S. 71).

Am 15. August feiert die katholische Kirche das Fest der Himmelfahrt Mariae, den groſsen Frauentag, auch Mariae Wurz- oder Kräuterweih genannt. Die abgeschnittenen Stauden und Blüten werden in Menge in die Kirche gebracht und vom Priester geweiht, wodurch sie allerlei gute

2*

Kräfte erhalten. Es ist ein aus heidnischer Zeit überkommener Brauch, der sich an einen kirchlichen Tag am Abschlufs des Sommers heftete. Nach der Legende war Maria eine Freundin der Blumen.

Das »Weihgebund« besteht in Oesterreichisch-Schlesien aus neun Pflanzenarten: Ringelrose (*calendula*), Baldrian, Krauseminze, Dill, Wermut, Dost, Meisterwurz (*imperatoria*), Reinfarn, Königskerze, also aus bekanten Heilkräutern (A. Peter, Aus Oesterr.-Schlesien 2, 249[1]). Wo noch alte Sitte besteht, werden die Kräuter vor Sonnenaufgang und schweigend gesammelt. Aufser der heilenden Wirkung bei Menschen und Thieren, schützen sie das Haus, auf dessen Dachboden gewöhnlich sie aufbewahrt werden, gegen Gewitterschaden. Wenn ein Wetter aufzieht, werden Kräuter aus den geweihten Büscheln genommen und in das Herdfeuer geworfen. Der aufsteigende Rauch (Opferrauch) schützt gegen den Blitz.

In Baiern, namentlich in der Holletau zwischen Isar und Donau, gehören 77 Kräuter (die kirchliche Zahl statt der volksthümlichen 99) zu dem Buschen, der von den Mädchen am grofsen Frauentage in die Kirche gebracht wird, vor allem der Himmelbrand (Königskerze, *verbascum*), der in die Mitte des Straufses kommt (Panzer II, 12). Auch die Weihraute (*ruta graveolens*) darf nicht fehlen (Schmeller, B.Wb. II², 175).

Zu Sunnwenden oder Johannistag, auf der Höhe des Sommers, werden neunerlei Blumen zu Kränzen gewunden. Sie dienen den Mädchen zur Losung über nahe oder ferne Verheiratung. In Ostpreufsen werfen die Mädchen nach Sonnenuntergang am Johannistage die aus neun Kräutern schweigend gewundenen Kränze auf einen Baum[2]. So oft der Kranz dabei herunter fällt, so viel Jahre bleibt das Mädchen noch ledig (E. Lemke Volksthümliches in Ostpreufsen 1, 28). In Thüringen (Pflege Reichenfels) suchen die Mädchen in der Mittagsstunde (11–12 Uhr) des Johannistages neunerlei Pflanzen, worunter Storchschnabel, Feldraute und Weide nicht fehlen dürfen. Der Faden zu dem daraus gewundenen Kranze mufs von der Binderin in gleicher Stunde eines Johannistages gesponnen sein. Dann wirft ihn diese rückwärts und schweigend auf einen Baum. So oft er herabfällt, so viel Jahre währt es noch zur Hochzeit (Witzschel, Sagen, Sitten und Gebräuche aus Thüringen 2, 210). Im Vogtlande holen sich

---

[1] Andre Kräuter sind bei Wuttke, Volksabergl. § 120 genant.

[2] Altgermanischer Brauch war es, die Opfer an die Bäume zu hängen oder in das Geäste zu werfen.

die heiratslustigen Mädchen um 12 Uhr Mittags am Johannistage einen
Straufs von neunerlei Blumen vom Felde und werfen ihn durch die Thür
oder das Fenster in ihr Haus. Dann werden sie in nächster Nacht ihren
künftigen Mann im Traume sehen (Wuttke S. 229). Ebenso hoffen die
Mädchen in der Mark Brandenburg (Neumark) in der Johannisnacht im
Traum den Zukünftigen zu sehen, wenn sie zwischen 11–12 in der Nacht
einen Kranz aus neunerlei Blumen schweigend gewunden haben (Meine
Zeitschr. f. Volksk. 1,181). In Böhmen flechten die Mädchen in der Johannisnacht Kränze aus neunerlei Blumen, setzen sie auf und gehn bei Sternen-
licht zu einem Wasser, an dem ein Baum steht (auf den sie den Kranz
werfen). Sie sehn dann das Bild des Bräutigams im Wasser (Wuttke
§ 356). Die Lettinnen in Kurland flechten am Johannisabend eine jede
neun kleine Kränze und gehn auf neun Kreuzwege. Auf jede Wegscheide
legen sie einen Kranz nieder und denken bei jedem an einen bestimten
Burschen. Am nächsten Morgen sehen sie nach, welche Kränze noch dort
liegen. Ist einer verschwunden, so wird der Bursche, dem er zugedacht
war, das Mädchen heimführen (Mittheilung von Frl. M. Rehsener).

In Ostpreufsen, Schlesien, Schweden legen sich die Mädchen einen
aus neunerlei Pflanzen gewundenen Kranz unter das Kopfkissen. Was sie
in dieser Johannisnacht träumen, wird wahr (Wuttke S. 228).

In der Eifel war das Binden von Johanniskränzen sehr verbreitet und
nicht blofs von erwachsenen Mädchen gethan. In Rengen laufen die Kinder
am Nachmittag in die Wiesen, pflücken Blumen (die Zahl neun scheint
vergessen), winden Kränze und werfen sie auf die Dächer der Häuser und
Ställe. Dieselben sollen die Gebäude gegen Brand und Gewitter schützen.
Johanniskraut und Jungfrauflachs müssen dabei sein. Die Kränze bleiben
oben liegen, bis sie der Wind verweht. — In Niederehe aber sammelten
sich die Kinder, wenn die wilden Stachelberen (Krönschel) reif wurden,
an einem Sonntag Nachmittag um ein altes Mütterchen, holten alle welken
Johanniskränze von den Dächern und zogen betend aus dem Ort. Die
dürren Kränze und Sträufse wurden draufsen auf einen Haufen geworfen
und angezündet. Dann liefen sie mit den brennenden Stauden zu den
Stachelberhecken und beräucherten sie. Sie zogen darauf unter Gebet mit
der alten Frau in das Dorf zurück, knieten vor ihr hin und empfingen
von ihr mit einem Stabe jedes den Jesusknüppes, d. i. einen leichten Schlag

an die Stirn. Von nun ab durften sie in die Stachelberen gehn (Schmitz, Sitten und Bräuche des Eifler Volkes 40–42).

Es geht hier verschiedenes durch einander: die heiligen Kräuter werden zu Kränzen und Sträufsen gebunden und, nachdem sie beim Feste gedient, zum Schutz der Häuser verwendet. Die h. Kräuter werden in das Johannisfeuer als Opfer geworfen. Ihr Rauch hat segnende Kraft, und so wird damit die Fruchternte der Jahreszeit geweiht. Die Kinderprozession mit der führenden Alten ist Nachbildung kirchlicher Bittgänge; das ganze ist zu einem Kinderfeste gemacht.

Zu den priesterlichen Räucherungen der Häuser, die alles böse abwehren sollen, Hexen und höllische Geister, mengt man unter den Weihrauch und die Wachholder(Kranwit)beren auch neunerlei Kräuter, wahrscheinlich aus dem Weihgebund von dem grofsen Frauentag. Diese Räucherungen, die zuweilen auch der Hausvater vornimmt, geschehen in den Rauchnächten, d. h. Thomas-, Christ-, Neujahr- und Dreikönigabend. Hier und da heifsen auch die Zwölfnächte von Weihnachten bis Perchtentag (Dreikönige) so (Wuttke § 253).

Handlungen zur Erforschung der Zukunft finden in Deutschland nicht blofs am Mittsommerfest (Johannis) statt, wovon wir vorhin sprachen, sondern auch gegen und um Mittwinter.

In Oberoesterreich bezeichnet man neun Nächte des Jahrs, die ledigen Mägden zur Erkundung ihrer Verheiratung taugen: Thomasnacht, die Nacht vor dem Kristabend, die heilige Weihnacht selbst, Neujahrsnacht, Dreikönigsnacht, Palmsonntag, den Frühlingstag, an dem man den Kukuk zuerst hört, Sunnwendtag und Barbaratag (4. Dec.), (Amand Baumgarten, Aus der Heimat 3, 89).

Weit verbreitet in Oesterreich und Süddeutschland, auch in Schlesien und am Harz ist, dafs Mädchen am Andreasabend 9 (oder 7) Zweige von Fruchtbäumen oder Sträuchern ins Wasser stecken und aus Zahl und Farbe der zu Weihnachten entwickelten Blütenknospen auf Heirat oder anderes Glück schliefsen (Wuttke § 347).

Am Andreasabend machen Mädchen im Erzgebirge ein Feuer von neunerlei Holz. Wer in die Stube tritt, während dieses Feuer brennt, dessen Name ist der Name des künftigen Ehemannes (Wuttke § 364). J. Prätorius erzählt in seinen Saturnalia oder Weihnachtfratzen (Leipz. 1663 S. 408), dafs manche Mädchen am Tage vor dem Weihnachtabend neunerlei Holz schneiden und in der folgenden Nacht in einer Stube ein Feuer davon machen. Sie ziehen sich ganz nackt aus, werfen die Hemden vor die Stubenthür und sprechen: »Hier sitze ich splitterfasernackigt und blofs, | Wenn doch mein Liebster käme und würfe mir mein˙ Hemde in den Schofs«. Der Liebste mufs dann kommen, das Hemde herein werfen, und sie können ihn erkennen. Prätorius berichtet darauf eine hierzu stimmende Geschichte aus Koburg.

Bei den Niederlausitzer Wenden ist Brauch der Mädchen, in den letzten 9 Tagen vor Weihnachten an jedem Tage bei Sonnenuntergang 9 Späne zu sammeln, sie rückwärts von 9−1 zu zählen und dann von allen am h. Abend, wenn es zur Kirche läutet, ein Feuer zu machen. Kommt, während sie brennen, ein freilediger, so ist Aussicht auf einen ledigen Mann; kommt ein verheirateter, auf einen Witwer. Wie bei den Weibsen, geschieht dieses auch bei den Mansen. Noch andre Heiratlosung wird in diesen 9 Tagen geübt (v. Schulenburg, Wendische Volkssagen S. 246. 248). Man vergleiche auch die Liebesorakel der Zigeunermädchen, die Wlislocki, Volksglaube der Zigeuner S. 130 f., berichtet. Andreas, Sylvester, Oster- und Pfingstnacht, Georgi sind die Zeiten dafür.

Am Abend der betreffenden Tage werfen sie Schuhe auf einen Weidenbaum; nur neunmal dürfen sie werfen. Bleibt der Schuh in den Ästen hangen, so heiraten sie im nächsten Jahre. Für dieses und andere Heiratsorakel darf sich das Mädchen neun Tage lang vorher nicht waschen, darf nicht küssen oder eine Kirche betreten.

Wenn die Zigeunerin wissen will, ob der Künftige alt oder jung sein werde, knetet sie einen Teig aus neun Handvoll Erde, die aus neun verschiedenen Stellen genommen sind, mit Wasser aus neun verschiedenen Brunnen oder Bächen und thut neun Stechapfelkerne hinein, von neun verschiedenen Stauden genommen. Dieser Teig wird am Oster- oder Georgimorgen auf einen Kreuzweg gelegt. Wenn auf denselben zuerst ein Weib tritt, so bekommt das Mädchen einen Witwer oder einen alten Mann; tritt ein Mann zuerst darauf, einen jungen Gatten (Wlislocki, Volksglaube der Zigeuner 130 f.).

In dem Torda-Aranyosszéker und in dem Toroczkóer Bezirk in Ungarn fastet das magyarische Mädchen einen Tag vor Andreas und kniet dann an dem Abend auf ihr zusammengelegtes Sacktuch, spricht neun Vaterunser und legt eine Männerhose, einen Kamm, ein Stück gerösteten

Brotes, einen Flederwisch und ihren linken Schuh unter ihr Kopfkissen.
Unter ihr Bett legt sie Salz in einem Lappen, vor das Bett stellt sie einen
Teller mit Wasser, in das sie Löffel, Messer und Gabel thut. Erwacht sie
um Mitternacht und blickt bei brennender Kerze in den Spiegel, so sieht
sie ihren Künftigen. Verschläft sie die Mitternacht, so wird sie ihn im Mor-
gentraum erblicken (Jankó, Magyar népe 247, vergl. meine Zeitschrift f.
Volksk. 4, 407).

In Oberoesterreich gilt als Vorbedeutung naher Hochzeit, wenn das
Mädchen am Johannisabend neun verschiedene Sunnwendfeuer sieht (Baumgarten, Aus der Heimat 1, 28).

An keine bestimte Zeit gebunden ist ein niederoesterreichischer Brauch,
der auch weitere Beziehung als auf Heirat hat. Man zählt durch neun
Tage neun Sterne; kommt keine trübe Nacht dazwischen, so geht in Erfüllung, was man beim ersten Zählen gedacht hat (Hofer, Weihnachtlieder
S. 6). Dazu stimmt ein wallonischer Brauch. In Nivelles beobachtet man
ebenfalls an 9 Abenden 9 Sterne. Kommt ein trüber Abend dazwischen,
so muſs man von vorn anfangen, bis man neun heitere hinter einander
gewinnt. In Lüttich ist die Neun zur Siebenzahl gewandelt. Wenn der
Versuch geglückt ist, paſst das Mädchen, das ihn gemacht, auf den ersten
jungen Mann auf, der ihr die Hand reicht: das ist Er (Monseur, Folklore Wallon Nr. 658).

Im Zusammenhang mit den germanischen Opfern, die zu Mittwinter
für das Gedeihen der nächsten Sommererntе (til gródrar, Ynglingas. c. 8)
gebracht wurden, stehn erhaltene deutsche Volksbräuche zur Erforschung
des nächsten Feldsegens.

Im Erzgebirge und im Vogtlande theilt man am Sylvesterabend in einer
Schüssel, worin etwas Wasser steht, durch Stäbchen neun Fächer ab; schüttet
in jedes eine andre Fruchtart und beobachtet am andern Morgen, welcher
Samen am besten gequollen ist oder die meisten Luftblasen hat. Dieser
wird die beste Ernte bringen (Wuttke § 329). In Schwaben werden zwölf
Mäfschen am Christabend mit verschiedenen Getreidearten, die genau gemessen sind, gefüllt. Am andern Morgen mifst man wieder. Nach Zu-
oder Abgang schliefst man auf Steigen oder Fallen der Getreidepreise, wol
in den zwölf Monaten (Birlinger in der Zeitschr. f. deutsche Mythologie
4, 48). In Oesterreichisch-Schlesien wird (wahrscheinlich in der Krist-
oder Sylvesternacht) Korn in vier Seidelgläser gefüllt, ausgeschüttet und

wieder eingefüllt. Aus dem Mehr oder Weniger deutet man steigende oder fallende Getreidepreise in den verschiedenen Vierteljahren (A. Peter, Aus Oesterr.-Schlesien 2, 260).

Andere Weissagung und Losung, worin sich die Neunzahl erhielt, möge sich anreihen.

Im Vogtland glaubt man, wenn jemand am Christ-, Sylvester- oder Fastnachtabend von den neun Gerichten, die Abends aufgetragen werden müssen, Reste in einen Tischtuchzipfel thut, unter den Arm nimmt und dann an den Fensterladen des Nachbarhauses klopft, so wird das wahr werden, das er sprechen hört (Wuttke § 341).

Nach Göttinger Sage prophezeite 1852 ein Graumännlein aus den Stücken von neun Kartoffeln das Aufhören der Kartoffelkrankheit und die Nähe einer mörderischen Seuche (Schambach-Müller, Niedersächsische Sagen S. 240).

Aus Mittelsteiermark wird der Versuch, in die Welt des Todes zu blicken, leider nicht genau (Zeitschr. f. oesterr. Volkskunde 1, 243) berichtet. Wenn eine Frau erfahren will, ob im nächsten Jahre jemand aus dem Hause sterben werde, so kehrt sie (wahrscheinlich am Krist- oder Sylvesterabend) neunmal die Stube von vorn nach hinten aus und lauft (wahrscheinlich nackt) neunmal um das Haus. Beim zehnten Mal sieht sie durch das Fenster in das Zimmer, ob ein Sarg darin steht. Das ist das Vorzeichen eines Sterbefalls.

Weit verbreitet ist der Glaube, daſs die Thiere in der Kristnacht prophetisch sprechen und das Verständnis davon zu erlangen, den Menschen möglich sei. Nach dem Glauben der kärntischen Winden gelingt es dem, der Stiefel mit neun Sohlen trägt und in den Stiefeln auf Farnsamen steht (Meine Zeitschrift 4, 155).

An diese Arten der Weissagung und des Einblicks in die Zukunft, in denen die Zahl Neun ihre Wirkung bewährt, schließen wir den eigentlichen Zauber, bei dem unsre Zahl hilft. Sie verleiht besondere Kräfte, schützt gegen böse Geister und wehrt die Krankheiten ab, die auch bei uns als Angriffe böser Geister galten.

Nach Wernigeroder Hexenacten aus dem 16. und 17. Jahrhundert brauchten die Hexen immer neun Kräuter zu den Zaubermitteln (Zeitschr. des Harzvereins 4, 298).

Wenn ein Bursche die Liebe eines Mädchens gewinnen will, nimmt
er neun Stengel der Zaunrübe (Bryonia alba), näht sie heimlich in die
Kleider der Geliebten und dieselbe wird ihn von Stund ab wiederlieben
(A. Peter, Aus Oesterr.-Schlesien 2, 212).

Ein englisches Liebesrecept giebt an: das Mädchen, das einen unge-
treuen Liebhaber zu sich zaubern will, borge sich ein Federmesser und
steche, bevor es zu Bett geht, in das Schulterblatt eines Schafes an verschiedenen Stellen. Das muſs neun Nächte hinter einander geschehen[1] und
dabei gesprochen werden:

> 'T is not this bone I mean to stick,
> But my lovers heart I mean to prick,
> Wishing him neither rest not sleep,
> Till he comes to me to speak.

Nach neun Tagen wird er kommen und um etwas bitten, das er auf die
Wunden legen könne, die ihm beigebracht wurden (Hartland, the Legend
of Perseus II, 102).

Wer einen dreijährigen Hahn über einem neuen Topfe durchsticht
und ihn dann neun (oder drei) Tage lang in einen Ameisenhaufen vergräbt,
findet in seinem Kopfe einen weiſsen Stein. Wer diesen bei sich trägt,
dem kann niemand etwas versagen (Albertus Magnusbüchlein 2, 10. 51).

Die Buben am Lechrain, die im Raufen gern Herr wären, suchen in
Besitz von neun Otterzungen zu kommen, die sie aber den lebenden Thieren
ausreiſsen müssen. Dazu gehört Schneid und der Teufel sucht es obendrein
zu hindern. Ohne die Finger eines ungebornen Kindes oder auch ohne
einen Wetterstein kann es keiner zu den neun Zungen bringen (v. Leoprechting, Aus dem Lechrain S. 78).

Ein besonderes Kraftstück führte der im Oberennsthal berüchtigte Zauberer, der Jager Peterl, aus, als er einen Halbstartin Wein den Hexen in
der Walpurgisnacht mit 99 Par vorgespannten Katzen auf das 2236 Meter
hohe Gumpeneck hinaufführte (Meine Zeitschrift 5, 410).

Unsichtbar zu werden hilft bekantlich der Farnsamen. Nach ober-
steirischer Anweisung muſs man in drei Nächten der Zwölften mit einem
Kreuz von Elsberbaum (Kornelkirsche) in einen Zauberkreis treten. Man
muſs dazu neun Kelchtücher haben (Tücher, womit der Meſskelch bedeckt

---

[1] Neunmalige Wiederholung der Defixionsformel bei griechischem Liebeszauber: Berliner Wochenschrift f. klass. Philol. 1891. S. 10.

wird); denn wenn der Teufel den Farnsamen bringt, fällt derselbe durch acht Tücher durch und bleibt erst im neunten hangen (Weinhold, Weihnachtsspiele S. 29. Wolf, Zeitschr. f. deutsche Mythol. 2, 30).

Das Wolfsturner Hausbuch aus dem 15. Jahrhundert enthält ein anderes Mittel, »unsichtig« zu werden. Man gehe zu einem Ameisenhaufen, der neun Gänge hat, und zünde denselben an. In der Asche wird man einen Stein finden, der die Unsichtbarkeit verleiht (Meine Zeitschrift 1, 324).

Für Räuber und Diebe galt als Mittel unsichtbar zu werden der Genufs von neun Herzen ungeborner männlicher Kinder (v. Tettau und Temme, Volkssagen Ostpreufsens, Littauens und Westpreufsens S. 266). Nach demselben scheuslichen Aberglauben, der die Ermordung vieler schwangerer Frauen verschuldet hat, gelangte man durch das gleiche Mittel zur Fähigkeit, wie ein Vogel fliegen zu können (Lammert, Volksmedizin in Bayern S. 84).

Um Diebe zu zwingen, das Gestohlene wieder zu bringen, stellte man in Mecklenburg an drei Abenden gegen Mitternacht drei neue Teller auf den Herd, je mit Brot, mit Salz, mit Schmalz gefüllt, legte Blechdeckel darüber und glühende Kolen darauf. Neunmal sprach man leise einen Segen darüber. Wenn der Dieb nicht schon über schiffbares Wasser war, wurde er dadurch gezwungen, indem ihn brennende Schmerzen trieben, den Diebstahl zurückzubringen (Bartsch, Sagen und Gebräuche aus Mecklenburg 2, Nr. 1623).

Beim Dreschen in Büchersreut in der Oberpfalz fing einmal die Hälfte des ausgedroschenen Weizen zu laufen an. Der herbeigerufene Pfarrer besegnete den Körnerhaufen und liefs einen Knecht mit einer Kranewit(Wacholder)gerte drauf schlagen. Beim neunten Hiebe kam ein Bauer aus Ilsenbach mit neun blutigen Striemen im Gesicht gelaufen und bat abzulassen, er wolle es nimmer thun (Schönwerth, Aus der Oberpfalz 1, 437).

Wer bestohlen wird, der nehme die schwarze oder schwere Fast gegen den Dieb auf sich. Er nehme nämlich eine schwarze Henne und esse an neun Freitagen samt der Henne nichts. Der Dieb wird dann entweder das Gestohlene zurückbringen, oder sterben (Haltrich-Wolff, Zur Volkskunde der Siebenbürger Sachsen S. 292).

Nach wendischem Glauben kann man Schätze heben oder wenigstens einen Wechselthaler gewinnen, wenn es gelingt, eine lebendige ganz schwarze Katze, die man mit 99 Knoten in den Fäden in neun Tücher eingenäht

3*

hat, in der Christnacht in der Kirche als Hasen zu verkaufen an einen, der darauf wartet, dem man aber verfällt, wenn es nicht gelingt, schnell unter eine Dachtraufe zu entkommen (v. Schulenburg, Wendische Volkssagen S. 202).

Soll sich einer von den Soldaten freilosen, so muſs man ihm stillschweigend und ohne daſs er davon weiſs, eine Schote mit neun Erbsen in den rechten Rockärmel stecken (Bartsch 2, 350).

Will ein Hirte sein Vieh auf der Weide zusammenhalten, so stecke er einen Stock mit neun Krümmungen in die Erde (Wuttke § 684). In einem unvollständigen Segen zum Zusammenhalten des Viehs (J. W. Wolf, Beiträge 1, 259) heiſst es: da macht er einen Ring um mein Vieh, und der Ring ist beschlossen mit 77 Schlössern[1].

Ein Messer mit den Zeichen von neun Kreuzen und Monden, ein sogenantes Pinzgermesser, bringt verlaufene Thiere zurück (Baumgarten, Aus der Heimat 1, 31. Alpenburg, Mythen und Sagen Tirols, S. 365, über die Pinzgermesser).

Wenn die Zaubermittel, die wir hier aufführten, wesentlich offensiver, angreifender Natur waren, so lassen wir nun andere folgen, welche den Zauber und die Zauberer abwehren.

Gegen die Wichte und die neun gefallenen Geister (wid nygon wuldorgeflogenum), gegen die neun Gifte und die neun anfliegenden Krankheiten schützen die neun Kräuter, die der altenglische Neunkräutersegen (Grein-Wülcker, Bibliothek der angelsächsischen Poesie I, 320 f.[2]) in ihren Wirkungen schildert: Mucgwyrt (Beifuſs), wegbráde (Wegebreite), stune oder lombes cerse (Pfennigkraut, *thapsi arvense*), attorláde, macgde (Kamille), wergulu oder nátala, äppele, fille (Kerbel) und fimle (Fenchel). In diesem Zaubersange (galdor) heiſst es auch von Woden, daſs er mit neun heiligen Zweigen (wuldortánas) die Natter schlug, daſs sie in neun Stücke brach.

Im Grindelwalder Thale im Berner Oberlande tragen die Leute die Wurzelknolle eines Lauchs (*allium victorale*), Nünhemmerle genant, weil sie neun Häute hat, gegen Hexen, sowie gegen Krämpfe und Zahnweh in der Tasche bei sich (Vernaleken, Alpensagen S. 418).

---

[1] Das Wunderschwert Laevateinn, das Loptr (Loki) schmiedete, mit dem der die Götter bewachende Hahn Widofnir allein getötet werden kann, liegt hinter neun Schlössern (njardlásar niu) in eiserner Kiste (Fiolsvinnsm. 26).

[2] Vergl. Hoops, über die altenglischen Pflanzennamen 56 ff. (Freiburg i. Br. 1889).

Das Vieh gegen Verrufung zu schützen, ist gut ihm neunerlei Kräuter zu geben, die auf neun Scheiden (Rainen) gesammelt sind (Knoop, Sagen aus Hinterpommern S. 171).

Wenn eine Vogtländer Wöchnerin zum ersten Male nach der Entbindung in den Keller geht, muſs sie zum Schutz gegen die Kobolde die Kräuter Dosten und Dorant oder neunerlei Band bei sich tragen (Wuttke § 576).

Gegen Milchzauber wird in Thüringen mit neunerlei Holz geräuchert (Witzschel, Sagen aus Thüringen 2, 271). In Mecklenburg wird, wenn dem Vieh »wat andòn is« Holz von negen Sülln (neun Thürschwellen) genommen, angezündet und damit der Stall geräuchert (Bartsch 2, Nr. 673). Die Chemnitzer Rockenphilosophie (1706) nennt als verbreitetes Mittel gegen Beschreiung die Räucherung der beschrienen Personen mit neunerlei Holz (I. c. 3).

Aus einer mährischen Judengemeinde (Schaffa im Znaimer Bezirk) wird folgendes Mittel gegen Beschreiung berichtet (Zeitschr. f. oesterreich. Volkskunde 2, 318), das kein jüdisches ist, weil die unsemitische 9 darin wirkt. Man legt ein Bündel von neun Tüchern um den Hals oder man bindet neun Tücher um den Kopf, nachdem sie mit neun Kräutern geräuchert wurden. Um zu erfahren, ob jemand beschrien ist, zähle man 9 (oder 7) Kolen rückwärts (d. i. von 9 bis 1 hinab) und thue sie in ein Glas voll Wasser. Gehn die Kolen unter, so ist er beschrien. Dasselbe Mittel mit den neun Kohlen wird im Böhmerwald angewandt, um zu erfahren, ob jemand »verneidet« ist (Meine Zeitschr. 1, 312). In Thüringen wird stillschweigend neunerlei Holz gesammelt und um Mitternacht in das Badewasser des kranken Kindes gethan. Geht auch nur ein Holzstückchen unter, so ist dem Kinde etwas »angethan«.

Gegen Berufung eines Kindes ist ein siebenbürgisch-sächsisches Mittel, 9 glühende Kolen in einem Becher Wasser zu löschen. Jedesmal, wenn man eine Kole hinein thut, legt man die Hand darüber und macht unter Anrufung der h. Dreifaltigkeit ein Kreuz darüber. Mit diesem Wasser wird das Kind gewaschen; auch giebt man ihm davon zu trinken. Das übrige Wasser wird an die Thürangeln gegossen und nicht aus dem Hause hinaus geschüttet (J. Hillner, Volksthüml. Glaube und Brauch bei Geburt und Taufe in Siebenbürgen. Schäſsburg 1877. S. 22).

Verwandt ist der böhmische Brauch gegen Beschreiung, 9 Stückchen Brot und 9 Kolen in ein Glas Wasser zu thun und das Wasser übers

Kreuz (d. i. an vier Stellen des Glases) zu trinken. Der Rest wird an die Thürangeln geschüttet (Wuttke § 413).

Gegen Bezauberung des Gewehrs hilft, die Gliederknoten von neun Strohhalmen, auf denen eine Sau mit ihren Jungen gelegen hat, in den Schaft zwischen die zwei Hafte zu legen (Albertus Magnusbüchlein 1, 22).

Ein Weinfuhrmann in Tirol sah plötzlich eins seiner Fässer rinnen. Da nahm er ein Beil und schlug die neunte Radspeiche[1] durch. Damit zerschlug er das Bein der Hexe, die ihm den Wein abzapfte (Zingerle, Sagen aus Tirol, 2. A. Nr. 719).

Wenn die Windsbraut den zum Dörren ausgelegten Har (Flachs) angreift, so schützt man ihn durch Festigung mit drei oder neun Haselzweigen (oder auch durch Burzelbäume, die man darüber schiefst. Baumgarten, Aus der Heimat 1, 40.)

Zur Vergleichung seien einige zigeunerische Abwehrmittel gegen Hexen angeführt.

Die Zigeuner in Südungarn, Bosnien und Serbien suchen Hare, Nagelschnitzel, irgend etwas von der Kleidung der Hexe zu bekommen und werfen das in ein Feuer auf einem Kreuzwege. Sie springen neunmal darüber, indem sie den Namen der verdächtigen Person rufen und in die Flamme spucken und pissen (Wlislocki, Volksgl. der Zigeuner 112).

Ein Hexenbann der Zigeuner in der Bukowina lautet: »9 Jahre sollst du bleiben wo du bist und dann verfaule! 9 Jahre sollst du dürsten, 9 Jahre sollst du hungern, 9 Jahre sollst du nicht schlafen, 9 Jahre nicht der Liebe geniefsen, wenn du böses Weib in unsre Nähe kommst«. Diese Worte werden auf einen Zettel geschrieben, um einen Schlehdornzweig gewickelt und unter der Hausschwelle der Hexe vergraben (Wlislocki ebd. 120).

Bei dem überall sich äufsernden Glauben an die Einwirkung böser Geister oder zauberkundiger Leute mufs es wichtig sein, dieselben zu erkennen. Deshalb bietet der deutsche Aberglaube Mittel dafür, und auch darin erscheint die Zahl Neun.

Verbreitet ist die Meinung, man könne die Weiber, die Truden oder Hexen sind, erkennen, wenn man in der Christnacht in der Kirche während des Gottesdienstes auf einen Schemmel knie, der aus neunerlei Holz ge-

---

[1] Das neunspeichige Rad: dat neghen-spakede veel (niughen-spetzie fial) richtet nach der Emsigoer (und Hunsigoer) Küre den Kirchenräuber, Richthofen, Fries. Rechtsquellen 30.

macht ist (v. Leoprechting, Lechrain 13). Als die neun Holzarten werden in der Oberpfalz (Waldmünchen) genant: Eichen, Buchen, Linden, Ahorn, Birke, Haselstaude, Fichte, Föhre, Kranewit (Wachholder) (Schönwerth 3, 174). In Niederoesterreich ist die Zeit der Erkennung auf die Wandelung beschränkt; der Schemmel muſs am Johannistag vor Sonnenaufgang aus neun Laubhölzern gefertigt werden (Hofer, Weihnachtlieder S. 6). In Obersteiermark werden dagegen neun Nadelholzarten verlangt; nur während des Opfergangs in der Christmette sind die Hexen zu erkennen (Reiterer in meiner Zeitschrift 5, 409). In der mittleren Steiermark soll der Schemmel in der Thomasnacht gemacht werden. Man erkennt die Hexen hier daran, daſs sie dem Altar abgekehrt in den Kirchbänken stehn (Zeitschr. f. oesterr. Volksk. 1, 247). In Tirol kommen die Hexen zur hintern Kirchthür herein und setzen sich mit dem Rücken gegen den Altar auf das Speisegatter (die Kommunionbank), ohne daſs es die andern merken auſser dem Späher auf dem Schemmel von neuerlei Holz (Zingerle, Sitten und Meinungen Nr. 900). Im Oetzthal ist das neuerlei Holz vergessen, ja sogar ein Schemmel von gleichem Holz gefordert. Durch das Loch in dem Sitzbret erkennt man, welche Weiber Hexen sind (Ebd. Nr. 282). In Niederösterreich ob dem Wiener Wald will man die Truden daran erkennen, daſs sie in der Kirche Melkkübel auf dem Kopf tragen, andern als dem Späher unkennbar, dem aber zu raten ist, eilig ins nächste Haus zu flüchten, weil er sonst zerrissen würde. Auch die Bergmanderln (Zwerge), die zur Christmette kommen, kann man von solchem Schemmel wahrnehmen.

Dieser Aberglaube ist auch in Schwaben, Franken, Schlesien, Pfalz, Elsaſs, Westfalen zu finden. Nicht immer ist das neuerlei Holz im Gedächtnis geblieben; in Oesterreich ist hier und da sieben statt der neun eingedrungen; auch andre Mittel treten an die Stelle. So in Böhmen ein neunmal geweihter Pimpernuſszweig (*staphylea*), mit dem man die Pferdefüſse der Hexen sieht (Wuttke § 373. 374. Schlesische Provinzialblätter 1873. S. 238).

In Franken heiſst es, man könne die Leute, die Alpe sind, erkennen, wenn man in der Kirche um Mitternacht (wol in der Christmette) neuerlei Holz schnitze (Wuttke § 378). Auch hier ist der Brauch halb vergessen, aber doch deutlich genug die Fertigung des Schemmels noch angedeutet, der den Einblick in die übersinnliche Welt vermittelt. Er erinnert an den nordgermanischen Seidhjallr, das Zaubergerät der Seidmänner und

Weiber[1]. Eine weitgehnde Verwendung des Schemmels aus neunerlei Holz kennt man noch in der mittleren Steiermark. Auf einem solchen Schemmel (13 erlei Holz wird hier dazu genommen) kann man an den heiligen Abenden und auf Kreuzwegen alle bösen Geister bannen, in die Zukunft schauen, Schätze und anderes Gewünschte gewinnen. Der Schemmel ist dreibeinig; zu den Holzarten gehören Birke, Sevenbaum, Buchs, Erle, Trauerweide. Jede Holzart darf nur an einem Tage für sich genommen werden. Es wird 13 Tage lang daran gearbeitet und alles muſs stillschweigend geschehen. Vor dem Gebrauche des Schemmels muſs ein Kind einen Tag lang mit dem Stühlchen spielen (Zeitschr. f. oesterr. Volkskunde 1, 245).

Herbeilocken kann man die Hexen nach dem Glauben um die hohe Salve in Tirol durch ein Feuer aus Holz von neunerlei Bäumen, die weiſse Beren tragen.

Ich behandele nun die abergläubischen Meinungen und Bräuche, die als medicinische bezeichnet werden müssen und in denen der Zahl Neun oder einer ihrer Vervielfachungen wichtiger Einfluſs gegeben ist.

Die Verschiedenheit der körperlichen Leiden führte zur Vorstellung einer bestimmten Zahl von Krankheitspersonificationen oder Krankheitsgeistern, ganz wie wir das von den Naturvölkern wissen (M. Bartels, Die Medizin der Naturvölker S. 11 ff.).

Um zu erfahren, wieviel »Suchten« den Menschen befallen haben, soll man nach Mecklenburger Recept in ein Gefäſs, worin man Freitag Abends sein Wasser gelassen hat, vor Schlafengehn Zweige von neun Fruchtbäumen oder Sträuchern werfen, von Pflaumen, Kirschen, Äpfel, Birnen, Flieder (sambucus), Johannisbere, Stachelbere, Himbere und Brombere, an denen Blatt- und Fruchtknoten sind. Die Zweige, die Morgens oben schwimmen, zeigen die Zahl der Suchten an. Man nehme diese Zweige und hänge sie in den Schornstein oder in den Schwibbogen, daſs sie verdorren (Bartsch 2, 116, Nr. 453. 455). Neun Zweige werden gefordert, weil es neun Suchten giebt. Als Holzarten werden auch Äpfel, Birnen, Flieder, Hollunder, Stachelber, Johannisber, Hainbuche, Pappel und wilde Rose genannt (Am Urquell

---

[1] Konr. Maurer, Bekehrung des norweg. Stammes 2, 136. Finnur Jónsson, om galdra seid seidmenn og völur S. 17.

3, 237), statt des Harns auch gewöhnliches Wasser. Stehn die Stäbchen am Morgen aufrecht im Wasser, so sind die Suchten halb gebrochen (Bartsch 2, Nr. 455).

Neun verschwisterte Fiebergeister denkt sich der russische Volksglaube in einer Erdhöle angekettet. Wenn sie sich losreifsen, fallen sie über die Menschen her (Grimm, D. Mythol. 2, 1107). Auch die Zigeuner, besonders die serbischen und türkischen, glauben an neun Krankheitsdämonen, die sich mit einander vermischen und unzählige Krankheiten erzeugen (Wlislocki, Volksglaube der Zigeuner S. 19 f.).

In einem altsächsischen Segen gegen die stechenden Schmerzen, die inneren Würmern zugeschrieben wurden, wird der alte nesso mit seinen neun Jungen beschworen, der nesso mid nigun nessiklinon (Müllenhoff-Scherer, Denkmäler IV, 5). Als Führerin von Krankheiten (nagedo stechedo crampho tropho gegihte)[1] erscheint die nessia in einem in mehreren süddeutschen Handschriften des 12. und 13. Jahrhunderts überlieferten Segen (Germ. 18, 46. 234. Z. f. d. A. 17, 560. 22, 246).

In Dänemark kennt das Volk neun Arten von Rhachitis (skerfva), in Schweden drei (meine Zeitschrift 7, 53). Nach einem finnischen Zauberliede gebar Launawatar neun Knaben, verderbliche Krankheiten (Grimm, Mythol. 2³, 1113).

Die gewaltige Vermehrung der Krankheiten bezeugen auch neuere deutsche Segen; die 9 werden zu 99², namentlich nach Mecklenburger Besprechungsformeln. Gegen 99 Fieber wenden sich die Segen bei Bartsch (Sagen, Märchen und Gebräuche aus Mecklenburg) 2, Nr. 1843–45. 1848. 1853; gegen die 99 Gichten Nr. 1880. 1894, ebenso ein Schleswigholsteinischer bei Müllenhoff (Sagen — aus dem Herzogth. Schlesw.-Holst. u. Lauenburg S. 513, Nr. 17), wo sogar noch 100 zugefügt werden. In Böhmen gilt der Wegerich (*plantago offic.*) als vortrefliches Fiebermittel, weil er 99 Würzelchen hat, deren jedes ein Fieber vertreibt (Wuttke § 135). Auch ein Fieberpulver aus 99 Blättern, die von 99 Weiden genommen sind, weist auf 99 Fieber (Wuttke § 529).

---

[1] Die Neunzahl ist hier zerstört und wie es scheint auf die kirchliche Siebenzahl gebracht; in dem herdo der Admonter Formel (Germ. 18, 234) mag der sechste aus der Nessebrut stecken.

[2] Kägi, Die Neunzahl bei den Ostariern (S. 19 oder 68), hat aus einem Zauberspruche des Rigveda 99 giftzerstörende Pflanzen nachgewiesen.

Ein ganzes Heilverfahren ist aus Hagenow in Mecklenburg überliefert (Bartsch 2, Nr. 457). Der Kranke wird bei abnehmendem Monde auf fruchttragende Erde gelegt, beide Arme ausgestreckt gleich dem Gekreuzigten. Dann geht einer neunmal um ihn herum, unter Hersagung eines geheimen Spruches, worin 99 Suchten genannt werden. Jedesmal, wenn er am Kopf und an einem der Arme und Füfse vorbeikommt, steckt er einige Getreidekörner in die Erde. Alles geschieht in gröfster Stille. In diesem merkwürdigen Brauche erscheint noch deutlich das den Erdgöttern gebrachte Sühnopfer.

Neben die 99 drängt sich die 77. In einem lauenburgischen Segen stehn 99 und 77 Gichten neben einander (Wuttke § 229), ebenso in Fiebersegen aus der Grafschaft Ruppin 99 und 77 Fieber (Meine Zeitschrift 7, 69). Die 77 drängen die heidnischen 99 in den nord- und süddeutschen Segen zurück, und überwiegend begegnen wir den 77 Fiebern, Fraisen, Gichten, Zahnrosen, Geschwülsten, Würmen und Kaltwehen[1].

Wir sammeln nun, auf welche Art die Neunzahl bei den Heilversuchen, die sämtlich auf rituellem Grunde stehn, in Anwendung kommt.

Zunächst die stoflichen Mittel.

An die Spitze gehören die Kräuter, diese Gaben der Erdgeister an die Menschen. Von ihrer Verwendung bei Weissagung und der Abwehr böser Mächte sprachen wir schon. Sollen die an sich heilsamen Pflanzen die rechten Wirkungen thun, so müssen sie unter besonderen Bedingungen gesammelt werden: zu heiligen Zeiten, vor Sonnenaufgang oder nach Sonnenuntergang (seltener in der Mittagsstunde), in heiliger Zahl, stillschweigend und nackt[2]. Der römische Brauch, wie er sich aus Angaben in der historia naturalis des Plinius ergiebt (J. Grimm, D. Mythol. 2, 1146ff.) stimmt dazu und enthält manches, das uns aus den Berichten über den deutschen bis jetzt entgeht.

Besonders die Sonnenwende im Juni, wenn die Pflanzenwelt in der schönsten Entwickelung steht, galt und gilt als beste Zeit des Einsammelns. In der Umgebung des Zobtenbergs in Schlesien, des alten Silingerberges

---

[1] A. Kuhn in s. Zeitschr. für vergl. Sprachforschung XIII, 128—135, wo auch Beispiele von 70 und 72 gegeben sind. In dem in Südwestdeutschland verbreiteten Albertus Magnusbüchlein herrschen 77 und 72.

[2] Dafs die Nacktheit ursprünglich auch hierfür gefordert war, beweisen die in meiner Abhandlung zur Geschichte des heidnischen Ritus (Berl. 1896) S. 46 f. gegebenen Beispiele.

(Mons Zlenz), sammelt man am Johannisabend neunerlei Kräuter, auch Zweige von Obstbäumen und Haselsträuchern, die durch die heilige Zeit besondere Kräfte erhalten.   In der Mittagsstunde des Johannistages wird vornemlich Kümmel gesammelt als ausgezeichnetes Mittel gegen Gicht und Flüsse (Schles. Provinzialbll. 1873, S. 238). Früher pflegte man auch in Schlesien zu Johannis den Samen von neun Kräutern in einen Topf zu säen. Was davon aufging, war gut gegen das Fieber (Schroller, Schlesien 3, 280).

Über die neun Kräuter als Opferspeise oder auch als hilfreich zur Zukunfterforschung am Johannistage haben wir früher (S. 10 ff.) Mittheilung gemacht.

Aus Mecklenburger Hexenacten des 16. Jahrhunderts erkennt man, dafs die armen Opfer des Wahnes ihrer Zeit oft nur heilkundige Weiber waren, die ihre Kuren mit Kräutern, Bädern und Segensprüchen vornahmen. Nach der vergleichenden Zusammenstellung der Bekenntnisse war das Verfahren so, dafs sie zu dem Heilbade Wasser gegen den Strom in aller Teufel Namen schöpften, dasselbe durch ein Feuer aus neunerlei Holz (Eichen, Buchen, Ellern, Quitzen d. i. Ebereschen, Alhorn (Ohlkirsche, Elxenbaum) und mehreren Dornarten) erhitzten, neunerlei Kräuter hineinthaten und ihre Segen dazu sprachen.

Als die neun Kräuter werden genannt: Wermut, Pappel (Malve), Unvertreten (*Polygonum*), Mater (*Matricaria parthen.*), Adermonig (*Agrimonia*), Glatter Heinrich, Spicknarde, Eberraute (*Artemisia abrotanum*), Neunkraft (*Tussilago*). Oder: Mater, Wermut, Balsam, Polei, Beifufs, Raute, Johanniskraut (*Hypericum*), Eferich, Kattenstart (*equisetum*). Oder: Kamille, Huder (*Hedera*), Polei, Efermonie, Ribort (Ribbewort, *plantago*), Lumeke, Bornkresse, Lübbestock (*levisticum*), Löwenholt. Oder: Witten Munte, Zesenbram oder Krusenbalsam, Feldkümmel, Unstedenkrut, Polei, Göldeke (*calendula*), Kreuzraute, Huder oder Blutbrekekrut, Sma. Oder: Unfletkrut, Austinekkrut, Mater, Hundeblume (*Anthemis cotula*), Bitterling, Kamille, Fenchel, Pferdemünze, Aklei (Bartsch 2, S. 11. 13. 16—18).

In das heifse Badewasser warfen die Weiber zuweilen neun Steine, die sie von drei Feldscheiden geholt hatten. Soviel deren dabei zischten, so •menege Undererdesche« kamen von dem Kranken.

Zu den Heilbädern wurde auch Wasser aus neun verschiedenen Quellen oder Brunnen genommen. So in Böhmen als Mittel gegen Abzehrung der Kinder. Ein Knabe wurde mit einem Hunde, ein Mädchen mit einer Katze

4*

gebadet; die Abzehrung ging dann auf das Thier über (Wuttke § 486).
Statt der Kräuter kommen auch frische Zweige von neun Baumarten in
das Badewasser. Die Bäume verdorren, wenn die Krankheit vergeht;
bleiben aber im andern Falle grün. Auch hier also Übertragung (Bartsch
a. a. O. 2, 9). In der Gegend um den Zobten und Geiersberg in Schlesien
wird ein Gebräu aus neun Kräutern und neunerlei Zweigen gemacht und
bei abnehmendem Monde um Mitternacht stillschweigend vergraben. Hilft
gegen angehexte Krankheiten (Urquell. N. F. I, 20).

Die mystische Wirkung von Tränken, die aus Stoffen in heiliger
Zahl zusammengesetzt waren und in entsprechender Zahl der Züge oder
Schlucke genommen wurden, ist von andern Völkern her bekannt, so von
den Römern der aus neun Stoffen bereitete Trank Dodra (Wölfflin Archiv
IX, 341) und die drei, neun, siebenundzwanzig Züge (Wölfflin, a. a. O.
336 ff.); aus dem Vendidad die zur Reinigungsceremonie einer Wöchnerin
gehörenden drei, sechs oder neun Schlucke eines besonderen Trankes
(Kaegi, Neunzahl 16 oder 65).

Das altenglische Laeceböc (Coquayne, Leechdoms, Wordcunning and
Starcraft. II), das freilich den priesterlichen Einfluß überall zeigt, bietet
manche hergehörige Mittel. Heilsam gegen Schlagfluß ist nach ihm (III,
47. Coquayne II, 338) ein Sud aus neun Kräutern und sechs Baumrinden.
Gegen Besessenheit hilft ein Trank aus zwölf Kräutern, über die sieben
Messen gesungen wurden, und der aus einer Kirchenklingel getrunken
wird (I, 63). Ebendort (I, 39) wird gegen Epilepsie ein Trank empfohlen
aus neun Kräutern, die über Weihwasser und Ale (eálod) abgezogen sind.
Der Trank muß in der Messe gesegnet sein und an neun Morgen genossen
werden. Ein andres Recept verordnet als Form des Nehmens nigon súpan
(neun Schluck) an drei Morgen hinter einander. Im wallonischen Flandern
gilt als Mittel gegen den Schlucken neun Schluck hinter einander zu trinken
(boire neuf coups de suite. Questionnaire de Folklore Nr. 498).

Als heilsamer Trank wird in dem altenglischen Lácnunga b. IV verordnet: der Kranke soll zehn[1] Pflanzen vor Beginn des Sommers in drei
Nächten, ohne Eisen zu brauchen, ausgraben und einen Trank daraus bereiten, die folgende Nacht wachen und drei Trünke nehmen, den ersten,

---

[1] Die Wandelung der Neun in Zehn komt durch die Kirche oft vor, Wölfflin, Archiv IX, 341.

wenn der Hahn kräht, den zweiten, wenn sich Tag und Nacht scheiden, den dritten bei Sonnenaufgang.

Ratherius von Verona († 974) erzählt in seinen Praeloquiis (Lib. I, ed. Ballerini S. 31) zweifelnd die Geschichte der Heilung eines Epileptischen durch einen Öltrank, in den die Blüten eines Pfirsichbaums gethan waren, unter dem das Öl im Glasgefäfs ein Jahrlang, von April zu April, vergraben worden war. Der Baum verdorrte dann, das Gefäfs aber wurde heimlich unter einem Altar versteckt und dort gelassen, bis neun Messen darüber gelesen waren. Bei einem Anfall mufste der Kranke neun Schluck von dem Öl nehmen, während das Vaterunser gebetet ward. Dem Libera nos a malo fügte der Betende hinzu: libera deus istum hominem a gutta cadiva. Dann mufste der Kranke neun Tage hinter einander die Messe hören, ungesäuertes Brot und Fastenspeise geniefsen und darauf sei die Heilung eingetreten.

Das Albertus Magnusbüchlein (2, 23) nennt neun Pflanzen, mit denen ein heilsamer Kräuterwein bereitet werden könne: Rofshufen (*Tussilago*), Felsennägelein, Steinblümlein, Hahnenfufs, Ehrenpreis, Raute, Salbei, Spitzwegerich, Lungenkraut.

Nach Zigeunerbrauch mufs der mit Eiterbeulen Behaftete aus drei Quellen oder Bächen trinken und neunerlei Holz ins Feuer werfen (Wlislocki, Aberglaube der Zigeuner S. 60 f.).

Auch entsühnende und daher heilende Speiseceremonien weisen die Zahl neun auf.

Schwedischer Aberglaube schreibt folgendes vor: Wenn eine Schwangere von dem aus Trogscharre (dem im Backtroge zusammengescharrten Teigreste) gemachten Brote ifst, bekommt ihr Kind die Brotrhachitis (kakskäfver). Da mufs sie Mehl von neun Orten betteln, einen Teig daraus machen, um ein Fafs legen und durch das so entstehnde runde Gebäck ihr Kind dreimal hindurchziehen (Wigström, Folkdigtning 2, 276. Göteborg 1881). Hier ist das bekante Durchziehen Kranker durch einen Spalt oder eine Höhlung mit dem Backopfer verbunden.

In Böhmen bettelt man sich aus neun Häusern Mehl, bäckt einen Kuchen daraus und legt ihn auf einen Kreuzweg (als Opfer der Unterirdischen). Probatum est gegen Abmagerung (Wuttke § 545).

Im ostpreufsischen Kreise Salfeld braucht man gegen das Fieber folgendes Mittel, das auf ein Jahr seine Kraft behält: Man macht aus neun starken Schmelenstängeln einen sogenanten Weihnachtbaum, indem man dieselben in Teig steckt: einen in die Mitte, acht ringsum. Auf die Spitzen der Schmelen thut man runde Teigklümpchen, wie Äpfelchen, und bäckt das ganze. Die Klümpchen behalten auf ein Jahr Kraft gegen das Fieber (E. Lemke, Volksthüml. in Ostpreufsen 1, 2).

In einer Handschrift des 10./11. Jahrhunderts in der Kathedralbibliothek von Worcester findet sich ein lateinischer Fiebersegen. Man schreibe den Namen Jesus Christus auf neun Oblaten und spreche neun Paternoster darüber. Jeden Tag soll der Kranke drei Oblaten essen, während ein angegebener Segen dazu gesprochen wird (J. Zupitza im Archiv f. neuere Sprachen 84, 324).

Trockene Kräuterpulver als Heilmittel kommen selten vor.

Ein mecklenburgisches Recept empfiehlt gegen Hämorrhoidalknoten ein trocknes Pulver aus 99 Kräutern, wie sie hier zu Lande wachsen (Bartsch 2, 111).

Ein mährisches Fiebermittel sind 9 pulverisirte Espenblätter, die von neun Bäumen genommen wurden (Wuttke § 529).

Dafs der Rauch heiliger Feuer sühnende, Böses abwehrende, aber auch heilende Kraft hat, ist bekant, auch manches davon schon oben (S. 12. 13. 21) angeführt worden.

Uralt bei den Deutschen ist das Notfeuer, das auf der fränkischen Synode von 743 als »sacrilegi ignes quos niedfyr (nodfyr) vocant« verboten ward[1] und bis in neuste Zeit landschaftlich im Brauche gewesen ist.

Wenn eine Seuche Thiere oder Menschen heimsuchte, so ward alles Feuer im Orte gelescht, gleich wie auf Lemnos bei dem grofsen Feste, wo auf neun Tage alles Feuer erlosch, bis ein Schiff neues Feuer von Delos brachte. Möglich, dafs auch bei uns ursprünglich eine solche feuerlose Zeit geboten war. Wir finden aber davon nichts erhalten; nur dafs neues Feuer entzündet und damit ein Holzstofs in Brand gesetzt ward, zu dem aus jedem Hause Scheiter gebracht wurden. Durch das Feuer trieb oder treibt man dann alle Thiere dreimal durch: Schweine, Rinder, Rosse, Federvieh, und auch die Menschen sprangen darüber, beräucherten mit den brennenden Holzstücken Wiesen, Felder und Obstgärten, oder streuten die Asche

---

[1] Die oft gedruckte Stelle samt dem Indiculus superstitionum zuletzt bei G. Gröber, Zur Volkskunde aus Concilienbeschlüssen und Capitularien (1893) Nr. 27. 29.

auf die Äcker und in die Krippen der Ställe[1]. In die Flammen wurden auch Getreidekörner und Brot geworfen.

Das Feuer ward durch Reiben oder Drehen erzeugt (de igne fricato de ligno i. e. nodfyr. Indicul.). Auf der schottischen Insel Mull ward ein Rad mit neun eichenen Speichen so lange von Ost nach West gedreht, bis es sich entzündete. Auf andern schottischen Westinseln erzeugte man das tinegin (wie es scheint, schottische Übersetzung des englischen needfire) so, daß 99 verheiratete Männer zwei große hölzerne Bohlen hielten und daß neun von ihnen dieselben gegen einander rieben, bis sie brannten (J. Grimm, Myth. 574—576). Im Braunschweigischen war unter den verschiedenen Arten, das Notfeuer zu erzeugen, nach dem Wolfenbüttler Rector Reiske (Untersuchung des Notfeuers, Frankf. u. Leipz. 1696, S. 51) auch diese üblich, einen dicken Strick um zusammengelegtes neunerlei Holz zu drehen, bis es brannte. Auch in Schweden nahm man Äste von neun verschiedenen Bäumen oder Sträuchern dazu (Grimm 574). In Mecklenburg ist noch im 18. Jahrhundert siebenerlei Holz zur Nährung des Feuers genommen worden (Bartsch, Sagen 2, 150).

Die Handlung vollzog man ursprünglich in der Morgen- oder Abenddämmerung und stillschweigend. Der Rauch des heiligen Feuers war das entsühnende. —

Unter den weiten Begriff sympathetischer Mittel kann man wol stellen, wenn in der Grafschaft Ruppin einem Blutflüssigen neun Stachelberdornen in die Seite gestochen werden unter Segenspruch (meine Zeitschr. 7, 59), oder wenn man in Thüringen einen bösen Finger mit neun Erbsen reibt (Wuttke § 520).

Das Albertus Magnusbüchlein empfiehlt gegen Schwindsucht (Schweine) von Menschen und Thieren, an einem Freitag vor Sonnenaufgang drei Klettenwurzeln auszugraben, von jeder drei Rädlein zu schneiden und diese neun in ein Tuch zu nähen, das man über das schwindende Glied bindet. Nach einigen Tagen wird das Tuch abgenommen und das Mittel bis zur Heilung wiederholt.

Gegen böse Augen sucht man in Ostpreußen schweigend neunerlei Kräuter, näht sie in ein ungekrimptes graues Tuch mit einem Faden Garn,

---

[1] J. Grimm, D. Mythologie 1², 570. A. Kuhn, Herabholung des Feuers 36—48. U. Jahn, Die deutschen Opfergebräuche 26—34. R. Andree, Das Notfeuer im Braunschweigischen, im braunschweigischen Magazin I, Nr. 1 (1895).

das ein siebenjähriges Kind gesponnen, ohne einen Knoten zu machen und ohne den Faden zu vernähen; wickle das ganze in rohe Leinwand und trage es neun Tage auf dem Leibe. Schliefslich vergrabe man es dahin, wohin weder Sonne noch Mond scheint (Wuttke § 495).

Wer das Fieber hat, wickele nach mecklenburgischem und lauenburgischem Aberglauben einen blauen Wollenfaden neunmal um eine Zehe des linken Fufses und trage ihn mehrere (wol neun) Tage. Dann gehe man vor Sonnenuntergang stillschweigend an einen Hollunderbusch, binde dem Stamm den Faden um und spreche: Goden Abend, Herr Fleder, Hier bringe ick min Feber, Ick bind em di an, Und geh davan Im Namen u. s. w. u. s. w. (Wuttke § 488).

Wenn serbischen und kroatischen Müttern mehrere ihrer Kinder klein gestorben sind und sie die andern am Leben erhalten wollen, so nehme man von neun Frauen, die Stoja (Steh fest) heifsen, von jeder neun Wollfäden, flechte von diesen 81 Fäden eine Schnur und wickle diese um das Kind, so wird es nicht sterben (meine Zeitschr. 1, 151).

Zigeunerbrauch ist, wenn einer das ganze Jahr gesund und stark bleiben will, dafs er in der Oster- oder Pfingstnacht einen Teig anmache und neun Zwirnfäden verschiedener Länge (Symbole von neun Krankheiten) hineinknete. Diesen Teig thue er samt einer lebenden Schlange oder Eidechse in ein ungebrauchtes irdenes Gefäfs und werfe dasselbe samt seinem Inhalt in den nächsten Bach mit dem Gesicht stromabwärts und sage: Geh, geh, komm nimmer wieder! Der Wassergeist soll dich fressen! (Wlislocki, Aberglaube der Zigeuner 66.)

Bei den Fäden, die umgebunden werden, sind die Knoten zuweilen wesentlich: verletzte oder zerrissene Glieder sollen dann symbolisch zusammengeknüpft werden.

Hat man sich die Hand übergriffen oder den Fufs vertreten, so nimmt man in der Oberpfalz ein Sackbändchen, macht neun Knoten hinein, die man beim knüpfen, von 9 anfangend, rückwärts zählt, und umbindet damit die Hand oder den Fufs (Schönwerth 3, 236).

Nach schottischer Überlieferung (in R. Chambers Fireside stories) wird bei Verrenkung eines menschlichen Gliedes ein schwarzer Wollfaden mit neun Knoten um das verrenkte Bein oder den Arm gebunden und dabei ein Spruch gesprochen, der mit dem Merseburger zweiten Segen verwandt ist (Grimm, Mythol.² 1182).

Nahe steht ein estnischer Spruch über ein verrenktes Pferdebein. Auch hier werden in einen schwarzen oder roten Wollfaden neun Schlingen gemacht und der Faden um den Fuſs gebunden, unter Sprechung jener Formel: Haut gegen Haut, Blut gegen Blut, Fleisch gegen Fleisch, Adern gegen Adern (A. Kuhn in seiner Zeitschr. 13, 153). Bei den Finnen werden drei Knoten in das Band geknüpft, das aus ungewaschenem Garn, aus Seide oder rotem Zwirn, und aus gefundenen Pferdeharen geflochten ist (ebd. 152).

Deutlich erhielt sich der ursprüngliche Sinn des Zusammennähens in einigen lettischen Segen, die von J. Alksnis (Materialien zur lettischen Volksmedizin, in den histor. Studien aus dem Pharmakol. Institut in Dorpat 4, 166—283) mitgetheilt wurden:

Die h. Maria Gottesmutter, sitzend auf weiſsem Meere, hält in der Hand eine Nadel mit weiſsem Seidenfaden, näht alle Adern zusammen (Nr. 87).

Hinter dem Jordanfluſs sind drei dichtbelaubte Linden. Jede Linde hat neun Zweige, jeder Zweig neun Jungfrauen. Sie vernähen dort, sie verstricken dort, wie unser Heiland vernäht und verstrickt die Blutadern. Blut bleibe ruhig! (Nr. 100).

Hier haben wir also die Steigerung 3:9:27.

In dem finnischen Epos Kalewala wird die Adernjungfrau Suonetar angerufen, die Adern und Sehnen zusammenzufügen, sie mit dem Seidenfaden in weicher Nadel zu stopfen, das Fleisch fest an die Knochen zu binden, die Fugen und Spalten mit Gold und Silber zu löten: Bein an Bein, Fleisch zum Fleische, Glied an Glied! (Kalewala, übersetzt von A. Schiefner S. 78).

Gegen den Elben- oder Hexenschuſs wird in Schweden mit dem Weidenbogen (pilebåge) geschossen. Der pilebåge ist ein kleiner Weidenstab, der an einem Ende gespalten ist. In den Spalt werden neun Weidenholzstückchen (pilehanker) geklemmt und zu je dreien nach Ost, Süd und West über den von den Elben geschossenen Menschen geschnellt (Hazelius, Småland. Afbildningar af Nord. Museet. Stockh. 1888. Afbildn. 46. 47).

Ein symbolisches Abwischen der Verzauberung ergiebt ein masurischer Brauch: Wer vom bösen Blick (urok) getroffen ist, dem fahre man mit neun verschiedenen Tüchern über das Gesicht (Töppen, Aberglaube aus Masuren 52).

Auf Sympathie beruht der Brauch, neun lebende Insecten in einer Umhüllung um den Hals zu hängen oder auf das leidende Glied zu legen. Mit ihrem Absterben vergeht die Krankheit. So werden in Niederoesterreich gegen die Gelbsucht neun Seitlinge (Wasserschaben) in einem Leinwandlappen auf den Rücken gehängt (Leeb, Sagen Niederösterreichs Nr. 30); im wallonischen Flandern neun Kellerasseln (cloportes) in ungebrauchter Leinwand auf die Brust oder um das Handgelenk eines an Abzehrung leidenden Kindes gelegt (Monseur, Folklore Wallon Nr. 515).

In den aufgeführten Heilmitteln diente eine Verneunfachung des Stoffes zur Steigerung der magischen Wirkung. Aber auch die Vielfältigkeit des Spruchs oder der rituellen Handlung wirkt mit gleicher Kraft.

Neun Fimbulliód lernt Odin von einem Riesen, dem Sohne des Bolthorn und der Bestla, durch welche er in den Besitz des Wundertranks Odrerir kommt (Hávamál 140).

Neun Zaubergesänge (galdrar) singt Gróa dem Svipdagr zu seiner gefährlichen Fahrt (Grógaldr 6-14).

Neunmal ward der römische Spruch zur Beschwörung der Manen wiederholt (Ovid. fast. V, 435 ff. 443).

Dreimalneunmal mußte gegen das Podagra der Vers gesungen werden Terra pestem teneto, Salus hic maneto (Varro de re rustica I. 2, 27).

Dreimal neun Jungfrauen sangen im hannibalischen Kriege auf Befehl der Decemvirn das Sühnlied durch die Stadt (Liv. XXXI, 12).

Wenn ein verstümmelter Gebetruf der Schnitter zum Wol oder Waul (Woden) im Schaumburgischen dreimal, im Hessischen neunmal erklang[1], so wird das ein Zeugnis der germanischen drei- oder neunfachen Anrufung der göttlichen Mächte sein.

Ein angelsächsischer Segen über verzaubertes Land schreibt vor, neunmal Crescite et multiplicamini et replete terram und ebenso oft das Paternoster zu sprechen (Grein-Wülcker, Bibl. d. ags. Poesie I, 313).

---

[1] Kuhn-Schwartz, Nordd. Sagen S. 395. Pfannenschmid, German. Erntefeste 104. U. Jahn, Opfergebräuche 166. — Über die dreimalige Wiederholung der Besprechungen Wuttke § 481.

Dreimalneunmal (27×) war ein Segen über den Kopf eines kranken Menschen oder in das linke Ohr eines kranken Rosses am Abend und am Morgen am fliefsenden Wasser und gegen den Lauf desselben zu singen (Lácnunga 119).

Das Wolfsturner Hausbuch (Tirol, 15. Jahrhundert) giebt ein Mittel gegen Wunden, indem über einen Zettel mit dem Namen des S. Maternus neun Messen gelesen werden sollen (Meine Zeitschr. 1, 317).

Neunmal gesegnetes und neunmal geweihtes Benedictuskreuz wird in Tirol im Stubaithal gegen jähen Tod beim Gewitter angerufen.

Sich lieb und wert zu machen, helfen drei Benedictuspfennige[1], die 9×9× geweiht und gesegnet wurden (J. Grimm, Myth. ¹·ᴬ· S. CXLVI. ⁴·ᴬ· 3, 505).

Die Sachsinnen in Siebenbürgen sprechen gegen das leidige Gebréch (heftigen Katarrh) eines Kindes zwei Zauberformeln je dreimal und machen neunmal das Kreuz über das Brüstchen des Kleinen (Hillner, Volksthüml. Glaube und Brauch bei Geburt und Taufe im Siebenb. Sachsenlande. Schäfsburg 1877, S. 49).

In Masuren wird gegen die Mahr, welche Kopf- und Magenkolik verursacht, neunmal die Bannformel gesprochen, und das dreimal wiederholt (Töppen, Aberglaube aus Masuren S. 31). Die Ruthenen in der Bukowina wiederholen neunmal die Beschwörungen über Kranke (Am Urquell 2, 42).

Bei der Taufe eines Zigeunerkindes sagen die Zauberfrau, der Alte und die Mutter des Kindes neunmal einen Spruch zur Austreibung der Krankheitsgeister (Wlislocki, Abergl. d. Zigeun. 72).

Wir finden selbst, dafs der gespenstische Hahn im Löcherberge bei Langenorle im Vogtland nach der Sage 9mal kräht und das dreimal wiederholt (Eisel, Sagen aus dem Vogtlande Nr. 394).

Für die neunmalige Wiederholung einer rituellen Handlung gebe ich folgende Zeugnisse.

Nach oberoesterreichischer Meinung soll man gegen Fufs- und Kreuzweh neunmal über das Sunnwendfeuer springen[2]. Ebendort herrscht der Glaube, man müsse am Sunnwendabend neun Johannisfeuer sehen, sonst sterbe man innerhalb eines Jahres (Baumgarten, Aus der Heimat 1, 28).

---

[1] Über Benedictuskreuz und Benedictuspfennig(medaille): Friesenegger, Die Ulrichskreuze S. 39. Augsburg 1895.

[2] Über das heilsame Springen über das Johannisfeuer U. Jahn, Opfergebräuche 37.

Bei dem bekannten Durchziehen oder Durchkriechen durch einen Spalt oder eine Hölung ist die Neunzahl auch nachzuweisen. In Mecklenburg kriechen die Leidenden gewöhnlich dreimal durch den Wunderbaum, in schweren Fällen neun- oder zwölfmal, d. h. an 3, 9 oder 12 Tagen (Bartsch 2, 322). In den Landes um Bordeaux haben manche Kirchen Pfeiler, durch welche ein Loch durchgeht. Dort werden die Kranken zuerst neunmal um den Pfeiler geführt, während Gebete gesprochen werden, und dann erst kriechen sie durch die veyrine oder verrine (Gaidoz, Un vieux rite médical 40 ff.).

Bei Quetschungen pflegen die Zigeuner auf den leidenden Theil eine Messerklinge zu drücken, wobei man je nach dem Schaden 3mal, 7mal, 9mal einen Spruch spricht und das Messer ebenso oft in die Erde steckt (Wlislocki 174).

Bekantlich ist Ausspucken eine abwehrende, Böses scheuchende Handlung, die denn auch mit segnen und besprechen verbunden ist (Wuttke § 251). Bei den ruthenischen Bauern in der Bukowina haucht das beschwörende Weib den Kranken 9mal an und spuckt 9mal aus (Am Urquell 2, 42).

Von Einfluss auf Gesundheit und Karacter eines Kindes ist die Vornahme von irgend welcher profanen neunerlei Arbeit durch die Mutter. Während der Taufe des Kindes soll sie nach Mecklenburger und Brandenburger Aberglauben negenerlei arbeit daun, denn ward det kint flitig (Bartsch 2, 46. Wuttke § 597). Gegen das Schreien des Kindes hilft, es in einen Kleiderschrank einsperren, bis die Mutter neunerlei Arbeit gethan (Wuttke § 571).

Am 27. Juli 1584 bekannte eine Mecklenburger sogenante Hexe, daß sie ein Kind in den Hof gelegt, daneben ein Butterbrot und ein Messer, und weil das Volk ausgehn müssen, hätte sie inzwischen negenderlei arbeit gethan und darnach das Kind wieder zu Bette gelegt (Bartsch 2, 18). Aus dem Bericht wird der Zweck des ganzen nicht deutlich.

In den vorausgegangenen Ausführungen ist die Bedeutung der Neunzahl in dem geheimnisvollen mystischen Leben nachgewiesen worden, von dem freilich auch manche Ausstrahlung auf das gewöhnliche geschehen ist.

In dem folgenden wollen wir den Einfluſs der magischen Zahl auf die Bestimmungen in Zeit, Raum und Maſs nachweisen. Zunächst in der Zeit-
theilung und der Ansetzung von Fristen. In welcher Art das klassische
Alterthum auch nach dieser Richtung dem Einfluſs der Drei und Neun un-
terlag, ist bekannt. Bei uns Deutschen war es nicht anders.

Das wilde Männlein oder der Unterirdische einer weitverbreiteten Sage[1],
der etwas überraschendes, nie von ihm gesehenes schaut, berechnet sein
Leben nach dem neunmaligen Wechsel von Wiese und Wald oder Stock
und Wald. Auch so, daſs er neunmal jung und neunmal alt war, oder
nach dem Alter eines berühmten groſsen Waldes, wie des Böhmer-, des
Thüringer-, des Westerwaldes. Das geht noch weit hinaus über den perfectissimus numerus quem novem novies multiplicata componunt, das Lebensalter, das Plato, der veteris philosophiae sanctissimus erreicht hat, der
das höchste Alter des Menschen aus dem Quadrat der heiligen Neun berechnet hatte, die selbst das Quadrat der heiligen Drei ist (Senecae epistol.
58, 31. Censorin. de natur. 14, 12).

Neun Jahre waren die Frist, in der die groſsen dänischen und schwedischen Opferfeste in Ledra und Upsala nach den Berichten Thietmars von
Merseburg I, 9 und Adams von Bremen IV, 27 gefeiert wurden. Es ist wol
auch nicht zu kühn, aus der oberoesterreichischen Meinung, daſs der Acker,
auf dem ein Johannisfeuer angezündet wird, sich neun Jahre darauf gefreut
habe (Baumgarten, Aus der Heimat 1, 28) auf eine deutsche neunjährige
Frist groſser Opferfeste zurück zu schlieſsen.

Neun Jahre waren die Riesinnen Fenja und Menja in der Unterwelt
herangewachsen zu den gewaltigen Thaten, die sie dann vollbrachten
(Grottasǫngr 11), wozu man vergleichen kann, daſs die Aloiden Otus und
Ephialtes jeden Monat um neun Finger wuchsen und als sie neun Jahr
alt geworden, den Himmel stürzen wolten (Serv. ad Aen. 6, 582).

Neun Jahre wird nach Schweizersage der Riesenstier mit Milch von
1 – 9 Kühen (jedes Jahr eine mehr) herangezogen, der das Unthier töten
soll, das im Gebirge zwischen Engelberg und Uri hauste. Es war das
Erstlingskalb einer starken Kuh. Als die neun Jahr vorüber waren, führte

---

[1] Grimm, Mythol.² 437 f. v. Muchar, Gastein 137. Zingerle, Sagen aus Tirol
2. A. Nr. 78. 84. 85. 96. 118. 119. 135. 187–191 (mit Nachweisungen). Leeb, Sagen Nieder-
Oesterreichs Nr. 16. Dreimal statt Neunmal bei Zingerle Nr. 84. 85. 118. Thiele, Dan-
marks Folkesagn 1, 48.

eine reine Jungfrau ihn an ihren Haarschnüren auf die Surenenalpe und
dort bestund er siegreich den Kampf (Vernaleken, Alpensagen S. 7).

Nach oberpfälzischer Meinung verwandeln sich die Katzen, wenn sie
neun Jahre alt sind, in Hexen und zwar in eine andere Art als die menschlichen (Schönwerth 1, 357. 3, 186).

Auch dem neunjährigen Hahn wird magisches zugeschrieben. Er
legt ein Ei und brütet es aus. Alle Kinder, die ein solches Hühnchen
sehen, müssen sterben (Haltrich-Wolff, Zur Volkskunde der Siebenbürger
Sachsen S. 292).

Nach nord- und süddeutscher Meinung fährt ein Donnerkeil neun
Klafter tief in die Erde und steigt erst in neun Jahren wieder herauf[1].
In Oesterreichisch-Schlesien, Böhmen, in der Pfalz wird die 9 in 7 gewandelt
(Wuttke §111. A. Peter, Aus Oesterr.-Schles. 2, 250). Zigeuneraberglauben
weifs, dafs bei jedem kalten Schlage ein länglichter Stein in den Erdboden
fährt, der erst nach 9 Jahren 9 Monaten 9 Wochen 9 Tagen 9 Stunden
wieder aus der Erde kommt, obschon er jeden Augenblick eine Meile auf-
wärts steigt (Wlislocki, Volksglaube der Zigeuner 177).

Wenn einem Obstbaum die ersten Früchte, die er trägt, gestohlen
werden, so trägt er nicht mehr wieder oder erst nach 9 (oder 7) Jahren,
laut einem über Deutschland verbreiteten Glauben (U. Jahn, Opfergebräuche
S. 210). Die Gottheit, der das Erstlingsopfer entzogen ward, straft. Die
Diebe sind hier nur an Stelle der geizigen gottlosen Besitzer des Baumes
gesetzt, die das herkömmliche fromme Opfer vorenthielten.

Das Sprichwort im Reinhart Fuchs 88, dafs sich »manec troum über
siben jâr erscheine«, hat ursprünglich gewis auf neun Jahr gelautet.

Ein neun Jahr getragener Rosenkranz, der von einer ledigen Person
gefunden wird, hat nach Oberpfälzer Glauben die Kraft, Schwangere zu
bewahren, die Geburt zu erleichtern und Kinder von Fraisen (Krämpfen) zu
heilen (Schönwerth 1, 161).

Neun Jahr (Winter) hielten die gefangenen Schwanjungfrauen bei ihren
Männern aus, dann trieb sie die Sehnsucht nach dem göttlichen Leben
zur Flucht (enn niunda vetr naudr umskildi, Volundarqu. 3)[2].

---

[1] Baumgarten, Aus der Heimat 1, 58. Bartsch, Mecklenb. Sagen 2, 205. Knoop,
Hinterpomm. Sagen S. 181. Ein roher westfälischer Fluch lautet: ek woll, dat mek en
gleinig Donnerkil niëgen un niëgenzig áltprüfssche Klafter deip in den Erdbuam schleug
(Firmenich, German. Völkerstimmen 1, 366).

[2] Vergl. S. 39 unten eine Erklärung dieser Frist.

Als Orendel endlich seine Hochzeit begehn kann und mit Bride in die Brautkammer getreten ist, erscheint ein Engel und gebietet ihm, »biz von hiut über niun jâr« enthaltsam zu bleiben (1809. 1829).

Bei den slavischen Völkern der Balkanländer darf eine Frau, deren Mann neun Jahr nicht heimkehrte, sich wiederverheiraten; der Mann gilt dann für tot. Kommt er doch später zurück, so kann er die Frau von dem zweiten Mann zurückfordern, falls sie keine Kinder von demselben hat (Fr. S. Kraufs, Sitte und Brauch der Südslaven 229–32).

In das dunkle Gebiet der Totenwelt gehört der pommersche Aberglaube, dafs die sogenanten Nachzehrer neun Jahr lang im Grabe keine Ruhe haben und jedes Jahr einen Menschen töten, der plötzlich stirbt, keine Verletzung am Körper hat und nur einen kleinen Blutfleck am Strumpf. Auch unter dem Vieh giebt es solche Naejendoeder (U. Jahn, Volkssagen aus Pommern und Rügen Nr. 511).

Als profane neunjährige Fristen seien angeführt die 9 Jahre und 9 Tage oder 9 Jahre und zehn Laubrisen[1], welche den Besitz unanfechtbar machen, wenn kein Anspruch während ihrer erhoben ist (Weist. 1, 46. 172).

Für die neunjährige Periode in der antiken Welt zeugt vornehmlich die Meineidstrafe der olympischen Götter. Wer von ihnen falsch schwor, ward mit neunjähriger Verbannung in den Tartarus gestraft (Ferd. Dümmler, Delphica S. 10 f.). Der neunjährige Dienst Apollos bei Admet steht in Bezug zu der neunjährigen entsühnenden Bufse, die Apollon auf sich nehmen mufste, nachdem er sich durch Pythons Blut verunreinigt hatte. Dem Herakles legte Apollon den neunjährigen Dienst bei Eurysthus auf (eine ἐννάετηρις) als Strafe, dafs er seine Kinder von der thebanischen Megara getötet hatte. Mit den neun Sühnjahren scheinen auch die neunjährigen Regierungsperioden des Minos auf Kreta zusammenzuhangen, der sich immer nach neun Jahren (Odyss. 19, 179) in eine Höhle zurückzog, worin er mit seinem Vater Zeus verkehrte.

Es wäre möglich, dafs die neun Jahre, welche die Walküren in menschlicher Verbindung als Frauen bleiben müssen, eine Sühnzeit sind, die ihnen von ihrem göttlichen Herrn (Wodan) auferlegt ward.

Neunzig Tage kenne ich nur aus dem Zigeunerglauben als Frist. Die neugeborene Schlange wird erst nach neunzig Tagen giftig. Am neun-

---

[1] Das mufs bedeuten neun Jahre und darüber die Zeit bis zum zehnten Herbst. Die Frist 9 Jahre 9 Tage finden wir im griechischen Alterthum auch: Deukalion schwamm so lange in seiner Arche.

zigsten Tage spannt sie ein Säckchen oder Häubchen gegen die Sonne auf und fängt die Strahlen darin auf. Dann frifst sie es und füllt ihre Zähne mit Gift (Wlislocki S. 67).

Neun Wochen lang konte ein Mann den Arm nicht brauchen, der auf einen gespenstischen Mann ohne Kopf geschossen hatte (Eisel, Sagenbuch des Vogtlands Nr. 158).

Wenn ein Kind bei der Taufe schreit, wird es höchstens neun (oder sieben) Wochen alt (Schönwerth 1, 169)[1].

Unsicherheit, welcher Zeitabschnitt in der Neunzahl gelten werde, verrät die Erzählung von der Schädlichkeit eines Trunkes aus dem Währingsborn bei Grofssera im Vogtlande. Die übeln Folgen sollen in 9 Tagen oder Wochen oder Monaten oder Jahren eintreten (Eisel Nr. 648).

Im Verhältnis, als der Tage mehr den Menschen beschieden sind denn der Jahre, erscheint auch die neuntägige Frist öfter als eine neunjährige. Dafs dieselbe im germanischen Alterthum die gewöhnliche Woche war, werden die gleich vorzulegenden Zeugnisse beweisen. Die Germanen stimmten also auch hierin mit den italischen Völkern überein, bei denen — selbst bei den Etruskern — vor Einführung der orientalischen siebentägigen Woche der neunte Tag, festlich begangen, den Wochenabschnitt machte, die nundinae. Auch für die Hellenen ist die alte neuntägige Woche zu erschliefsen: Herondae Mimi iambi VII, 127.

Neuntägige heilige Zeiten kennen wir aus dem römischen Alterthum in dem sacrum oder sacrificium novendiale, ein Sühnfest, das bei übeln Vorzeichen begangen ward. Das dorische Fest des Apollon Karneios, die Karneen, beging man in Sparta vom 7–15 Tage des Monat Karneios, also 9 Tage lang. Wir wissen von dem neuntägigen Fest der Aphrodite auf Sizilien, den ἀναγώγια und καταγώγια, wenn die Göttin mit ihren Tauben vom Berge Eryx nach Lybien ging und von dort zurückkehrte[2].

Auf weit abgelegenem Boden finden wir auch in neuer Zeit neuntägige Festdauer: die Navajos, neumexikanische Indianer, feiern im Winter neun Tage lang den Berggesang (dsilyidje quaçàl), um Regen zu erbitten und Krankheiten zu beschwören (v. Andrian, Wetterzauberei 42).

---

[1] In der Mark Brandenburg gilt dagegen ruhiges Verhalten des Kindes bei der Taufe als Vorzeichen baldigen Todes (Kuhn, Märk. Sagen S. 377).

[2] Vgl. Wellmann im Hermes 26, 490.

Ich glaube nun, dafs die grofsen dänischen und schwedischen Opfer-feste, von denen Thietmar von Merseburg und Adam von Bremen berichten (oben S. 6), eine neuntägige Dauer gehabt haben. Sie werden durchaus, in der Frist der Wiederkehr und in der Zahl der Opfer, von der Neun-zahl beherrscht; daher meine ich auch, dafs ihre Dauer dadurch bestimmt war. Zur Stütze der Vermutung kann ich freilich nur modernes anführen, aber modernes mit altem Geruch. Es sind zunächst die neun Tage, die einigen heiligen Tagen vorausgehn.

In dem Gebiet zwischen den niederösterreichischen Alpen und der Donau, besonders um Mank, werden die neun Walpurgisnächte (die neun Nächte vor dem 1. Mai) im Volksglauben ausgezeichnet. In ihnen wird die heilige Walpurga durch böse Geister von Dorf zu Dorf verfolgt und sucht einen Winkel, in dem sie vor ihren Feinden sich verbergen könne. Gewöhnlich flieht sie in offene Fenster und birgt sich unter dem Fenster-kreuz. Zum Dank für gewährten Schutz läfst sie ein Goldstück zurück, weshalb die Leute durch alle neun Nächte ein kleines Fenster im Hause offen halten. Wer ein Vaterunser für die Rettung der h. Walpurga in jeder der neun Nächte betet, soll gar durch einen Goldklumpen belohnt werden. Die Hexen können in diesen neun Tagen mancherlei Gaben (Walpurgis-kräuter, -fäden, -spiegel) von der Heiligen erlangen (Vernaleken, Alpen-sagen, 1858, S. 109)[1]. In diesem auf eine Kirchenheilige übertragenen Aberglauben steckt die Erinnerung an das alte Frühlingsfest, an welchem dramatisch dargestellt worden sein mag, wie die Sommergöttin im April noch einmal durch die rauhen Nachzügler des Winters, die kalten Stürme mit Schnee, in Gefahr gebracht wird. Dieses Frühlingsfest dauerte neun Nächte und schlofs mit Maianfang.

Auf diese neuntägige heilige Woche, zugleich auf die entsprechende vor Wintersbeginn deutet die Bestimmung im friesischen Rüstringer Recht, dafs der Probst von Rüstringen nigun nacht vor S. Walburgen und nigun nacht vor S. Michaelstag das Sendgericht vor den vier Gaukirchen anzu-kündigen habe (v. Richthofen 128, 12)[2]. Für eine neuntägige Festwoche

---

[1] Fast wörtlich ist aus Vernaleken diese Geschichte in Grohmanns Sagen aus Böhmen (Prag 1864, S. 44) durch einen Hrn. Bondy gekommen und in das Riesengebirge übertragen worden!

[2] In die Anmerkung verweise ich den Bericht Schönwerths (Aus der Oberpfalz 3, 208) über die neuntägige Verehrung der h. Corona (ihr Fest fällt den 14. Mai), die am neunten

zu Mittsommer kann zeugen, dafs die Johanniskränze, die in dem Anhaltschen die Häuser schmücken, noch heute in einigen Orten nur neun Tage an ihrer Stelle belassen werden (meine Zeitschr. 7, 148).

Eine arme märkische Hexe gestund in ihrem Prozefs, dafs sie neun Tage lang vor Sonnenaufgang jedesmal einen Topf mit Bier und Brot in einen Fliederbusch gesetzt und gesprochen habe: »Guten Morgen, Flieder, du viel guter! ich bringe dir Bier und Brot, hilf mir aus aller Not, und so du mir helfen wirst, so werde ich morgen wieder bei dir sein« (A. Kuhn, Märk. Sagen 376). Es wäre dies ein Beweis auch persönlicher neuntägiger Gebete und Opfer; in der kirchlichen Novene, die mit Messe, Fasten und Gebeten verbunden war, kann ich nur etwas verwantes sehen, aber nicht die Quelle des Brauchs jenes märkischen Weibes. Ebenso wenig entstammen der kirchlichen Novene die volksthümlichen, lange vor der Gründung der Kirche üblichen Gebräuche des neuntägigen Toten- und Lustrationskultus, den wir bei Italern und Hellenen finden (Diels, Sibyllin. Blätter 40 ff.) und den auch die Germanen übten, worauf hinreichende Spuren führen.

Die mythische Erzählung, dafs Odin einst neun Nächte lang (nœtr allar níu) als sein eigenes Opfer vom Ger durchbohrt am windigen Baum hing (Hávamál 138), um die Runen (die geheime Kunst) zu erwerben, ist die Übertragung des üblichen Opferritus, mit dem sich nordische Männer freiwillig dem Odin opferten, auf den Gott selbst, der durch dieses Opfer seine Macht vermehren will. Die Zahl neun entspringt der neuntägigen Lustrationsdauer im Totendienst.

Erinnerungen an dieselbe bietet der deutsche Volksglaube genug. Der Verstorbene kehrt am dritten (dem Begräbnifstage) oder am neunten Tage noch einmal in sein Haus zurück (Wuttke § 747). Die Leichen ertrunkener werden neun Tage vom Wasser behalten, dann wirft es sie aus (Wuttke § 741). Die neunte Nacht nach ihrem Tode kam eine Tiroler Magd zu ihrem Bauer und würgte ihn, weil er die versprochenen Selenmessen nicht hatte lesen lassen (Zingerle, Sagen, 2. A. Nr. 502). Neun Tage flofs der Zwerglesbrunn beim Dorfe Wonsgehay in Oberfranken, als sich die beiden Zwerge des Neunbergs getötet hatten (Panzer 2, 102).

Die mit dem Vorgesicht begabten sehen ungefähr neun Tage vor dem Tode eines Menschen einen leichten grauweifsen Nebel um den Kopf des-

---

Tage rasselnd unter Donner und Blitz angefahren kommen und den in Geldnöten befindlichen, die sie anrufen, eine Gabe auf den altarmäfsig hergerichteten Tisch legen soll.

selben, der sich tagtäglich verdichtet, bis er einem weifsen Schleier gleicht, der den Kopf verhüllt. Dann ist die Todesstunde gekommen (Bartsch, Mecklenb. Sagen 2, 88).

Die Begegnung mit Wesen der Unterwelt bringt nach neun Tagen den Tod. Ein Knecht begegnete mit seinem Gespann einer Schar Graumännlein (Unterirdischer). Neun Tage darauf war er tot (Eisel, Sagenbuch des Vogtlands Nr. 89)[1]. Ebenso geschah einem Knechte, dem ein umgehender Geist aufgehockt war (ebd. Nr. 89), einem andern, den ein Kobold anrannte (Nr. 117) und einem Schneidergesellen, dem eine Hexe aufgesprungen war (Nr. 225). Wenn ein Toter (ein Gespenst) jemanden im Schlafe berührt, so bekommt derselbe schwarzblaue Flecke (Wuttke § 771). Wer ein Gespenst sieht, darf erst am 3. oder 9. Tage davon sprechen, sonst stirbt er oder hat andres Unglück (Wuttke § 772). So geschah einem Manne, der auf einen Mann ohne Kopf schofs. Neun Wochen lang konnte er den Arm nicht rühren (Eisel Nr. 158).

Nach der Meinung mancher in Oberoesterreich soll der Totenwagen (Leichenwagen) drei oder neun Tage rasten, d. h. zu keiner andern Arbeit gebraucht werden. Statt neun Tagen werden auch drei oder sechs Wochen angegeben (Baumgarten, Aus der Heimat 9, 120).

Aus diesen Erinnerungen des deutschen Volkes an die Beziehung der Neunzahl auf Sterben und Tod darf man wol auf eine uralte deutsche, dem lateinischen Novendial, den griechischen ἔνατα, der altindischen zehntägigen Sühn- und Trauerzeit entsprechende Frist schliefsen, die dem Totenkult gewidmet war und am neunten Tage mit einem Opfer schlofs; eine sakrale Einrichtung, die auch den ostarischen Völkern vertraut war[2]. Die Trauerzeit endete zugleich mit der Reinigung der Hinterbliebenen von der Befleckung durch den Toten.

Beweise für heidnische deutsche Totenopfer giebt das Fragment eines Capitulares von 721 (Gröber, zur Volkskunde aus Concilienbeschlüssen

---

[1] In Nr. 102. 103 ebd. werden drei Tage angegeben.

[2] Kägi, Neunzahl 5. 9. 12. 15. Rohde, Psyche 213. Preller, Röm. Mythologie 2³, 97. G. Homeyer, Der Dreifsigste 90 f. Zur Vergleichung indianischer Totenbräuche: Bei den Ivaros in Ecuador am Ostabhang der Cordilleren wird der Kopf eines tapfern Feindes 9 Tage lang präparirt. Am 10. beginnt das Fest, an dem er zum Götzen gemacht wird: R. Andree, Parallelen 143. Bei den Tolkotins in Nordamerika mufs die Witwe auch im heifsesten Sommer neun Nächte neben ihrem toten Gatten schlafen: Mittheil. d. Anthropolog. Gesellsch. in Wien. XXVI, 442.

6*

und Capitularien Nr. 23), dann das Schreiben P. Gregors III. ad optimates et populum provinciae Germaniae vom J. 731, worin die divini sortilegi vel sacrificia mortuorum verboten werden (ebd.); ferner das Verbot der profana sacrificia mortuorum der deutschen Kirchenversammlung von 743 (Gröber Nr. 27) sowie die beiden ersten Titel des Indiculus superstitionum von 743: de sacrilegio ad sepulchra mortuorum und de sacrilegio super defunctos. i. dadsisas. Eine Zeitangabe findet sich hier nirgends, aber mittels der Vergleichung der altindischen, hellenischen und römischen Einrichtungen und unter Erwägung des fortlebenden deutschen Aberglaubens dürfen wir auf den neunten Tag als Abschlufs der germanischen Totenwoche schliefsen. Auch die alten Preufsen hielten am 3., 6., 9. Tage nach der Bestattung ein Totenmal, zu dem sie die Sele des Verstorbenen einluden (Rohde, Psyche 219). So ist auch noch deutscher Aberglaube hier und da, dafs der Tote an dem unmittelbar nach dem Begräbnis gehaltenen Leichenschmause unsichtbar theilnehme (Wuttke § 747) und dafs, was bei dem Schmause getrunken werde, dem Toten »zu gute« komme (Schönwerth, Aus der Oberpfalz 1, 257. G. Homeyer, Der Dreifsigste S. 162).

Die nur noch vereinzelt in katholischen deutschen Landschaften bestehende Sitte, auch am 7. und 30. Tage nach dem Tode ein Leichenamt zu halten, ist Rest der alten kirchlichen Feier am 3., 7. und 30. Tage zum Selenheil des Verstorbenen (Homeyer S. 146).

Das weltliche Erbmal, das in Skandinavien beim feierlichen Erbantritt des Haupterben stattfand, war meines Wissens an keinen bestimten Tag gebunden. —

Wir verfolgen die Zahl Neun in den Zeitbestimmungen weiter, immer unter dem Eindruck ihrer mystischen Bedeutung.

Verborgene Schätze gehören den Unterirdischen; darum erscheint die Neun auch in Beziehungen zu ihnen. Wo neun Tage hinter einander kein Thau liegt, ist ein Schatz verzaubert (nach Colerus' Hausbuch 1614). Ein Graumännchen geleitet neun Tage hindurch einen Arbeiter von Mildenfurt nach Hohenölsen im Vogtlande. Neun Wochen später kommt es zu ihm und fordert ihn auf, nun auch ihn einmal nach Hause zu führen, um den Schatz, den es im Mildenfurter Kornhause hüte, zu heben (Eisel, Sagenbuch Nr. 109.)

Die Schatzhütung ist mit der Erlösung des geisterhaften Wesens verbunden, das ihn hüten mufs. So auch in den Sagen von der weifsen Frau und den verwanten elbischen Geistern. Nach Luxemburger Sage verlangt die

Melusine von dem, der sie erlösen will, dafs derselbe an neun auf einander folgenden Tagen jede Nacht Schlag zwölf hinter dem Altar der Dominikanerkirche in Luxemburg stehn müsse, keine Minute früher oder später. Habe er das neunmal gethan, so werde sie in der zehnten Nacht ihm als Schlange mit dem Schlüssel im Munde erscheinen, den er ihr abnehmen und in die Alzet werfen müsse (Gredt, Sagenschatz des Luxemburger Landes S. 9)[1].

Im Zauberwesen hat die neuntägige Woche grofse Bedeutung.

In Norwegen und auf Island herschte der Aberglaube in alter Zeit, dafs gewisse Männer jede neunte Nacht zu Weibern werden und geschlechtlichen Verkehr mit Männern haben könten (Niála c. 124. Krokarefss. c. 7. Thorsteinss., Siduhallss., Gulathingsl. 138).

Nach der Wolsungasaga c. 8 dauerte der Werwolfzauber neun Tage; am zehnten konten die Menschen aus der Wolfshaut wieder heraus. Neuere isländische Sage nennt den neunten Tag als den erlösenden für ein zur Hündin verwünschtes Mädchen (K. Maurer, Isländ. Volkss. S. 315). Nach dänischer Volksmeinung kann sich der Seehund jeden neunten Tag in einen Menschen verwandeln (Thiele 3, 51). Der antike Aberglaube stimmt auch hier überein. Nach neunjähriger Bufse kehrt der bei einem Feste des Ζεὺς Λυκαῖος verwandelte Werwolf als Mensch wieder (Preller, Griech. Myth. 1, 99). Plinius (h. n. VIII, 22) berichtet, dafs dies möglich sei, wenn er in den neun Jahren keinen Menschen gefressen habe. Auch nordgermanische Sage dehnte zuweilen die Zeit des Wolfsthums auf 9 Jahre (auch 3 oder 7) aus (Grimm, Mythol. II', 1049).

Nach einer Erzählung aus Gersthofen im bayrischen Schwaben bestellte ein altes Weib, das ein junges Mädchen zur Hexerei verführen wollte, dasselbe »in die neunte Nacht«. Da werde wer da sein, der es hexen lehren werde.

Geheimnisvolles liegt auch darin, dafs die Heckringe jede neunte Nacht ihre Kraft äufsern, so Odins Ring Draupnir, von dem jede neunte Nacht acht gleichschwere Bauge abtropften (Gylfaginn. c. 44).

---

[1] Die Frist, in der die Melusine zu ihrer Erlösung erscheint, sind sieben Jahre (Gredt S. 8); ebenso die Jungfer vom Johannisberge in Luxemburg (ebenda S. 217. 222. 228); nicht minder das wifse Wibje im Hörselberge (Witzschel, Sagen 1, Nr. 131), die weifse Jungfer von Einbeck und von Heldenburg (Schambach-Müller, Nds. Sagen Nr. 117. 107, 3). Die 7 hat hier überall die 9 verdrängt. Unbestimmte Erlösungsfristen: 25 Jahre: Schambach-Müller Nr. 130 f., — 100 Jahre: ebd. Nr. 106. 109, 3. 110. 119, 2. 122. 132. 133, 1, — 1000 Jahre: ebd. Nr. 117, 2, — in viel Jahren: Nr. 115. Wenn der Baum gewachsen u. s. w. Schambach-Müller Nr. 109, 4. 111. 112. 118, 1. 2. 122 und sonst, so in Schlesischen Sagen. — bis einer mit einem Glasauge kommt: Schambach-Müller Nr. 121.

Wer sich neun Tage durch nicht wäscht, nicht betet, nicht in die Kirche geht und Weihwasser nimmt, erlangt nach verbreitetem Glauben durch Teufelshilfe höhere Gaben: er kann in die Zukunft schauen, den künftigen Gatten erblicken (Baumgarten 1, 31. Leeb Nr. 35. 120. Schönwerth 1, 145); aber er verfällt auch dem Teufel (Baumgarten 2, 23).

Wer schweigend und rücklings zu einer Beifußpflanze (*artemisia vulg.*) geht und sie ausgräbt, findet in der Wurzel ein schwarzes Würmchen, das er in einer Flasche aufbewahren muß. Dann darf er sich neun Tage nicht waschen, darf nicht beten und muß jeden Tag beim Mittagessen einen Bissen Brot unter den Tisch werfen. Wenn das alles geschehen, fängt am neunten Tage das Würmchen zu reden an und gewährt dem Besitzer so viel Geld, als er verlangt. Nur muß dieser das Geld an demselben Tage wieder ausgeben (Reichenberg i. Böhmen: v. Reinsberg-Düringsfeld, Festkalender aus Böhmen S. 130).

Wie sehr in der geheimnisreichen Volksmedizin die Neunzahl der Mittel wirkt, haben wir früher (S. 26) ausgeführt. Die Wirksamkeit ist aber auch zuweilen von der zeitlichen Neun abhängig.

Neun Tage muß man die Segensformel gegen das Fieber auf der Herzgrube tragen und am zehnten stillschweigend in ein Wasser werfen, das die Krankheit fortträgt (Bartsch, Mecklenb. Sag. 2, Nr. 1855. 1856). Der Gebrauch im Böhmerwald (meine Zeitschr. 1, 208) stimmt damit überein. In Böhmen hilft gegen das Fieber eine am Georgstage abgezogene Schlangenhaut, die man neun Tage um den Hals trägt (Wuttke § 153).

Der fieberkranke Zigeuner sammelt neun Tage seine Exkremente und legt sie dann in einen holen Baum unter einem Spruche. Dann nährt er sich neun Tage lang nur von Brot, Knoblauch und Brantwein (Wlislocki, Volksgl. der Zigeuner 165).

Hat man sich verbrannt, nehme man ungewässerte Butter und bestreiche damit die wunde Stelle. Dann thue man die Butter neun Tage lang an einen stillen Ort, und das Verbrannte wird darauf heil sein (Albertus Magnusbüchlein 2, 14). Bei dem früher schon mitgetheilten ostpreußischen Mittel gegen böse Augen (oben S. 31) wird auch gefordert, das Mittel neun Tage lang auf bloßem Leibe zu tragen.

Neun Tage braucht ein Heilverfahren in Ungarn, woran sich neun Verwandte des Kranken betheiligen müssen. Sie dürfen ihn während

dieser Frist nicht beim Taufnamen nennen, sonst erhalten sie einen Theil
der Krankheit (Wlislocki, Aus dem Volksleben der Magyaren S. 144).

In dem wallonischen Flandern, auch in Frankreich ist die neuntägige
Andacht (une neuvaine) bei Krankheitsbehandlungen nicht selten (Monseur,
Questionnaire de folklore Nr. 496. 514. Gaidoz, Un vieux rite médical
S. 39 f.). Wir können sie hier beiseite lassen, da sie kirchlicher Brauch
ist. Nur sei erwähnt, dafs die Gebete en reculant gesprochen werden,
nämlich so, dafs am 1. Tage neun Paternoster am Morgen gesprochen
werden, 8 Mittags, 7 Abends u. s. w. Das Rückwärtszählen von 9–1 kommt
auch in Deutschland gegen Verschreiung vor und gilt überhaupt für wirkungs-
voll (Heim, Incantamenta magica graeca latina Nr. 96. Liebrecht, Zur
Volkskunde S. 371).

Eine wichtige Stütze für die altgermanische neuntägige Woche geben
die bekanten Bestimmungen der lex Salica XXIV, 4. XLI, 10, l. Sal. reform.
XXVI, 5 und der Ribuaria (XXXVI, 10), dafs die infra novem noctibus
erfolgende Namengebung das Kind in sein volles Wergeld einsetzt. Der
Name macht es zur Persönlichkeit und giebt ihm sein Recht. Die West-
goten und die Alemannen (pact. Alam. 2, 31) machen dementsprechend das
Erbrecht des Neugeborenen von dem neuntägigen Leben abhängig.

Die ersten neun Tage des Lebens war das Kind nach römischem
Glauben unrein gleich der Mutter, die erst am neunten Tage aufstund und
in das Familienleben zurückkehrte. Der dies lustricus, dieser neunte Tag
gab auch dem römischen Kinde Namen und Weihung. Das germanische
Kind ward am neunten Tage als Mensch anerkannt. Die Schwaben und
die Hessen liegen neun Tage blind wie die Hunde, sagt uralter Volks-
scherz, dann öffnen sie erst die Menschenaugen.

Die skandinavischen Quellen kennen zwar die Wasserweihe, verbunden
mit der Namengebung, aber nicht die neuntägige Frist. Für die Angel-
sachsen verbürgt die neun Tage wol das Northumbrische Priestergesetz (§ 10),
dafs jedes Kind binnan nigon nihton getauft werden müsse.

Mutter und Kind haben dieselbe Zeit der Unreinheit zu tragen. Noch
heute gelten bei uns die neun Tage der Wöchnerin, wie sie bei den Römern
gegolten haben und bei den alten Indern. »Am zehnten Tage (also nach
Vollendung der neun) läfst der Hausvater die Frau aufstehn, opfert den
Göttern unter Weihesprüchen, speist die Brahmanen und giebt dem Kinde
den Namen, so dafs es alle hören (Kaegi, Neunzahl 16 [65]).

Verbreitet ist in Deutschland die Meinung, man dürfe die Wöchnerin
in den neun Tagen nicht allein lassen. weil die bösen Geister (Kobolde.
Hexen, Teufel) ihr oder dem Kinde etwas anhaben könten (Wuttke § 575.
577. 576. 582). Sie soll deshalb auch nicht die Stube verlassen. Sie darf
nicht in den Spiegel sehen, weil sie den Teufel oder unheimliche Wesen
drin erblicken könte (Schlesien. Brandenburg). In dieser Zeit darf auch
nichts aus dem Hause geliehen werden. weil es behext zurückkommen und
der Frau schaden könne. Echt bäuerlich gilt das in Thüringen auch für
die drei oder neun Tage einer kalbenden Kuh (Witzschel, Sagen, Sitten
und Gebr. S. 278, Nr. 28. 32).

In mystischer Einkleidung hat ein Lied des Wunderhorns die neuntägige Absonderung der Wöchnerin. Eine Frau stirbt vor der Geburt im
Kindbett. Die hinterlassenen Kinder gehn täglich zum Grabe der Mutter
und weinen. Am neunten Tage hören sie im Grabe eine liebliche Stimme
ein Wiegenlied singen. Das Grab wird geöffnet, und die Frau mit einem
neugeborenen Kindlein lebend gefunden. Sie kehrt in ihr Haus zurück,
muſs aber nach drei Jahren für immer scheiden[1]. Der Neun der Wochen-
stube können wir noch anreihen, daſs in der Oberpfalz die Doden (Paten)
dem Kinde das erste Dodengewand nach neun Monaten, das zweite nach
neun (oder 12) Jahren schenken (Schönwerth 1, 173).

In Mecklenburg glaubt man, daſs man Kinder und junges Vieh nicht
Kræt nennen dürfe, sonst hätten sie in neun Tagen keine Dęg (kein Gedeihen. Bartsch 2, 183).

In Lauenburg glaubt man, daſs man unter dem Bette eines Schlafenden
nicht auskehren dürfe, sonst schlafe er neun Tage nicht (Wuttke § 463).

Neun Tage als Zeitmaſs schöpfen wir auch aus poetischer Überlieferung.
Gott Freyr muſs neun Tage auf die Vermählung mit Gerdr warten, nach
der Zusage, die sein Freiwerber Skirnir erhielt (Skirnisfor 39). Neun
Tage muſs Hermódr reiten, ehe er von Asaheim zu Hel gelangt (Gylfaginn.
c. 44). Volle neun Tage braucht König Günther mit den Gefährten, bis
er von Worms in Brünhilds Land kommt (Nibel. N. 496, 1). Neun Tage
behält Siegfried die burgundischen Boten im Niederland, die ihn zu
Günthers Fest laden (Nib. N. 700, 1). Bis auf den neunten Morgen ver-

---

[1] Das Lied (Erk-Böhme, Liederhort 1, 594) ist wol von Arnim oder Brentano
in die gedruckte Gestalt gebracht. Zu Grunde aber liegt ein Volkslied, ähnlich dem von
A. Peter, Aus Oesterr.-Schlesien 1, 202 mitgetheilten.

birgt König Arons Tochter vor ihrem Vater den klugen Raben, den Oswald von England als seinen Brautwerber geschickt hat (Oswald 1069). Neun Tage steigt in dem siebenbürgischen Märchen vom Wunderbaum (Haltrich Nr. 15 [16]) der Hirtenknabe dreimal empor.

Selbst in profane Redensarten gingen die neun Tage über. »Ik schla di bi de Ohre, dat du nägen Dag vom Düwel draemst« hört man in Hinterpommern, nicht minder »de geht, as wenn he nach den nägden Dag söcht« (Knoop, Volkss. aus dem östlichen Hinterpommern S. IX).

Verbreitet ist die Redensart von einem mürrischen: er schaut drein wie neun Tag Regenwetter (Baumgarten, Aus der Heimat 1, 37).

Neun Regen werden in einer andern oberoesterreichischen Redensart als Zeitmaſs gebraucht: wo Wallfahrer des Weges gezogen sind, kann der Teufel nicht hin, bis neun Regen das Erdreich abgewaschen haben (Baumgarten 2, 30). Mit andrer Beziehung spricht man in Poitou von neuf couches de neige, die fallen müssen, damit die folgende Jahresernte gut werde (Pineau, Le Folklore de Poitou S. 519).

Am Karsamstage soll es neunerlei Wetter haben, und neunmal soll der April jeden Tag d' Fál(?) aus dem Feld jagen (Baumgarten 1, 47).

Eine derbe mecklenburgische Redensart lautet: de Harwstnacht het nägen un nägentigerlei Ort Lun, de Winternacht het nägnerlei Ort Lun; de Winternacht is as'n Kinnerors, bald schiten's un bald mijen's (meine Zeitschr. 5, 318).

Neunmalige Wiederholung einer Handlung im Laufe des Tages dient zur starken Bezeichnung karakteristischer Eigenschaften von Thieren in der Meinung, daſs das Roſs und die Katze neunmal täglich ihren Herrn töten wollen, und der Hund dagegen ihn neunmal retten will (Schönwerth 1, 323. 355). In Obersteiermark (Eisenerz) wird statt vom Roſs dasselbe von der Schlange gesagt, in misratener Besserung.

Unter den Stundenzahlen haben die drei und ihre Vervielfachungen auch geheimnisvolle Bedeutung. In der dritten, der neunten, der zwölften Stunde (Eisel, Sagenbuch Nr. 202) gehn die Geister oder Gespenster um, dann haben die Unterirdischen Macht.

Auch in Raumbestimmungen erweist die Neunzahl ihre Bedeutung. Entfernungen wurden nach neun Füßen oder Schritten gemessen. Neun Fuß ging Thórr, der Fiorgyn Sohn, noch, als ihn die Weltschlange zu Tode getroffen hatte (Voluspá 56).

Neun Fuß (nioghen feet) sollen zwischen dem Vatermörder, der seine Sünde noch nicht gebüßt hat, und jedem andern Manne bleiben, nach Westerlauwer Friesenrecht (Richthofen 423, 31). Die verbreitete Redensart: bleib mir neun Schritt vom Leibe! beweist, daß diese Maßbestimmung, wie weit sich ein Übelthäter von andern Menschen entfernt zu halten habe, allgemein war.

Neun Schritte (nioegen stapen) höchstens darf sich ein verdächtiger Münzmeister von seinem Amte entfernt haben, wenn er seine Unschuld beweisen will (Westerlauw. K. 428, 20). Novem pedes werden im langobardischen Gesetz (ed. Roth. 147) bei rechtswidriger Verrückung des Herdes als Maß angegeben.

Zur Bestimmung der Schwere von Knochenwunden verwendet das Westergoer Recht (Richthofen 470, 3) den Schall, den das herausgehauene Knochenstück in einem Metallbecken auf neun Schritt hin macht, oder den man, nach Emsigoer (I) und Hunsingoer (II) Gesetz, aus den neun Fachen des Hauses (ur niugen feke huses, Richthof. 42, 9) vernimmt.

Andre Raummaße sind neun Äcker oder Beete. Bei Eisenberg im Vogtlande heißt ein Feld die neun Äcker, davon daß einst ein Mädchen, das mit einem verheirateten Manne gesündigt hatte, nach der Enthauptung neben dem Scharfrichter, der ihm ein Rasenstück auf den Rumpf gelegt, über die neun Äcker bis zum Scheiterhaufen geschritten ist (Eisel, Sagenbuch Nr. 936)[1].

Bei Sulzbach in der Oberpfalz nahm ein Mädchen an einem heissen Erntetage, um sich abzukühlen, einen Strohhalm zwischen die Fußzehen und schritt damit über neun Ackerbeete. Sofort entstund ein Gewitter, das Kühlung brachte (Schönwerth 3, 184).

Neun Raine, Scheiden oder Ackergrenzen stellen sich den neun Äckern ganz gleich.

Am Tag des h. Stephan, des Roßpatrons. muß man die Pferde über neun Raine reiten, so gedeihen sie gut (Franken, Wuttke § 711).

---

[1] Vgl. meinen Aufsatz zu Goethes Parialegende, in meiner Zeitschrift 2, 46—50.

Am Hexenabend (Walpurgis) soll man dem Vieh Kräuter von neun Rainen (Karlsbad-Duppau) oder Scheiden (Hinterpommern) zu fressen geben, dann kann es nicht behext werden (Wilhelm, Aberglaube im Karlsbad-Duppauer Gelände 27. Knoop, Sag. a. Hinterpommern Nr. 150). Man erinnere sich der Heil- und Zauberkraft der neun Kräuter, S. 10–13. 20. 27. 29.

In Ostpreußen trägt der Fieberkranke ein Geld- und ein Brotstück in einem Lappen über neun Grenzen unter einen Stein und spricht: »Grenze, Grenze, ich klage Dir, kalt und heiß plaget mir. Der erste Vogel, der drüber fliegt, der nehm es unter seine Flücht« (Frischbier, Hexenspruch 53, 3).

Auf drei Grenzen beschränkt ist ein probates schlesisches Mittel gegen den Hausschwamm: Man gehe vor Sonnenaufgang schweigend über drei Grenzen und schneide drei Hasel- oder Erlenruten von sich weg ab u. s. w. (Mittheil. der Schles. Gesellsch. f. Volkskunde 1896, S. 49).

In einem oberpfälzischen Liebessegen, durch den ein Mädchen den entfernten Geliebten herbeizaubern will, ruft es den Abendstern an: »Schein hin, schein hin, schein über neun Eck! Schein über meines Herzliebsten sein Bett! Laß ihm nicht Rast, laß ihm nicht Ruh, daß er zu mir kommen thu!« (Wuttke § 548).

Dieses über neun Eck kann über neun Haus- oder Strafsenecken bedeuten, auch über neun Bergvorsprünge, würde auch dem Ausdruck »über neun Jöcher« entsprechen können, den wir in einem schönen Tiroler Spruche finden: »Mutterkreuz (das Segenzeichen der Mutter über ihr Kind) geht über neun Jöcher (= begleitet das Kind in weite Entfernung)«.

Durch neun Felswände hat der Teufel einen übermütigen Melcher geholt, der sich in Milch badete. Im Südosten des Hollerbachthals im Oberpinzgau sieht man noch oben an einer Felswand ein Loch, das Melcherloch oder Kuhfenster genant, dem jenseits des Wildbachs eine ähnliche Öffnung entspricht. Das sind zwei von den neun Wänden, durch welche der Teufel den Melcher führte (v. Kürsinger, Ober-Pinzgau. Salzburg 1841, S. 75).

Formelhaft ist der Ausdruck volksthümlicher Rechtsaufzeichnungen über neun Zäune in der scherzhaften Bestimmung, wie ein impotenter Mann seiner Frau zu ihrem fräulichen Recht verhelfen soll. Er soll sie über neun Zäune oder Erbzäune (Weist. 3, 48. 70. 311)[1] auf seinem Rücken tra-

---

[1] seven erftnine Weist. 3, 42.

gen und die Nachbaren rufen, daß sie ihm seines Weibes Not helfen wehren.

So ist denn über neun Zäune gleich bis ins neunte Haus. Neun Nachbaren sollen der Frau die Nachbarhilfe thun.

Nach elsässischem Glauben kann man dem Vieh den Milchnutzen wegnehmen bis ins neunte Haus, wenn man ihm falsches Futter bringt (Stöber, Zur Geschichte des Volksaberglaubens aus Geilers Emeis S. 65)[1].

Auf neun Dörfer wird entsprechende Raumbestimmung ausgedehnt in der wallonischen Legende von der heil. Rolande. In Gerpinnes im Henegau solte ein junges Mädchen zur Heirat gezwungen werden. Es entfloh deshalb aus seinem Dorfe, wanderte durch neun Dörfer und starb in Villers-Potteries an einer Quelle. Zu seiner Ehre wird la châsse de sainte Rolande noch jetzt von Gerpinnes aus in feierlicher Prozession begangen (Harou, Contributions au Folklore de la Belgique. Paris 1892. S. 41).

Das Glück komt von ungefähr wol über 90 Stunden, sagte Grimmelshausen im Simplicissimus.

Wie die Länge, so maß man auch Höhe und Tiefe durch Neun.

Der Lehmriese Mockrkálfi, den die Riesen beim Zweikampf mit dem Donnergott dem Hrungnir als Hilfe zur Seite stellten, war neun Rasten hoch gemacht und drei Rasten breit über die Hüften.

Neun Stufen gehn zur Höle der Wilden Fräulein im Oetzthal zwischen Kropfbüchel und Unterastlen hinab (Zingerle, Sagen. 2. A. Nr. 67).

In der Nähe des Bauler Kläuschen unweit Vianden in Luxemburg liegt ein Schatz neun Fuß tief in der Erde (Gredt, Sagenschatz d. Luxemb. Landes S. 38).

Der Donnerkeil fährt neun Klafter tief in den Erdboden (Leeb, Sagen N.-Oesterr. Nr. 3. Baumgarten, Aus d. Heimat 1, 58). Neun Klaftern wird in einem Segen einer S. Blasier Hs. (Anfang d. XVII. Jh.) der wilde Schofs (Elbenschufs) in die Erde beschworen (Mone, Anzeiger VI, 470).

In den untersten Tiefen liegt nach isländischer Vorstellung, wie die Gylfaginning sie giebt, Niflhel, die neunte Welt (vgl. auch Wafthrudn. 43). Damit sind wir zu den neun Welten der nordgermanischen Mythologie gelangt. In den südgermanischen Quellen findet sich von ihnen nichts, und so sind sie von den Forschern, die einen guten Theil der isländischen

[1] Durch den nuindesten zun brauchte Geiler in seinen Predigten, Scherz-Oberlin Glossar 1139.

Mythologie auf die Rechnung kristlicher und gelehrter Einflüsse schreiben, besonders von E. H. Meyer (Die eddische Kosmogonie 61 ff. German. Mythol. 191) aus der Lehre der Kirchenväter abgeleitet worden.

Schon Augustinus (de genesi XII, 17) nahm neun Himmel an; Gregor d. Gr. und Isidor von Sevilla ordneten die Engel in neun Chöre oder Himmel, was von späteren wiederholt ward. E. H. Meyer lehrt dann ohne weiteres: »Die Neunzahl der Heime ist christlich. Denn Honorius von Augustodunum kannte auch sowol drei Himmel wie neun Himmelssphären«. Damit wird dieser ganz unbedeutende Compilator aus der Zeit K. Heinrichs V., der eine Zeit lang in der Geschichte der deutschen Litteratur des 11. 12. Jahrh. eine unverdiente Rolle gespielt hat[1], als vernichtender Zeuge in die Streitsachen der germanischen Mythologie hingestellt!

Die neun Welten werden aufser in der Gylfaginning erwähnt in der Wǫluspá 2 (hier zusammen mit den ívidir, den Weltbäumen oder Stützen der Welt), in den Wafthrudnismál 43 und in einer eingeschobenen Strophe der Alwismál (8 – 9).

Schon Kenner des indischen Alterthums haben auf vedische Dreitheilung der Welt hingewiesen (Zimmer, Altindisches Leben S. 358), und wie aus diesen drei Welten von selbst durch Dreifachung neun Welten hervorgehn. Nach der Lehre der Parsen gab es drei Himmel, drei Mittelstationen und drei Höllen (Kaegi, Neunzahl S. 18), also zusammen neun Welttheile. Die Dreitheilung der Welt ist auch griechisch und wahrscheinlich auch germanisch gewesen[2]: die neun entstunden auf dem Wege der Steigerung daraus. Die Neun finden wir auch bei den Römern: novem orbibus vel potius globis connexa omnia (Cicer. republ. 6, 17). Neun circuli umschliefsen nach Servius ad Aen. VI, 426. 439. 533 das Elysium.

Dafs die Neun in den Raumbezeichnungen germanisch ist, habe ich gezeigt. Es sei aber noch besonders darauf hingewiesen, dafs jedes Viertel Islands in drei Gerichtsbezirke, þingsóknir, zerfiel, jede þingsókn in drei godord, sodafs also jedes Landviertel neun Tempelbezirke besafs, mit Ausnahme des Nordviertels, das aus besondern Gründen vier þingsóknir grofs war (K. Maurer, Bekehrung II, 210. Th. Möbius, Ares Islendingabók S. 86).

---

[1] J. Kelle wird dem nun wol ein Ende gemacht haben (Gesch. der deutschen Litteratur 2, 92).

[2] Konr. Maurer, Bekehrung des Norweg. Stammes II. 8, Anm. 17 vermutete das schon und stellte Asgard, Midgard, Utgard als die drei ältesten Welten hin.

Dem in neun Heime getheilten Weltgebäude vergleicht sich nun auch das in neun Fache zerlegte Menschenhaus, bezeugt durch das Emsigoer und Hunsingoer Friesenrecht (Richthofen 42, 9).

So möge denn der Zeuge Honorius abtreten!

Die mächtige heilige Zahl Neun wird als Mafsbestimmung auch im gewöhnlichen Leben verwandt.

Die Stärke eines menschlichen Wesens neunmal genommen ist sprich-wörtlich. Das älteste Beispiel giebt wol die Geschichte von Odins unrühm-licher Erwerbung des Odrerir, wie er in menschlicher Verhüllung, um in den Dienst des Riesen Baugi zu kommen, dessen neun Mähder zu Tode bringt und dann in der Heuernte statt ihrer Neunmännerwerk (niu manna verk) verrichtet (Bragaroed. 62).

Als Landmafs komt in Schenkungsurkunden vor: so viel Wiesenland als neun Männer an einem Tage mähen können (Schannat, hist. Wormat. 1, 129. a. 1181). Als Gewicht: eine Bürde dürren Holzes soll so grofs sein, dafs ein mann deren neun tragen könne von Cönen bis Trier (Weist. 2, 87).

Neun Männer Stärke mufs ein Weib bei Geburt eines Kindes haben, sagt man in Oberösterreich (Baumgarten 3, 21. Anm. 2).

Neunfache Wirkung gewöhnlicher Heilkräuter hatten die Kräuter zu heiligen Zeiten, wie wir früher S. 10–13 gesehen haben. Aber auch einzelnen Pflanzen, die grofses Vertrauen genossen, wie Schafgarbe und Huflattich, schrieb man das heilige Kraftquadrat zu, wovon sie den Namen Neunkraft, Negenkraft, Neunkraftwurzel, Neunkraut trugen (Grimm, D.Wb. VII, 683. Schiller-Lübben, Mnd. Wb. III, 169[b]). Neumannskraft heifst livländisch die Königskerze (verbascum th.), Neunherr livländisch das Hexenkraut, muscus terrestris (v. Gutzeit, Wörterschatz der deutschen Sprache Livlands II, 287).

Die Vervielfachung der körperlichen Glieder zum naiven Ausdruck des Überragens menschlicher Art ist aus den Mythologien bekannt. Die germanische kennt die 900 Köpfe der riesischen Ahnfrau des alten Himmels-gottes Týr (Hýmisqu. 8).

Von Herrn Nägenkopp, einem menschenfresserischen Ungethüm, erzählt ein holsteinisches Märchen (Müllenhoff S. 450).

Neun Herzen haben, ist ein Lob bei unsern mittelalterlichen Dichtern. Reinmar von Zweter rühmt den Erzbischof Siegfried III. von Mainz als einen niunherzigen man. Dafs er drei Fürstensitze einnehme, sei kein Wunder, aber dafs er niunherzecliche leben könne mit einem einzigen Leibe, überrasche (Spruch Nr. 228). Von mystischen Auslegern wurden die sprichwörtlichen neun Herzen auf neun geistliche Eigenschaften gedeutet (Haupt Z. f. d. A. 2, 541). Neunherz ward Familienname, wie ihn der schlesische Kirchenliederdichter Johann Neunherz (1653—1737) führte. Neunäugig (nègenôgd, Doornkaat, Ostfries. Wb. 2, 645) wird von sehr scharfsichtigen, alles bemerkenden, neunhäutig von durchtriebenen Leuten gesagt. »Ein vielerfahrener und durchtriebener, neunhäutiger schlauer politicus und kluger Weltmann; ein Schalk oder neunhäutiger Gast in der Haut«, heifst es in Zusätzen zum Simplicissimus (Kellers Ausg. 1, 47. 202). Etliche Weiber sind von newn heuten, sagte Hans Sachs (V. 233, 5), und wie es gemeint ist, ergiebt sich aus seinem Gedicht: Die neunerley hewt einer poesen frawen samt jrer neun eigenschaften (V. 232. Fabeln und Schwänke, herausg. von Goetze I. n. 54). Des neunhäutigen und hainbuchenen Bauernstands und Wandels übel sitten- und lasterprob von Verandro aus Wahrburg, spricht schon im Titel die Bedeutung des neunhäutig aus.

Niederdeutsch heifst von je ein sehr böses Blutgeschwür negenhûde, negenoge (Schueren, Teutonista uitgeg. door Boonzajer, 181. Mnd. Wörterb. III, 170. Brem. Wb. III, 229. Doornkaat II, 645). Neun Häute müssen sich abblättern, bis es heilt.

»Dir mutte erscht nägen Felle aftrucke wern«, sagt man in Hinterpommern von einem schlimmen Kerl, wie von einem überschlauen: Dei is ôk nägnen to klauk (Knoop, Sagen aus Hinterpommern S. IX). Ein solcher Überkluger heifst denn auch niederdeutsch nägenklôk, neunklug, oder in Fr. Reuters Platt nägenklauk (un 'n beten hûrt hei tau de Nägenklauken, Läuschen u. Rimels). Turnvater Jahn nahm neunklug in das Deutsch seiner Merke zum deutschen Volksthum auf. Die Leipziger Mundart hat neunklug und neunhäutig (Albrecht, Leipz. Ma. 175).

Gleichbedeutend dem neunklug ist neungescheit, das ziemlich verbreitet ist (D. Wb. VII, 682), neundrähtig (ebd. 680), neunschälkig (683). Neunfältig steht dem einfältig in Sprichwörtern des 16. 17. Jahrh. gegenüber (D. Wb. VII, 682). Alle diese neundrähtigen, neunfältigen, neunhäutigen, neunschälkigen können Neun- und neunziger werden. Der Spate (Casp. v. Stieler) karacterisirt die Neun- und Neunziger als proditores, sycophantae (Teutscher Sprachschatz Sp. 1352). Alle diese Gesellen sind neunfache Teufel, Neunteufel: das Wort ist auch Familienname geworden, wozu es das Sachsenhäuser Schimpfwort Neunmolôs (neunfaches Aas) schwerlich gebracht hat.

Von dem Neunäugigen gilt das von Seb. Franck verzeichnete Sprichwort: Du siehst schärfer denn ein fränkischer Reuter, der siehet durch einen neunfachen Kittel, wieviel Gelts einer im Seckel hat.

Ein Hauptmanns Fluch etzt gar durch neun Harnisch, wie ein Fuhrmanns Gebet Schiff und Wagen treibt, sagt Fischart im Gargantua.

Die neun bezeichnet eben überall ein tüchtig Mafs und tüchtige Versteifung.

Den Zauberzweig Laevateinn verwahrt eine eiserne Lade mit neun Schlössern (halda niardlásar niu, Fiǫlsvinnsmál 26)[1]. Entsprechend heifst es in einem Weistum (1,139): die wynreben zu Wülflingen sollend also in gutem frid sein und ligen als ein gut in nün ettern (Zäunen d. i. ein aufs stärkste umfriedeter Hof).

Wir reihen andre Verwendungen der Neun in Mafsbestimmungen an.

Die Kleinheit der Zwerge bezeichnet eine brandenburgische Sage so, dafs ihrer neun in einem Backofen hätten dreschen können (Kuhn-Schwartz, Nordd. S. Nr. 120, 1).

Ein neugeborenes Kind mufs nach oberpfälzischer Meinung mindestens neun Pfund wiegen, ein Pfund auf jeden Monat (Schönwerth 1,179).

Neun Becher mögen auch den Deutschen als Mafs eines sittigen Trinkers gegolten haben, wenn man den hinterpommerschen Spruch: de erschten nägen sind de schlimmsten, recht versteht und sich des horazischen Tribus aut novem miscentur cyathis pocula commodis (carm. III, 19)[2] erinnert.

Hans Sachs, der die alte volksthümliche Neun, wie wir schon früher S.7 bemerkten, oft anwendet, handelt u. a. von den neun Geschmeck im ehelichen Stant (Fabeln und Schwänke herausg. von Götze. I. Nr. 54), von den neun Verwandlungen im Ehestant (ebd. Nr. 129), von den neun lester-

---

[1] In einem lettischen Hochzeitliedchen ist die Braut, nach der gesucht wird, mit neun Schlüsseln in der Klete eingeschlossen: Em. Bielenstein, Wie die Letten gefreit haben S. 111 (Riga 1896).

[2] Dazu Wölfflin, Archiv IX, 336.

lichen Stuck eines Mannes (ebd. Nr. 22), von den neun verpotten Speis (ebd. Nr. 324), von den neun Lehr im Bad (ebd. Nr. 305), von den neun groben Fragen[1], von der bös Gesellschaft mit ihren neun Eigenschaften (Keller III, 444), von den neun Stuck der Armut (Keller XX, 499). In andern Gedichten des Nürnberger Meisters drängt sich die Sieben, wie sonst im 16. Jahrhundert hervor.

Der Tiroler Kapuziner Heribert von Salurn predigte über die neun fremden Sünden (Dominicale concionum pastoralium I, 269—322) d. h. über neun verschiedene Weisen, wie man fremde Sünden unterstützen könne.

Fischart bietet die Neun auch in mancherlei Redensarten, z. B. in seiner Geschichtklitterung: deiner neun frifs ich zur Morgensupp (S. 140 der Hallischen Ausgabe von 1891); ich süff dich dafs du neunerley Treck schissest wie ein Leidhund (S. 150); hiefs sie sich ins grass strecken dafs sie neun füfs von sich streckt (S. 154); dafs es wol neuntzig küen hett vergeben mögen (S. 157); aber er war mechtig lustig, war über neun Leuten und neuntzig Affen mit seim Volck (S. 258).

Neunmal etwas thun umschreibt formelhaft oft wiederholtes thun: ê wolt ich niunmâl sterben, heifst es in einem Gedicht der Hätzlerschen Sammelhandschrift 291, 56.

Ein junger Man kan neunmal verderben und dennoch genesen, liest man in Agricolas Sybenhundert und fünftzig teutscher Sprichwörter (1534. Nr. 31).

De môt ok nägenmol bi Petrus ankloppen, sagen Mecklenburger von einem dem Tode nahen, meine Zeitschrift 4, 189.

Das Verhältnis von 3 : 9 tritt auch im Zahladverb hervor. Im Reinhart Fuchs 2244 heifst es vom sterbenden Löwen: sin houbet sich endriu spielt, enniuniu sich sin zunge vielt.

Ein echter Sachsenhäuser Fluch mache den Schlufs dieser Reihe: neun un neunzig Stick Steube (Staupenschläge) sollste krin (Firmenich 2, 72).

Nachdem wir die grofse Bedeutung der Neun durch die verschiedensten Gebiete verfolgt haben, bleibt noch übrig, ihre Spur in dem Rechtsleben zu finden.

---

[1] Neun Fragen werden in dem siebenb. sächs. Märchen der Erbsenfinder (Haltrich, Volksmärchen aus dem Sachsenlande, 3. A. Nr. 33) gestellt.

Wir haben sie bereits (S. 47) am Beginn des Lebens in der neuntägigen
Frist zur Namengebung erkannt, mit der die Erbberechtigung eintrat. Wir
finden sie dann in der Berechnung der Sippe zu neun Gliedern. Die Rechte
und die Pflichten der Blutverwantschaft konten nicht in das unendliche
ausgedehnt werden; sie musten an einem bestimten Gliede abschliefsen.
Dasselbe wird verschieden genommen, als das fünfte, sechste, siebente Knie
(Grimm, RA. 468. Brunner, D. Rechtsgeschichte 1, 217). Im merwingi-
schen State galt das neunte als das letzte heranzuziehende nach Gregor von
Tours (hist. Franc. VII, 2: tunc rex juravit quod non modo ipsum-Eber-
ulfum-verum etiam progeniem ejus in nonam generationem deleret). Zu
dieser Stelle ist schon von Heinr. Brunner auf Willems Reinaert 1, 2538
verwiesen worden, wo es heifst, dafs alle Verwandten Reinaerts bis zum
zehnten Gliede (die hem ten tienden lede siin belanc) seine Falschheit
büfsen sollen. Verwandte (fründe) bis tom neggeden lede kennt das Hofrecht von Loen § 64, und das alte Engelberger Hofrecht (Weist. 1, 2) bestimmt, dafs die dortigen Gotteshausleute ihre Lehen unz an das niunde
geslehte vererben dürfen.

Süd- und nordgermänische ins übersinnliche greifende Meinungen beweisen die tiefe Wurzelung der neun Sippeglieder. Jeder neunte (oder siebente) Stamm eines Schmidts mufs die in Rosse verwandelten Pfaffenköchin-
nen mit Eisen beschlagen (Zingerle, Sitten und Meinungen des Tiroler
Volkes Nr. 690).

Eine beleidigte Salige (Bergelbin) legte auf eine Bauernfamilie in Bar-
bian im untern Eisakthal Armut bis in den neunten Grad (Zingerle, Sagen, 2. A. S. 599).

Nach einer færöischen Sage verspricht der Huldermann der Hebamme,
die seinem Weibe in Kindesnöten beistund, Glück bis ins zehnte Glied
(meine Zeitschrift 2, 1). Ein verschmähter Freier auf Island hatte seinem
glücklichen Nebenbuhler und dessen Frau ein Gespenst zugeschickt, das
ihnen bis ins neunte Glied folgen solte (meine Zeitschr. 6, 384, Anm. 4).
So geschehen in unserm Jahrhundert.

Aufserhalb des germanischen Kreises tauchen die neun Verwandtschaftsglieder auch auf. Nach dem Avesta richtet ein unbufsfertiger Sünder seine
Sele zu Grunde bis ins neunte Glied, d. h. die Selen seiner Nachkommen
bis ins neunte Geschlecht (Kaegi, Neunzahl 19 = 68). Die Wichtigkeit
der Dreizahl beim vedischen Ahnen- oder Manenopfer (Vater, Grofsvater,

Urgrofsvater), und die Drei- und Neunzahl in dem dazu gehörigen Ritual ist auch zu erwägen (Kaegi 20 = 69)[1].

Im Litauischen wird ein weitläufiger Verwandter das neunte Wasser vom Hafermehlbrei genannt (Schleicher, Litauische Märchen S. 185).

Selbst aufserhalb des arischen Volkskreises finden wir entsprechendes. Nach magyarischem Brauche müssen neun Verwandte als Helfer bei Heilung eines Verwandten thätig sein (Wlislocki, Aus dem Volksleben der Magyaren S. 144).

Die Neunzahl tritt sodann in dem Feuerordal auf, bei dem Tragen des glühenden Eisens oder dem Schreiten über glühende Pflugscharen, worüber die lex Anglorum et Werinorum, eine angelsächsische, dem König Äthelstan († 941) von einigen zugeschriebene Verordnung (Schmid 414), so wie eine nach England gehörige lateinische Exorcismusformel (Schmid 419), eine fränkische formula liturgica (Walter Corp. III, 574), eine Reihe friesischer Küren (Richthofen 35, 14. 76, 10. 77, 3. 14. 336, 26) und das älteste Schonensche Recht Bestimmungen enthalten.

Das glühende Eisen muſs neun Fuſs weit (ad novem pedum mensuram. — novem vestigiis procedens) getragen werden, oder der beklagte muſs mit blofsen Füfsen über neun glühende Pflugschare, die je einen Fuſs von einander liegen, schreiten. Uns geht die Neunzahl hier an, die ganz ebenso in den entsprechenden altindischen Anordnungen sich findet, wo auch beide Arten bestehn, einmal das tragen einer glühenden Kugel durch 7–9 Kreise, deren jeder einen Fuſs vom andern absteht; zweitens das feste langsame barfüfsige Schreiten über (meist) neun glühende Eisen, die je einen Schritt von einander liegen (Kaegi, Alter und Herkunft des germanischen Gottesurtheils S. 48). Der Zweifel an der volksthümlich-germanischen Natur der Gottesurtheile ist durch die vergleichende Untersuchung Kaegis widerlegt, und nicht minder die Neunzahl als indisch und germanisch bezeugt worden. Sie ist altheilig und in engem Bezuge zu den unterirdischen Sühngottheiten.

In demselben Boden wurzeln die neun Eide friesischer Küren (Richthofen 214, 14. 332, 9. 31) in Strafsachen[2]; ferner die nûn from redlich man,

---

[1] Spiegel in Webers Indischen Studien 3, 449 rechnete 9 Verwandtschaftsglieder heraus, die zu den nabânazdista (nâbhânedishtḥa) gehören. Vgl. auch A. Weber, Episches im Vedischen Ritual S. 44.

[2] Das gewöhnliche war der Zwölfereid, Brunner, Rechtsgesch. II, 384. Auf die Grundzahl drei, deren heilige Steigerung die 9 ist, deuten Bestimmungen der L. salica über die

die beim Bahrgericht 1503 in Luzern genannt werden (Baechtold in den Roman. Forschungen V, 227); ferner die neun Zeugen, die in schlesischen Grenzprozessen des 16. Jahrhunderts den Schwur unter dem Rasen ablegen müssen (meine Zeitschrift 3, 224).

Bei Verhandlung über Totschlag mufste der Beklagte nach Westerlawer Gesetz (Richthofen 413, 12) neunmal (nyoghen hwara) von dem Schult-heifsen vor Gericht geladen werden.

Den neunfachen Wert des Streitobjects setzt die Lex Burgund. 8, 2. 45. 80, 2 auf falschen Eid.

Die Steigerung der 3 zu 9 im Rechtsgang ist hinreichend bekannt: die Fristen, die Zeugen, die Bufsen werden verdreifacht (l. Sal. LII. de rem prestitam. XXXIX, 2. Walter III, 556).

Neun Jahr und neun Tage (Weist. 1, 46) oder neun Jahr und zehn Laubrisen (Herbste[1]) Weist. 1, 172. gelten in Schweizer Hofrechten als Frist, innerhalb der ein Kaufanspruch erhoben werden kann und nach der das Ersitzrecht unanfechtbar wird.

In Kent galt, dafs, wenn der Inhaber von Rentengütern dieselben durch schlechte Rentenzahlung verwirkt hatte, er sie zurückgewinnen konte, wenn er den neunfachen Rückstand erlegte[2].

— — — — — — —

Mehr als einmal haben wir neben der Neun eine Zehn, weit häufiger die Sieben auftreten sehen. Die Dekade liegt der Enneade ganz nahe und kann nur als kleine Erweiterung genommen werden, wie umgekehrt neun und acht sich oft berühren. Die Zehn kann aber auch kirchliche Verbesserung der heidnischen Neun sein, wie die Bemerkung des h. Hieronymus zu Aggai 2, 11. 19 ergiebt: noni mensis numerus nusquam in bonam partem legitur, wozu man die Worte Gregors d. Gr. Moral. 35, 42 halte: denarius numerus perfectus est, quia lex in X. praeceptis concluditur (vgl. Wölfflin Archiv IX, 341).

Wie die Sieben in Italien durch den griechischen Einflufs gegen die Neun vorgedrungen ist, hat Wölfflin (Archiv IX, 344 ff.) nachgewiesen.

---

tres seniores unter den Eideshelfern, und die tres aloarii einer fränk. Formelsamlung, Brunner II, 386.

[1] Vgl. meine Deutschen Monatnamen. Halle 1869. S. 48.

[2] Polloch and Bastlund, History of the English Law 2, 269. Mittheilung H. Brunners.

Mindestens seit Sulla trat die griechische Sieben in der römischen Litteratur in den Vordergrund. Da nun aber bei den Hellenen die Neun auch uralte mystische Bedeutung hatte, so muſs auch bei ihnen die Sieben erst durch fremden Einfluſs empor gekommen sein, und das ist der semitisch-orientalische.

Die jüdische Sieben drang dann als herrschende Zahl auch in die christliche Kirche ein. Der h. Hieronymus zu Amos II. 5, 3 nennt den numerus septenarius den numerus sanctificatus atque perfectus et ut ita dicam verus numerus. Demgemäſs herrscht die Sieben in der ganzen kirchlichen Litteratur und in den Ceremonien, wo es sich um Zahlensymbolik handelt (Wölfflin IX, 347; J. Kelle, Geschichte der deutschen Litteratur II, 126 f. 327 f.).

So erwuchs denn auch in den deutschen mystischen Gebräuchen und von hier aus auch im Profanen der alten indogermanischen Neun ein sehr gefährlicher Nebenbuhler in der kirchlichen Sieben. Daſs dieselbe aber nicht vollen Sieg gewann, daſs die Neun wol beschränkt, aber nicht vernichtet werden konte auf dem Gebiete, das wir durchwandert haben, das haben unsre Samlungen und Ausführungen bewiesen.

Berichte des Secretars der brandenburgischen Societät der Wissenschaften J. Th. Jablonski an den Präsidenten G. W. Leibniz (1700—1715) nebst einigen Antworten von Leibniz.

Von

H⁰· ADOLF HARNACK.

Gelesen in der Sitzung der phil.-hist. Classe am 18. März 1897
[Sitzungsberichte St. XV. S. 275].
Zum Druck eingereicht am 15. Juli, ausgegeben am 9. August 1897.

In dem auf der K. öffentlichen Bibliothek zu Hannover aufbewahrten Briefwechsel von Leibniz befinden sich auch die Berichte, die J. Th. Jablonski als Secretar der brandenburgischen Societät der Wissenschaften an den Präsidenten Leibniz regelmäfsig abgestattet hat[1]. Leibniz lebte in Hannover und leitete von dort aus die neugestiftete Societät. Der Secretar war durch sein Anstellungsdecret vom 6. Oct. 1700 verpflichtet[2], »nomine Societatis die Correspondenz mit dem Praeside zu führen«. Aber auch Leibniz hatte die Pflicht übernommen, mit der Societät regelmäfsig zu correspondiren[3], da er als kurfürstlich hannoverscher Beamter nur selten in Berlin anwesend sein konnte. Beide Männer haben die übernommene Aufgabe mit Gewissenhaftigkeit erfüllt, und wenn der Briefwechsel nicht reichhaltiger ist, so liegt das an den dürftigen Umständen, in denen sich die Societät der Wissenschaften befand. Der Vorwurf, Leibniz sei in seinem Verkehr mit der Societät lässig gewesen, trifft höchstens für die letzten drei bis vier Jahre seines Lebens zu; aber nach allem, was er trotz unermüdlicher dreizehnjähriger Arbeit erfahren hatte, ist das nicht verwunderlich. Es kam dazu, dafs es wenig zu berichten, also auch wenig zu beantworten gab; denn die Societät war »in einen gewissen languorem verfallen«.

Wie eifrig er bestrebt gewesen ist, den Zusammenhang mit der Societät aufrecht zu erhalten, sie zu fördern und in die Höhe zu bringen, zeigt unwidersprechlich die Thatsache, dafs in 16 Jahren mindestens 5–600 Briefe

---

[1] Siehe E. Bodemann, Der Briefwechsel des G.W. Leibniz in der K. öffentlichen Bibliothek zu Hannover (1889) S. 101 f.

[2] Concept im Geh. Staatsarchiv, Abschrift im akademischen Archiv.

[3] Siehe das Decret seiner Bestallung bei Klopp, Werke von Leibniz, 10. Bd. S. 328 ff. (Original in Hannover).

1*

über Angelegenheiten der Societät von Berlin aus an ihn gerichtet worden
sind, und daſs er selbst gewiſs nicht viel weniger in Societätssachen dorthin
geschrieben hat. Die Mehrzahl jener ist — gröſstentheils auf der K. Bibliothek zu Hannover — noch erhalten; die Mehrzahl dieser ist untergegangen.
Leibniz's Correspondenten in Berlin waren, auſser dem Secretar, dessen Bruder
— der Hofprediger D. E. Jablonski[1] —, der Archivrath Cuneau [Chuno][2],
der Legationsrath Ancillon[3], der Bibliothekar La Croze[4], der Buchhändler
Papen[5], der Lehrer am Grauen Kloster Frisch[6], der Astronom Kirch und
dessen Gattin[7] u. A. Dazu kommt die Correspondenz mit den brandenburgischen Hof- und Staatsmännern von Wedel, Graf Wartenberg, von Fuchs,
von Tettau, von Hamrath, von Ilgen, Spanheim, von Printzen u. A.[8]

Die beiden Jablonski's waren Enkel des Amos Comenius; der Secretar
war der ältere (geb. am 15. Dec. 1654) und stand bereits im 46. Lebensjahr,
als er sein Amt antrat, für welches Leibniz ursprünglich den Mathematiker
Naudé ins Auge gefaſst hatte. Es war nicht ganz glücklich, daſs zwei
Brüder neben Leibniz die Societät regierten; denn der Vorwurf der Cliquen-

---

[1] Der Briefwechsel (älterer Theil) ist von Kapp (Sammlung einiger vertrauter Briefe ..
zwischen ... G. W. von Leibnitz und dem Hofprediger Hrn. D. E. Jablonski u. s. w.; Leipzig
1745) herausgegeben worden; die zahlreichen späteren Briefe sind in Hannover, wo ich sie
excerpirt habe, und werden demnächst von Kvacsala publicirt werden (vgl. Bodemann,
a. a. O. S. 100 f.).

[2] Einige Briefe sind in Oerlichs' »Berlinischer Bibliothek« 1. Bd. 1747 erschienen,
die Mehrzahl liegt in Hannover, wo ich sie durchgesehen habe (Bodemann S. 41).

[3] Einige Briefe sind bei Feder, Commerc. epist. Leibnitii gedruckt; die Mehrzahl liegt
ungedruckt in Hannover, wo ich sie durchgesehen habe (Bodemann S. 5).

[4] Einige Briefe sind bei Kortholt, Leibnitii epp. ad diversos etc. I S. 373 ff. und im
Thesaurus epistolicus Lacrozianus 1742 ff. abgedruckt, die Mehrzahl liegt ungedruckt in Hannover (Bodemann S. 125). Durch die Güte des Herrn Oberbibliothekars Bodemann besitze ich eine Abschrift derselben.

[5] Die Briefe sind in Hannover, ein paar auch im akademischen Archiv (Bodemann
S. 216).

[6] Diese Briefe befinden sich in Hannover (Bodemann S. 63 f.) und sind mit groſser
Sachkunde hrsg. von L. H. Fischer im Archiv der »Brandenburgia« 2. Bd. 1896.

[7] Diese Briefe befinden sich theils in Hannover (Bodemann S. 113), theils in der
Bibliothek des Joachimsthalschen Gymnasium zu Berlin, wo ich sie durchgesehen habe.

[8] Siehe Bodemann unter diesen Namen. Einige Briefe an Staatsmänner befinden sich
auch im akademischen Archiv. Von den Briefen an die Staatsmänner sind die wichtigsten
gedruckt bei Klopp, Werke, 10. Bd. Auch einige Briefe an den König sind vorhanden,
dazu ein Theil der reichen Correspondenz mit Sophie Charlotte und ein paar Briefe an
Frl. von Pöllnitz.

Wirthschaft konnte leicht erhoben werden und ist erhoben worden. Aber beide waren rechtschaffene Männer von ruhigem Temperament, und ihre Unparteilichkeit wurde bald allgemein anerkannt.

J. Th. Jablonski war kein bedeutender Gelehrter, ja man kann ihn überhaupt kaum einen Gelehrten nennen; er war ein geschätzter Pädagog — als Prinzenerzieher und fürstlicher Secretär war er thätig gewesen und hatte vor seiner Berufung nach Berlin 11 Jahre in Barby am sächsisch-weifsenfels'schen Hofe zugebracht —, kannte Holland und England und verfafste Schulbücher, encyklopädische Werke, Elogien, auch eine Übersetzung von Tacitus Germania. Seine ·Geschichte der Thorner Unruhen 1724· ist ins Französische übersetzt worden[1]. Er war im Stande, den Wissenschaften gleichsam als Buchhalter zu folgen, ohne ein tiefer gehendes Interesse für sie zu verrathen. Der Societät hat er durch seine Gewissenhaftigkeit und Ordnungsliebe unschätzbare Dienste geleistet, aber ein bedeutenderer Mann an dieser Stelle wäre sehr nöthig gewesen. Er war nicht nur Secretar, sondern auch Archivar, Protocollant, Schatzmeister, Kassirer und führte die Aufsicht über die Unternehmungen der Societät, besonders über die Herausgabe der Kalender. Nur die Herausgabe der Abhandlungen der Societät war einem Anderen (zuerst dem Archivrath Cuneau im Verein mit Leibniz) übertragen; auch verfafste nicht er, sondern sein Bruder, der Hofprediger, bez. der Archivrath Cuneau die Eingaben an den König und die wichtigen Schreiben. Als er am 28. April 1731 im 77. Lebensjahr starb, dichtete Noltenius auf ihn folgende Grabschrift[2]:

> ·Gottesfurcht, ohn Heuchelei,
> Wissenschaft, ohn Prahlerei,
> Liebes-Werke, im Verborgen,
> Klugheit, ohne eitle Sorgen,
> Redlichkeit, die Probe hält,
> Ernst, der nicht beschwerlich fällt,
> Manches Leid, doch ohne Klagen,
> Grofsmuth, die nicht kann verzagen,
> Und was sonst die Welt nicht kannt',
> Lieget hier verscharrt im Sand·.

Da die Societät von 1700 bis zum Januar 1711, d. h. bis zu ihrer wirklichen Einrichtung, nur selten und nicht regelmäfsig Sitzungen abgehalten hat und die Protocolle im akademischen Archiv fehlen, so ersetzen

---

[1] Siehe Allg. Deutsche Biographie, 13. Bd. S. 525 f.
[2] Im Druck erschienen, ein Exemplar im akad. Archiv.

uns die Berichte J. Th. Jablonski's an Leibniz dieselben, haben also für die Urgeschichte der Societät einen unschätzbaren Werth, so wenig sie in die Tiefe der Angelegenheiten eindringen. Wir sind aufserdem in der glücklichen Lage, ihre Vollständigkeit für den Zeitraum vom 1. Nov. 1700 bis zum 30. Dec. 1710 urkundlich controliren zu können. Das akademische Archiv besitzt nämlich noch das von J. Th. Jablonski geführte »Diarium Societatis Scient. Brandeb.« für diese Zeit. In ihm sind Tag für Tag die abgegangenen und angelangten Briefe verzeichnet. Es ergiebt sich aus ihm, dafs Jablonski vom 13. Nov. 1700 an (das ist das Datum des ersten Briefs) bis Ende Dec. 1710 einhundertzwanzig Briefe an Leibniz geschrieben hat. Von diesen besitzen wir 106, nämlich 10 in der Sammlung von Kapp gedruckt[1], 96 in Hannover bisher ungedruckt. Aufserdem aber sind in Hannover noch 2 Briefe von Jablonski an Leibniz aus dieser Zeit, die er im Diarium anzumerken vergessen hat, und 3 andere stehen in der Sammlung von Kapp[2]. Es fehlen also nur 14 Briefe von Jablonski[3]; doch mag noch einer oder der andere im Diarium vergessen sein.

Viel ungünstiger steht es mit den Briefen von Leibniz an Jablonski. Das Diarium ergiebt, dafs Jener an Diesen bis zum December 1710 etwa neunzig Briefe geschrieben hat; davon sind uns nur 5 erhalten — denn Leibniz pflegte bei solchen Briefen kein Concept zu machen —, nämlich 3 (die drei ersten) in Kapp's Sammlung (gedruckt), 1 in Hannover (ungedruckt) und 1 (der Brief vom 24. März 1701) im akademischen Archiv (ungedruckt).

Für die Zeit vom Januar 1711 bis zum Juni 1715[4] vermögen wir die Briefsammlung in Hannover nicht zu controliren, da im akademischen Archiv für diese Zeit kein Diarium vorhanden ist. Jene Sammlung hat aus dieser Zeit 44 Briefe von Jablonski (einer ist unter die Briefe von La Croze an

---

[1] Es sind die 10 (+ 3) ersten, die nicht in die Bibliothek nach Hannover gekommen sind; die hannoversche Sammlung beginnt mit dem Brief Nr. 17 vom 23. Aug. 1701. Kapp benutzte, wie er selbst in der Vorrede erzählt, die von Christfried Kirch gesammelten, von Jordan i. J. 1733 ihm, Kapp, übergebenen Originale. Wohin sie gekommen, weifs man nicht.

[2] Es sind das die Briefe Nr. 2. 3. 6. 21. 27 unserer Ausgabe.

[3] Es sind das Briefe vom 9. Aug. 1701, 1. Dec. 1703, 5. Mai und 28. Nov. 1705, 7. Juni, 6. und 27. Aug., 5. und 29. Nov. 1707, 25. Sept. und 20. Oct. 1708, 23. Nov. 1709, 22. April und 13. Dec. 1710.

[4] Hier bricht der Briefwechsel mit dem Secretär ab; denn dieser ging als Prinzenerzieher auf Reisen. An seiner Stelle schrieben nun bis zum Tode von Leibniz (14. Nov. 1716) der Hofprediger Jablonski und Frisch.

Leibniz gerathen, nämlich Nr. 160 vom 10. April 1714; ich habe ihn mit veröffentlicht) und 2 von Leibniz (alle ungedruckt). Daſs nicht einmal die Jablonski'schen Briefe vollständig sind, geht aus dem alten Inhaltsverzeichniſs des Leibniz-Fascikels im akademischen Archiv hervor. In diesem wird mitgetheilt, daſs der Fascikel einen Brief von J. Th. Jablonski an Leibniz vom 14. Febr. 1711 enthalte: »Von der Bemühung der Societät in Ansehung der teutschen Sprache und von einigen vorzuschlagenden Mitgliedern«. Der Brief ist jetzt nicht mehr vorhanden und fehlt auch in der hannoverschen Sammlung.

Die vier im J. Th. Jablonski-Fascikel dieser Sammlung enthaltenen Actenstücke, nämlich je ein Brief der Frau Astronomin Kirch und des Buchhändlers Papen, sowie zwei königliche Erlasse (Nr. 87. 77. 68. 165), habe ich mit abdrucken lassen, sowie zwei Briefe von Leibniz an den König und den Oberkammerherrn (Nr. 109. 110) bei Gelegenheit der Übersendung des 1. Bandes der Miscellanea Berolinensia, die sich ebenfalls unter den Jablonski-Briefen zu Hannover befinden.

Es sind also im Ganzen 168 Briefe, die hier veröffentlicht werden (darunter 16 bereits gedruckte), und zwar 155 von Jablonski und 9 von Leibniz. Die Abschriften habe ich durch gütige Vermittelung des Herrn Oberbibliothekars Dr. E. Bodemann in Hannover, des ausgezeichneten Leibniz-Forschers, erhalten; ich sage ihm dafür meinen verbindlichsten Dank.

Das Diarium, welches zur Controle der Vollständigkeit der Jablonski-Briefe dient, enthält trotz seiner Kürze manche für die Geschichte der Societät wichtige Notiz — so zum 21. Febr. 1701 »mit H. Ferber geredet, wegen eines Gemachs auf dem Berliner Rathhause zu denen Zusammenkünften der Societät«; zu anderen Daten werden Zusammenkünfte der Societät und der Ort, wo sie gehalten, vermerkt; zum 14. Juni 1701 wird die Drucklegung der Epistola ad amicum verzeichnet; ebenso wird angegeben, bei welchen Conferenzen Leibniz persönlich zugegen gewesen ist. Doch würde es sich nicht lohnen, das Diarium zu publiciren.

Ich verzichte darauf, einen Commentar zu den Briefen Jablonski's zu schreiben[1], da die »Geschichte der K. Preuſsischen Akademie der Wissen-

----

[1] Alle Stücke, bei denen kein Fundort angegeben ist, stammen aus der hannöverschen Bibliothek.

schaften«, welche zum Jubiläum i. J. 1900 erscheinen soll, einen solchen bringen wird. Einstweilen verweise ich auf die oben angeführte Publication des Briefwechsels von Frisch und Leibniz (von Fischer), aus der man sich über den wichtigsten Inhalt auch des Jablonski'schen Briefwechsels (besonders über die citirten Personen) zu orientiren vermag.

1.

Jablonski an Leibniz.
13. November 1700.
[Kapp, Sammlung u. s. w. S. 211 f.]

Nachdem ich in diesem Ort angelanget, die bey der Societät der Wissenschafften mir gnädigst anbefohlne Function würcklich anzutreten, so habe meiner Schuldigkeit erachtet, Ew. Excell. solches hiemit gehorsamst zu hinterbringen. Und wie mir zu besondern Ehren rechne, unter Ew. Excell. hohen Directorio solche meine Function zu verwalten, also werde in Beobachtung sowohl gegen Ew. Excellenz schuldiger Ehrerbietung und gehorsamster Ergebenheit, als im übrigen nöthiger Treue und Geflissenheit mich dergestalt zu erweisen bemühet seyn, damit des in mich disfalls gesetzten gnädigsten und hochgeneigten Vertrauens nicht unwürdig angesehen werden möge. Zu dem Ende Ew. Excell. beliebige Befehle erwarte, und unter gehorsamster Empfehlung zu beharrlicher Hochgewogenheit verbleibe u. s. w.

Berlin, den 13 Nov. 1700.

2.

Jablonski an Leibniz.
15. Januar 1701.
[Kapp, Sammlung u. s. w. S. 287 f.]

Ew. Excellentz gratulire in gehorsamster Ergebenheit wie zu der glücklich zurückgelegten langwierigen Reise, also zu dem eingetretenen neuen Jahr und wünsche von Hertzen, daß dieselben unter göttlichem Schutz und Seegen bey beharrlicher Leibesgesundheit und in aller selbstverlangten Zufriedenheit den glorieusen Lauf Dero hohen Chargen und Verrichtungen zum Besten und Aufnehmen sowohl anderer, als insonderheit auch der Societät, zu vielen Jahren in vollkommenen Wohlergehen continuiren, mir aber das Glück wiederfahren möge, durch immerwährende wohlgefällige Proben meiner ergebensten Dienstgeflissenheit dero hochgeschätzte Gewogenheit verdienen und mich derselben beharrlich versichern zu können.

Was die Zeither bey der Societät vorgegangen, wird ohne Zweifel von denen andern H. Herren Membris ausführlicher angezeiget werden. Es hat zwar der Mangel einer bequemen Gelegenheit, ordentliche Zusammenkünffte zu halten, dergleichen zum öfftern anzustellen nicht verstatten wollen, doch sind sie in nöthigen Fällen nicht unterlassen, und vornehmlich die inwendige Disposition des zum Observatorio destinirten Pavillons eingerichtet;

der zweyte Eck-Pavillon zur Wohnung vor den Astronomum (nachdem der erste von dem Ober-Kammerherrn anders verwendet worden), durch ein Churfürstl. Decret versichert, die Redressirung einiger Contraventionen wieder das Calender-Edict ausgewürcket, und die Verfertigung des Siegels angeordnet worden, damit so bald nach Wiederkunft des Hofes die solenne Ouverture der Societät geschehen könne.

Unter beygeschlossenen Schreiben ist eines, so am vergangenen Montag von dem Herrn Hofrath Chuno mir zugestellet worden und bey demselben eine geraume Zeit auf die Nachricht von Ew. Excellentz glicklichen Heimkunft wird gewartet haben. Ich erwarte ferner dero beliebigen Befehle und verharre mit schuldigem Respect u. s. w.

Berlin, den 15 Jan. 1701.

3.

Jablonski an Leibniz.
20. Januar 1701.
[Kapp, Sammlung u. s. w. S. 289.]

Nachdem diesen Morgen zu spät gekommen, beykommende Concepte zu beliebiger Übersehung selbst zu behändigen, so habe ich hiemit gehorsamst einsenden und ferneren Befehls erwarten sollen.

Den Kammerherrn von Tettau habe täglich gesucht, aber nie antreffen können. Diese Woche hat er die Aufwartung, da es wohl unmöglich seyn wird, an ihn zu kommen, weil er beständig um den König seyn mufs, doch will ich an meinem Fleifs nicht ermangeln lassen, und verharre u. s. w.

d. 20. Jan. 1701.

4.

Leibniz an Jablonski.
31. Januar 1701.
[Kapp, Sammlung u. s. w. S. 289 ff.]

Meines hochgeehrten Herrn Secretarii Werthes habe zu recht erhalten. Bedancke mich dienstlich wegen des guten Wunsches, reciprocire selbigen von Hertzen und wünsche, dafs mein hochgeehrter Herr Königl. Majest., dero Societät der Scienzen und dem Publico in völligem Vergnügen und erwünschter Gesundheit lange Zeit nützliche Dienste leisten möge.

Ich habe Herrn Hofrath Cuno ausführlich geschrieben gehabt, von einem und andern, so unsere Societät angehet, wundere mich, dafs wieder Gewohnheit noch keine Antwort erhalten. Will ja nicht hoffen, dafs der Brief verlohren gangen, so vermuthe auch nicht, dafs er abwesend.

Ich habe ohnmasgeblich vorgeschlagen, dafs, sofern man es gut finden möchte, wenn das Sigillum societatis fertig, an einige intendirende Membra, so, dafs es ihnen lieb, zu versteben geben, Diplomata receptionis geschickt werden möchten: als nehmlich an Herrn D. Schmidt, Abt zu Marienthal und Prof. Theologiae zu Helmstädt, an Herrn Probst Müller zu Magdeburg, an Herrn D. Gerard Meyer, berühmten Theologum und Pastorem bene meritum zu Bremen, welcher viel Schönes unter Händen hat pro illustrandis antiquitatibus linguae Germanicae, an Herrn Joh. Bernoulli, Professorem Matheseos zu Gröningen. Ich hätte bald vergessen Herrn D. Fabricium, berühmten Theologum und Facultatis

Seniorem zu Helmstädt, der vermuthlich an Herrn Abt Calixti Statt Abt zu Königs-
luthern werden wird. Herr Acoluthus zu Breſslau giebt sich auch an; seinen Brief schicke
an den Herrn Hofprediger.

Ich bilde mir ein, Herr Junius wird seiner Ephemeridum Specimen Societati dedicirt haben.

Damit man sehen möchte, wie es die Academia Regia Parisina halte, habe ich deren
Diploma receptionis vor mich in copia an Herrn Hofrath Cunoen geschickt gehabt, ja ich
will hoffen, das Calenderwesen werde wohl von statten gehen, und verlange zu erfahren,
ob es proportionirliche Hoffnung eines guten Ertrags gebe.

Bitte um Verzeihung, daſs ich so confus und übel schreibe, bin sehr distrahiret und
hoffe, mein hochgeehrter Herr werde mehr auf die Realia als Form sehen.

Bitte Herrn Kirchen meinetwegen ohnbeschwehrt zu grüssen. Wenn er einsmahls
etwas Zeit, so verlange seine Reflexiones über einige sonderliche englische Communicata,
wie weit sie mit seinen Observationibus und Calculis zutreffen. Communicire, was mir Herr
Römer pro Observatorio geschrieben, erwarte es wieder zurück samt unserer Herren Gedancken. Herrn Hofrath Rabenern habe von einem wichtigen Invento geschrieben, davon
ein Specimen Ihro Majest. nach der Rückkunft vermuthlich angenehm seyn würde. Die Beschreibung werde förderlichst zufertigen.

Herr Ober-Syndicus von Mastricht hat mir von einem Künstler zu Duysburg
gesprochen, der Schlangensprützen um einen billigen Preiſs machet. Man könnte sich
per tertium erkundigen. Es wäre auch wegen Brors zu vigiliren.

5.

Jablonski an Leibniz.
15. Februar 1701.
[Kapp, Sammlung u. s. w. S. 292 ff.]

Ew. Excell. geehrte beyde habe mit Respect erhalten, und zwar das vom 31. Jan. vor
2 Tagen, vom 4. Febr. aber am vergangenen 11ten dieses, und die Inlagen gehöriger Orten
übergeben. Der Herr Hofrath Chuno entschuldiget seinen bisher genommenen Aufschub
mit denen, bey Abwesenheit des Hofes und dadurch vervielfältigten Correspondentz, über-
häufften Geschäfften, will aber alles mit künftiger mehreren Exactitude einbringen.

Das Schreiben des Herrn Römers ist noch in Händen der hochgeehrten Herren von
der Societät, welche es ein jeder vor sich insbesondere zu lesen verlanget, soll aber mit
nechstem anbefohlener Massen zurück erfolgen.

Der Herr Kirch hat die erwarteten Reflexiones noch nicht fertig, weil es ihm an
gutem Wetter einige noch nöthige Observationes zu halten ermangelt, ist aber derselben gar
wohl eingedenck und hoffet damit ehestens dienen zu können. Der Herr Hofrath Rabener
ist am vergangenen 29 Jan. in dem Herrn selig entschlafen. Das an ihn gerichtete Schreiben
ist in Collegio zu eröffnen gut gefunden worden, weil die Anzeige vorhanden gewesen, daſs
dessen Inhalt nicht nur privata, sondern auch die Societät betreffende wäre.

Die Sache wegen der Feuerspritzen ist wegen ein und anderer Schwürigkeiten
zu reiferer Überlegung ausgesetzet worden. Indessen versichert der Herr Chuno, Broers
sey dergestalt prevenirt worden, daſs er zum Nachtheil der Societät und ihres Privilegii

etwas zu suchen sich nicht gelüsten lassen werde, und, allenfalls er es thäte, schlecht reussiren dörffte.

Die Abschrifft von dem Parisischen Diplomate receptionis habe von dem Herrn Chuno empfangen. Sobald nun beschlossen seyn wird, in was für Sprache die auszugebende Diplomata gesetzt werden sollen, will eine Übersetzung davon zu beliebiger Verbesser- und Einrichtung übersenden. Hier ist auf die teutsche Sprache gestimmet worden, um soviel mehr, weil unter denen Objectis der Societät auch deren Cultur begriffen ist. Erwarte dißfalls Ew. Excell. gefällige final Ordre.

Zu der endlichen Ausfertigung würden auch die eigentlichen Nahmen und Qualitäten derer Recipiendorum nöthig seyn. Das Siegel wird diese Woche fertig werden.

Der Herr Junius hat der Societät nichts dediciret, und meynet Herr Kirch, es werde auch wohl dabey bleiben.

Der Abgang der Calender ist so groß nicht gewesen, als vermuthet worden, und werden derselben viel tausend liegen bleiben. Die Gelder kommen auch noch sehr sparsam ein, und sind die zum Verlag aufgenommene Posten noch nicht bezahlt. Nachdem aber der Debit nun meistentheils vorbey, wird man die Factores in den Provintzen zur Richtigkeit anhalten. Der Herr Chuno, welcher biß daher die Sachen in Händen gehabt, hat mir die Calenderrechnung schon übergeben, die Geldrechnung aber zu schlüssen noch keine Zeit gehabt. Mein Bruder läßt nebst dienstlicher Empfehlung bitten, nicht ungleich zu vermercken, daß er um dringender Verrichtungen willen diese Post überschlagen müssen, will aber seine Schuldigkeit mit nechstem beobachten, und ist das Project de lingua Germanica excolenda bey ihm in guter Verwahrung. Indem dieses schreibe, wird mir Ew. Excell. Geehrtes vom 12ten dieses gebracht, und soll der Einschluß mit heutiger Post nach Preussen bestellet werden.

Bey der Societät ist nun beschlossen, alle Woche ordentlich einmahl zusammenzukommen, zu dem Behuf ein bequemer Ort gesuchet wird, dessen man sich, biß der Pavillon ausgebauet, bedienen könne, und ich verharre mit schuldiger Observanz u. s. w.

Berlin, den 15 Febr. 1701.

6.

Jablonski an Leibniz.
5. März 1701.
[Kapp, Sammlung u. s. w. S. 294 f.]

Nachdem auf die vermuthete Antwort von denen Herren, an welche von Ew. Excell. ich einige Schreiben überliefert, biß hieher vergeblich gewartet, so habe endlich nicht länger anstehen sollen, Ew. Excell. aufzuwarten und schuldigst zu berichten, wie das Siegel nunmehr fertig, dannenhero ein Concept und Modell des Diplomatis receptionis nach der Parisischen Copie verfertiget, so von denen übrigen Herren gut gefunden, und nunmehr auf Ew. Excell. hochgeneigten Censur oder Approbation beruhet, worauf mit der Ausfertigung nicht soll gesäumet werden, allermassen dero beliebige Ordres mit nechstem erwarte.

Der Calenderabgang befindet sich so schlecht, daß fast der vierte Theil des Drucks liegen bleibt, wodurch nicht nur an dem vermutheten Profit ein Merckliches hinwegfällt, sondern noch ein Empfindliches an denen aufgewandten Kosten verlohren gehet. Indessen ist der Calenderdruck auf dieses Jahr aufs neue schon veranstaltet, und wird ein besserer

2*

Vertreib gehoffet, weil nicht nur eine Varietät darinn beobachtet wird, sondern man auch zu rechter Zeit damit fertig werden kan.

Der Königl. Aufbruch von Königsberg ist nun auf den 8ten dieses feste gestellet, und wird nun wohl nöthig seyn, zu völliger Niedersetzung der Societät das Nöthige zu beobachten, wovon bey nechster Zusammenkunfft Anregung thun werde, der ich mit schuldigem Respect verharre u. s. w.

Berlin den 5 Mart. 1701.

7.

Jablonski an Leibniz.
15. März 1701.
[Kapp, Sammlung u. s. w. S. 296 ff.]

Demnach Sr. Königl. Majestät hohe Gegenwart nun ehester Tagen vermuthet wird, indem dieselben nächstkommenden Freytag zu Oranienburg erwartet werden, so ist bey der Societät vorkommen, wie dieselbe nunmehr völlig formirt und sollenniter niedergesetzt werden möge. Zu dem Ende bey jüngster Zusammenkunft die verschiedene Designationes derer Personen, so darinn aufzunehmen wären, hergenommen und daraus die in beygehendem Aufsatz Benannte[1] zur Wahl vorgetragen worden, womit es nun auf Ew. Excell. hochgeneigten Beyfall und endlichen Schlufs beruhet[2]. Dieweil auch noch unbekannt, ob einige darunter solche Wahl wohl aufnehmen möchten, so ist die Meynung dahin gegangen, dafs dieselben, von welchen dergleichen Zweifel schwebet, difsfals zuvor sondirt werden möchten; wie aber und durch wen solches geschehen solle, wird Ew. Excell. hochbeliebige Meynung erwartet.

Und wenn ferner für nöthig angesehen worden, aus der General-Instruction diejenigen Artickel, so nicht die innere Verfassung der Societät, sondern derselben Zweck und vorgegebene Arbeit ingemein betreffen, also allen Membris zu Beobachtung ihrer Schuldigkeit zu wissen nöthig sind, auszuziehen und abdrucken zu lassen, damit sie denen Recipiendis zur Nachricht mitgetheilet werden können, so wird auch solches zu Ew. Excell. hochgeneigten Mitbelieben gestellet[3]. Von dem Herrn Naudé ist der Einschlufs bey mir eingelauffen, die übrigen bleiben noch zurücke, und ich verharre mit geziemendem Respect u. s. w.

1) Beilage zu Brief Nr. 7.

In die Societät der Wissenschafften als Membra aufgenommen zu werden, sind im Concilio den 11 Mertz zur Wahl vorgetragen worden:

Einheimische:	Auswärtige:
D. Albinus.	Hr. D. Schmidt zu Helmst.
D. Krug.	Hr. D. Fabricius daselbst.
D. Thermann.	Beyde Herren Bernoulli.
D. Jägwitz.	Hr. Probst Müller zu Magdeburg.
Herr von Besser.	D. Meyer, Past. zu Bremen.
Hr. Hofpr. Sturm.	M. Vignole.
Hr. Naudé.	Hr. Prof. Bläsing zu Königsberg.
Hr. Chauvin.	Hr. Prof. Grüneberg zu Franckfurth.
Hr. Baum. Grüneberg.	Hr. Eimmarth.

Einheimische:	Auswärtige:
Hr. Schlüter.	Hr. Wurtzelbauer.
Hr. Bott.	Hr. D. Bekmann zu Franckfurth.
Hr. Ober-Ingen. Beer.	Hr. Hofpr. Mellen zu Königsberg.
Hr. von Seidel.	
Hr. Beger.	
Hr. la Croze.	
Hr. Sterke.	
Hr. Bosse.	
Hr. Eosander.	

2) **Leibniz's Bemerkungen zu vorigem Brief** (s. zu diesem Concept den Brief Nr. 10, der die Ausführung enthält).

2) Den Einheimischen auctoritate regis zu bedeuten, haben ius assistendi conventibus ordinariis, keine andere Obligation, als dafs sie ad scopum, soviel sie ohne Bedencken können, an Hand gehen, Auswärtigen zu Zeiten Correspondenz.

3) Die Membra nicht weiter zu verbinden, als dafs sie bey Gelegenheit, was ihnen Dienliches vorkommt, proprium vel alienum, so ohne Bedencken, der Societät communiciren, welches entweder Diplomati receptionis einzuverleiben oder besser beyzufügen. Zu den Einheimischen etwa zu fügen: der Herr Fiscal Müller, ein Frantzos, so beym Herrn von Schwerin, so mir ihn selbst recommandirt, der Obriste von der Artilleri Ginherr, Director des Giefshauses, Director der Glafshütten, si tanti, des Cronprintzen Informator, der Mons. de Margas.

Auswärtige:

Herr D. Hofmann zu Hall. Ob niemand zu Düfsburg und sonst im Clevischen? Es sind zwey Westhofii Brüder, einer hält sich auf, glaube, zu Hamm und dortherum, so hier Leib-Medicus gewesen, untersuchet mit Fleifs die teutsche Sprache. Der andere Bruder ist, glaub ich, zu Emmerich oder dortherum und ein Mathematicus in Wasserbau exerciret.

Der junge D. Spener zu Giessen (si petit). Mons. Oudin zu Leiden. Herr Neumann und Herr Acoluthus zu Brefslau. Herr Hartmann, den de succino geschrieben. Herr Bussing und Herr Fabricius zu Hamburg. Herr Schamberger zu Leipzig, Herr Junius. Herr D. Reiher zu Kiel, Herr Schelhammer ibid. Herr Pechlin, Leib-Medicus, Le Mort zu Leiden, Barckhausen Chymicus.

8.

Leibniz an Jablonski.
18. März 1701.
[Kapp, Sammlung u. s. w. S. 299 ff.]

Meinem hochgeehrten Herrn Secretario schicke hiebey den Entwurf des Diplomatis receptionis, wie von selbigen erhalten, mit einigen geringen Änderungen, deren Rationes mit wenigen angedeutet und vestro communi judicio submittire [1]. Füge dabey Nahmen und Umstände derer, so etwa zu recipiren seyn möchten [2].

---

[1] Die Entwürfe liegen bei, und sind von Kapp mit abgedruckt; ich lasse sie hier bei Seite.
[2] S. unten.

Verlange zu wissen, wer etwa jetzo bereits zu den Zusammenkünfften gezogen worden. Die Calender haben freylich mehr Varietät nöthig, und mufs man suchen sie auf allerhand Weise angenehm zu machen und zu consideriren als die Bibliotheck des gemeinen Mannes. Es wäre zu dem Ende gut, dafs man eine gute Quantität alter Calender ansehe und consulire. Item Simplicissimi (sic dicti) ewigen Calender.

Es wäre auch gut, weil die Veränderung die Feste verrücket, dafs man denen Bauern zum Besten anzeige und specificire, wo nun die ihnen bekannten Tage hingefallen. Ich schicke hier einen Hof-Calender von Wien. In den unsrigen könnte man die Crönungs-Acta bringen.

Es könnte auch ein Calender gemacht werden, darinn alle Königl. vornehmste Bedienten nach den Collegiis und allerhand Landsachen, so den Unterthanen zu wissen dienlich. Item ein allgemeiner Post-Calender vor die Reisenden in allen Königl. Landen samt einer geographischen Charte, so die Post-Routen andeute, und daraus zu ersehen, welche Zeit die Post an den fürnehmsten Orten durch passire.

Also ein Gerichts-Calender, darinn die Termini und andere dienliche Nachrichtungen die Tribunalia betreffende.

So könnte auch ein Policey-Calender gemacht werden, darinn allerhand Verordnung zu Nachricht von manniglich angedeutet, also Müntz- und Wechselrechnungen, Reductio nach dem Leipzigischen Fuſs, Zinſsrechnungen.

Es könnte auch ein Andachts-Calender seyn, darinn alle Wochen und bey den sonderbaren Tagen kurtze, doch nachdenckliche Andachten an Hand gegeben.

Andere mathematische, physicalische, öconomische und historische Sachen, Veränderungen durch Geburth, Absterben, Verheyrathung grosser Herrn, Wappen und dergleichen zu geschweigen. Ich habe einsmahls zu Berlin erinnert, dafs man von Regenspurg aus auch aus den Mercuriis und Relationibus leicht die Veränderungen haben und zu Ende des Jahres in einem Reichs-Calender aller Fürstl. und im Reich Stimm habender Familien, Gräfl. Personen und Residentzen, oder doch wenigstens die Veränderungen anführen könnte.

Allein zu diesen Dingen werden mehr Personen und andere Anstalt erfordert, als wir jetzo haben. Doch kan man ein und anders bereits vornehmen, viel auch aus alten Calendern brauchen. Theil-Appendices können a part verkaufft werden, und gehen sie nicht alle ab, dienen sie künfftiges Jahr wiederum. Einige Sachen, so beständig bleiben, kan man in Kupffer stechen, die Ephemerides figuratae wären nicht zu vergessen. Ich habe unterschiedene Vorschläge gelassen, so Herr Hofrath Cuno communiciren wird; bitte, daraus dienliche Agenda pro memoria zu ziehen. Ich habe im Vorigen geschrieben wegen der Sprützen zu Düfsburg; bitte, dafs man sich deshalben wegen der Societät erkundige.

Vorgeschlagene Membra (Concept, liegt der Ausführung in Nr. 10 zu Grunde):

1. Der Herr C. A., glaube Christian Albert von Greiffenkrantz, Geheimter Rath. Der Herr von Greiffenkrantz ist Holstein-Gottorpischer Abgesandter zu Wien und Regensburg, hernach Ost-Frisischer Geheimter Rath und Drost gewesen, wohnt jetzo auf seinen Güthern. Hat seines gleichen wenig in historia und genealogia. Der Hr. Imhof zu Nürnberg und der Autor der historischen Remarken zu Hamburg nehmen offt Zuflucht zu ihm, wie es denn jener auch sehr rühmet. Wäre also vornehmlich seiner bey Reisen und wichtigen Verrichtungen erlangten grossen Erfahrenheit und Nachricht der Historien Teutsch- und anderer Europäischen Lande, der hohen Häuser und anderer vornehmen Geschlechter zu gedencken.

2. Herr Probst Müller, der ist genugsam bekannt.

3. Herr D. Joh. Fabricius, Primarius Professor Theologiae zu Helmstädt. Er ist designirter Abbas zu Königslutter an des sel. Calixti Statt, wäre also die Ausfertigung des Diplomatis an ihn und seinen Herrn Collegen, Herrn Abt Schmidt, zu verspahren, bis Herr Fabricius titulum abbatis annimmt. Er hat wohl gereiset, ist lange teutscher Prediger in Venedig gewesen, hat eine eruditionem elegantem in historia und Sprachen.

4. Herr D. Joh. Andr. Schmidt, Abt zu Marienthal, Prof. Theol. zu Helmstädt, der ist bekannt.

5. Herr D. Gerhard Meyer, berühmter Theologus reformirter Religion und wohlverdienter Pastor in Bremen. Ich kan jetzo die Kirche nicht nennen. Er ist in eruditione elegante wohl erfahren, hat solche eine Zeitlang her zu Illustrirung der teutschen Sprache, Alterthümer glücklich appliciret. Wird bald ein Specimen glossarii etymologici Saxonici herausgeben.

6. M. des Vignoles, Pasteur de l'eglise françoise à Brandebourg. Ist ein grofser Historicus und sonst gelehrter Mann.

7. Herr D. Friedrich Hofmann zu Halle. Ist ein berühmter Medicus und Chymicus, wird gnugsam bekannt seyn. Ist sonderlich wegen schöner chymischer Erfindungen zu loben.

8. Herr Joh. Bernoulli, Professor Matheseos zu Gröningen, allda auch zu erwehnen, dafs er schöne Erfindungen herfürbracht.

Man könnte vielleicht alle die Diplomata receptionis auf einen Tag datiren. Verlange zu wissen, wer sonst etwa in Vorschlag aufser Herrn Acoluthum. Denn man sonderlich vor andern auf die Innländische Capital zu machen billig haben sollte. Herr D. Becman zu Francfurt an der Oder, Hr. Chauvin, Herr la Croze und andere wackere Leute in Berlin kommen billig in Consideration. Sonderlich ist nöthig, einige der Herrn Frantzosen dazu zu nehmen, damit sie nicht meynen, man negligire sie gar, unter andern auch Mons. — — —, so sich bey dem Herrn von Schwerin aufhält.

Wie wollen sie es mit den Hn. Leib-Medicis halten, item mit Architectis und Ingenieurs, in specie dem Herrn Obristen der Artillerie? Ich sollte vermeynen, Herr Eimart zu Nürnberg und Herr Wurtzelbauer sollten auch billig mit der Zeit dazugezogen werden.

Ich hätte bald den Herrn Römer, Königl. Majest. zu Dennemarck Hofrath und sehr berühmten Mathematicum vergessen, dessen Titel man doch erst recht haben müste. Herr Neumann zu Brefslau (so gute theologico-politische Vorschläge gethan, wie Observationes auf Art der englischen bils of mortality zu machen etc.,) sollte uns auch wohl anstehen.

9.

Jablonski an Leibniz.

22. März 1701.

[Kapp, Sammlung u. s. w. S. 307.]

Meine unterm 15. Febr., 2. und 15. Mertz gehorsamst Eingesendete werden hoffentlich wohl überkommen seyn. Zu Gegenwärtigem veranlassen mich die Beylagen, und weil die allergnädigste Herrschafft nunmehr angelanget, auch insonderheit die Königin nach dem Zustand der Societät gefraget, so wird es nunmehr Zeit seyn, dieselbe zu ihrer völligen Consistenz zu bringen, so bald durch Ew. Excell. sehr verlangte Gegenwart das Werck kan befördert werden, und ich verharre mit schuldiger Observanz u. s. w.

Berlin, den 22 Mertz 1701.

10.

Leibniz an Jablonski.

24. März 1701.

[Original im akadem. Archiv, nicht mehr ganz leserlich.]

Es ist sehr wohl gethan, dafs man die Societät in eine geziemende Verfafsung zu bringen trachtet, und ist Zeit, auff anstehende Gliedmafsen zu gedencken. Weilen unterschiedene (von denen Herrn Einheimischen sonderlich) vielleicht so gar grofs empresfement dazu zu treten nicht zeigen würden, so halte ohnmafsgäblich, dafs nöthig seyn wird, auf gewifse Mafse Königl. M^t. allerhöchste Autorität darein zu engagiren, dafs von wegen derselben etwa durch Herrn von Wedel oder sonst jemand zu verstehen gegeben werde, wasmafsen Ihre M^t. allergnädigst verlangen, dafs nach dem Exempel der Parisischen Academi der Scienzen (darin der General Ingenieur zu Wafser und Land, Herr Vauban und Renaud, der Ober-Baumeister Mons. Mansard, der Königl. Leib-Medicus M. Fagon, auch einige berühmte Geistliche sich befinden) einige distinguirende Leute verschiedener Professionen und Objecta auch herbey gezogen würden, zumafsen unsere Societät nicht nur auff die Scienzen, so man eigentlich also benennet, sondern auch auff die belles lettres gehet, und beyder Königl. franz. Academien Stelle zugleich vertritt.

Nun ist bekand, dafs unter den 40 Personen der Academie Françoise sich viel vortrefliche Leute befinden, so den Studien zur Zierde gereichen. Es müste aber dabey bedeutet werden, dafs man so wenig als in Franckreich geschieht, solche gemeiniglich sehr occupirte Personen zu etwas anders als dazu engagiren wolle, dafs sie belieben, bey Gelegenheiten mit demjenigen, so dem scopo Societatis gemäfs und ihnen etwa zu Handen komt, soviel ohne ihre Ohngelegenheit und ohne Bedencken geschehen kan, zu Ehre des Allerdurchlauchtigsten Fundatoris und Besten des Publici an Hand zu gehen. Es solle auch bey ihnen stehen, wenn sie wollen, die Conventus ordinarios Societatis zu beehren, ohne dafs sie dazu gebunden. Es würde dabey privatim zu bedeuten seyn, dafs bey den Conventibus extraordinariis, wenn nicht ein anders angesaget wird, nur diejenigen seyn werden, die sich in speciales labores pro fundanda et ornanda Societate eingelassen und aus denen das Concilium bestehet, welche auch die Privat-Angelegenheiten der Societät zu beobachten haben, wegen des fundi experimentorum laborum operum privilegiorum &c. Denen Auswärtigen wäre zu bedeuten, dafs man ebenmäfsig Communication dessen hoffet, so zum scopo der Societät dienlich; item dafs sie etwa zu Zeiten correspondiren und dadurch wiederumb der Avantagen der Societät werden geniefsen, und nuzliche Dinge erfahren, auch vorschlagen, und ihre guthe intentiones zu Nutzen des Publici und ihrer eigenen Reputation befördern können, indem in communi causa einer dem andern wohl zu Hülffe kommen kan suppeditando, monendo, concurrendo, dergleichen etwas köndte gefafset und communiciret werden. Mit dem Druck aber solcher legum et conditionum köndte man noch vielleicht ein wenig anstehen. Man würde sehen können, was dienlich aus der Instruction darein fliefsen zu lafsen.

Zu den Einheimischen wären vielleicht ohnmasgeblich zu fügen der Obrister von der Artillerie, wenn er nicht schohn darunter, der Hr. Fiscal Müller, der Informator des Cronprinzen, vielleicht auch Monsieur de Margas. Denn ich solte hoffen, weil es ein curioser Man, wie Jederman bekandt, solten seine etwa habende Affairen daran nicht hindern. Haben sie(?) keinen Generalquartierm[eister] oder Generalquartiermeister(?)-Lieutenant, der in studiis etwas praestiret? Ich vermeine, diejenigen, so die Giefserey der Statuen, die Glashütten, die Commercien und Manufacturen, die Marine, das Agtsteinwerck &c., Bergwercke, Salzwercke &c., diejenigen solle man billig auch nicht vergefsen. So düncket mich auch, Mons. . . a r r e y (?) und Monsieur A n c i l l o n Conseillers d'Ambasfade gehöhrten uns hauptsächlich zu als Leute . . . .

Monsieur H e i f s e r (?), defsen Erudition nicht gemein . . . der gelehrte Franzos, so bey Hl. v o n S c h w e r i n, und den mir dieser Herr selbst dazu recommendiret, gehöhret auch dazu. Vielleicht ist es M. B e a u s f e, den ich in catalogo finde unter dem Namen von M. B o s f e. Solte sich unter den Subalternen des Forst-, Jagd- und Falkenierwesens, auch des Garten- und Plantationswercks, auch unter den Herren Policey-Bedienten einige wackere Leute finden, so wolte ich auch dazu rathen, denn solche können mit nüzlichen Nachrichtungen zu statten kommen. Diese Personen werden theils zu den folgenden gehöhren.

Betreffend die Abwesenden, so wolte rathen, dafs man etwa bedächte, was für curiose Leute hin und wieder in den Provintzen, nicht nur bey Universitäten, Schulen, Theologia und Medicina, sondern auch Justiz, Militar, Policey . . . und Cameral-, auch Forst, Jagt und andern oeconomischen Bedienten und Beamten. Ich hätte zu dem Ende nicht nur Berolinum literatum (wie man Hamburgum literatum und Lubecam literatam hat und Lipsiam literatam dem Vernehmen nach bald haben wird), sondern auch Marchiam literatam, Pomeraniam, Prusfiam, Cleviam cum Marca literatas gewündschet. Interim wird man doch ohngefähr viel Leute wissen. Mich düncket, Cleve und Westfalen ist in der Liste gar vergessen. Es sind ja wackere Leute in Dufsburg. Man köndte den Hr. C o s t e r u m, vielleicht auch mitnehmen Hrn. D. W e s t h o f, so — glaub ich — von Ham und hier eine Zeit lang Leib-Medicus gewesen, ist sehr ergeben den Untersuchungen der teutschen Sprache; er hat auch, deucht mich, einen Bruder — glaube: aus Emmerick oder dort herum —, welcher in Wafserbau und dergleichen mathematischen Wercken versiret und etwas davon drucken lafsen, so ich unter meinen Papieren haben werde. Sonst solte von Auswärtigen vorschlagen: Herrn B ü f s i n g und Hrn. F a b r i t i u m, beyde ministros verbi divini in Hamburg, jener in morali(?), dieser in re literaria ungemein, Hrn. D. R e i h e r Mathematicum und Hrn. S c h e l h a m m e r Medicum zu Kiel, beydes berühmte Leute.

Ich habe auch gedacht auff Hrn. D. S c h a m b e r g e r und Hrn. J u n i u m in Leipzig, auch in Holland auff Hrn. L e M o r t und Hrn. B a r c k h a u s e n, gute Chymicos, und insonderheit auff Hrn. C a s i m i r u m O u d i n, so durch seine Scriptores ecclesiasticos bekand, hält sich zu Leiden auff, ist vor diesem ein Ordensmann in Franckreich gewesen, hat viel schöhne Sachen in Historia mitgebracht. Ich wechsele zu Zeiten Briefe mit ihm. Zu Brefslau möchte ich gern [s]ehen nicht nur Herrn A c o l u t h u m, sondern auch Hrn. N e u m a n, weil dieser viel guthe Gedancken hat betr. politico-theologica, wie er's nennet, insonderheit solche Observationes, dergleichen aus den bills of mortality der Engländer zu nehmen. Vor allen Dingen würde Hrn. D. H o f m a n n zu Hall nicht zu vergessen seyn; ich wolte auch zugleich zu dem Hrn. S t a h l profefsore-chymiae daselbst rathen, so auch ein wackerer Mann. Wer ist Salzgraf zu Hall? Vor Alters habe ich Herrn H o h e n d o r f f alda gekennet; ihr jezige einige Curiosität hat, würde er auch nicht übel anstehen. Mir hat der junge Hr.D. S p e n e r, so jezo zu Giessen Profefsor, nicht übel gefallen. Doch stelle es dahin, weil er fast noch zu jung.

Weil man wird Conventus ordinarios zu gewisser Zeit anstellen müssen, da alle membra, so gegenwärtig, sich einzufinden möchten(?) haben, würde zu überlegen seyn, was etwa in denselben zu tractiren. Es werden meines Ermessens zu produciren seyn commercia literaria, was den membris, so gegenwärtig, vor nuzliche Novitaten zukommen, oder die nicht-Gegenwärtige eingeschickt: überdiefs alle Sorten von Diariis eruditorum aus Teutschland, Franckreich, England, Hispanien &c., welche zu haben Anstalt zu machen. Ich rechne dazu nova literaria maris Baltici, Remarquen, Mercure galant, auch andere Mercures; denn offt findet man Bücher und literaria, auch wohl physica darinn. Damit man aber in der Zusammenkunfft nicht Zeit mit der Durchlesung verlöhre, köndten membra beladen seyn, daraus und aus neuen Büchern von Consequenz was von Wichtigkeit schiene und der Societät zu einer nützlichen Untersuchung, Observation, Experiment, Anlafs geben köndte zur Reflexion (?). Die Resolution aber betr. dasjenige von einiger Wichtigkeit, so die Societät vornehmen wolte, würde nach Gelegenheit nicht in diesen Conventibus ordinariis, sondern im Concilio zu nehmen seyn; inzwischen allerhand Vorschläge und guthe Gedancken der membrorum ad notam zu nehmen, und was (unter ihnen) dessen würdig zu annotiren und gleichsam zu protocolliren. Wenn der Societät wegen einige Experimenta oder Observationes oder Untersuchungen geschehen, so köndten sie nach Befinden bey denen conventibus ordinariis zu Zeiten auch referiret und mit den erscheinenden membris daraus communiciret werden, nachdem man findet, dafs solche Theil daran nehmen und etwa mit Rath und That concurriren. Und wäre die Sache also zu temperiren, dafs man ihnen wegen des Concilii keine Jalousie gebe, gleichwohl aber auch sich nicht zu weit ein- und eingreiffen lasse.

Ich hätte bald unter den Einheimischen oder zu Berlin Gegenwärtigen etwa in Vorschlag kommen könnenden membris des Monsieur Dangicourt vergessen, welcher mir meditatif scheinet und capabel, etwas in Analysi zu praestiren, wolte also anrathen, ihn auch mit dazu zu nehmen.

Mein Hochg. Hr. Secretarius wird verhoffentlich die Guthigkeit haben, aus allen Puncten, so in diesem und vorigen meinen Schreiben ohnmafsgäblich vorgetragen, mit denen übrigen Herrn zu communiciren und mir etwa dero Sentimenten, zumahlen wo sie etwa einige Bedencken haben, wissen zu lassen.

Damit man auch, zumahlen bey denen Aufswärtigen, die nicht in den Königl. Landen sich aufhalten, auff keinen Stuz lauffe und sich invitis oder doch non valde curantibus obtrudire, so kan ich von denjenigen, so ich in meinen vorigen vorgeschlagen, respondiren, weilen ich sie sondirt oder sondiren lassen. Darunter war auch Herr von Greiffencranz, welcher sich schohn in antecefsum gegen mich bedancket. Es ist auch ein wackerer Mann Profefsor matheseos in Academia illustri zu Lüneburg, Hr. Pfeffinger; er ist autor von dem Buch, so heraus kommen, von der Fortification unter dem Titel du Chevalier de Cambray, hat notas in vitr[i]arium de jure publico herausgegeben, arbeitet in Historia und Genealogia, sonderlich germanica, ist von einer sehr diffusen Erudition. Vor diesen hat man auch auff die beyden Hrn. Sturmios, patrem et filium, gedacht gehabt.

Wenn in der Academie der Mahler und Sculpteurs die Direction von ohngemeiner Capacität wäre, stände dahin, ob auff solchen auch zu reflectiren. Ich schreibe alles confuse, wie mir's in Sinn komt und als ob ich gegenwärtig wäre, welches mein Herr entschuldigen wird.

Ich verbleibe jederzeit meines insonders Hochg. Hrn. Secretarii u. s. w.

Vertatur si placet.

[P. S.] Weil in den conventibus Societatis ohnedem von vielen Büchern referiret werden müste, so stände dahin, ob bey der Gelegenheit etwas, so einem Diario eruditorum ähnlich, zu resuscitiren; es wird sich aber dieses selbst ergeben. Monsieur Ancillon le juge sagt mir, dafs in den Zusammenkünfften bey dem Herrn von Spanheim man Materien distribuiret und hernach tractiret; dergleichen etwas köndte auff gewisse Mafse resuscitiret werden, doch dafs es gleichsam indirecte nur die Societät anginge. Ich gebe alles zu bedencken. Viel wird sich mit der Zeit selbst schicken.

11.
Jablonski an Leibniz.
5. April 1701.
[Kapp, Sammlung u. s. w. S. 307.]

Ew. Excell. Geehrtes vom 19. Mertz habe am 23. ejusd. erhalten und die Inlagen behöriger Orten abgegeben.

Die Diplomata receptionis sollen nach dem corrigirten Concept ausgefertiget und damit ehestens der Anfang gemacht werden, immassen nur auf die von Ew. Excell. jüngst übersandte Liste der vorgeschlagenen Membrorum, und wie solche von Ew. Excell. dörfften approbiret werden, gewartet wird, denen noch diejenigen, so in Ew. Excell. letztem Aufsatz enthalten, dort aber nicht benennet, beygefügt werden sollen.

Die von Ew. Excell. berührte Zugaben, womit denen Calendern sowohl eine Varietät, als sonderbare Nutzbarkeit zu geben wäre, können dieses mahl wohl nicht alle in Acht genommen werden. Doch wird es zu künfftiger Vorsorge unter den Agendis seyn, und ist bey solcher Veranlassung ein Project eines Welt- oder Staats-Calenders formirt worden, welcher aber bifs zum Ende des Jahrs verspart werden müste, damit die hohen Veränderungen in den regierenden Häusern, so weit als möglich, mit eingeführt werden können.

Von dem Herrn Hofrath Chuno kommt hiebey ein Schreiben, worinnen er auf dasjenige, so an ihn gelanget, hoffentlich dienen wird.

Ingleichen von dem Herrn Kirchen des Herrn Römers Epistola mit seinem Judicio, der Extract des Schreibens aus Engelland, der Calculus der letzten Mondsfinsternifs und einige Observationes von dem Cometen de A. 1680.

Aus Preussen ist mit Aufrechnung der Calendergelder etwas Gold, weil der Factor die dortige Müntze nicht besser umzusetzen gewust, eingekommen. Wenn nun Ew. Excellenz es also gefällig, so wollte davon bifs 300 Rthlr. zusammen machen und dero Disposition darüber erwarten. Was aus den andern Orten einkommt, ist wenig und mufs gleich wieder zu dem neuen Calenderverlag angewendet werden. Ich verharre mit schuldigem Respect u. s. w.

Berlin, den 5 April 1701.

(Leibniz's Anmerkung) Habe geantwortet, dafs, weil noch nicht weifs, wie bald nach Berlin werde kommen können, ich annoch anstehe, ob das vor mich parate Geld allda auf meine Ankunfft warten oder deswegen vor mich disponirt werden solle.

12.
Jablonski an Leibniz.
16. April 1701.
[Kapp, Sammlung u. s. w. S. 309 ff.]

Ew. Excell. geehrte zwey Schreiben sind mir den 6. und 12. dieses zukommen, hoffe, es werde mein Gehorsamstes vom 5ten auch eingelauffen seyn.

Die mir anbefohlne Inlagen habe richtig bestellet. Bey der Societät habe Ew. Excell. Gedancken, was sowohl die noch ferner aufzunehmende Membra, als die übrige

3*

Verfassung und Einrichtung der Conferenzien betrifft, mittelst Verlesung dero Schreibens gebührend vorgetragen, und ist für gar gut und nöthig gefunden worden, durch den Herrn von Wedel denjenigen, da es nöthig, dergleichen Insinuation thun zu lassen, damit sie zu Ehren des Fundatoris der Societät sich gerne aggregiren lassen, und wird solches hoffentlich nicht ohne Effect seyn.

Es ist aber wegen des Königs beständiger Abwesenheit der Herr von Wedel gleichfals nicht hier und eine Zeit lang in Potsdam gefährlich kranck gewesen, so dafs es noch keine Gelegenheit gehabt, dergleichen Vorstellung bey ihm anzubringen.

Was die ferner benannte Subjecta betrifft, so ist zwar nicht zu zweiffeln, dafs die Societät derselben in Fortgang nöthig haben und sich nützlich gebrauchen könne. Weil demnach mehrere Umstände dabey vorkommen, so mehrere Überlegung nöthig haben, ist beliebet worden, die endliche Entschliessung difsfals zu Ew. Excell. Gegenwart aufzuschieben. Inmittelst werden die Diplomata receptionis, soweit man damit fortkommen kan, ausgefertiget, und können mit Nächstem die, so Ew. Excell. verlangen, übersendet werden. Das Datum wird noch nicht beygesetzt, und erwarte ich Befehl, wie solches einrichten soll.

Die Einrichtung der künfftigen Deliberationen betreffend, ist beschlossen, aus der Instruction und andern vorhandenen Memoires ein Project aufzusetzen und zu künfftiger Ausmachung bey mehrer Frequenz der Membrorum in Bereitschafft zu halten, welches denn auch nicht eher als in Ew. Excell. Gegenwart geschehen wird.

Die Acta und Nova literaria, so viel deren zu bekommen, werden angeschaffet. Es gehet aber mit den hiesigen Buchführern etwas langsam und unrichtig, und wenn man alles complet und zeitig haben wollte, würde eigne Correspondenz in Hamburg, Amsterdam, auch wohl gar Paris und London nöthig seyn, wie es an Gelegenheit nicht ermangeln dörffte, wenn die Societät wird in völligem Stande seyn.

Dieser Tagen ist mir ein gedrucktes Werck von 2 Bogen zukommen unter dem Titul: das itztlebende Leipzig, darinnen alle bey dem Hofgericht, Consistorio, Universität, Ministerio, Rath und Gerichten in Diensten und Ämtern stehende Personen, doch blofs mit ihren Nahmen, erzehlet werden. Hamburgum Literatum ist auch zu bekommen. Mehrers von dergleichen habe noch nicht gesehen, womit in schuldigster Observantz verharre u. s. w.

Berlin, den 16 April 1701.

13.

Jablonski an Leibniz.

30. April 1701.

[Kapp, Sammlung u. s. w. S. 311 f.]

Das Letzte, womit gehorsamst aufgewartet, ist vom 16ten dieses gewesen und wird hoffentlich wohl eingelauffen seyn. So darinnen oder in den vorigen etwas vergessen wäre, wird solches der Herr Hofrath Chuno, deme Ew. Excell. an mich abgelassene Schreiben mit einander auf Begehren zugestellet, hoffentlich ersetzen.

Den Einschlufs habe einige Tage bey mir, in Hoffnung, dafs einige Antworten mehr einkommen sollten. Weil sich aber niemand gemeldet, so habe solchen länger nicht aufhalten mögen. Von denen hohlen Brenngläsern, derer Verfertigung dem Herrn D. Jägwitz anbefohlen gewesen, sind zwey allbereit fertig, so im Diameter etwa 9 Zoll halten. Sie sind aber noch mit keinem Liquore angefüllet, dafs von ihrem Effect möchte geurtheilet werden. Ich verharre mit schuldigem Respect u. s. w.

Berlin, den 30 April 1701.

14.

Jablonski an Leibniz.
30. Juli 1701.
[Kapp, Sammlung u. s. w. S. 312 f.]

Was Ew. Excell. jüngsthin, belangend die Vocation des Herrn Bernoulli oder des Herrn Prof. Sturms zu der Professione mathematica nach Franckfurt, an mich hochgeneigt erlassen, solches habe in concilio gehörig vorgetragen, und wird der Hofrath Chuno aus einem von dem Herrn D. Bekmann an ihn eingelauffenen Schreiben einige fernere Nachricht diesfalls zweifelsohne ertheilen.

Sonst stehet es um die Societät gar wohl, nur dafs die Beschleunigung des Calenderdrucks, woran zu einem profitablen Debit so viel gelegen, durch des Herrn Kirchen langwürige Unpäfslichkeit sehr aufgehalten worden. Von Königl. Majest. ist ein allergnädigstes Rescript erhalten worden, dahin dafs die beede zum Gebrauch der Societät destinirte Pavillons noch vor Winters zu nöthiger Vollkommenheit gebracht werden sollen, defsen man sich so viel möglich zu prävaliren suchen wird.

Die Diplomata receptionis sind bifs auf das Datum fertig, so viel deren bifsher angegeben werden. Dieses ist in gestriger Conferentz beliebet worden, dafs es der 11. Jul. seyn solte. Wenn nun Ew. Excell. es Ihnen also gefallen lassen, sollen dieselben also geschlossen, die so von Ew. Excell. angeordnet, deroselben zugesendet, die andern aber hie distribuiret werden. Das eingeschlofsene Schreiben an Herrn Stoschium ist demselben behändiget, der Herr Chuno hat zugleich übernommen, bey Gelegenheit mit dem Herrn Stoschio wegen solcher Medaille zu sprechen.

Die 300 Rthlr. in Golde, wovon in einem meiner vorigen gemeldet, sind noch vorhanden und warten auf Ew. Excell. beliebige Disposition, ich aber verharre mit schuldigster Observantz u. s. w.

Berlin den 30 Jul. 1701.

15.

Jablonski an Leibniz.
6. August 1701.
[Kapp, Sammlung u. s. w. S. 314.]

Als auf die von Ew. Excell. vormals gegebene Anleitung und zu einiger Nachfolge des Wienerischen Hof-Calenders ein gewisser Vorschlag eines Königl. Preufsischen Staats-Calenders vorkommen, so habe den davon gemachten Entwurf zusamt des Herrn Hofrath Chuno dabeygefügten Anmerckungen, weil die übrigen Herren nichts erinnern mögen, Ew. Excell. zu Dero beliebigen Approbation oder Verbesserung hiemit gehorsamst einsenden wollen, damit folglich, und wenn von Ew. Excell. der Vorschlag beliebet und völlig eingerichtet worden, bey Hofe davon Ouverture geschehen und die Meinung sondirt werden möge, wornach so dann allenfals die Ausarbeitung vorgenommen werden könnte, und ich verbleibe u. s. w.

Berlin, den 6. Aug. 1701.

16.

Auszug aus einem Schreiben von Leibniz an Jablonski.
12. August 1701.
[Kapp, Sammlung u. s. w. S.315 f.]

Was die Stelle alda der Societät der Scientzen zu gedencken betrifft, sollte ich fast meines hochgeehrten Herrn Meynung seyn, dafs sie mit der Academie der Künste beym

Hofstaat nächst der Bibliotheck und Kunstkammer kommen könne. Es wäre dann, dafs man mit dem Herrn Hofrath Chuno vor dienlich halten sollte (wozu ich auch nicht ungeneigt) einen eigenen Titel nach dem Kirchenwesen zu machen. Die Verfassung zu Aufnahme der Künste und Wissenschafften, alda hin zu rechnen nicht nur Societas scientiarum und Academia pictorum samt den Architectis, Medailleurs, sondern auch die Anstalten zu Commercien, Manufacturen, Schiffarten, Bergwercken und dergleichen. Ja weil dieser Titel sowohl bey Hof, als in den Provintzen statt hat, so stünde dahin, ob in gedachten Provincien die Universitäten nicht selbst dahin zu ziehen, es wäre dann, dafs man sie mit einigen zu den Kirchenwesen referiren wollte. Auf allen Fall, wenn die Universitäten bey dem Kirchenwesen bleiben und unsere Societät mit der Academie und dergleichen zum Hofstaat gerechnet werden sollte, so könnte doch die Verfassung behuf der Commercien, Schiffarten, Manufacturen, Bergwercke, Agsteinwerck und dergleichen ihren eignen Titel bey den Regierungssachen ins besondere haben. Beym Hofstaat aber könnten nach der Societät und Academie gesetzt werden allerhand bey Hof besoldete mit unsern Objectis verwandte Personen, als Architecti, Medailleurs, Kupfferstecher, Hofbuchdrucker, der Intendant der Ornamenten, so das Vernisse auf Chinesisch macht etc. Noch vor der Bibliotheck könnten kommen die Herren Leib- und Hof-Medici, sammt Hofapotheker, Hof-Chirurgo. Bey dem Regierungsstaat insgemein könnte gefüget werden das geheime Justitzwesen, so die Jura principis angehet, alda die Lehen und Grenzsachen hinzuziehen, man wolte es dann (so auch vielleicht das Beste) als einen Appendicem des Geheimten Raths tractiren etc. An einigen Orten ist ein eigen Collegium der Clostersachen, pfleget doch auch vom Geheimen Rath zu dependiren. Bey dem Kriegsstaat möchten folgende Rubriquen seyn 1. Generalität. 2. Völker, nehmlich Regimenter und frey Compagnien zu Rofs und Fufs, auch Dragoner, darunter zuförderst Maison du Roy. 3. Vestungen mit Commendanten und Garnisonen. 4. Artillerie mit Zeug- und Giefshäusern. 5. Proviantwesen mit Magazinen. 6. Kriegsjustitz.

Beym Hofstaat nach den Oberämtern, Hofprediger, Leib-Medici, General-Postamt, Bibliotheck und Societas scientiarum, Hof-Buchdrucker, Academie der Künstler mit den Architectis, Künstlern, Gärtnern und andern.

Der Geheimte Rath mit dem geheimten Justitzwesen, wohin Lehen und Grentzsachen zu ziehen, Geheimter Kriegsrath und General-Commissariat, Hofkammer mit denen Commercien und Schiffartssachen.

Beym Regierungsstaat jeder Provintz wären die Landräthe und Landschafftsbediente zu fügen.

17.

Jablonski an Leibniz.
23. August 1701.

Die Anstalt mit den Calendern dieses Jahr ist so gefafset, dafs die meisten gegen Michaelis fertig werden sollen, allermafsen theils schon gefertiget, die übrigen in voller Arbeit stehen. Mit denen besondern Sorten hat der Hr. Kirch nicht eilen wollen, weil er vor einem plagio besorgt gewesen. Der projectirte Staats-Calender kan, wenn defsen Methode eingerichtet, gar wohl noch dieses Jahr herafs kommen, weil allenfals die Helffte davon schon fertig, und die in lang Duodez gedruckte dazu sich gar wohl schicken werden. Wenn E. Excell. hie zugegen sein werden, wozu die abermahl gemachte Hoffnung mit Frewden vernommen, und ein glücklicher Erfolg gewünscht wird, kan difsfals der endliche Schlufs gemacht werden.

Von denen verlangt und angeordneten diplomatibus receptionis kommen fünf hiebey gehorsamst über, das sechste an Hrn. D. Meiern in Bremen ist noch nicht fertig, und die übrigen beede an Hrn. D. Hoffmann und M. de Vignolles werden von hieraufs bequemer übermacht werden können.

Den Einschlufs an den Hrn. Rath Chuno habe gebührend behändiget, und verharre mit schuldigem Respect u. s. w.

Berlin d. 23. Aug. 1701.

18.

Jablonski an Leibniz.
3. September 1701.

E. Excell. geehrtes Schreiben vom 26. Aug. an meinen Bruder ist demselben zu Handen kommen, als er eben in procinctu gewesen, eine Reise in aufgegebenen Kirchenverrichtungen nach Prentzlaw zu thun, weshalb er mir anbefohlen, wegen eines Logements und Kutsche nötige Erkundigung einzuziehen und Ew. Excell. behörige Nachricht zu erstatten. Ich habe die Sache gestern im Concilio vorgetragen, da denn vorgeschlagen worden, dafs entweder in der Brüderstrafse, in demselben Hause, wo E. Excell. vormals gestanden, oder an der langen Brücke, oder, wenn man etwas tiefer in die Stadt hinein wolte, in der h. Geiststrafse auch sonst beqweme Stuben zu bekommen. Wenn nun E. Excell. den Tag Dero Ankunfft eigentlich bestimmet hetten, könte dergleichen Stube vorher besprochen werden und man sich derselben also versichern, dafs gleichwohl auch keine vergebliche Kosten, wenn sie einige Zeit ledig werden müste, verursacht werden. Zu einer Kutsche findet sich auch leicht Rath, indem ein Kauffmann an der Schlense, ingleichen der Mühlen-Amptmann auch andere dergleichen Herren Kutschen in und aufserhalb der Stadt zu gebrauchen halten, darunter E. Excell. selbst gegenwertig nach Dero Convenientz und Gelegenheit des erwehlten Logements, oder Billigkeit des Preises am besten die Wahl werden anstellen können.

Was sonst zu Beforderung der Hauptsache nötig, wird möglichst veranstaltet und sowohl die Diplomata distribuirt, als vor einen Ort zu den Zusammenkunfften, einen Aufwärter und dergleichen möglichst gesorget. Wir wünschen allerseits mit Dero hohen Gegenwart baldigst erfrewet zu werden, und ich verharre mit schuldigem Respect u. s. w.

Berlin d. 3. Sept. 1701.

19.

Jablonski an Leibniz.
10. September 1701.
[Kapp, Sammlung u. s. w. S. 317.]

Hiebey übersende gehorsamst das Diploma, so vormals unter andern verlanget worden und neulich bey Übersendung der übrigen noch nicht fertig gewesen, womit in schuldigem Respect verharre u. s. w.

Berlin, den 10 Sept. 1701.

20.

Jablonski an Leibniz.
24. October 1701.

Beygehende Avisen sind einige Posten her an mich, unwifsend zu was Ende, eingelauffen, bifs auf mein Zuschreiben das dabey befindliche éclaircisfement darüber einkommen, worauf selbe hiemit gehorsamst behändige.

So ist auch gestern mir ein unbekantes Couvert an mich gerichtet zukommen, bey defsen Erbrechung nebst zweyen versiegelten auch zwey offene Schreiben an Ew. Excell. darinnen gefunden, welche in eine Envelope einzuschliefsen ohne Zweifel vergefsen worden.

Die übrigen Paquette sind verschiedentlich eingelauffen, welche in dieses zusammen gemacht, damit sie E. Excell. durch Dero Diener, wenn derselbe, wie zu geschehen pfleget, herein kommen möchte, zugebracht werden, und ich verharre u. s. w.

Berlin d. 24. (im Diarium Jablonski's 23. Oct., wenn die Briefe identisch sind) Octob. 1701.

21.

Jablonski an Leibniz.
20. December 1701.

Sobald von E. Excell. glücklicher Widerankunfft in Hannover durch den Hr. Chuno vergewifsert worden, habe mich schuldig erachtet, die bifsher eingelauffene Zeitungen hiebey gehorsamst einzusenden, und wird der Correspondent numehr hoffentlich beschieden sein, dieselben nicht mehr hieher gehen zu lafsen. Sonst habe gehorsamst zu vermelden, wie auf der Hertzogin Radzivil Ansuchen ein Königlicher Befehl an mich ergangen, in einigen Dero Angelegenheiten auf bevorstehenden Reichstag nach Warschau zu gehen, und ich mit Genehmhaltung der Membrorum Concilii zu solcher Reise mich binnen wenig Tagen anschicke, zweifle nicht, es werden auch E. Excell. hiemit hochgeneigt zufrieden sein und wie ich solche Reise längstens in zwey Monaten zurückzulegen hoffe, also werde solche Anstalt hinterlafsen, dafs in denen meiner Besorgung anbefohlenen Verrichtungen nichts verabseumet werde, womit verharre u. s. w.

Berlin d. 20. Dec. [1]
1701.

22.

Jablonski an Leibniz.
25. April 1702.

Wafs der Hr. Kirch von dem newerscheinenden Cometen einige Tage her observirt, würde zufolge meiner Schuldigkeit gehorsamst zu hinterbringen nicht ermangelt haben, wenn nicht der Hr. Hoffrath Chuno solches übernommen, wie in Beygehendem zu befinden sein wird. Es ist dergleichen Relation auch Sr. M[t]. nachgeschickt, wie nicht weniger an Hr. Bläsing in Königsberg nomine Societatis communicirt worden, und wird dergleichen der Hr. Kirch nach Nürnberg gethan haben. Nach Leiptzig ist von mir an einen Freund davon Eröfnung gethan worden, und ich verharre mit schuldigem Respect u. s. w.

Berlin d. 25. Apr.
1702.

---

[1] Leibniz reiste damals mehrmals zwischen Berlin und Hannover in politischen Angelegenheiten hin und her (s. Klopp, Werke, 8. Bd. S. LIX f.); am 30. Dec. präsidirte er wieder einer Sitzung der Societät in Berlin.

23.

Jablonski an Leibniz.
29. April 1702.

Hiebey habe gehorsamst einsenden sollen, was der Hr. Kirch an dem Cometen ferner observirt; es hat difsfals wenig geschehen können, weil die meiste Zeit trübe und Regenwetter gewesen, und ich verharre mit schuldigem Respect u. s. w.

Berlin d. 29. Apr.
1702.

Observation des Cometen.

Den 23. April. umb 10 Uhr Abends machte der Comet mit dem Kopf des Serpentarii und dem Kopf Herculis beynahe einen triangulum æquilaterum. Man sahe nun eigentlich, dafs der Comet abnahm, sowohl an der Gröfse als auch am Lauff.

Den 26. Apr. frühe zwischen 1 und 2 Uhr waren caput Herculis et Serpentarii und der Comet in einer geraden Linie. Er war schon sehr schwach.

Den 28. Apr. umb 9 Uhr 45 Min. war der Comet vom ♂ des Schlangenträgers 3 gr. 11 m., umb 12 Uhr 10 min. war er vom ♂ der Schlange 3 gr. 5 m.

Wenn man auf dem Globo den Nordpol 65 gr. erhebt und läfst d. 0 gr. Scorpii auf gehen, so zeiget der Ost-Horizont beyleuffig den Weg des Cometen.

24.

Jablonski an Leibniz.
13. Mai 1702.

E. Excell. geehrtes vom 28. April ist mir den 7. May behändiget, und der Einschlufs an M. d'Angicourt dem Hrn. Rath Chuno zugestellet worden.

Der Hr. Lubieniecki hat sich in der Astronomie, so viel ihm zu seinem Zweck nötig, genugsam perfectionirt und wartet nun noch einiger Instrumente, nach deren Erhaltung er fertig sein wird, seine Reise anzutreten. Die Chartam magneticam, im fall er es vergefsen solte, abzufordern wird man schon eingedenk sein.

Die Sachen der Societæt sind in dem vorigen Zustand, indem es sich noch nicht schicken wollen, einige Zusammenkunfft der Glieder anzustellen, viel weniger ordentlich einzurichten, und scheinet solches wohl bifs in das Observatorium verspart zu bleiben, an welchem nun ziemlich fortgefahren wird.

Der Calenderdruck auf das künfftige Jahr ist nötiger Orten bestellet und wird mit der Arbeit zum Theil fortgefahren, ich aber verbleibe mit schuldigem Respect u. s. w.

Berlin d. 13. May
1702.

25.

Jablonski an Leibniz.
27. Mai 1702.

Auf Dero geehrtes vom 21. diene in schuldiger Antwort, was die Loterie betrifft, dafs solches Werk vor geraumer Zeit dem Hrn. von Schweinitz zur Aufsarbeitung übergeben worden, damit er als Director des Armenwesens das Interesse des Armenhauses dabey so viel belser wahrnehmen möge. Es ist aber derselbe wegen seiner bey dem Dohm-Capital zu Magdeburg ihm dieses Jahr obliegenden Function dorthin verreiset und soll dem Verlaut nach nicht eher wider kommen, bifs S. K. M. aufs Cleve widerkehren, damit er bey Dero Durchreise in Magdeburg sie daselbst bedienen helffen könne.

Zu der Calender zeitigen Verfertigung ist die nötige Anstalt überall gemacht, und wird hoffentlich daran nicht mangeln, wie denn auch damit denen Unterschleiffen mit mehrern Nachdruk begegnet werde, das Edict mit einigen Verenderungen zu ernewen vorgenommen worden.

Bei dem Königl. Polnischen Secretario habe keine Briefe gefunden, er hat mir aber versprochen, sobald ihm dergleichen zukommen solten, solche mir unverweilt zu behändigen. Er heifset Wolters. Die Herren Chuno und Kirch nebst meinem Bruder lafsen sich dienstlich empfehlen; der Hr. D. Jägwitz ist mit seiner Hochzeit, so nechstkommende Woche geschehen soll, beschäfftiget.

Der Ertzbischoff von Philippopoli ist noch hir. Er redet, so viel man weifs, allein italiänisch, wie denn die Königin in solcher Sprache sich mit ihm unterhalten, und Hr. D. Kortholt befunden, dafs er nicht einmahl griechisch könne, indem er ihn zwar in solcher Sprache verstanden, aber auf italiänisch geantwortet. Der Hr. Lubieniecki wartet nur bifs er seine Instrumenta beysammen habe, und übet sich inmittelst in der Astronomie und was ihm sonst zu seinem Zweck nötig ist; ich aber verharre mit schuldigem respect u. s. w.

Berlin d. 27. May
1702.

26.
Jablonski an Leibniz.
4. August 1703.

E. Excell. geehrtes vom 4. Jul. habe mit Respect erhalten und den darin enthaltenen Befehl bei Hrn. Kirchen ungesemt aufsgerichtet, welcher darauf übernommen, dafs er nicht nur mit dem Hrn. Römer nach gegebener Anleitung correspondiren, sonders auch die Aufsätze wegen des bevorstehenden Osterfestes sowohl als über des Hrn. Bianchini Vorschläge fordersamst verfertigen und an E. Excell. zur Überlegung gelangen lafsen wolle.

Mit den Calendern ist er bifs auf den astronomischen fertig, welcher auch schon geendiget wäre, wenn nicht auf E. Excell. Anregung er nötig gefunden, demselben anzuhängen eine gründliche Rechenschaft über die von ihm angesetzte Osterzeit; es wird aber dieses nicht hindern, dafs man nicht mit dem völligen Druk noch vor Michaelis fertig werde.

Des Hrn. Römers Dankschreiben habe ad Acta gelegt und bin demselben vor die Ehre seines hochgeneigten Grufses schuldigst verbunden.

Sonst bleibt bey der Societæt alles in vorigem Wesen und wird nur daran gearbeitet, dafs die Pavillons zu dem nötigen Brauch und Bequemlichkeit der Societæt eingerichtet werden. Das Observatorium wird noch vor dem Winter unter Dach seyn, mit dem Inwendigen wird es sich dann auch wohl geben.

Ich verharre mit schuldigem Respect u. s. w.

Berlin d. 4. Aug.
1703.

27.
Jablonski an Leibniz.
11. September 1703.

E. Excell. geehrtes vom 6. Aug., welches ich den 13. empfangen, ist mir zu einer Zeit eingelaufen, da mir die Rechnung gemacht, dafs meine auf Dero hochgeneigtes Voriges gehorsamst erlafsene Antwort gleichfals würde eingelanget, und darin auf das meiste von mir Begehrte Genüge geschehen seyn. Wafs wegen der Maulbeerbäume der Hr. Chuno zu beobachten übernommen, davon wird derselbe Nachricht zu geben nicht ermangelt haben, und von dem Hrn. Kirch bin auch versichert worden, dafs er der ihm aufgetragenen Dinge eingedenk sey.

Mit dem Bau des Observatorii und Eckpavillons gehet es, nachdem die meiste Schwürigkeit mit dem Hrn. Baur gütlich abgetahn, wohl von statten und soll mit nechsteintretendem Früling alles in brauchbarem Stande seyn. Sonst ist in Societætsachen nichts vorgefallen ohne dafs auf Recommendation des Hrn. Chuno der Hr. Hartsoeker in Societatem aufgenommen worden; ich aber verharre u. s. w.

Berlin d. 11. Sept.

1703.

28.

Jablonski an Leibniz.
6. November 1703.

E. Excell. mit schuldigster Antwort auf Dero vor acht Tagen erhaltenes aufzuwarten, hätte nicht so lange angestanden, wenn nicht auf den Hrn. Kirch gewartet, in Meinung, derselbe auf das ihm Behändigte sich hinwieder vernehmen lafsen werde, womit er aber aufsen geblieben. Sonst sind die gewöhnlichen Calender vorlängst fertig und wird nur an dem Adrefs-Calender noch gearbeitet, welcher aber auch zu rechter Zeit hoffentlich wird verschaffet werden können. Der Hr. Kirch arbeitet von geraumer Zeit her an denen von E. Excell. ihm aufgegebenen Dingen, damit er in Zeiten damit zu Ende komme und die Calenderarbeit wider hernehmen könne.

Was für Personen seither E. Excell. Abwesenheit in Societatem aufgenommen worden, wird die Beylage ergeben.

Der Hr. D. Zwinger ist nicht hieher gekommen, sondern hat die angetragene Vocation aufsgeschlagen; an defsen Statt ist die Wahl auf den Hrn. Gundelsheim, welcher wegen der mit dem M. Tournefort nach Africa und Orient getahnen Reise bekant ist, gefallen, so sich auch schon hie befindet, und machet man sich die Hoffnung, es werde durch defsen Reception der Societæt ein sonderbarer Nutz und Ansehen zuwachsen.

Der Hr. Hoffraht Chuno wird nicht ermangeln, vor das Seidenwesen zu sorgen. Sonst hat der Hr. Petit, einer von denen aufs Orange vertriebenen Predigern, die Nachricht gegeben, dafs unter seinen Landsleuten verschiedene sind, welche von der Seidenzucht ihre eigene Hantierung machen, welche denn zu solcher Fortsetzung hie zu Lande nützlich werden anzuwenden seyn.

Mein Bruder danket vor das geneigte Andenken und erstattet hinwieder seine dienstliche Empfehlung, ich aber verbleibe u. s. w.

Berlin d. 6. Nov.

1703.

[Beilage, von Jablonski's Hand.]

Hr. Ciprianus, Director Athenaei zu Coburg,
Hr. Ihring, Metropolitanus zu Cafsel,
Hr. Segers, Inspector alumnorum Regiorum
  zu Königsberg
}   d. 3. April.

Hr. Hartsoeker   d. 7. Sept.

4*

29.

Jablonski an Leibniz.

1. März 1704.

Demnach das vor die Societæt gewidmete Observatorium nach und nach zu brauchbarem Stand gelanget, also dafs in Kurtzem die gehörige Versamlungen darin angetreten und fortgesetzt werden können, so hat man nötig gefunden, das ehemals punctweise entworfene Project eines Reglements nach denen darüber gehaltenen Deliberationen in eine Form zu bringen und zu der Königlichen Bestätigung zu befordern, hiemit auch um so weniger säumen, als von einer baldigen Reise Sr. K. M! bey Hofe stark gesprochen zu werden beginnet.

Und wenn hiemit allein auf E. Excell. Wiederanherokunſt, zu welcher, dafs sie mit dem Gefolg I. M. unserer Königin geschehen werde, uns die Hoffnung gemachet worden, zugewartet wurde, solche aber unvermuhtet weiter hinaufs verschoben worden, so habe den abgefafsten Entwurf sotanen Reglements anbefohlener Mafsen hiemit übersenden sollen, zugleich im Nahmen derer membrorum, so dazu concurrirt, dienstlich bittend, denselben hochgeneigt zu durchsehen und nebst denen etwa beyfallenden Monitis mit nächstem zurückgehen zu lafsen, damit die Sache zum Bestand zu bringen die beqweme Zeit nicht entgehen möge.

Der Adrefs Calender ist nunmehr fertig und wird mit einigem Succeſs distribuirt. Er ist etwas stark und 6½ Bogen grofs geworden, wefshalben ihn bey der Post zu übersenden Bedenken habe, bifs vorher desfals Befehl erhalte, womit in schuldiger Observantz verbleibe u. s. w.

Berlin d. 1. Mart.

1704.

P. S.

Von Königsberg erwarte mit ehestem eine Remise von 300 Thlr., welche vor E. Excell. destinire. Weil aber solche, indem hie kein gröber Geld im Cours zu sehen, aufs höchste nur in 2 Gl.-Stücken eingehen wird, und solche auf der Post zu versenden beschwerlich werden möchte, so ist mir beigefallen, ob solche Summa nicht etwa durch einen Umschlag dort empfangen und an den Churfürstlichen Residenten albie von mir hinwider aufsgezahlt werden könte.

30.

Jablonski an Leibniz.

15. April 1704.

Die mir jüngst anbefohlene Beischlüfse habe mit Fleifs bestellet und den[1] an den Hrn. Grafen Flemming gerichtete Schreiben defsen Stallmeister behändiget, welcher die fernere Sorge dafür übernommen. Des Hrn. Otten Antwort kommet hiebey zurük.

Der Adrefs Calender findet den Abgang nicht, defsen man sich versehen, und wird von 5000 Stücken, womit man kaum auszulangen vermeinet, der mehriste Teil wohl liegen bleiben.

---

[1] Sic!

E. Excell. glückliche Überkunft wird von uns mit Verlangen erwartet, da inmittelst der Bau an dem Observatorio immer fortgehet. Ob bis dahin ich mit dem jüngstgemeldeten Gelde zuwarten oder disfals E. Excell. Ordre vorher noch empfangen soll, stehet zu beliebiger Anordnung, und ich verharre mit schuldigem Respect u. s. w.

Berlin d. 15. Apr.

1704.

31.

Jablonski an Leibniz.
10. Mai 1704.

E. Excell. geehrtes vom 30. Apr. ist zu recht eingelaufen und der Einschlufs gehörigen Orts abgegeben worden.

Vom dem heurigen Adrefs Calender wird auf das zukünftige Jahr schwerlich etwas zu gebrauchen seyn, teils wegen vieler Fehler, so ziemlich eingeschlichen, und desfalls von denen Interesfenten täglich mehr Erinnerungen geschehen, teils auch wegen vieler vorgefallenen Änderungen, so nur in der kurtzen Zeit eingefallen und deren folglich vor Ablauf des Jahrs noch mehr zu vermuhten stehen.

Der boshafte und zum Schein mit einem nichtswehrten Saum verkleidete Nachdruck des Adrefs Calenders ist ein Werk des hiesigen Buchführers Rüdigers, dagegen man sich zu festen bedacht ist, wiewohl bei gegenwärtiger des Hofes Entfernung es langsam hergehet.

Die grofse in dem Cammerwesen vorgegangene Veränderung hat auch den Bau des Observatorii gehemmet, so dafs es vergeblich ist, auf defsen zeitige Hinausführung und darauf vorgehabte Inauguration der Societät dieses Jahr zu gedenken, und würde genug seyn, wenn man nur so viel zu erhalten wüste, dafs er nicht gar liegen bliebe, so aber um so viel mehr zu besorgen, weil stark geredet wird, dafs an allen Königlichen Gebäuden die Arbeit merklich eingezogen werden soll. In der Taht siehet man nicht, dafs aufser dem Canal nach Schönhausen und dem Fundament neben der Wafserkunst sonderlich gearbeitet werde. Ich verharre in schuldiger Ergebenheit u. s. w.

Berlin d. 10. May

1704.

32.

Jablonski an Leibniz.
17. Juni 1704.

Wegen des Rüdigerischen Nachdruks ist ein Memorial dem Hrn. von Hamraht eingegeben, aber noch zur Zeit darauf nichts resolvirt worden. Man hat indefsen nähere Kundschaft erhalten, dafs er in Halle gedrukt und auch daselbst in grofsen Partagen verkauft worden, worüber aber, weil man in 4 Wochen nicht zusammen kommen können, noch kein Schlufs gefafset.

Wegen des Baues an dem Observatorio ist auch ein Memorial an den Ober-Cammerherrn gerichtet worden, worauf der Befehl, solchen Bau fortzusetzen, des Bauschreibers Aussage nach, ergangen seyn soll. Der Effect wird sich zeigen.

Von Hrn. Otten ist beykommende Antwort eingelaufen, und ich verharre mit schuldigem Respect u. s. w.

Berlin, d. 17. Jun.

1704.

33.

Jablonski an Leibniz.
2. August 1704.

E. Excell. geehrtes vom 10. Jul. ist mir am 23. behändiget und der Einschluſs an Hrn. Otten sofort bestellet worden.

Der Hr. Grebe ist eine Zeit her die Brunnencur zu gebrauchen nach Freienwalde verreiset; so bald er wieder komt, werde Gelegenheit suchen, die anbefohlene Erinnerung bei ihm zu tuhn.

Wegen des begangenen Nachdruks ist wider Rüdigern nichts auszurichten; er hat gewiſse Patronos am Hofe, die ihn gegen allen Anlauf vertreten. Nachdem aber der eigentliche Druker entdeket worden, daſs es einer Nahmens Renger in Halle sey, so hat man Ordre gestellet, ihn vor der dortigen Regierung zu denunciiren. Ob es damit beſser als mit der hie eingelegten Klage gehen werde, muſs man erwarten. Die obwaltende Ferien werden vermuhtlich es aufhalten, daſs noch nichts vorgenommen werden können. Inliegendes ist von dem D. Neumann aus Breslau mit der Post an mich gelanget, und da ich es am vergangenen 30. Jul. erhalten, hat mich sehr befremdet, zu sehen, daſs das dabei gefügte Adresſschreiben den 2. May datirt. Wie dieses zugehe, kan nicht ersinnen.

Mein Bruder läſst sich dienstlich befehlen und ist nebst mir erfreuet, zu vernehmen, daſs der Zufall, so Ew. Excell. verlangte Ankunft bis daher verhindert, sich zu erwünschter Beſserung neige und uns die Hoffnung überlieſse, Dieselben bald bei uns zu sehen. Wir wünschen solches um so viel mehr, weil sonst nicht leicht ein Mittel übrig ist, den Bau des Observatorii wieder in Gang zu bringen, welchen die Cammer unter allerhand nichtigen Ausflüchten von sich abzuwenden trachtet, darauf zwar die nötige Gegenvorstellung geschiehet, welche aber zu schwach seyn dürfte, wo nicht eine mündliche dazu komt von einem, der cum autoritate davor sprechen kan. Ich verbleibe u. s. w.

Berlin d. 2. Aug.
1704.

34.

Jablonski an Leibniz.
4. April 1705.

Das erlaſsene Paquet mit verschiedenen Einschlüſsen, samt dem darauf gefolgten Schreiben von E. Excell. sind mir zu recht geworden, die Einschlüſse auch richtig bestellet.

In Sachen der Societät ist nichts vorgangen ohne daſs bey dem Cammerherren von Tettau die Angelegenheit wegen des Pavillons aufs beste angebracht, und von ihm die Versicherung erhalten worden, daſs er eine neue Königliche Verordnung darüber auswirken und folglich die Einweis- und Übergebung selbst verrichten wolle, deſsen Erfolg nun erwartet wird.

Bey mir sind 300 Thlr. bereit an E. Excell. zu entrichten, weil sie aber in lauter kleinem Gelde an 2 Gglst. bestehen, so erwarte Befehl, wie solche zu übermachen, der ich in schuldiger Ergebenheit verharre u. s. w.

Berlin d. 4. Apr.
1705.

35.

Jablonski an Leibniz.
21. April 1705.

Zufolge dem erhaltenen Befehl habe das bewuste Geld an M. Hugoni ausgezahlet, und wird durch seine Vorsorge solches hoffentlich wohl überkommen. Die Abwesenheit des Königs, deme der Hr. von Tettau gefolget, machet, dafs man noch nicht weifs, wafs er wegen des Pavillons ausgerichtet, man wird aber alle nöhtige Vorsichtigkeit brauchen, die Sache zu vollkommenem Bestand zu bringen.

Die Societät ist im Nahmen des Ober-Cammerherren ersuchet worden, gewifse Sinnbilder und Überschriften zur Auszierung des Trauer-Tempels, so zur künftigen Leichbegängnis der Königin bereitet wird, aufzusetzen.

Ob nun wohl dergleichen Arbeit zu der aufgegebenen Verrichtung der Societät nicht gehöret, so haben doch diejenigen Glieder. welche nahmentlich dazu angesprochen worden, worunter der Hr. Chuno, sich dazu verstanden und solche Arbeit übernommen. Sonst ist nichts Veränderliches, ich aber verbleibe mit schuldigem Respect u. s. w.

Berlin d. 21. Apr.
1705.

36.

Jablonski an Leibniz.
19. Mai 1705.

Beikommende Einschlüfse, darunter der eine schon einige Posten gewartet, geben mir Anlafs, hirmit schuldigst aufzuwarten und zugleich meine vormalige Bitte inständigst zu wiederholen, zumalen die Zeit unvermerkt verlauft und eine dergleichen Arbeit sich nicht gerne übereilen läfset.

Die Sachen der Societät beruhen in vorigem Stande. Mit dem Calender-Kram dörfte es dieses Jahr etwas schlecht ablaufen. Der Hr. Kirch nimt von seiner anhaltenden Unpäfslichkeit Anlafs, alle Arbeit von sich zu schieben und solche dem Hrn. Hoffmann aufzubürden, darüber dieser sehr schwürig ist und auf die Gedanken einer vorzunehmenden Veränderung gerahten. Indefsen, und da die Jahrszeit schon so hoch angelaufen, ist noch auser dem Preufsischen kein eintziger Calender fertig, so wenig als zu hoffen, dafs sie zu gehöriger Zeit abgedrukt werden könten, welches den Vertreib unfehlbar merklich hindern und einen empfindlichen Schaden nach sich zu ziehen nicht ermangeln wird. Dannenhero bey gestriger Zusammenkunft mir aufgegebn worden, E. Excell. solches vorzustellen und Dero Gedanken, wie etwa solcher Unordnung künftig vorzukommen wäre, zu erbitten.

Von meinem Bruder ergehet eine dienstliche Empfehlung, und ich verbleibe u. s. w.

Berlin d. 19. May
1705.

P. S.

Als Obiges so weit geendiget, empfange ich E. Exc. geehrtes ohne dato, so von einer unbekanten Person meinem Diener auf der Strafse behändiget worden. In demselben haben sich zween der gedachten Einschlüfse an M. Hugoni und den Raschmacher, das dritte auch angeregte aber an Papen nicht befunden. Jene sollen aufs beste besorgt werden.

Wafs von dem Hrn. Kirchen, belangend die von ihm verlangte Observationes, zu hoffen, kan aus dem, so oben angeführet, abgenommen werden. Von des Hrn. Hoffmanns Abfertigung nach Coppenhagen ist gestrigen Tages gesprochen, dieselbe aber vor der Hand vor unmüglich geachtet worden, weil er mit der unter Handen habenden Calenderarbeit kaum und mit genauer Noht fertig werden dörfte, alsdenn wenn die künftige unumgänglich wird vorgenommen werden müfsen, wo man nicht damit immer weiter zurück fallen will. Unterdefsen werde bey nächster Zusammenkunft E. Excell. Meinung vorzutragen gehorsamst unvergefsen seyn.

37.
Jablonski an Leibniz.
26. Mai 1705.

Ew. Excell. geehrtes vom 20. habe zu recht erhalten und die Einschlüfse alle richtig versorget.

Dem Hrn. Kirchen werde ebesten Tagen besuchen, um sowol seiner Gesundheit halber mich eigentlich zu erkundigen, als wafs er mit der vorgehabten Edition seiner Observationum zu tuhn entschlofsen, zu vernehmen und von denen Frantzösischen Ephemeridibus ihm Nachricht zu geben. Von allem werde sodann Ew. Excell. gehörigen Bericht zu erstatten nicht unterlafsen.

Inliegendes ist von dem Hrn. Hugoni mir anbefohlen worden.

Am vergangenen Freytag ist der Schlofshaubtmann von Printzen zum Wirklichen Geheimen Raht ernennet worden und hat alsofort seinen Sitz in selbigem Collegio eingenommen. Ich verharre mit schuldigem Respect u. s. w.

Berlin d. 26. May
1705.

38.
Jablonski an Leibniz.
30. Juni 1705.

Ew. Excell. geehrte Schreiben vom 3. 17. und 25. Jun. sind zu recht eingelaufen und die anbefohlene Einschlüfse von mir selbst behändiget worden. Weil aber die darauf etwa erwartete Antworten nicht an mich gelanget, werden solche zweifelsohne durch andere Wege seyn abgelafsen worden.

Die Leichbegängnis der hochseeligen Königin ist am bestimmten Tag in guter Ordnung, ohne einigen Zufall oder Unglück, wofür man gleichwol, vermuhtlich aber ohne Grund, ziemlich besorgt gewesen, verrichtet worden, wovon wie auch von dem Mausoleo die Beschreibungen mit ehestem herauskommen werden.

Der Hr. Huysfen ist vor drey Tagen aus Sachsen hie wieder angelanget, doch weifs man nicht, wie lang er sich hie aufhalten möchte.

Der Hr. Chuno und mein Bruder danken des hochgeneigten Andenkens und erwiederen es mit einer gehorsamen Empfehlung. Jener ist zuweilen mit harten Zufällen von dem Colica gequälet, wovon er auch in verwichener Woche angegriffen worden, dafs er sich bis daher einhalten müfsen. Ich verbleibe mit schuldigem Respect u. s. w.

Berlin d. 30. Jun.
1705.

39.
Jablonski an Leibniz.
4. Juli 1705.

E. Excell. zwey geehrte Schreiben vom 26. und 28. Jun. habe zugleich empfangen und die darin befindliche Einschlüfse an M. Naudé, Hugoni und den Raschmacher Otten gehörig behändigen lafsen.

Mit der Calenderarbeit wird so viel müglich nichts versäumet, vornemlich aber dahin getrachtet werden, die Sache nechstens also zu faßen, damit diesfalls weiter keine Sorge übrig sey und die rechte gehörige Zeit allenthalben in Acht genommen werde.

Die neuen Ephemerides von Paris sind hie noch nicht zu sehen gewesen; wenn sie zu haben, soll ein Exemplar behalten werden.

Nachdem die bisherige große und allgemeine Beschäftigung nach vollendeten Leichbestattungs-Solennien aufgehöret, so wird man bedacht seyn, den Anbau des Observatorii zu erinneren, damit er dieses Jahr nicht gantz und gar liegen bleibe.

Mein Bruder und der Hr. Chuno empfehlen sich dienstlich, und ich verbleibe u. s. w.

Berlin d. 4. Jul.

1705.

40.

Jablonski an Leibniz.
11. Juli 1705.

Gleichwie E. Excell. geehrte nach einander richtig erhalten, also werden meine darauf gehorsamst erlaßene Antworten, wie Dero Befehle von mir beobachtet worden, zu erkennen gegeben haben.

Die Auction der Bibliothec des seel. Begeri ist daher gestocket worden, weil sie eben auf den Tag nach dem Königlichen Leichbegängnifs angesetzt gewesen, da wegen so vieler anwesenden Fremden Niemand sein selbst mächtig gewesen, also der Zeit nicht gehabt, sich dazu einzufinden. Nun haben die Erben beschloßen, solche Auction gantz einzustellen und die Bücher aus der Hand zu verkaufen. Ich habe nun [nach] dem Preifs des Musaei Wormiani mich erkundiget und ist derselbe mir auf 24 Rthlr. gesetzet worden. Ob nun Demselben das Buch anstehen werde, erwarte nebst weiterem Befehl zu vernehmen.

Von denen übersandten Personalien der hochseeligen Königin habe nichts erfahren, weil durch des Hrn. Bischofs anderweite Anstalt die Aufsetzung derselben von mir auf den Hrn. Chuno gewendet worden. Die Inscription habe nebst dem Schreiben dem Hrn. von Ilgen behändiget, von dem sie, wie ich hernach vernommen, an Hrn. Chuno gelanget, unter denen bisher in Druck gekommenen Sachen aber von mir noch nicht gesehen worden. Ich werde nicht ermangeln, bey nächster Zusammenkunft mit dem Hrn. Chuno darnach zu fragen, und verharre mit schuldigem Respect u. s. w.

Berlin d. 11. Jul.

1705.

41.

Jablonski an Leibniz.
25. August 1705.

Nach E. Excell. in Dero letzteingelaufenem Schreiben enthaltenen Befehl habe das Musaeum Wormianum erkauft und dem Raschmacher Otten, welcher gestern von hie nach Braunschweig abgereiset, durch Hrn. Papen zustellen laßen.

Von meinem Bruder, welcher zugleich seinen gehorsamen Grufs und Empfehlung überschreiben läfst, hat vor einiger Zeit an E. Excell. ein Schreiben samt einem Teil der erwarteten Sachen durch die Hand des Hrn. D. Fabritii zu Helmstät abgehen laßen, und weil von dem Einlauf bey ihm die Nachricht schon zurückgekommen, wird solches nunmehr auch an E. Excell. gelanget seyn.

Philos.-histor. Abh. 1897. III. 5

Der Bau des Observatorii wie aller übrigen Königlichen Werke hat so lange mit Aufricht- und Abbrechung des Königlichen Mausolaei und wafs dem anhängig zu schaffen gewesen, stille stehen müfsen, weil die meisten Werkleute dorthin verwendet werden. Nun wird endlich wieder etwafs getahn; es gehet aber gar schläferig von statten, weil ein Treiber ermangelt.

Der Abgefertigte des Hrn. von Kroseck ist nach dem bestimmten Ort abgangen, und der Hr. von Kroseck, welcher mit seinem Observatorio alhie bald zum Stande kommen, hat eigene Leute bestellet, so der Observationen warten sollen, dem Hrn. Hoffmann aber die Direction anbefohlen.

Den Hrn. Kirch habe gesprochen und von ihm verstanden, dafs er de Anno 701 keine maculas in sole observirt habe, sich aber erinnerte, dafs von dem Hrn. Wurtzelbauer ihm dergleichen communicirt worden, welches er aufsuchen und mir heut zu rechter Zeit noch einschicken wolte, defsen denn augenblicklich gewärtig bin, und mit schuldigem Respect verharre u. s. w.

Berlin d. 25. Aug.
1705.

42.

Jablonski an Leibniz.
1. September 1705.

Es hat der Hr. Schütze, ein Liebhaber der Astronomie und fleifsiger Observator, welcher E. Excell. hoffentlich nicht unbekannt seyn wird, nachdem er in seiner Geburtsstatt Belgard der Schulen Rector worden, Ansuchung getahn, in die Societät als ein Mitglied aufgenommen zu werden. Ob ihm nun hierunter zu willfahren, habe E. Excell. gefällige Meinung hiemit vernehmen wollen, nach welcher ohne Zweifel auch die übrigen Herren bey Abfafsung des Schlufses sich richten werden.

Und weil gedachter Hr. Schütz die Observationes meteorologicas bis daher auf eine besonders sinnliche Weise genau fortgesetzet, auch vielleicht gerne sähe, wenn dieselben, gleich vormals denen Hoffmann- und Gutschedischen geschehen, auf der Societät Kosten gedrukt würden, so wird auch diesesfalls E. Excell. beliebiges Gutfinden erwartet.

Der Hr. von Krosick ist mit seinem Observatorio mehrenteils fertig und verlanget, dafs der zu Leiptzig erkaufte, aber in Engelland verfertigte Quadrant, so lange das Observatorium der Societät noch nicht im Stande ist, dahin geliehen werde, welches ihm um so williger zugestanden worden, weil hiemit zugleich der Nutz sotanen Quadrantens gegen die andere gemeine Instrumenta sich zeigen wird. Ich verbleibe mit schuldigem Respect u. s. w.

Berlin d. 1. Sept. 1705.

[P. S.] Der Einschlufs ist aus einem von dem Hrn. Brochhausen kürtzlich an mich eingelaufenen Schreiben gezogen, defsen Wichtigkeit vielleicht ein weiteres Nachdenken verdienet.

[Anliegend der erwähnte Einschlufs:]

Extract Schreibens aus Mofskau d. 15. Jul. 1705.
P. P.

Sonst kan nicht umhin zu berichten, dafs ich das Glück gehabt, mit einem vornehmen teutschen Mann, der noch in J. Z. M.t wirklichen Kriegsdiensten alhie stehet, bekannt zu werden. Dieser ist vor einigen Jahren von J. Z. M.t in Sibirien gesandt worden, des Landes Beschaffenheit sich zu erkundigen, da er denn nicht allein zwo particulier Landkarten, sondern auch verschiedene Silber-, Kupfer-, Eisen-, Bley-, volatilische Gold- und andere mineralische Ertze mit herausgebracht, bishero aber alles sehr geheim gehalten. Nachdem ich nun in sehr genaue Bekantschaft mit ihm gerahten, ihm auch von der Brandeburgischen Societät Intention wegen China Apertur getahn, ist er gegen mich sehr vertraut heraus gangen, und weil er dabey ein sehr gottfürchtiger Mann ist, hat er sich gefreuet, daß durch solche Weise das reine Christentum nicht allein in China, sondern auch unter den Heyden in Siberien gepflanzt werden könte, wozu auch Gott Mittel genug an die Hand gäbe durch Zeigung so vieler reichen Bergwerke in selbigen Landen, welche er teils selbs gesehen und probiret, teils sichere Nachricht davon hätte. Er hat mir zu dem Ende sechserley Ertze und noch vier andere mineras[1] zugestellet, welche ich mit nächster Gelegenheit an Hrn. D. Hartmann in Königsberg senden werde, um solche zu probiren. Es versichert mich dieser vornehme Mann, daß in selbigen Landen ein unergründlicher Schatz von dergleichen Bergwerken sey, und weil sichs gegen Osten und Mittag wendet, sey das Clima viel beßer als hier, maßen mich der Hr. Isbrand auch versichert, daß in der sogenanten großen Tarterey und im nordischen China bifs Peking die Luft sehr rein und gesund sey. Ferner soll an diesen Siberischen Orten ein Überfluß von Fischen, Wildprett und anderen Victualien seyn; die Landeseinwohner gutartig von Natur, und frugal leben, und weil sie keine recht formirte Secte unter sich haben, sehr begierig seyn, von dem wahren Gott zu hören. Dieser vornehme Mann, der allhie große Chargen bedienet, aber wegen vieler Contrecarrirungen diese Dinge sehr heimlich gehalten, treibt mich sehr an, daß ich solches bey der Englischen Societät de propaganda fide und bey der Königl. Preuß. Societate scientiarum bekannt machen möge, ob vielleicht Gott der Herr durch dieser beiden hohen Potentaten Vermittelung eine Tühr öffnen und sein wares Erkäntnifs in selben Landen aufgehen laßen wolte, und solchen Falls ist dieser rechtschaffene Mann aus Eifer zu Gottes Ehre und Liebe zu seinem Nächsten bereit, selbst ein Anführer zu seyn, wozu er alle requisita hat, maßen er von Jugend auf in Kriegsdiensten gestanden und jetzt Generalmajor ist, im 56. Jahr seines Alters, hat ein Haus alhier und zwey Landgüter in dieser Provintz, laborirt beständig in chymicis und verfertiget viele köstliche Artzeneyen.

Ich schreibe diese Woche durch den von hier über Archangel gehenden englischen Prediger an obwolgedachte Societät nach London in eben diesem Sujet, sende ihnen auch eben die Ertzproben, als ich an Hrn. D. Hartmann tuhe.

[Hierunter ist von Leibnizens Hand geschrieben:]

Hr. Secr. Jablonski schreibt mir de dato Berlin 1. Sept. 1705: »Der Einschluß ist aus einem von dem Hrn. Brochhausen an mich eingelaufenen Schreiben gezogen«.

43.

Jablonski an Leibniz.

26. September 1705.

Vor Einlauf Dero geehrten vom 28. Aug. habe die von dem Hrn. Kirchen erhaltene Observationes übersendet, welche nebst dem Musaeo Wormiano hoffentlich wol werden eingelaufen seyn.

---

[1] Sic.

Wegen des Observatorii ist man dieser Tagen in Conferentz gewesen und scheinet die Cammer zu defsen Ausbauung sich nun williger anzuschicken. Wegen des Eckpavillons aber ist noch nichts geschehen, weil der Cammerherr von Tettau eine Zeit lang bettlägerig, der Hr. von Schlüter aber die meiste Zeit abwesend gewesen, weifs man also nicht, wie man damit noch auskommen werde. Der Hr. Profefsor Sturm hat jüngst um seine Pension Erinnerung getahn. Nun besinne mich, dafs bey Ew. Excell. Anwesenheit dieser Sache gedacht, auch ein Schlufs gemacht worden; dieweil aber der Denkzettul, worauf derselbe verzeichnet, mir nicht zu Handen gekommen und der eigentliche Inhalt mir nicht beiwohnet, so habe difsfalls um anderweiten Befehl ersuchen sollen, und verharre mit schuldigem Respect u. s. w.

Berlin d. 26. Sept.

1705.

[Auf dem zweiten Blatte dieses Briefes findet sich von Leibnizens Hand das nachfolgende Concept seiner Antwort, ohne Datum und Unterschrift; nach dem Diarium erhielt Jablonski am 4. und 8. October je einen Brief von Leibniz; der letztere wird der nachstehende sein.]

44.

Leibniz an Jablonski.
Anfang October 1705.

Dafs das Museum Wormianum zurecht geliefert worden, wird m. Hr. aus meinem vorigen verstanden haben, alwo mich auch wegen der diefsfals angewendeten Mühewaltung gebührend bedancket.

Hr. Profefsor Sturm anlangend erinnere mich nicht, dafs etwas geschlofsen, sondern nur von der Sache discurriret worden und man dafür gehalten, die Societät sey nicht schuldig, die Pension ihm allezeit zu reichen, sondern habe sich nur interimsweise eingelafsen, bifs ihm anderwerts dergleichen zuwüchse; welches bereits geschehen wäre. Ob ich mich nun der Umbstände recht erinnere und es in der That also bewand, wird m. Hr. etwa genaue Erkundigung einzuziehen belieben, damit er nicht etwa Briefe aufweisen möge, die ein Anderes besagen.

Solte sich nun die Sach also befinden, so hätte freylich die Societät freye Hände; ich solte aber dennoch zu überlegen anheimstellen, ob man guth finden möchte, noch zwar einige Zeit nach Befinden und mit gebührender Verwahrung de non praejudicando zu continuiren, hingegen aber von ihm gewifse labores zu stipuliren, dadurch der Societät ein würcklicher Nuz geschaffet werden köndte. Nun ginge man unter andern damit umb, wie mit der Zeit die Artes mechanicae wohl beschrieben werden möchten und sonderlich sehe man gern, wenn die Manufacturen, die einen grofsen Einflufs in das Publicum haben und von der Weberey dependiren oder damit verwandt, zuforderst beschrieben würden, zumahlen davon noch nichts rechtes vorhanden. Um den Anfang zu machen, so wolte man den Hr. Profefsor ersuchet haben, das so genante Mestier oder Strumpfstricker-Instrument deutlich zu beschreiben und vorzustellen, dafs man es sowohl perspectivisch im Ganzen, als auch jedes Theil absonderlich sehe und deren usum mit der ganzen Invention aus der Beschreibung und den Figuren daraufs verstehen könne. Zu welchem Ende solche Arbeit des Instruments mit dem ordinari Stricken, so mit der Hand geschicht, zu vergleichen und ipse modus inventionis, wie man darauff kommen konte, ein gleiches durch die machinam zu leisten.

Würde verhoffentlich wenigstens innerhalb Jahreszeit dazu zu gelangen seyn. Solte sich aber finden, dafs man gegen Hrn. Sturm pure und beständig engagiret, so lange er sich zu Francfurt befindet, so ist es doch dergestalt zu verstehen, dafs er dagegen auch zu dem scopo Societatis zu concurriren gehalten und wäre zwar das prooeminum zu ändern, das postulatum aber würde ein Weg wie den andern verbleiben.

45.
Jablonski an Leibniz.
6. October 1705.

Aus dem hiebey zurück kommenden Schreiben des Herren Hermanni haben die wenigen noch zur Zeit privatim zusammen kommende membra Societatis den tödtlichen Abgang des Hrn. Bernoulli ungerne vernommen und den Verlust eines so vortreflichen Mitgliedes, wie billig, beklaget. Wenn aber die Notification nicht an die Societät publico nomine gerichtet, so hat man davor gehalten, dafs auch eine Beantwortung publico nomine nicht wol Statt habe, sondern mit dem Gegencompliment bei der Weise des Compliments verbleiben könne, allermafsen E. Excell. solche Mühewaltung zu übernehmen geziemend ersuchet und die Einrichtung Dero hochgeneigten Gutfinden überlafsen wird. Die Aufnahme des itztgedachten Hrn. Hermanni, wie imgleichen des Hrn. Omeisii läfset man nach Ew. Excell. Belieben sich auch gefallen, und soll die Ausfertigung geschehen, sobald von ihren Namen und Qualitäten, als welche dem Diplomati einverleibet werden, die nöhtige Nachricht einleuft.

Der Hr. Kirch hat sich dieses Jahr etwas verspätet und gestern erst das Letzte des astronomischen Calenders übergeben. Es ist ihm aber eine neue Methode angekündiget worden, nach welcher man begehret, dafs hiernächst die Manuscripta auf einander geliefert werden sollen, und wenn, wie man hoffet, er auch es verheifsen, solche beobachtet wird, kan solcher Fehler in Zukunft verbefsert werden.

Den Hrn. Hoffmann hat man in so weit wieder zufrieden gesprochen, dafs er die Gedanken einer vorhabenden Veränderung fahren lafsen, wie man ihm aber eine wirkliche Güte erweisen möge, solches stehet noch in Überlegung.

Der Hr. Raht Chuno läfset nechst dienstlicher Empfehlung die Nachricht erteilen, dafs das Epitaphium vor die Königin von dem Hrn. von Ilgen ihm zukommen, auch wieder zurück gegeben und wegen des Befehls zum Druck verschiedenlich erinnert, aber nichts erhalten worden, daher vermuhtlich bey damaliger Verwirrung und Überhäufung von dergleichen Sachen dieses Manuscript etwa verlegt worden seyn möchte: wenn aber Ew. Excell. eine neue Abschrift einzusenden belieben wolte, wolle er ihm die Beforderung zum Druck nochmals angelegen seyn lafsen.

Das verlangte Rangreglement kommet hiebey, und von meinem Bruder eine dienstliche Empfehlung; ich verharre in schuldiger Observantz u. s. w.

Berlin d. 6. Oct.
1705.

46.
Jablonski an Leibniz.
27. October 1705.

E. Excell. geehrtes vom 10. Oct. ist zu recht eingelaufen und die Einschlüfse wol bestellet worden.

Wegen des Hrn. Sturms hat man die Verschreibung nachgesehen, und weil dieselbe gantz unbeschränkt eingerichtet, noch nicht vor gut befunden, ihm die Pension gar zu entziehen, sondern beschlofsen, sein leichtsinniges und der Societät verkleinerliches Verfahren ihm nachdrüklich zu verweisen und die Verwarnung anzuhängen, dafs auf den Fall ermanglender Verbefserung man sich an solche Verschreibung nicht mehr verbunden achten werde. Inliegendes von dem Hrn. Valentini ist also blos von dem Hrn. D. Spener dem Hrn. Chuno zugestellet worden, der es mir an E. Excell. einzuschliefsen befohlen. An dem Observatorio wird allgemach gearbeitet und weilen es nur einmal im Gang ist, hoffet man, es werde also continuiren. Ich verharre mit schuldigem Respect u. s. w.

Berlin d. 27. Oct.
1705.

47.

Jablonski an Leibniz.
21. November 1705.

E. Excell. geehrtes vom 13. Nov. habe zu recht erhalten und die Einschlüfse gehöriger Orten übergeben. Hr. Küster gedenkt nicht wieder nach Engelland, indem er hie den Titul eines Rahts und Oberbibliothecarii (welches letztere die andern Bibliothecarii ihm noch streiten) mit einer Besoldung von 800 Thlr. erhalten.

Dem Hrn. D. Spener habe selbst aufgewartet und hat er versprochen, wegen der herbae vomitoriae Americanae an den Hrn. Valentini zu schreiben, hat aber vorläufig seine Meinung darüber eröfnet, wie er davor halte, dafs es die Brasilianische Wurtzel Ipecacoanha seyn werde, davon zwar 4 species, so er alle in seinem Musaeo hat und mir gezeiget, die braune aber insonderheit, wegen ihrer gelinden Würkung zum Vomit. berühmt und als etwas besonders gebraucht wird, daher auch sehr teuer sey und das ℔ auf 72 Rthlr. komme.

Wafs Hr. Tentzelius in seine curieuse Bibliothec einfliefsen lafsen, solches habe ich nicht vor einen disfensum, sondern vor eine Objection, welche der Autor ihm selbst gemacht, auch wieder aufgelöset angesehen, wolle es aber nochmals erwegen, auch mehrere Nachricht in dem Journal des savans aufsuchen.

Hr. Kirch ist mit dem Calendercalculo auf das 707. Jahr so beschäftiget, dafs er so bald an seine Observationes nicht wird gedenken können. Indefsen will man überlegen, ob und welchergestalt zu der verlangten Beihülfe des Druckes zu gelangen seyn möchte. Ich verharre in schuldigem Respect u. s. w.

Berlin d. 21. Nov.
1705.

48.

Jablonski an Leibniz.
15. December 1705.

E. Excell. geehrtem vom 4. Dec. zu gehorsamsten Folge habe das anbefohlene Compliment bey dem Hrn. Raht Küster abgeleget, der denn nebst dienstlicher Gegenempfehlung mir zur Antwort gegeben, dafs er die verlangte Nachricht in seinem jüngsten, welches hoffentlich mit dem übrigen in dem von mir am 28. Nov. abgelafsenen Paquet wird zu recht eingelaufen sein, albereit erteilet.

Wenn der Hr. Küster sich in wirklichen Besitz und Übung seines Amts wird gesetzet haben, worin er von seinen künftigen Collegen noch einige Hinderung empfindet, wird er hoffentlich ihm die Verbefserung der Bibliothec mehr, als bisher geschehen, lafsen angelegen sein, und hiemit um so leichter fortkommen, als der gegenwärtige Protector derselben ein geneigteres Gehör bei dem Könige, als sein Vorfahr findet.

Ich erwarte täglich eine Post Geldes aus Preufsen, mit deren Einlauf die Cafsa im Stande sein wird, abermal 300 Rthlr. an E. Excell. zu entrichten. Auf solchen Fall erwarte Befehl, auf wafs Weise solche zu übermachen habe, und verharre mit schuldigem Respect u. s. w.

Berlin d. 15. Dec.
1705.

49.

Jablonski an Leibniz.
12. Januar 1706.

Ew. Excell. gratulire aus schuldiger Obliegenheit zu dem durch göttlichen Beistand abermal in hohem Wolstand erreichten Jareswechsel und wünsche zu vielen nachfolgenden nebst erspriefsender Leibesgesundheit alles erfreuliche und nach eigenem Selbstbelieben gedeihende Wolvergnügen, mir aber viel Gelegenheit und Vermögen, um Dero hohe Gewogenheit mich mehrers verdient zu machen.

Das eingeschlofsene Schreiben an Hrn. Prof. Sturm ist anbefohlenermafsen in conferentia verlesen und nach Verlangen eingerichtet befunden worden. Der Mann hat ohne Noht grofse Verdriefslichkeiten erhoben, und wenn Jemand mit ihm nach seiner Weise anbinden wollen, hätte es an ihm nicht gelegen, an allen Ecken Lärmen zu blasen, doch wird er nu hoffentlich stille sein.

Mit des Hrn. Küsters Hieverbleiben ist es wol richtig, weil seine Besoldung und Rahtstitul ausgemacht. Nur stockt es noch an dem verlangten Protobibliothecariat, welches er begehrt, die Andern aber ihm nicht einräumen wollen. Und obwol er sich defsen nu gerne begeben wolte, scheinet es doch als ob es so schlecht in seiner Hand nicht stehe. Doch wird mein Bruder die Ehre haben, hievon genauere Nachricht zu erteilen.

Seine, des Hrn. Küsters Sache ist vornemlich durch den Hrn. von Printzen getrieben worden, daher ich vermeinet, es habe derselbe die Procuration der Bibliothec wirklich erhalten. Ob nun wol vernehme, dafs solches nicht ist, so scheinet doch, er werde sich tacite darein setzen, von den Andern aber nicht leicht Jemand ihm hierin hinderlich sein.

Hr. Kirch ist itzo fleifsig über die Calender auf das 707. Jar, sobald er damit zu Ende, wird er sein besonder Werk mit allem Fleiss vor die Hand nehmen; inmittelst läfset er sich dienstlich empfehlen.

Die Erinnerung an den Hrn. D. Spener habe noch nicht tuhn können, soll aber ehestens geschehen.

Der vormals gedachte Hr. Brochhausen hat etliche Proben von Ertzen aus denen Siberischen Bergwerken eingesandt, davon die Probe möchte genommen und die Sache sodann in fernere Überlegung genommen werden. Es wird aber dieses auf E. Excell. verhoffte glückliche Überkunft gesparet, dahin auch zu anderweitem Befehl die Geldsache ausgesetzt bleibet, und ich verharre mit geflifsenster Ergebenheit u. s. w.

Berlin d. 12. Jan.
1706.

Der Hr. Chuno hält sich gefafset, mit nächstem nach Cafsel in Königl. Geschäften, die Verlafsenschaft der hochseel. Erbprinzefsin betreffend, abzureisen.

50.

Jablonski an Leibniz.
13. Februar 1706.

Nachdem verschiedene Schreiben an Ew. Excell. bei mir eingegeben worden, so habe dieselben nicht länger aufhalten sollen, sondern nebst einem Adrefs-Calender hiebei schuldigst übersenden sollen. Dieser letztere ist voritzo etwas spät fertig worden, weil die Profefsores bei der Ritteracademie sich um den Rang gezanket und zuletzt anders nicht denn durch eine Commifsion von den drei ersten Staats-Ministern entschieden werden können, worauf man mit dem Druck 14 Tage warten und endlich noch ein Blatt umdrucken müfsen.

Der Hr. Profefsor Zwinger, M. D. zu Basel, hat zu verstehen gegeben, dafs er verlange in die Societät aufgenommen zu werden, welches denn ihm auch von denen hieseienden Membris concilii zugestanden worden.

Es liegen nunmehr 600 Thlr. bei mir in Bereitschaft, so auf E. Excell. Ordre warten, und ich verbleibe mit schuldiger Observantz u. s. w.

Berlin d. 13. Feb.
1706.

51.

Jablonski an Leibniz.
9. März 1706.

Aus Dero geehrtem vom 26. Feb. habe mich erfreuet, dafs es bei dem beständigen Entschlufs bleibe, uns an diesem Ort in Kurtzem wieder zu besuchen; wünsche, dafs es bei ersprieslicher Gesundheit und Wolvergnügen geschehen möge.

Das mehrgemeldte Geld soll auf E. Excell. Ordre in Bereitschaft bleiben.

Von denen kleinen in Kupfer gestochenen Calendern ist mir nur einer zu Teil worden, welchen hiebei gehorsamst übersende.

Bei der Societät bestehet Alles im vorigen. Herr Hoffmann hat eine Beschreibung der bevorstehenden grofsen Sonnenfinsternifs herausgegeben, nachdem der Sächsische Astronomus Junius in seinem Calender dieselbe gantz verkehrt vorgestellet. Ich weifs nicht, ob er damit aufgewartet. Sie ist nicht auf Kosten der Societät gedruckt, sondern von dem Buchführer verlegt worden; man hat aber einige Exemplare vor die Societät behalten, womit ich auf Befehl dienen kan.

Die anbefohlene Einschlüfse habe behändiget, und mein Bruder läfst seine dienstliche Empfehlung hinwieder zurück gehen, ich aber verharre mit schuldiger Observantz u. s. w.

Berlin d. 9. Mart.
1706.

52.

Jablonski an Leibniz.
20. März 1706.

Dero geehrtes vom 12. Mart. ist mir richtig behändiget und die Einschlüfse gehöriger Orten abgegeben worden.

Der Hr. D. Spener läfst sich hinwieder dienstlich empfehlen und hat nach Verlesung des Memorials mir zurückzuvermelden befohlen, dafs von denen verlangten Nachrichten ihm nichts gedächtlich beiwohne, weil er aber seines seel. Vaters Sachen in gute Ordnung gebracht, werde er, ob etwas in denselben zu befinden, bald aufsuchen; im entsprechenden Fall aber bei seinem Vetter, welcher zu Hanau Cantzler ist und aus selbigem Archiv die beste Kundschaft erlangen kan, sich des Nöhtigen erholen können, und solches folglich mitzuteilen nicht unterlafsen.

Der Hr. Chuno hat zu seiner Abwesenheit drei Monate angesetzet, es pfleget aber zu geschehen, dafs man eher etwas zulegen mufs, als abbrechen kan, also dafs er schwerlich eher als etwa kurz vor Pfingsten zurück vermuhtet wird. Noch zur Zeit ist nichts von ihm eingelaufen.

Durch den Tod des Hrn. von Brand ist abermal eine Stelle im Geheimen Raht nebst mehr andern wichtigen Functionen erlediget worden, wozu nun mancherley Praetendenten verspüret werden.

Dem Befehl wegen des Geldes werde gebührend nachkommen, und verharre mit schuldigem Respect u. s. w.

Berlin d. 20. Mart.
1706.

53.

Jablonski an Leibniz.
15. Mai 1706.

Ew. Excell. habe gehorsamst berichten sollen, dafs die jüngst vorbeigegangene Sonnenfinsternifs bei sehr schönem Wetter nicht nur von dem Hrn. Hoffmann auf dem Observatorio des Hrn. von Krosick, sondern auch auf dem Observatorio publico von dem Hrn. Kirch in Beisein vieler vornehmer Liebhaber observiret worden, und werden sie zweifelsohne solche ihre Observationes mit ehestem herausgeben.

Itztgedachtes Observatorium ist noch immer in vorigem Stande und wird daran so sparsam gearbeitet, dafs, wenn es nicht befser gehen solte, in vielen Jaren noch kein Ende zu hoffen. Mit vieler Mühe ist so viel erhalten worden, dafs ein einiges Gemach, welches der Hr. Kirch seine Observation anzustellen erwehlet, nur in der Eil und verlohren mit Bretern beleget worden, dafs es zu obigem Gebrauch vor dieses Mal dienen können.

Der Hr. Chuno ist von seiner Reise noch nicht wieder angelanget, wird aber stündlich erwartet. Alsdann will man überlegen, ob der Cammer ein Vorschlag getahn werden möge, wie sie sich solchen Baues auf einmal lofs machen könne.

Wegen der Wonung vor den Astronomum hat es Mühe gekostet, den Hrn. von Bauer dahin zu treiben, dafs er sich endlich erklären müfsen, vier Zimmer in dem Pavillon nach der Statt zu solchem Gebrauch anzuweisen, womit es aber auch auf die Rückkunft des Hrn. Chuno wartet.

Der Hr. Küster hat mit seinem Vorhaben hie nicht nach Willen aufkommen können, sondern so viel Hinderungen im Wege gefunden, dafs er seine Bestallung wieder aufgegeben und in Gesellschaft derer von der Universität Cambridge zu dem Jubilaeo nach Franckfurt Deputirten mitgegangen, des Vorsatzes, in Holl- oder Engelland, wo es sich am besten wird tuhn lafsen, ein Établisement zu suchen.

Die vormals gedachte Gelder warten bei mir noch immer auf Dero Disposition, und ich verharre mit schuldigem Respect u. s. w.

Berlin d. 15. May
1706.

54.

Jablonski an Leibniz.
31. Juli 1706.

Der Einschlufs, so mir mit Fleifs anbefohlen worden, veranlafset mich zu gegenwärtiger Aufwartung, wobei zugleich gehorsamst melde, dafs verschiedene Observationes der jüngst vorbeigegangenen Sonnenfinsternifs von Rostok, Belgart und Minden eingelaufen, welche nebst des Hrn. Kirchen und Hrn. Hoffmanns seinen sumtibus Societatis unter E. Excell. Mitgefallen drucken zu lafsen beliebet worden. Hr. Prof. Bläsing in Königsberg ist um seine Observation zwar ersuchet worden, aber hat noch nichts eingesandt, auch nicht einmal geantwortet. Hr. Prof. Sturm hat die seine zwar eingesandt, aber selbst gebeten, dafs sie nicht möge gedruckt werden; womit er einen nicht geringen Kummer gehoben, indem sie so beschaffen, dafs sie ihre Stelle schlecht würde vertreten haben. Des Hrn. Reiheri Observation wird noch erwartet, wozu dem Hrn. Hoffmann Hoffnung gemacht worden.

Mit dem Bau des Observatorii bleibt es bei dem Vorigen; man hoffet aber in Zukunft damit befser fortzukommen, nachdem ein und andre Subalterne gewonnen worden, und ich verharre mit schuldigem Respect u. s. w.

Berlin d. 31. Jul.
1706.

55.

Jablonski an Leibniz.
16. October 1706.

Ew. Excell. geehrtes vom 5. dieses habe zu recht erhalten und den Einschlufs an Hrn. Hoffmann alsofort behändiget.

Inmittelst ist Beikommendes nebst einem eingebundenen Buch von dem Hrn. Naudé an Ew. Excell. zu übermachen mir anbefohlen worden, davon ich aber das letztere bis auf näheren Befehl zurückbehalten, insonderheit weil von Dero baldigen Zukunft an diesen Ort uns neue Hoffnung gemachet wird, wornach uns alle nicht wenig verlanget.

Mit dem Pavillon vor den Astronomum hätte die Sache schon zur Richtigkeit sein können, wenn nicht der Hr. Kirch selbs unwifsend der Übrigen darin einen Anstand verursachet, weil aber der Hr. von Tettau sich hierunter sehr geneigt erweiset, als hoffet man es noch wieder zu recht und wenigstens gegen künftige Ostern zum Stand zu bringen.

Mit dem Observatorio gehet es auch den alten Gang, und so langsam, dafs kein Ende abzusehen. Es beruhet blofs auf dem Cammerpraesidenten von Gröben, welcher eine Ausflucht nach der andern hervorsuchet.

Die ehemals gedachte 600 Thlr. sind immer beisammen und ich warte täglich etwas aus Preufsen, wodurch noch 300 dazu kommen können.

Mein Bruder befiehlt sich dienstlich, und ich verharre mit schuldigem Respect u. s. w.

Berlin d. 16. Oct.
1706.

56.

Jablonski an Leibniz.
31. May 1707.

Inliegendes, so nach Dero Abreise eingelaufen, habe gehorsamst hiemit übersenden sollen.

Die Cammer ist über dem eingelieferten Königl. Rescript wegen des erkauften Hauses vor die Societät sehr schwürig und will mit einem Bericht dagegen einkommen. Insonderheit nimmt sie es vor eine Offension, dafs der Bauschreiber ohne ihr Vorwifsen sich unterstanden, in Handlung zu treten und Kauf zu schliefsen, und will man ihm deswegen stark zu Leibe.

Ob zwar Hr. Hartmann noch nicht bekannt gemacht, dafs mit der Factorei eine Enderung vorgenommen worden, so kan es doch sein, dafs er davon anderswoher Nachricht erhalten und deshalb unwillig geworden, welches mir daher anscheinen will, dafs da vor 14 Tagen wegen des vorhabenden Verlags ein und anderes an ihn gelangen lafsen, ich noch keine Antwort erhalten.

Wafs ferner vorfallen wird, unterlafse nicht anbefohlener Mafsen zu berichten, und verharre mit schuldigem Respect u. s. w.

Berlin d. 31. May

1707.

57.

Jablonski an Leibniz.

18. Juni 1707.

Die langwürige Abwesenheit des dermaligen Cammerpraesidenten verhindert, dafs die in dem Königl. Rescript anbefohlene Erkaufung noch nicht zum Stande gekommen; es lafsen sich aber ein und andere favorable Aspecten erblicken, woraus man zu hoffen Anlafs nimmt, dafs es damit keine sonderbare Schwürigkeiten haben werde.

Der Hr. D. Scheuchzer hat ein Ms., so er »Iter Alpinum anni 1706« nennet, und demselben eine Zuschrift an die Societät vorgesetzet, durch ein Schreiben an den König adrefsirt, der es sehr wol aufgenommen und nebst dem Schreiben ad archivum Societatis übergeben lafsen.

Mit dem Hrn. Hartmann ist wegen des aufgetragenen Verlags alles richtig geschlofsen und wartet nur auf die Materie; ich aber verharre mit schuldigem Respect u. s. w.

Berlin d. 18. Jun.

1707.

58.

Jablonski an Leibniz.

2. Juli 1707.

Dero geehrtes vom 23. Jun. habe zu recht erhalten und die Einschlüfse gehöriger Orten behändiget auser dem an Hrn. Kortholt, welcher mit der Fürstin Ragoczy nach Danzig abgereiset, aber täglich hie zurück erwartet wird, bis dahin solch Schreiben bei mir behalte.

Mit dem Hrn. von Gröben sowol als mit dem Cammermeister ist schon vorhin wegen des Hauskaufs vor den Astronomum gesprochen worden; beide haben sich ganz gut erkläret und allein über den gegenwärtigen Geldmangel geklaget. Doch hat der Hr. Cammerpraesident verlanget, dafs der Verkäufer selbs sich angeben möge, wozu denselben zu disponiren der Hr. Kirch übernommen; und wird man nu erfahren, wie er wird aufgenommen werden.

Der ersehene Verleger zu den Collectaneis hat die vorgeschlagene conditiones alle eingegangen, so dafs, wenn dieselben nur beisammen wären, der Druck von Stund an vorgenommen werden könte.

Mein Bruder, so sich hinwieder dienstlich empfihlet, vermeinet, das erinnerte Manuscript vorlängst wieder zurück gegeben zu haben.

Den Catalogum membrorum habe noch nicht zum Druck gegeben, weil mir difsfals nichts Eigentliches befohlen worden und ich vermeinet, dafs es damit bis zu Ende des Jares

6*

Anstand haben könne, damit es nicht sowol vor eine Correction, sondern vor eine Continuation angesehen werde, wenn erscheinen würde, dafs eine Anzahl neuer membrorum, deren einige schon nach dem ersten Druck aufgenommen sind, und mehr andere dazu kommen können, sich dabei befinde. Indefsen habe doch von dem ersten Druck keine Exemplaria mehr ausgegeben. Wenn aber der neue Druck ohne Aufschub beschaffet werden soll, so erwarte nur Befehl.

Der Rector zu Belgard in Pommern, ein grofser Liebhaber der astronomischen und meteorologischen Observationen, Hr. Schüze, hat seinen Wettercalender von dem vergangenen Jahr auch eingesandt, welcher gleich dem vorigen auf der Societät Kosten zum Druck befordert worden, wiewol der von a. 1705 durch des Druckers Versehen erst kürzlich fertig worden. Ob davon ein oder mehr Exemplar mit der Post übersenden soll, erwarte gleichfalls beliebigen Befehls, und verharre mit schuldiger Observantz u. s. w.

Berlin d. 2. Jul.
1707.

59.

Jablonski an Leibniz.
16. Juli 1707.

Bei Gelegenheit des Einschlufses habe gehorsamst vermelden sollen, dafs wegen des bewusten Kaufs die Sache noch in dem Vorigen beruhe. Es ist dem Bauschreiber anbefohlen worden, seinen Bericht zu tuhn, wie es mit solchem Kauf dahergegangen. Ob nu hierauf die Kammer ihren Bericht, wie es die Meinung hat, an den König erlafsen werde, mufs man erwarten und wird man alsdann sehen, wie solcher zu widerlegen, wo nicht par intrigue etwas resolviret wird, bevor die Societät disfals gehöret worden.

Der Hof gehet nächste Woche nach Freienwalde, wodurch die Geschäfte einigen Anstand leiden werden.

Die Collectanea kommen langsam zusammen, und wartet der Hr. Chuno noch auf verschiedene Stücke, bevor er die Anordnung zum Druck machen könne. Ich verbleibe mit schuldigem Respect u. s. w.

Berlin d. 16. Jul.
1707.

60.

Jablonski an Leibniz.
23. Juli 1707.

Die Inlagen, so mir heute eingelaufen, habe unverzüglich übermachen sollen.

In der Erkaufung des bewusten Plazes will es sich noch schlecht anlafsen. Die Amtskammer hat ungeachtet aller Vorstellung und eingezogener Nachrichten einen Gegenbericht an den König abgehen lafsen. Wo sie nu einen geneigten Referenten antrifft, der ohne die Societät darüber zu vernemen eine Resolution veranlafset, so dörfte dieselbe wol nicht gar favorable ausfallen. Hiezu wird es gute Gelegenheit gegeben haben, da der König diese Woche zu Freienwalde gewesen und also leicht einseitig mit ihm gehandelt werden können. Man mufs es erwarten, wie es ausfallen will. Ich verbleibe in schuldigem Respect u. s. w.

Berlin d. 23. Jul.
1707.

61.

Dero geehrtes jüngstes habe richtig erhalten und die anbefohlene diplomata ausgefertiget, welche hiebei überkommen.

In der Sache wegen des Plazes wird noch fleifsig gearbeitet und auf alle Weise gesuchet, die vorkommende Hinderungen aufzuräumen, wiewol sich immer eine Schwürigkeit nach der andern hervortuht. Nun ist es an dem, dafs man einer endlichen Resolution gegewärtig ist, wo die umschlagen solte, würde wol schwer sein, etwas weiter vorzunehmen. Die Historia phosphori, wenn sie an mich adrefsirt gewesen, habe nicht empfangen, vermeine aber, sie werde bei dem Hrn. Chuno sein. Wafs bei demselben von Andern eingelaufen und einiger Revision von ihm nötig geachtet worden, kommt hiebei zu E. Excell. beliebigen Übersehung.

Das Excerptum aus D. Scheuchzers Itinere Alpino wird hoffentlich der Hr. Spener einzurichten die Mühe übernehmen. Die Holzschnitte, wenn deren einige angebracht werden können, wird man hie oder in Stargard haben können. Wegen der Kupfer erwarte noch Befehl.

Der Hr. Chauvin dörfte wol nicht gerne sehen, wenn seine Arbeit zurück gesetzet bliebe. Der Hr. Starke, obwol er angezeigt, dafs bei dem Buchdrucker Lorenz eine arabische sehr reine Schrift vorhanden, hat doch die Schwürigkeit wegen der Correctur begriffen und sich der Hoffnung, sein Werk den andern beigefügt zu sehen, von selbs begeben. Ich verharre mit schuldigem Respect u. s. w.

Berlin d. 8. Oct.

1707.

62.

In schuldiger Antwort auf Dero geehrtes vom 15. Oct. berichte, dafs jemehr die Schwürigkeiten wegen des behandelten Plazes und defsen endlicher Behauptung zunehmen, je mehr Fleifs und Nachdruck angewendet werde, dieselben zu überwinden, und weil die Sache abermal in des Oberkammerherrn Hand laufen zu lafsen die Notdurft erfordert, wird das von Ew. Excell. erlafsene Schreiben eben zu recht gekommen sein, das hiesige Ansuchen zu secundiren.

Die erwartete Collectanea werden nebst denen Diplomatibus, so nach Italien destinirt, inmittelst hoffentlich wol eingelaufen sein.

Von dem P. Cima ist noch nichts zu vernehmen gewesen; wenn er sich angeben solte, wird man ihn nach Verdienst aufzunehmen nicht unterlafsen. Es ist aber ein Anderer hie, so als Mifsionarius viel Jahre im Orient zugebracht, nun aber zu der protestantischen Religion sich bekennet. Ich habe ihn heute an einem dritten Ort ungefähr gesehen und werde Gelegenheit nehmen, mit ihm näher bekannt zu werden.

Mein Bruder bleibt dabei, dafs er das Original de l'éducation d'un Prince von sich gegeben, auf Ew. Excell. Anleitung aber hat er eine Abschrift aus der vor sich genommenen machen lafsen, welche er an der Stelle des Originals destiniret.

Mit Ausbauung des Observatorii gehet es gar wol von Statten und wenn auf solche Weise fortgefaren wird, kan die Introduction auf bevorstehenden natalem Societatis gar wol geschehen, inmaſsen schon die beiden obersten Stöcke mit allem fertig sind und wenn es das Wetter zulieſse, den Winter durch das übrige geendigt werden könte. Zum wenigsten wird man dahin sehen, daſs mit erstem Früling die Arbeit, so die strenge Kälte etwa unterbrechen möchte, wieder vorgenommen werde. Ich verharre mit schuldigem Respect u. s. w.

Berlin d. 22. Oct.

1707.

63.

Jablonski an Leibniz.

26. November 1707.

Nach erhaltenem Dero geneigten Befehl überkommen hiebei die vormals erwehnte 300 Thlr., hoffe, sie werden richtig einlaufen. Zugleich ergehet ein Paket von dem D. Neumann aus Breſslau, so dieser Tagen über Frankfurt an mich gelanget.

Zu Behauptung des bewusten Hauskaufs ist wenig Hoffnung übrig und beginnen alle Kammern und Caſsen sich dergestalt zu faſsen, daſs sie alle neue Anweisungen, sogar von 50 Thlr. und in causis favorabilibus mit Berichten von sich weisen.

Die Schrift de phosphoris ist bei mir nicht eingelaufen; ob es bei dem Hrn. Chuno geschehen, wenn sie an ihn eingeschloſsen gewesen, habe noch nicht erfahren, weil ich nicht mit ihm gesprochen, hoffe aber, ihn künftigen Montag zu sehen und mich desfalls zu erkundigen.

Die Geburt unseres Prinzen von Oranien hat dem Hrn. von Dankelmann, gewesenen Oberpraesidenten, seine Freiheit und eine Pension von 2000 Thlr. zuwege gebracht.

Der Hr. von Hamraht, so auch einen Versuch zu seiner Begnadigung getahn, hat nichts erhalten, und sind die hiezu gesetzte Commiſsarii beschäftiget, seinen Proceſs auszumachen.

Der vorgegebene Graf Gaetani hat das Feld gewonnen, nachdem er mit guter Weile durch Hülfe eines banqueroutiers von seinen Landsleuten alles das seine auf die Seite geschaffet und viele Tausende an Schulden hinterlaſsen. Er hat den nächsten Weg nach der Sächsischen Grenze genommen, alwo er frische Pferde in Bereitschaft gefunden, mit welchen er weiter gegangen, nachdem er seine Leute bis auf einen Läufer zurückgesandt. Man zweifelt, ob er sich in Sachsen aufhalten werde, und weil die grofse Freude inzwischen eingefallen, bleibt er auf eine Zeit vergefsen. Der Baron Meder sitzt zwar noch im Arrest, er hat aber ein neues Laboratorium angelegt und durch Hülfe eines grofsen Verlegers seine Arbeit von neuem angefangen.

Nachdem die Wetterealender des Hrn. Schützen, Rectoris zu Belgart, auf Kosten der Societät gedruckt werden, habe einige Exemplare davon hiebeigelegt. Weil aber keine Frage darnach und nichts davon verkauft wird, so stehet dahin, ob es rahtsam, die Kosten fürohin daran zu wenden. Ich verharre mit schuldigem Respect u. s. w.

Berlin d. 26. Nov.

1707.

64.

Jablonski an Leibniz[1].

31. December 1707 (nach dem Briefbuch).

E. Excell. geehrte beide vom 30. Nov. und 1. Dec. habe, jenes zwar den 9. und dieses den 29. dieses zu recht erhalten, auch daraus, dafs mein letzt übersandtes Paquet wol eingelaufen, gerne vernommen. Die mir anbefohlene Einschlüfse sind jedesmal sicher bestellet worden und kommt hiebei die Antwort von Hrn. Frisch zurück.

An der Sache mit dem Hauskauf wird nach Möglichkeit gearbeitet, wie weit es damit zu bringen, wird sich zeigen, sobald man dem Hrn. Kammerpraesidenten von Görne den letzt beredeten Vortrag zu tuhn wird Gelegenheit gehabt haben, sobald er von seinen Gütern, alwo er die Feiertage zugebracht, wird zurück gelanget sein.

Weil der Catalogus membrorum Societatis bald wieder soll aufgeleget werden, so erwarte Befehl, ob die vier Profefsores Patavini mit hinein zu setzen, weil man hie noch keine Nachricht hat, ob sie ihre Reception angenommen.

Schliefslich wünsche, dafs der instehende Jahreswechsel mit Gesundheit und allem selbsbeliebigen hochvergnügtem Wolergeben eintreten und zu langen Zeiten beständig also fortfaren möge, womit zu beharrlicher . . . .

65.

Jablonski an Leibniz.

10. Januar 1708.

Nach Dero geneigtem jüngsten Befehl überkommen hiebei drei kleine Kupfer Calender, die übrigen sollen begehrtermafsen mit Gelegenheit erfolgen.

Die Schrift de phosphoris findet sich hie nicht, es weifs auch Niemand unter uns sich zu besinnen, dafs sie an ihn gekommen wäre.

Wegen des Kaufgeldes zu der Wohnung des Astronomi ist man schon zweimal an den Obercammerherrn gewesen, des[2] es aber jedesmal von sich auf den Cammerdirector geschoben. Mit diesem ist auch verschiedenlich und von Verschiedenen gesprochen worden; man hat ihm aber noch nichts abgewinnen können. Morgen will der Hr. Chuno und ich wieder zu ihm gehen; ob wir glücklicher sein werden, steht zu erwarten.

Wenn die zu den Miscellaneis Societatis gehörige Stücke werden hie sein, soll mit dem Druck unverzüglich verfaren werden.

Wegen der Kupfer zu diesen Miscellaneis, imgleichen wegen der adoptirten membrorum zu Padua wiederhole meine vorige gehorsamste Erinnerungen in Erwartung difsfalls nötigen Befehls, und verbleibe mit schuldigem Respect u. s. w.

Berlin d. 10. Jan.

1708.

66.

Jablonski an Leibniz.

4. Februar 1708.

Nach vielfältigem Aufwarten haben endlich Hr. Chuno und ich die Ehre gehabt, heute den Hrn. Cammerpraesidenten von Gören zu sprechen und auf allerhand Weise versucht, ihn

---

[1] Von diesem Briefe fehlt der Schlufs mit Datum.

[2] Sic! = der.

zu einer favorableren Erklärung zu bringen, wiewol mit schlechtem Erfolg, indem er allezeit darauf bestanden, dafs der Cammerétat mit Afsignationen überhäuft, und es sei dann, dafs deren ein Teil ihr abgenommen und anderswohin verwiesen, oder zur Erfüllung des Ermangelnden neue Zugänge vor dieselbe erdacht werden, könne er nicht versichern, wenn auch schon die begehrte Kaufsumma dem état einverleibt würde, dafs darum die Zalung erfolgen könne.

Wie nu hieraus genugsam zu sehen, dafs an diesem Ort auser unendlichen Schwürigkeiten nichts zu hoffen, so ist der Hr. Chuno auf die Gedanken gekommen, durch ein nochmaliges Memorial dem Obercammerherrn solches alles vorzustellen und zu bitten, wenn die begehrte Zahlung nicht erfolgen könte, die vorige Ordre wegen Anrichtung des Pavillons zu erneuren und defsen Instandsetzung zu befordern. Weil aber auch bei diesem Vorschlag nicht wenig zu bedenken, so hat man ohne E. Excell. Vorwifsen und Einrahten nichts beschliefsen, vielmehr solches vorher, wie hiemit beschiehet, erbitten sollen.

Auf Recommendation des Hrn. Oelven hat sich ein neuer Aspirant angegeben, der Hr. Marperger, von welchem, wenn er nicht bekannt, kürtzlich dieses zu sagen, dass er ein in Handlungssachen erfahrener Mann, davon er verschiedene Schriften schon herausgegeben, und nun noch eines unter der Presse hat: das allgemeine Kaufmanns-Magazin genannt, darin von allen Handlungen und Wahren, so in der Welt sind, gehandelt werden soll. Er hat sich schon geraume Zeit hie aufgehalten und an einem Commercien-Collegio gearbeitet, damit aber noch nicht aufkommen können. Erwarte auch hierüber Dero beliebigen Befehl, und verbleibe u. s. w.

Berlin d. 4. Feb.
1708.

67.

Jablonski an Leibniz.
11. Februar 1708.

Dero geehrtes vom 26. Jan. habe am abgewichenen 6. dieses erhalten und den Einschlufs an Hrn. Frischen behändigen lafsen.

Wenn ein Schreiben an mich verlohren gangen, mufs solches durch eine dritte Hand geschehen sein, denn auf der Post ich noch nie etwafs vermifset. Die zu denen vorhabenden Collectaneis gehörige Stücke werden erwartet, weil die Zeit herannahet des Druckes halber den Schlufs zu machen, indem solches vor Ostern geschehen mufs, damit derjenige, so den Druck übernimmt, sich dazu anschicken und mit nötigen Leuten, welche alsdann zu wechseln pflegen, versehen könne. Ich schreibe darum heut an den Hrn. Hartmann, welcher sich vormals zu solchem Verlag erboten, zu vernehmen, ob er noch des Sinnes sei, nachdem er der Factorei entsetzet worden.

Wie die Kammer gegen den ihr anbefohlenen Kauf des Platzes gesinnet, habe vor acht Tagen gehorsamst berichtet und um anderweite Weisung gebeten.

Der Catalogus membrorum nach dem von E. Exc. corrigirten Exemplar und mit zugehörigen Supplementis kommt in Abschrift hiebei und wird deshalb der Entschlufs mit ehestem zurück erwartet.

Wafs wegen des Druckes obgedachter Collectaneorum erinnert worden, soll mit Fleifs beobachtet und dahin gesorget werden, damit solcher Druck auf das vollkommenste und beste ausgefertiget werde. Die Correctur will ich zwar vor itzo und solange meine Function noch nicht in völliger Übung stehet, so wie ich auch mit einigen Calendern bisher getahn, gerne verrichten, ich hoffe aber, daſs, wenn ich künftig mehrere occupationes haben solte und hiezu die Zeit nicht erübrigen könte, solches zu keiner Folge oder mir zur Last gereichen werde.

Der Hr. Frisch hat die abermal angewiesene Summa abgeholet und vermeinet dieselbe nicht minder wie die vorige zu groſsem Vorteil anzulegen, wovon zweifelsfrei er seinen eigenen Bericht erstatten wird.

Inliegende beide Schreiben hat mein Bruder nebst seiner dienstlichen Empfehlung zu übersenden mir zugestellet, und ich verharre mit schuldigem Respect u. s. w.

Berlin d. 11. Feb.
1708.

68.

Friedrich König in Preuſsen u. s. w.

Wir haben aus eurem im vorigen Jahr abgestatteten allerunterthänigsten Bericht ersehen, daſs diejenige 2100 Rthlr., welche zu Bezahlung des auff Unsere Genehmhaltung vor die Societät der Wiſsenschafften erkaufften Hauses erfordert werden und Wir unterm 28. Aprilis 1707 auf Unsere hiesige Cammer-Gefällen assigniret haben, indem damahlen bereits erfüllet gewesenen Cammer-Etat nicht eingebracht werden könten. Wir haben auſs solchem Bericht auch vernommen, was ihr sonsten weiter wegen dieser Sache fürzustellen nöthig gefunden. Weil Wir aber gedachtes Hauſs vor die Societät der Wiſsenschafften auſs der Uhrsache erkauffen [zu] laſsen in Gnaden gut gefunden haben, damit dieselbe von dem ihr concedirten Eck-Pavillon des Stalles hingegen abstehen und die nun 7 gantze Jahr zwischen der Societät und denen Befehlshabern des Stalles geschwebte Differentz endlich ceſsiren möchte, dabeneben es auch an dem, daſs ohne dieses Expediens der eine Pavillon mit groſsen Kosten zur Wohnung des Astronomi aus denen Cammer-Gefällen hätte aptiret werden müſsen, so bleiben Wir dabey, daſs solche Hauſskauff-Gelder auſs Unsern hiesigen Cammer-Gefällen gezahlet werden sollen. Wie Wir aber selbst leicht urtheilen, daſs bey denen andern vielen Auſsgaben es die Cammer in etwas incommodiren möchte, diese Summe der 2100 Rthlr. auff einmahl oder in einem Jahr abzuführen, Also haben Wir auch den von Seiten der gedachten Societät gethanen Vorschlag, daſs nemlich diese Kaufgelder in drey Jahren und Etate vertheilet werden möchten, weil dabey die Cammer-Etate nicht sonderlich beladen werden, in Gnaden aggreiret, und befehlen euch dahero hiemit allergnädigst und dabey ernstlich, nicht allein solche Kanff-Summe der 2100 Rthlr. in den diſsjährigen auch ohne erwartet weiterer Verordnung in die beyde nechstfolgende Cammer-Etate, und zwar in jeden mit 700 Rthlr. zu Auſsgabe anzusetzen, sondern auch dahin besorget zu seyn, daſs die in jedem Jahr und Etat angesetzte Posten an den Secretarium Societatis Jablonski gegen deſsen Quitung gezahlet werden, damit dieser diejenige Gelder, so mit Unserm allergnädigsten Special-Consens der Societät inzwischen zu diesem Hauſskauff negociren und bey der Tradition des Hauses in ihre Hände, dem Verkäuffer aber baar und auff einem Bret auſszahlen muſs, nach und nach davon wieder abführen könne und also die Intereſsen, so die Societät von solchen auffgenommenen Geldern inzwischen bezahlen muſs, zu Ende solcher drey Jahr ohnfehlbar ceſsiren mögen.

Ihr habet auch mehrgedachter Societät einen Schein auſszustellen, daſs ihr dieser Unserer allergnädigsten Verordnung richtig und zu rechter Zeit allerunterthänigst nachkommen werdet, damit jene sich dieses Scheins bey Negocirung der Gelder nach Befinden bedienen können. Und Wir seynd euch in Gnaden gewogen.

Gegeben zu Cöln d. 9. Martii 1708.

Friederich.

An
die hiesige Ambts-Cammer.

G. v. Wartenberg.

69.

Jablonski an Leibniz.
10. März 1708.

Wafs durch den Hrn. von Ilten überkommen sollen, ist bifs itzo noch nicht eingelaufen, die Historiam phosphori aber habe empfangen. Nu entstehet eine neue Schwürigkeit wegen des Druckes, indem Hr. Hartmann den vormals übernommenen Verlag unter scheinbarem Vorwand versaget. Man ist seiner in kurzem hie gewärtig, und stehet dahin, ob er sich noch werde bereden lafsen, bei der ersten Meinung zu bleiben. Es haben zwar die Ernste sich zu solchem Verlag schon damals erboten, ob sie aber den Zweck erfüllen und den Vertrieb weit genug ausbreiten können, stehet dahin. Sie haben zwar eine Handlung in Leipzig angefangen, ob sie aber wol von statten gehe, habe so genaue Nachricht nicht. Wegen des Hauskaufs von dem Astronomum ist die Königl. Resolution erneuet und deshalb wiederholter Königl. Befehl unter der Feder, womit man endlich durchzudringen hoffet, wiewol mit einiger Last der cafsa, weil man die Gelder aufzunehmen und bis zu der. vorgeschriebenen terminlichen Zahlung zu verzinsen übernehmen müfsen.

Hr. Marperger hat kein gewifses établifsement, und weil er an dem Obermarschall hanget, dieser aber zur Zeit in grofsen Widerwärtigkeiten stehet, dörfte es schwer hergehen, vor ihn eines zu erlangen. Sonst habe ein Stück seines Werks, so er gegenwärtig unter der Prefse hat und das General- oder Allgemeine Magazin nennet, mit grofsem Vergnügen angesehen, als woraus sein grofser Fleifs und ungemeine Erfahrung in Dingen, so zu den Commerciis, Manufacturen, Handwerken u. dgl. gehören, zu ersehen. Es wird gleichsam ein ausführliches Dictionarium reale et technicum sein, wie es denn auch nach dem Alphabet eingerichtet und in der Gröfse bis 6 Alphabet austragen. Nach meinem wenigen Ermefsen könte dieses Werk zu seiner praetension ihn zulänglich qualificiren, wenn nicht seiner Person wegen einiges Bedenken wäre. Ich will unvermerkt mich seines Zustandes genauer erkundigen, um zu erfahren, worauf er eigentlich hie bestehe.

Ich habe bei heutiger Post 300 Thlr. von Magdeburg an E. Excell. zu übersenden dem dortigen Factor ordinirt, hoffe von deren richtiger Überkunft bald benachrichtiget zu werden, und verbleibe mit schuldigem Respect u. s. w.

Berlin d. 10. Mart.
1708.

70.

Jablonski an Leibniz.
17. März 1708.

Nach Ablauf meines jüngsten habe Dero geehrtes mit der Erinnerung zu der Schrift de frictionibus erhalten. Kurz darauf ist auch das Packet mit denen zurückgesandten zu den Miscellaneis Societatis gehörigen Stücken eingelaufen. Nu liegt es nur noch an dem Verleger, und weil ich des Hrn. Hartmanns mich täglich versehe, hat man auf einen Andern zu denken angestanden, ob etwa dieser sich noch wieder umstimmen laſsen wolle; wo nicht, wird anders wo Raht geschaffet werden müſsen, damit solcher vorhabende Druck nicht länger zurückbleibe. Waſs wegen der Kupfer und Holtzschnitte nötig, soll bei nächster Zusammenkunft abgetahn und sodann ungesäumt in's Werk gerichtet werden.

Zu dem Catalogo membrorum kommt des Hrn. Römers Titul hiebei. Hr. la Croze ist nicht Consiliarius, und Hr. Schott ist es aus einem Versehen der Canzelei geworden. Die Erinnerung bei dem Hrn. von Greifencrantz soll beobachtet werden, und wenn solcher Catalogus durchgehends corrigirt, erwarte denselben zurück, damit er unter die Presse komme, weil viel Fragens darnach ist.

Das diploma von dem Hrn. D. Behrens soll ausgefertiget werden, sobald man weiſs, ob und waſs vor ein Praedicat ihm zu geben.

Der mehrgedachte Marperger hält sich hie auf als Intendant de la maison des Grafen von Witgenstein, von dem eine Besoldung von 200 Thlr. hat. Sonst lept[1] er sehr ordent-lich und hat keinen anderen Vorwurf als rem angustam domi. Er hat einen Catalogum scriptorum editorum et edendorum ausgelaſsen, welchen ich vor 2 Tagen in dem Buchladen gefunden und hie beilege. Sein ältester Sohn stehet schon in Ministerio zu Nürmberg, der jüngste ist auf der Universität und studirt jura.

Ich verbleibe mit schuldiger Observantz u. s. w.

Berlin d. 17. Mart.
1708.

71.
Jablonski an Leibnitz.
7. April 1708.

Dero geehrtes vom 20. Mart. habe den 27. und 4 Tage hernach das vom 16. erhalten. Nachdem es mit dem Hauskauf so weit gekommen, dafs ob summum in mora periculum mit Aufnehmung des Kaufgeldes nach dem Königlichen Rescript und specialen Concefsion verfaren werden müſsen, man auch so glücklich gewesen, die nötige Summa zu finden, so hat es damit insoweit seine Richtigkeit und ist Hr. Kirch wirklich eingezogen. Demnach habe das an des Obercammerherrn Excell. gerichtete Schreiben zurück behalten. Die Kammer will noch neue Schwürigkeiten machen, man hoffet aber bei Wiederkunft des Hrn. Cammer-praesidenten, ihn auf geneigtere Gedanken zu bringen.

Ich erwarte täglich sowol des Hrn. Hartmanns von Frankfurt, als Jänischen von Stargard, und hoffe mit dem einen oder dem andern die Sache wegen des Verlags zum Stande zu bringen. Es ist sonst Alles beisammen und wird die Difsertation des Hrn. Chauvin von dem Hrn. Chuno hoffentlich überkommen sein, damit sie gehörig verbeſsert und folg-lich dem Übrigen beigefüget werden könne.

Die Einschlüſse, so an mich gelanget, werden jedesmal mit allem Fleifs bestellet.

Dafs die 300 Thlr. von Magdeburg richtig eingelaufen, vernehme gerne und wird die Quittung darüber vermuthlich an den Factor zurück ergangen sein.

Nach dem Catalogo membrorum ist viel Fragens, wenn er bald zurückgelangen könte, wolte man mit dem Druck nicht säumen. Hr. Marperger ist sehr erfreuet, dafs ihm die Ehre widerfaren, die Zahl zu vermehren, und ich verbleibe mit schuldigem Respect u. s. w.

Berlin d. 7. April
1708.

---

[1] So Hdschr.

72.

In schuldiger Antwort auf Dero geehrtes vom 13. April diene hiemit, dafs wegen des bewusten Hauskaufs das Haubtwerk so schwer hergehe, indem bis diese Stunde von der Kammer noch keine Erklärung zu erhalten ist, dafs mit dem Vorbehalt der Nebendinge auszubrechen man sich noch nicht getrauet und solches zu befserer Gelegenheit wird aussetzen müfsen.

Nachdem Hr. Hartmann den Verlag der Miscellaneorum rund abgeschlagen, die Ernste aber denselben zu übernehmen sich nicht herauslafsen wollen, so hat sich Papen dazu erboten und will die Bedinge, worüber man mit Hartmann einig gewesen, eingeben. Man wird demnach bemüht sein, ehestens zusammen zu kommen, die verschiedene Stücke in ihre gehörige Ordnung zu bringen, zu der übrigen Notdurft die Anstalt zu machen und also den Druck endlich einmal ins Werk richten zu können.

Toland ist hie gewesen, aber nur wenig Tage; wafs seine Verrichtung betroffen, habe nicht erfahren.

Der Hr. la Croze und Hr. Oelven sind wegen eines Anagrammatis so hart an einander gerahten, dafs dieser jenen in einer gedruckten Schrift schimpflich durchgezogen, jener aber darüber an den König gegangen und sich beschweret. Solte die Sache an die Societät remittiret werden, würde dieser eine beschwerliche Last aufgebürdet und man Mühe haben, sie aus einander zu sezen, weil Hr. Oelven, ob er gleich nach eigenem Geständnifs der Beleidiger ist, mit nichts weniger als einer öffentlichen Abbitte zufrieden sein will. Der von Meisenbug meinet auch mit eingeflochten zu sein und macht ein gros Wesen.

Der Hof ist die Zeit über auswärtig bis nach Linum gewesen und verweilet itzt in Potsdam, daher die Ausfertigungen etwas langsam ergehen: es wird sich aber doch endlich zeigen, wo es damit hinaus wolle. Ich verbleibe mit schuldigem Respect u. s. w.

Berlin d. 28. Apr.
1708.

73.

Die völlige Nachricht, wie es mit dem bewusten Hauskauf stehe, wird aus beigehender Abschrift des Königl. Rescripts zu nehmen sein[1]. Man hat nach demselben, so viel auf dieser Seite zu tuhn gewesen, alles beobachtet und das Haus in so weit behaubtet. Von Seiten der Kammer ist noch nichts geschehen und weifs man nicht einmal, ob es bei dem Rescript gelafsen worden oder eine nochmalige Gegenvorstellung darwider geschehen solle, weil der Hr. Cammerpraesident, als ich das letzte mal mit ihm gesprochen, das Rescript wegen seiner vielfältigen Abwesenheit noch nicht gesehen und mir also mehr nicht geantwortet, als nur: es würde alles sehr gut sein, wenn sie nur kein Geld geben dörften, denn das hätten sie nicht.

Kein Maitre de requêtes ist izo nicht, sondern die geheimen Rähte tragen ein jeder vor, wafs zu seinem departement gehöret. Itztgedachtes Rescript hat der Hr. von Ilgen ausgewürket.

---
[1] S. oben Nr. 68.

Des Hrn. Chauvins difsertation, so mir der Hr. Chuno zu dem Ende zugestellet, kommt hiebei. Zu dem Verlag der Miscellaneorum hat sich Hr. Pape erboten, und weil er gute Correspondentz sowol mit Geditschen in Leipzig als mit Schillern in Hamburg hat und hiedurch den Vertreib genugsam fordern kan, hat man mit ihm zu schliefsen bis auf E. Excell. Ratification vor gut angesehen, zumalen da der Ernstische consorte von Stargard, so schon vor 14 Tagen erwartet worden, sich noch nicht sehen läfset.

Eine besondere Quittung über die jüngst ausgezahlte 300 Thlr. wird als ein Beleg zu der Rechnung wol nötig sein, weil das Schreiben, worin der Einlauf benachrichtiget wird, hiezu nicht dienet. Die Quittungen, sonderlich die letzten, sind immer nur generaliter eingerichtet gewesen, es wäre aber leicht, dato termino à quo sie künftig zu specificiren. Ich verbleibe mit schuldigem Respect u. s. w.

Berlin d. 5. May
1708.

74.

Jablonski an Leibniz.
19. Mai 1708.

Hiebei kommet gehorsamst die jüngst zurückgebliebene Abschrift des Königl. Rescripts wegen des erkauften Platzes[1]. Der Hr. von Tettau hat übernommen, bei dem Hrn. Obermarschall und bei dem Hrn. Cammerpraesidenten zu treiben, dafs sie der Sache nicht mehr zuwider sein, sondern es dabei bewenden und zu gehöriger Zeit Genüge tuhn sollen.

Des Hrn. D. Behrens von Hildesheim ist einmal gedacht worden, worauf derselbe in conventu praeconisirt und beliebt worden: die darauf verlangte Nachricht aber von seinem Nahmen und völliger Titulatur, so zu Ausfertigung des diplomatis nötig, wird noch erwartet.

Des Hrn. Hänflings ist noch nie gedacht worden, wenn er aber E. Excell. Approbation hat, wird er ohne Zweifel keinen Widerspruch finden und wird es nur auf seinen Namen und Qualität ankommen, dafs das diploma gefertiget werde.

Von der Streitigkeit des Hrn. la Croze mit Hrn. Oewen [Oelven] habe vor der Zeit kürzlich etwas erwehnet. Der Ursprung ist von einem Anagrammate, so Hr. Oewen auf den numehr seligen Prinzen von Oranien gemacht und aus seinem Namen herausgebracht: Fili, Caesar eris Dux purpureusque Sionis vincendo, welches er vor etwas mehr als ein blofses Letterspiel angesehen haben, und es kurzum vor eine Prophezei aufdringen wollen. Und weil Hr. la Croze sich defsen nicht so bald überreden lafsen, ist er auf ihn losgezogen, wie in beiliegendem Extract[2] zu sehen. Als hierüber Hr. la Croze sich beschweret und die Sache endlich klagbar an den König gebracht, hat Hr. Oewen eine Verantwortung, in Form eines Briefs geschrieben, umher gehen lafsen, da er es noch ärger als in dem gedruckten macht. Die Sache ist dann Generalfiscal Duhrem [Duhram] übergeben worden, sie mit einander wieder zu vergleichen.

Auf dieses Hrn. Duhrems Angeben, wiewohl ohne der Societät Communication, ist derselben durch ein Königlich Decret die Censur aller kleinen politischen Schriften, so sie zum Druck kommen, anbefohlen worden. Man hat aber gut gefunden, solches, weil hiezu eine besondere Wifsenschaft um die eigene Absichten und Interefse des Hofes und ein näherer Zutritt zu den Staatsgeschäften, als irgend einem Glied der Societät beiwohnet, erfordert

---

[1] S. oben Nr. 68.
[2] Im Anhang dieses Briefes.

wird, abzulehnen und hingegen sich zur Censur derer in die Gelehrsamkeit und Literatur laufenden Sachen erboten, wodurch künftig [1] solche Ärgernifse wie das Avis à M. Baile, des Sever. a Clamoribus Epistola und nu des Hrn. Oewen Monatliche Praesente, worin er hie und da der Societät selbs nicht genugsam schonet, angerichtet, vermieden werden können.

Wegen des Verlags ist mit Papen insoweit geschlofsen und wird nu daran gearbeitet, wie an den Druck die Hand fordersamst geleget werden möge; zu welchem End künftige Woche eine grofse Zusammenkunft der Glieder obhanden ist. Ich verbleibe u. s. w.

Berlin d. 19. May
1708.

[Anhang zu Brief 74, nicht von Jablonski's Hand.]

Man könte was bifshero von diesen Raritäten gesagt worden stille stehen und das Übrige der göttlichen Providentz anbefehlen, jedoch wir müfsen weiter gehen und denen aufgeblasenen Klüglingen, die sich durch ohne judicio zusammengeklaubte und Keinem in der Welt nützende D. H.[2] nicht famam, sondern infamiam zuwegen bringen, und von denen Frantzösische und Holländische Journalisten zum Praejuditz einer ansehnlichen Societät der Wifsenschaften vor Pasquillanten und famosorum libellorum autores aufsgetrummelt worden, ein wenig die hoffärtige Flügel beschneiden, wann sie die Production nicht ohne Nasenrumpfen angesehen und nichts weiter gesagt, als »es wäre nur ein Anagramma«. Es ist wahr, mein gelehrter, aber nur philosophischer ohder grammaticalischer Kaldaunenschlucker, ein mehreres ist es nicht, bleibe aber nicht an den Schalen hängen, sondern besiehe und erforsche den Kern oder den Geist defselben, anders möchtest du s. v. Dreck vor Schnupftoback in die Nase bekommen. Nim dir auch die Zeit und cabalisire ein wenig in dem Worte: »CALORES«, welches so viel heifsen soll, alfs unzeitige chaleurs oder pafsions, item allerhand Dünste und vapeurs der solipsorum, die einem ins cerebell steigen und dafselbe confus machen, da wirstu gar apposite dich und deinen Genium versteckt finden. Trotz dir Sciole! wo du mit allem deinem Sammelsurium von Lateinisch-Hebräisch-Arabisch-Rufsisch- und Bretonischen Sprachen mir dergleichen wirst zuwegen bringen. Urtheile von dergleichen Dingen nicht nach Affecten, die du wieder deinen Nächsten unverschuldeter Weise hegest, sondern erkenne die Gutthaten der Teutschen, die dich aufs dem Staub errettet und ein reichliches Stück Brodt zugeworffen haben. Mehr hat man vor diefsmahl dir nicht sagen wollen, ein Mehrers kanstu erfahren aufs Bibl. Chois. tom. XIV, darin ein gantz gepfefferter Artickel vor dich allein behalten, an dem nichts zu tadeln, also dafs du die Ehre eines Wiedersachers, der ein Docteur de Sorbonne heifset, haben solst.

75.

Jablonski an Leibniz.
23. Juni 1708.

Zufolge Dero geehrtem jüngsten habe die diplomata vor den Hrn. D. Behrens und den Hrn. Turretin, vor welchen der Hr. Ancillon sollicitiret, angegeben; der Schreiber aber, so dieselben ins Reine bringen solte, hat wider die Gewonheit mich damit bisher aufgehalten. Sobald sie fertig, werde das vor den Hrn. Behrens übersenden, das andere aber dem Hrn. Ancillon zustellen.

---

[1] Ildschr. »künfte«.
[2] Mir unverständlich.

Der angemuhteten Censur hat man die Societät nicht allerdings erlassen wollen, so dafs man sich bequemen und auf gewisse mafse dieselbe anzunehmen erklären müfsen.

Es wird difsfals noch eine Vorstellung geschehen, sobald der Hof wieder hie sein wird, defsen Rückkunft man mit dem Ende der nächsten Woche vermuhtet.

Mit Papen soll mit ehestem förmlich geschlofsen werden, damit man beiderseits wifse, woran man ist, und ich verbleibe mit schuldigem Respect u. s. w.

Berlin d. 23. Jun.
1708.

76.

Jablonski an Leibniz.
30. Juni 1708.

Hiebei übersende das Diploma vor den Hrn. Behrens, das vor den Hrn. Turretin habe dem Hrn. Ancillon zugestellet.

In unsere Sachen ist nichts Veränderliches vorgefallen. Der Baron Meder, nachdem die Zeit, binnen welcher seine Creditores zu befriedigen er sich eidlich verbunden und darüber des Arrests erlafsen worden, verflofsen und diese sich nicht besonnen, ihn damit aufs neue zu belegen, hat sich der Gelegenheit bedienet und das Weite genommen. Er mufs eine grofse Gabe gehabt haben, die Leute zu überreden, weil unter andern er auch den D. Spener, der sonst dem Werk allezeit widersprochen, dahin gebracht, dafs man sagt, er habe sein Haus verkaufen und das Geld zu der Arbeit zuschiefsen wollen. Ich verharre mit schuldigem Respect u. s. w.

Berlin d. 30. Jun.
1708.

77.

Pape an Leibniz.
3. Juli 1708.

Ew. Excellenz höchstgeehrtes Schreiben vom 26. Junii h. a. habe ich den 1. dieses wohl erhalten, worauf in schuldigster Antwort melden sollen, dafs ich den Vertrieb der Miscellaneorum wohl befördern will, und soll es mir recht lieb sein, wenn nur ein gutes Sortiment dagegen bekommen kan, wo ich denn Gelegenheit genug habe, dieses mit denen Buchhändlern umzusetzen.

Monsieur Hertenstein habe seyd meinem letzten nicht wieder gesehen, sobald ich aber den Tractat Hrn. Eisenschmids von ihm erhalte, werde ich solchen ungesäumt dem Hrn. Jablonsky zustellen.

Bey der Universal-Einrichtung des Schulwesens ist Director (so viel ich vernehmen können) der General-Commifsarius von Danckelman, und Commifsarii sollen seyn Hr. Profefsor Becman in Franckfurt, Hr. Hofprediger Jablonsky und Hr. Hofraht Chuno. Solte ich aber erfahren, dafs mehrere darbey sich befinden sollten, so werde ich nicht ermangeln, Ew. Excellenz schuldigster Mafsen schleunige Nachricht darvon zu geben, inzwischen aber meine vormahls unter einer gewifsen Bedingung defsfals gethane Bitte wiederhohle, nicht zweifelnd, dafs E. Exc. gnädigst darauf reflectiren werden.

Herrn Kirchen habe dato selbst gesprochen, welcher sich in seiner neuen Wohnung gesund und vollkommen vergnügt befindet, insonderheit wegen des darbey sich befindenden recht anmuhtigen Gartens. Ich habe zugleich das gantze Revier, welches etwan E. Exc. beziehen könten, besehen und befunden, dafs Sie daselbst so gute Bequemligkeit finden, als Sie letztens bey Mr. Vincent gehabt; es ist im Eingange des Hauses zur rechten Hand ein sauber Stübgen und daselbst gegenüber eine Cammer, wo E. Exc. Diener logiren können, ein Stall, darin 4 Pferde stehen und der Kutscher schlafen und auf dem Boden das Futter geleget werden kan. Ferner ist auf dem Hofe ein Schoppen, darunter trucken nicht eine, sondern wohl 3 Kutschen stehen können. Solten E. Excell. etwa gedencken noch diesen Sommer oder Herbst hierzukommen, so würde nöthig seyn, dafs Sie Befehl ertheilten, dafs es bey Zeiten renoviret würde. Könte ich hierzu etwas beytragen, so würde ich mich darzu bereit und willig finden lafsen; inzwischen aber ich beständig verbleibe u. s. w.

Berlin den 3. July
1708.

78.

Jablonski an Leibniz.
21. Juli 1708.

Mit den Anstalten zu dem Druck der Miscellaneorum wird nach Müglichkeit fortgefahren und wafs mir difsfalls anbefohlen bestellet werden. Das Übrige ist in Händen des Hrn. Chuno, defsen überhäufte Geschäfte und zum öfftern anfallende Unpäfslichkeiten ihn ohne Zweifel hindern und dem Werk einen Anstand machen.

In der Societät Hause ist ein Stüblein zur Herberge vor E. Exc., Dero verheifsene Überkunft uns sehr erfreuen wird, und eine Kammer vor Dero Bedienten ausgesezet, und vor die übrige Notturft wollen Hr. Kirch und Pape sorgen.

Wegen des verordneten Knufgeldes ist bei der Kammer noch nichts zu erhalten, es hat aber der Kammerherr von Tettau versprochen, an fleifsiger Erinnerung bei dem Obermarschall sowol als bei dem Kammerpraesidenten nichts ermangeln zu lafsen, so dafs man difsfalls das Beste noch zu hoffen hat. Wegen der verlangten Preufsischen Wapen hat der Hr. Chuno übernommen, in einem Manuscript, so er in Händen hat und worin er einige dergleichen gesehen zu haben sich erinnert, nachzuschlagen. So er etwas findet, will es unverzüglich berichten, wo nicht, so werde nach Königsberg schreiben und von denen die nötige Nachrichten einholen, so der dasige Factor ohne Zweifel wird verschaffen können.

Wegen der Censur ist auf die getahne Vorstellung noch keine Resolution erfolgt, sie wird aber täglich erwartet.

Mit der neuen Anstalt bei dem Schulwesen ist der Anfang zwar gemacht und ein Versuch getahn worden, zu einer Conformität mit der Lateinischen Grammatic zu gelangen. Allein weil die Directores solcher Sache mit mehr andern Geschäften beladen, können sie dieses nicht mit genugsamen Fleifs warten. Hr. Chuno und mein Bruder sind zwar auch zu denen difsfalls angestellten Berahtschlagungen gezogen worden, jener vigore commifsionis regiae, dieser blos pro consilio, der Societät in corpore aber ist noch nichts zugemuhtet worden; ich glaube auch nicht, dafs, wenn sie daran Teil nehmen wolte, man sie gerne zulafsen würde, nachdem gewönlicher Mafsen ein jeder hie über seinem Ansehn eifert und nicht gerne etwas davon vergibet.

Ich verharre mit schuldigem Respect u. s. w.

Berlin d. 21. Jul.
1708.

79.

Jablonski an Leibniz.
28. Juli 1708.

Indem man mit den Anstalten zu dem bevorstehenden Druck beschäftiget ist, findet sich, dafs die grobe Schrift, so damals im Vorschlag gewesen, zu dem Druck gebraucht zu werden, mitlerzeit ganz abgenüzet und nicht mehr dienen kan, dergleichen aber neugegofsen weder hie noch in Frankfurt zu bekommen. Indefsen hat man eine andere Schrift gefunden, dazu die Matrizen der hiesige Giefser neulich aus Holland erhalten und davon eine Probe nebst der vorigen zugleich hie beigehet. Weil nun sotahne Schrift an sich rein und wol ins Auge fällt, daneben merklich gröfser als die, so in den Actis Eruditorum gebrauchet wird, also man einer noch gröfseren um so befser zu entrahten vermeinet, weil dadurch auch die Gröfse des Buchs, also mithin die Kosten vermindert, hiemit aber der Vertreib befordert würde, auch die Ephemerides naturae curiosorum, worauf damals das Absehen gewesen, nicht durch und durch mit einerlei Schrift gedruckt sich befinden, so haben die hiesigen membra, so sich darüber berahtschlaget, bei solcher neuen Schrift es bewenden zu lafsen gut gefunden, den völligen Schlufs aber zu Ew. Excell. geneigten Beifall und Approbation ausgestellet, defsen auch mit ehestem verständiget zu werden hoffen, damit keine Zeit mit dem Giefsen verseumet werde.

Das von dem Hrn. Chuno verlangte Excerptum kommet hiebei, und ich verharre mit schuldigem Respect u. s. w.

Berlin d. 28. Jul.
1708.

80.

Jablonski an Leibniz.
25. August 1708.

Vor vier Wochen habe von der[1] zu denen Miscellaneis in Vorschlag gekommenen Schrift Nachricht gegeben, und weil die hohe Zeit der Veranstaltung solchen Druckes, wenn er nicht noch ein Jahr liegen bleiben soll, vorhanden ist, als wird mit grofsem Verlangen auf Dero geneigte Erklärung gewartet.

Wafs der Hr. Hartmann abermal wegen einer Verbefserung seines Gehalts eingegeben, wird aus dem Beischlufs zu ersehen sein. Die hiesigen membra haben dahin geschlofsen, dafs aus angeführten Ursachen ihm eine Verbefserung von 20 Thlr. järlich, und zu Erstattung der etwa schon angelaufenen Schulden 20 bis 30 Thlr. überhaubt wol zu gönnen wären. E. Exc. werden auch hierüber Dero geneigte Meinung fordersamst zu eröfnen belieben.

Die zum Erkauf des Plazes und Wohnung vor den Astronomum angewiesene Gelder sind zwar auf den Cammerétat gesezet, weil aber derselbe auf dieses Jahr die Einnahme mit 38/m. Thlr. übertrifft, so machet der Rentmeister schlechte Hoffnung, dafs etwas davon so bald erfolgen werde, zumalen da die neue und gar grofse Extraordinar-Unkosten in den Weg kommen.

Der Hr. Rödike hat ein Specimen seines erfundenen characteris universalis an den König gebracht, welches der Societät die Möglichkeit defselben zu untersuchen übergeben worden. Derselbe hat vor wenig Tagen davon eine mündliche Erläuterung getahn, so aber

---

[1] Hdschr. »den«.

viel zu weitläufig überzuschreiben. Kurz beruht die Sache darauf, dafs er 90 characteres erfunden, unter welchen er die Haubtconcepte der Dinge begriffen haben will und durch deren modificationes, derivationes und compositiones, welche allein durch beigesezte puncte, Strichlein und andere kleine Zeichen geschehen, auf 100/m und mehr concepte und Bedeutungen zu bringen, durch solche Vervielfältigung aber nicht nur alles, was in einer Sprache immermehr erdacht oder gesagt werden kan, sondern viel tausendmahl mehr, und mit dem wundersamsten Nachdruck vorzustellen gedenket. Nach der Art, wie er es auslegt, ist die Erfindung etwas philosophisch, weil sie lauter Realconcepte vorstellet, aber dabei sehr sinnreich, und die nicht ohne Nuzen sein würde, wenn sie zu völliger Ausübung gedeihen könte, von welcher sie, wie alle noviter inventa im Anfang noch etwas entfernet scheinet. Ich verharre mit schuldigem Respect u. s. w.

Berlin d. 25. Aug.
1708.

81.

Jablonski an Leibniz.
22. September 1708.

Wie gerne man die Geldangelegenheit der Societät bei der Amtscammer befordern wolte, ist doch hiezu bei gegenwärtigen Umständen, da der grofse Mangel in allen Cafsen so sichtbarlich herfürbricht, dafs er dem Könige selbs nicht länger ganz verborgen bleiben können, so wenig Anschein, nach Wunsch fortzukommen, dafs man sorgen mufs, der Sache mehr zu schaden als zu nuzen, wenn man sie itzunder wagen wolte.

Diese Woche hat sich die Cammer angemeldet und das Observatorium übergeben wollen, weil man aber bei defsen Besichtigung noch allzu viel, obgleich nicht eben grofse Mängel daran befunden, hat man sich entschuldiget und die Erinnerungen defsen, so man vorher gerne zum Stand gebracht sehen wolte, übergeben.

Dem Hrn. Rödiken soll E. Excell. Meinung von seinem Invento hinterbracht werden, und weil er eines gar docilen humeurs ist, zweifle nicht, er werde das Erbieten willig annehmen. Er hat auch in Mechanicis einige Concepte von nüzlichen Erfindungen, womit er zum Teil am Hofe sich schon gemeldet, weifs aber nicht, wie weit damit fortgekommen.

Mit Abgiefsung der beliebten Schrift wird numehr fortgefahren und dieselbe bald angeschaffet sein. Die Erfindung eines geschickten Kupfers hat der Hr. Werner übernommen, auch einen guten Anfang gemacht, so dafs es nur an dem Entwurf fehlet, welchen zu machen seine stätige Unpäfslichkeit ihn bisher gehindert.

E. Excell. vertröstete baldige Gegenwart erfreuet uns alle und wird bei derselben die übrige Veranstaltung solchen Druckes und wafs sonst der Societät Angelegenheit belanget, füglicher ausgemacht werden können; ich aber verharre mit schuldigem Respect u. s. w.

Berlin d. 22. Sept.
1708.

82.

Jablonski an Leibniz.
15. December 1708.

Auf des Hrn. Rödicken Ersuchen ist die von ihm aufgesetzte Anzeige von seiner Erfindung des characteris universalis abgedruckt worden, damit sie den gelehrten Liebhabern hin und wieder mitgeteilet werden könne. Ich habe davon ein Exemplar hiebei übersenden sollen, deren auf Begehren noch mehr erfolgen können. Man wird sie auch anderwärts an die membra Societatis communiciren, um deren vota zu colligiren, daraus der Bericht an den König hiernächst abgefaſset werden möge, weil Hr. Rödicke begehret, über die Müglichkeit und Nuzbarkeit dieser Erfindung die Societät zu vernehmen.

Auf besondere Veranlaſsung des Hrn. la Croze ist er noch weiter gegangen und hat auch eine linguam universalem, nach welcher die characteres gelesen werden mögen, ersonnen, wovon hiebei auch die Probe gehet.

Sonst ist in Societätsachen nichts Veränderliches und bleibt Alles in dem vorigen, auch die Renitentz der Cammer wegen der angewiesenen Hauskaufsgelder, wodurch die Last der Caſsa zuwächst. Doch ist bei dermaliger Confusion aller Königlichen Caſsen schwerlich etwaſs hiebei zu tuhn. Ich verharre mit schuldigem Respect u. s. w.

Berlin d. 15. Dec.
1708.

83.

Jablonski an Leibniz.
9. März 1709.

Dero glücklich behaltene Überkunft, wie sie gewünschet und gehoffet, also wird sie auch von uns allen mit Vergnügen vernommen werden.

Nachdem der Factor zu Magdeburg berichtet, daſs wegen Dero Eilfertigkeit bei der Durchreise er die angewiesene Zahlung nicht tuhn können, so habe ihm die Weisung getahn, daſs er solches Geld mit ehestem bei der Post übermachen solle, und bitte gehorsamst, wenn es einleuft, die behörige Quittung darüber an ihn oder an mich unverlängt einzusenden.

Des Newtons Optica habe von Leipzig erhalten; sobald sie eingebunden, werde sie dem Hrn. d'Angicour zustellen.

Der Obercammerherr ist an einem Seitenstechen krank und, wie man saget, nicht auser Gefahr.

Ich verbleibe mit schuldigem Respect u. s. w.

Berlin d. 9. Mart.
1709.

84.

Jablonski an Leibniz.
9. April 1709.

Eine schwere Krankheit, von welcher ich seither drei Wochen überfallen worden und wovon ich mich kaum ein wenig wieder erhohle, hat mich verhindert, auf Dero geehrtes, so mir am 27. Mart. eingelaufen, meine Schuldigkeit zu rechter Zeit zu beobachten.

Das Packett in der Post ist ausgelöset und eröfnet worden von dem Hrn. Chuno, welcher auch waſs er darinnen gefunden hoffentlich wird berichtet haben.

Die Historia phosphori ist vorhanden und bei die andern Stücke der Miscellaneorum an gehörigen Ort geleget worden.

Zu dem Druck weiſs ich, daſs alle Anstalten gemacht sind, nur weil ich noch nicht aus dem Bette komme, kan ich nicht sagen, wie weit es damit gelanget.

Inmittelst berichtet der Factor von Magdeburg, daſs er die ordinirte 300 Thlr. den 18. Mart. abgehen laſsen, aber keine Nachricht zurück erhalten, ob sie richtig überkommen.

8*

Solte nu wider Verhoffen hieran ein Fehl sein, wäre gut, deshalb je eher je lieber Nachricht zu haben, damit die gehörige Nachfrage bei der Post angestellet werden könne, ehe die Sache zu alt wird.

Gestern ist der Hr. Hofprediger Serlig [?] an einem kalten Brand in dem Fufs, woran er lange bettlägerig gewesen, verstorben. Auserdem regieren die Frülingskrankheiten mehr als jemals.

Mein Bruder ist verreiset ohne dafs Jemand wifse: wohin, oder wann er wiederkommen werde. Ich verbleibe u. s. w.

Berlin d. 9 April.

1709.

85.

Jablonski an Leibniz.

27. April 1709.

Dero geehrte beide, das Pakett, so Hr. Kroppe überbracht, und das Schreiben vom 19. dieses, so bei der Post eingelaufen, sind mir richtig geworden.

Ich bedaure, dafs mein elender Zustand, indem ich an einem vor wenig Tagen entstandenen Schaden am Fufs mit grofser Beschwerlichkeit darnieder liege, mir nicht verstattet, der anbefohlenen Verrichtungen gehörig zu warten, doch werde so viel mir immer müglich gehörigen Fleifses beobachten.

Die nachgesendete Stücke habe dem Hrn. Hofraht Chuno zustellen lafsen, der die Mühe übernimmt, vor Alles zu sorgen und ohne Zweifel E. Excell. schon von Allem wird Bericht erstattet haben. Nach der gewönlichen Sprache der Wundärzte will man mich ziemlich weit hinaussezen, welches, so es also erfolgte, mich sehr betrüben würde. Ich verharre mit schuldigem Respect u. s. w.

Berlin d. 27. Apr.

1709.

86.

Jablonski an Leibniz.

6. Juli 1709.

Nachdem mir der höchste Gott so weit wieder geholfen, dafs ich meiner Geschäfte mich annehmen kan, so habe die Correctur der Miscellaneorum angetreten, worin man bis auf den Bogen E, wovon ich eben die zweite Correctur abfertige, gekommen. Der Hr. Oewen, welcher vor das hiebeigehende Geheimnifs von der Königin eine Pension erhalten, hat vorlängst um ein diploma receptionis vor den Hrn. de la Ramée, gewesenen Landshaubtmann der Grafschaft Hanstein sollicitirt. Nun hat man dieses Orts difsfalls angestanden, weil er aber hart und endlich mit Bedrohungen darauf dringet, so erwarte E. Excell. Ordre, ob ihm hierunter zu willfahren.

So ist auch neulich auf Königlichen Befehl und eingelegtes Vorwort des Kaiserlichen Gesandtens in der Schweiz an den Hrn. Grafen von Metternich, ein Medicus zu Lucern Nahmens Lange mit einem diplomate versehen worden, und neulich hat der Hr. Mel [Mell] vor einen lutherischen Profefsorem zu Erfurt, den er wegen seiner sonderbaren Experienz in naturalibus sehr rühmet und davon specimina offeriret, geschrieben, der aber auf die Einsendung solcher speciminum verwiesen worden.

Der Hr. Oewen, welcher vor andern mit solchen Recommendationen sich gerne beladet, hat noch zween andere vorgeschlagen, nemlich einen Prediger zu Brandeburg, so mit einem neuen systemate philosophiae ad veritatem s. scripturae exactae schwanger gehet und davon hiebeigehendes specimen herausgegeben: und den Nürnbergischen Geographum Homann; weil man aber noch nicht siehet, wafs diese beide Würdiges geleistet, oder zum Zweck der Societät beitragen können, hat man darauf keine Reflexion gemachet.

Es liegen abermahl 300 Thlr. bei mir, so auf Dero rückständige Besoldung disponirt. Ob nun solche gerad auf der Post übersenden soll, erwarte Befehls. Sie bestehen meist in groben Sorten und also beqwem, auf der Post gesandt zu werden. Ich verbleibe mit schuldigem Respect u. s. w.

Berlin d. 6. Jul.
1709.

87.

Maria Marg. Kirch an Leibniz.
17. Juli 1709.

Dafs an Ew. Excellenz zu schreiben ich mir die Künheit nehme, bitte nicht übel zu vermercken. Ich habe nicht unterlafsen wollen, meine Auffwartung zu thun durch Überschickung beykommender himmlischen Anmerckungen bey demjenigen, was in kurtzem hier in Berlin vorgangen, worvon Sie ohne Zweifel schon genugsame Nachricht haben werden. Auff Ew. Excellenz Befehl und Anordnung habe nicht unterlafsen, meine Auffwartung am Hoffe nach Gelegenheit dann und wann zu machen; sonderlich bey Ihrer Hoheit Marggraff Alberti Gemahlinn, die gar gnädig sich gegen mich bezeuget. Werde auch itzt dran seyn, auf Dero Begehren ein Thema vor Ihre am 11. Mai neu gebohrne Prinzefsinn auffzurichten (oder zu stellen); habe auch sogleich als meine Vorstellung im Drucke fertig war, solche an Ihre Hoheiten übergeben wollen, so aber beyderseits damals noch in Potzdam bey der Hohen Königlichen Gesellschafft waren. Ich liefs es aber doch bey einer ihrer mir wol bekandten Bedientinn, habe auch durch selbe so viel Nachricht, dafs sie es beyden Hoheiten übergeben. Zu der Königin Frau Oberhoffmeisterinn gieng ich zwar auch, als schon die Königinn wieder herein war, und suchte meine Auffwartung zu machen; bey welcher ich aber nicht vorkam, sondern Sie schickte ein Frauenzimmer zu mir heraus; bey derselben legte ich mein Compliment ab und gab ihr drey Stück, mit Bitte, wenn eines an Ihre Maj. die Königinn und eines an die Kronprinzefsinn Königl. Hoheit könte gegeben werden: weifs aber nicht, ob solches geschehen.

Gestern vor Mittage war der Herr Oberhoffmeister des Königes von Dennemarck auff unserm Observatorio, welcher mich so hart anredete: dafs er gehöret, als wäre meinem Manne ich in der Astronomia behülfflich. So überreichte ihm ich eines von meiner himmlischen Vorstellung. Da sprach er gnädig: ich solte ihm doch eines mitgeben vor seinen König; so ich auch gleich bey der Hand hatte. Gestern nach Mittage um 4 Uhr giengen Seine Maj. der König von Dennemarck von hier weg und, wie gesagt wird, nach Hannover. Vielleicht werden Ew. Excellenz solchen wol dort sprechen.

Der König Augustus ist noch allhier und haben wir gestern unsere gantze Hohe Herrschafft, Gott sey Danck, gesund gesehen und aus des Herrn Feldmarschalls Wohnung kommen, woselbst sie Mittags Mahlzeit gehalten hatten. Schlüfslich habe Ew. Excellenz meines Mannes gehorsamste Dienste und Grufs zu vermelden. Empfehle Sie hiermit in Göttliche Gnadenobacht, mich aber und die Meinigen in Dero hohe Gunstgewogenheit und verharre u. s. w.

Berlin den 17. Jul.
1709.

[An den Rand ist von Leibnizens Hand geschrieben:]
Mercure historique et politique, imprimé à la Haye Aoust 1709, p. 143: Un astrologue remarqua que le 2. de ce moi, qui fut le premier jour que ces planetes furent ensemble; le soleil, Saturne et Venus étoient l'un prés de l'autre en droite ligne. On pretend qu'il y a là dedans quelque chose de significatif. .

88.

Jablonski an Leibniz.
3. August 1709.

E. Excell. geehrtes vom 16. Jul. ist mir richtig eingelaufen. Den Brief an Hrn. Chuno habe nebst denen zugehörigen Stücken demselben alsofort behändigen lafsen, mit dem Hrn. la Rose aber selbst gesprochen und von ihm zur Antwort erhalten, dafs er das Geld gerne mitnehmen wolle, wenn es nur bis zu seiner Abreise, welche erst in 14 Tagen oder 3 Wochen erfolgen werde, Anstand haben könne. Wie ich nun glaube, dafs an solchem Verzug E. Excell. nicht gelegen, so habe ihn defsen also versichert und erwarte nu, wenn er das Pakett werde abfordern lafsen, weil er es nicht eher als eben auf seiner Abreise anzunehmen begehret. Die Bücher von dem Hrn. Chuno habe ich schon bei ihm gesehen.

Der Hr. Oewen hat ohne Zweifel seine eigene Absichten bei allen denen, welche er der Societät praeconisiret, womit er doch meistenteils eben wie mit seinen übrigen Dingen nur Verdrufs und Beschwerlichkeit erwecket, dergleichen eine nicht der geringsten ist die Censur seiner -Monatlichen Praesenten-, welche voller Extravagantien sind, die nicht pafsiret werden können; darüber aber er sich gerne formalisirt, wenn sie ausgestrichen werden. Neulich schickte er einen von dem Abt Bignon an ihn geschriebenen Brief zur Censur, der in originali und in seinem Umschlag übergeben wurde, er aber nachgehends ihm einen ganz confusen und falschen Titul, wie ihn Hr. Chuno nennet, vorgesetzet, welches künftig zur Warnung dienen wird.

Der von dem Hrn. Mel [Mell] praeconisirte Profefsor wird nicht genennet, weil er aber einige specimina von ihm (in Mathematicis et Physica experimentali) versprochen und solche täglich erwartet werden, werde daraus ferner Nachricht zu geben nicht unterlafsen.

Die Miscellanea Societatis gehen im Druck immer fort. Der erste Teil, worin die Literaria, ist fertig, wiewohl dabei des Hrn. Starken Symbola aufgeblieben, weil man zu dem arabischen Druck hie nicht gelangen können. Mit dem zweiten Teil, worin Physica und Medica, ist der Anfang gemacht. Und so weit getraue mir mit der Correctur wol fortzukommen; wenn es an die Mathematica kommt, wird man einen Andern zu finden bemühet sein, der solche Correctur übernehme.

Das obangeführte abgedruckte Schreiben lege hiebei, und verharre mit schuldigem Respect u. s. w.

Berlin d. 3. Aug.
1709.

89.

Jablonski an Leibniz.
10. August 1709.

Wafs Dieselben an Hrn. Hofrath Chuno vor einiger Zeit durch Convert und an mich durch die Post jüngsthin abgehen lafsen, ist sowohl als das an den Hrn. des Vignolles richtig eingelaufen; wegen dieses letztern hat auch itztbesagter Hr. des Vignolles mit dem Hrn. Chuno sich allbereit besprochen und wird alles gehörig in Acht genommen werden.

Wegen des von dem Factor Papen über Halberstatt abgelafsenen Päckleins habe mit demselben gesprochen, da denn er sich über den Unfleifs des Factors zu Halberstatt beklaget, als von welchem er auf seine geschehene Erinnerung keine Antwort erhalten, wie solches und ein mehrers aus dem Beischlufs von ihm wird beliebig zu ersehen sein.

Der verlangte Zuschufs einiger zu den Miscellaneis gehöriger Stücke ist geschehen und wird solchen Hr. Chuno bei sich haben.

Von dem Hrn. la Rose erwarte der versprochenen Nachricht, wann er werde reisefertig und ihm gelegen sein, das bewuste Gelt anzunehmen, da dann ihm solches zu behändigen und davon Nachricht zu geben nicht ermangeln werde.

Nachdem auch Hr. Rödicke auf einen Bericht wegen seiner Sache dringet und derselbe nach Anleitung derer darüber teils schriftlich eingelaufenen, teils hie ausgefallenen Meinungen entworfen worden, so wird darüber E. Excell. beliebiges Gutachten erwartet, zu dem Ende solcher Entwurf hiebei gehet, ich aber verharre mit schuldigem Respect u. s. w.

Berlin d. 10. Aug.

1709.

90.

Jablonski an Leibniz.

24. August 1709.

Nachdem die Kronprinzefsinn ihren Kirchgang nunmehr gehalten und Hr. la Rose sich bei mir nicht gemeldet, habe ich vor acht Tagen ihn nochmals gesuchet und von ihm die Versicherung erhalten, dafs er gegen seine Abreise das Packett vor E. Excell. gewifs abfordern lafsen wolle, wie ich denn ihm meine Wohnung schriftlich aufsezen müfsen, wobei es nu bewenden lafse und des Erfolgs erwarte.

Von dem Halberstättischen Factor habe ein Schreiben an Papen gesehen, darin er sich beklaget, wie es ihm mit dem adrefsirten Packett so unrichtig gegangen, hoffe aber, es werde numehr zu gehörigen Händen gelanget sein.

Nachdem der Königliche Geburtstag abermahl vorbei gegangen, ohne dafs man zu der solennen inauguration gelangen können, so wird man wohl einer andern gelegenen Zeit damit erwarten müfsen. Indefsen ist von der Kammer zu verstehen gegeben worden, dafs, nachdem sotahnes Observatorium in brauchbaren Stand gesezet, man bereit sei, solches der Societät zu übergeben. Ob nun zwar wir schon Pofsefsion davon und alle Schlüfsel in Händen haben, so kan doch nicht schaden, wenn ein dergleichen Actus zum Überflufs vorgehe, und hat man sich darauf heraus gelafsen, dafs man hiezu bereit sei und von der Kammer erwarte, wann und wie solche Übergabe zu tuhn es ihr gefallen werde, worauf die Antwort noch erwartet wird. Unter der Hand ist vorgeschlagen worden, dafs es am kürzesten zugehen könne, wenn dem Bauschreiber hiezu schriftliche Vollmacht oder ordre aufgetragen würde, so könte von dieser Seiten an den Factor Papen dergleichen geschehen und sotahne ordres bei der würcklichen Übergabe, so allein unter ihnen beiden vorgehen würde, ausgewechselt werden.

Dem Hrn. Angicourt habe sein Packett zustellen lafsen und soll bei dem Druck und defsen Correctur alles aufs beste beobachtet werden. Das Kupferblat ist, wie ich nicht anders weifs, in der Zeichnung bei Hrn. Blasendorf, mit welchem man auch die andern Kupfer verdungen.

Waſs vor neue unfertige Händel der Hr. Oewen angefangen, ist aus beikommenden Abschriften beliebig zu ersehen. Man hat darauf im Nahmen des Directorii der Societät eine vorläufige Antwort bloſs zur Information abgestattet und fernere Verantwortung auf vorgängige Communication mit E. Excell. vorbehalten. Die Meinung dieserseits gehet dahin, daſs man die injuriosa dicta et facta des Hrn. Oewen klagbar vorstellen und deshalb ihn rechtmäſsig anzusehen bitten wolle. Waſs E. Excell. hierunter gut finden und verordenen werden, wird nebst Zurücksendung solcher Abschriften erwartet. Das Beste ist, daſs der Hr. von Ilgen die Sache nicht vorgetragen, sondern die Explication von der Societät erst erwartet, da denn [aus] dem ihm mitgeteilten Extract der jährlichen Calenderrechnungen ihm gleich in die Augen leuchten kan, wie unverschämt der angemaſsete Angeber von Dingen, davon er nicht die geringste Wiſsenschaft hat, in den Tag hinein redet und den Hof mit ganz ungegründeten Vorstellungen zu verleiten bemühet ist.

Ich verbleibe mit schuldigem Respect u. s. w.

Berlin d. 24. Aug.

1709.

91.

Jablonski an Leibniz.
31. August 1709.

Dero geehrtes vom 23. ist mir richtig eingelaufen und die Einschläſse gehöriger Orten bestellet worden.

Das anbefohlene Schreiben an den Hrn. von Sparvenfeld soll mit ehestem ausgefertiget werden und mit dem Bericht wegen des Hrn. Rödiken, wenn er einlauft, ein gleiches geschehen, wiewohl damit nichts versäumet wird, weil der König mit einem gar wenigen Gefolg eine Reise gegen Preuſsen vorhat, mit welcher er sich drei bis vier Wochen aufhalten wird. Der Aufbruch soll, wie man sagt, nächstkommenden Dingstag geschehen.

Dem Hrn. la Rose hätte das Gelt gerne alsofort einhändigen wollen, er hat es aber anzunehmen geweigert, vorschüzend, daſs er es nicht sicher genug zu verwahren wiſse, also nicht eher als gleich vor der Abreise es abholen laſsen wolle, worauf ich nu täglich warte.

Der Hr. Oewen hat verlangt, daſs man ihm ein Duzet [sic] Tahler zu Fortsetzung seiner kostbaren Correspondenz mit dem Abbé de Bignon reichen möge, puisque je suis, sagt er, le seul qui ait soutenu jusques ici la reputation de la Societé; es ist ihm aber noch nicht gewilliget worden. Ich verbleibe mit schuldigem Respect u. s. w.

Berlin d. 31. Aug.

1709.

92.

Jablonski an Leibniz.
7. September 1709.

Dero geehrte beide, vom 22. Aug. mit dem Bericht wegen Hrn. Rödicken, und vom 1. Sept. durch Mad. Roberton, sind richtig eingelaufen; es hat auch gedachte Frau das Gelt durch des Hrn. Hofraht Ludwigs Diener abfordern laſsen und versiegelt empfangen, hoffe, daſs es wol zu Handen kommen werde. Daſs die Schuld an mir nicht sei, wenn solch Gelt durch den Hrn. la Rose nicht überkommen, wird aus meinen vorigen hochgeneigt sein ersehen worden. Der Sortenzettul kommt hiebei und wird sich hoffentlich alles richtig befinden.

Hr. Oewen führt sich offentlich als accusator gegen die Societät auf und treibet mit Ungestüm auf eine Commifsion, seinen angemafsten calculum zu justificiren und zu erweisen, dafs über 70/m Thlr. in cafsa Sooietatis liegen müfsen, davon er und mehr andere müfsige Hummeln, so mit ihm complotiren, wie die von ihm selbst communicirte Briefe verrahten, reichlich versorget werden könten. Der Herr von Ilgen wird von ihm darüber täglich mit Briefen angelaufen, in deren einem er also schleufst: »und wenn ich ja nichts erhalten soll, so bitte ein- vor allemahl um ein gnädiges Almosen«, welches denn seinen Zweck entdecket, dafs er nichts anders suche, als sich des Hungers zu erwehren, und darum solche extrema hervorsuche. Man hat dagegen sehr gebeten, ob zwar Sr. Königl. M¹ von dem Zustand der Cafsa Rechenschaft zu tuhn man sich schuldig erkenne, auch Rechnung abzulegen alle Stunden bereit sei, dafs doch solches, wenn es verlanget wird, autoritate regia und nicht auf eine so schimpfliche Weise per modum inquisitionis ad instantiam incompetentis accusatoris oder vielmehr calumniatoris geschehen und verordnet werden möge.

Das schändliche Ende des Goldmachers Cajetani wird bekannt sein und wolte man ihm gerne den Baron Meder zugesellen, es wollen ihn aber die creditores, so ihn zu Prag sezen lafsen, nicht herausgeben, bevor sie befriediget worden.

Des Königs Reise nach Preufsen ist auf einige Tage ausgestellet, soll aber noch gewifs vor sich gehen, und ich verharre mit schuldigem Respect u. s. w.

Berlin d. 7. Sept.
1709.

93.

Jablonski an Leibniz.
14. September 1709.

Die Kronprinzefsin und mit derselben Mad. Robeton wird nu wohl in Hannover angelanget sein und das mitgenommene Packett überbracht haben. Seit dem ist nur ein grofs Packett an E. Excell. eingelaufen. Es scheinet ein Buch in 8. eines Fingers dick darin eingeschlofsen zu sein, daher es bis auf anderweiten Befehl oder gute Gelegenheit hie behalten.

Auf Hrn. Oewens Anbringen hat man vorläufig geantwortet und einen Auszug der Rechnungen bis A. 1702 [es ist wohl 7 zu lesen] inclus. beigeleget, welches so viel gewürket, dafs der Hr. von Ilgen die Sache nicht vortragen mögen, dennoch aber an sich behalten und ihn mit Glimpf zu stillen gesuchet, so aber wenig verfangen, wie denn wenig Tage vor des Königs Abreise er aufs neue angesezet. Nachdem hat man nichts weiter vernommen, und weil nu der Hof abwesend, hoffen wir wenigstens so lange Ruhe zu haben. Interim aliquid fiet.

Die Observationes Reiheri sind zu spät gekommen, weil man schon in dem mathematischen Teil begriffen, und werden nebst einigen andern Dingen zu einem künftigen volumine zurück bleiben.

Die Briefe nach der Schweiz hat Hr. Chuno zu bestellen übernommen.

Der Hr. Werner, so das Titulblatt in Kupfer zu zeichnen übernommen, ist seither etlichen Wochen vom Schlag gerühret, so dafs man ihn schon aufgegeben, er soll sich aber ziemlich wieder erholet haben und will Hr. Chuno, weil er allein mit ihm bisher gehandelt, obgleich er selbst sich nicht allzu wol befindet, ihn besuchen, um zu sehen, wie weit solche Zeichnung gebracht und wie sie möge vollendet werden.

241

Von Königsberg laufen die Zeitungen sehr schlecht. Solte das Unglück an diesem Ort einreifsen, würde es uns nicht wenig Schaden bringen, denn Preufsen und die Mark unser Bestes und so zu sagen unser Ganzes sind. Gott wende Alles in Gnaden ab! Ich verbleibe mit schuldigem Respect u. s. w.

Berlin d. 14. Sept.
1709.

94.

Jablonski an Leibniz.
28. September 1709.

Die Frau Robeton wird numehr hoffentlich das hie empfangene Gelt überliefert und es also hiemit seine Richtigkeit haben.

E. Excell. geehrtes, worin des Hrn. Waldschmids Observationes de monstro vi corpore [?] eingeschlofsen gewesen, ist lange nach dem ersten und auch nach dem vom 12. Sept., nemlich erst mit letzt verwichener Post eingelaufen, und obzwar solche Stücke, wie aus meinem vorigen erhellet, vor itzo nicht mit eingerücket werden können, so sind sie doch unverlohren und werden in dem zukünftigen tomo dienen können. Der gegenwärtige tomus wird gegen der Neuenjahrsmefse fertig sein können, wo nicht die Kupfer es aufhalten. Mit deren Abdruck soll die anbefohlene Weise, dafs sie auser dem Buch aufgeschlagen werden, gehörig in Acht genommen werden.

Hr. Oewen hat eine Commifsion auf den Hrn. Hülsemann und Fuchs erhalten, seine Vorschläge zu untersuchen. Ob nun und wie weit die Societät hiebei mit implicirt werden wolle, wird sich zeigen, wenn man nähere Communication des Commifsorialis und wie die Commifsarii die Sache tractiren werden, erhalten kan. Noch zur Zeit hat sie kein Teil daran, und wo sie mal à propos darein gezogen werden wolte, wird man es auf alle fügliche Weise abzuwenden suchen.

Der Hr. von Meisenbug hat einen garstigen Handel gehabt, aus welchem er doch durch Hülfe seiner Freunde sich so weit herausgewickelt, dafs er mit einer Ehrenerklärung davon kommen und des Arrests erlafsen worden. Bald darauf verlautete, dafs er die Römische Religion angenommen und als Resident am Kaiserlichen Hofe in Churpfälzische Dienste trete. Nachdem habe weiter nichts von ihm gehöret, will aber mich difsfalls näher erkundigen.

Von der verlangten Epistola ad amicum erfolgen hiebei 6 St. samt dem jüngst gedachten Packett, weil es bei solcher Gelegenheit im Porto wenig austragen wird, und ich verharre mit schuldigem Respect u. s. w.

Berlin d. 28. Sept.
1709.

95.

Jablonski an Leibniz.
26. October 1709.

Ich zweifle nicht, es werde sowohl das übersandte Gelt, als auch meine seit dem abgegangene Schreiben wol zu Handen gekommen sein.

Mit dem Druck der Miscellaneorum wird dergestalt geeilet, dafs sie wo nicht auf die Leipziger Neuejahrs-, doch auf die Frankfurter Fastenmefse unfehlbar fertig sein sollen.

Vor acht Tagen hat der gewönliche Schweizer Bote an E. Excell. ein Päcklein nebst dem hiebeigehenden Schreiben überliefert, in welchem, nachdem es auf dem Packhof geöfnet worden, sich 4 Exemplare von des Hrn. Langen Historia lapidum Helvetiae befunden, worüber nun Dero ordre erwarte. Der zweite Einschluſs ist von dem Hrn. Ancillon mir anbefohlen worden.

Der Rittmeister Oewen ist nu stille, ob er, wenn der Hof wieder anlangen wird, von neuem anheben werde, muſs man erwarten, und ich verharre mit schuldigem Respect u. s. w.

Berlin d. 26. Oct.
1709.

96.

Jablonski an Leibniz.
2. November 1709.

Dero geehrte beide, davon das erste vom 22. Oct., habe mit denen zwei letzten nacheinander folgenden Posten richtig erhalten und die Einschlüſse gehörig übergeben, allermaſsen die eine Antwort von dem Hrn. la Croze hie beigehend zu befinden und vor Schlieſsung des Packetts vielleicht ein mehrers einlaufen wird.

Daſs die bedeutete zwei physicalische Stücke begehrtermaſsen dem Werk angehänget werden, wird der Herr Chuno hoffentlich besorgen.

Der Hr. Ancillon hat versprochen, die nötige Nachrichten zu Ausfertigung derer anbefohlenen diplomatum herbeizuschaffen; sobald solches geschiehet, soll das Übrige unverweilet geschehen.

Daſs die hin und wieder regierende oder auch nur aufblickende Krankheiten ansteckend seien, ist wohl nicht zu zweifeln: doch sind sie von der eigentlichen Pest unterschieden. Daher auch zu Königsberg, obgleich von geraumer Zeit her dergleichen sich dort geäusert, ja so weit eingerifsen, daſs bis tausend Menschen in einer Woche gezählet worden, dennoch weder die Statt gesperret, noch in derselben der gewöhnliche Umgang unter einander bisher untersaget worden, auser daſs in zweien Kirchspielen man nötig erachtet, die Kirchen zu schlieſsen und die Gafsen nach den andern Vierteln der Statt zu versperren. Es soll auch, wie die jüngste Nachrichten geben, das Übel merklich nachlaſsen.

Hie in der Mark bei Brandeburg hat in einem Dorf sich etwaſs geäusert, so vor gefährlich angesehen und bei dem niedergesetzten Collegio sanitatis als etwaſs Wichtiges eingebracht worden, so aber bei genauerer Untersuchung sich gar anders und unverfänglich befunden. Daher nicht zu verwundern, wenn von abgelegenern Orten und durch fliegende Gerüchte Dinge ausgesprengt werden, die wider die Warheit laufen.

Die letzte Quittung, so ich in Händen habe, ist gestellet worden, bevor der Auszug aus denen Rechnungen über die gesamte Zahlung genommen, daher sie noch »auf Abschlag« lautet. Es wird aber hoffentlich die damalige Berechnung bei Händen und aus derselben leicht zu nehmen sein, wie die Quitungen über die beide nachher geschehene Zahlungen einzurichten, und ich verharre mit schuldigem Respect u. s. w.

Berlin d. 2. Nov.
1709.

97.

Jablonski an Leibniz.
16. Nov. 1709.

Der Einschluſs gibt mir Gelegenheit zu vermelden, wie seither acht Tagen der Hr. Hofrath Chuno von einem beschwerlichen Anstoſs eines Schlagfluſses befallen worden, woran [sic] er auf der linken Seiten sehr gelähmet gewesen, davon aber durch angewandte kräftige

9*

Mittel ziemlichermafsen wieder befreiet worden und in der Hoffnung völliger Befserung sich befindet, so dafs er sich der Besorgung des Drucks der Miscellaneorum, welcher immerhin wol von Statten gehet, wieder annimmt. Wir wünschen aber zu Gott, dafs er uns diesen absonderlich bei der Societät so nützlichen Mann noch ferner lafsen und ihm neue Kräfte verleihen wolle, vor das Aufnehmen derselben wie er bifsher so eiferig getahn, ferner zu sorgen.

Der Hof ist nun wieder hie und die Gefahr der Ansteckung aus der Nachbarschaft beginnet zu verschwinden. Ich verharre mit schuldigem Respect u. s. w.

Berlin d. 16. Nov.
1709.

98.

Jablonski an Leibniz.

21. Dec. 1709.

Der Einschlufs veranlafset mich, abermahl mit gegenwärtigen Zeilen aufzuwarten und nur dieses zu berichten, dafs mit des Hrn. Chuno Gesundheit es noch zu keiner beständigen Befserung gedeihen wolle, wiewol er inmittelst der Arbeit, so viel er kan und vielleicht mehr als ihm dienet, oblieget.

Es hat vor kurzer Zeit ein Mechanicus sich hie eingefunden, eine Machine, so er zu einem gewifsen Brauch zu Magdeburg erfunden, am Hofe zu zeigen und defsen Beifall zu suchen. Soviel man an dem Modell vernehmen können, dörfte dieselbe, wenn sie, wie solches in Frankreich gehalten wird, der Societät zur Untersuchung übergeben würde, einige Verbefserungen wohl leiden: doch ist es ebenso gut, dafs man damit zufrieden gelafsen wird, weil man noch nicht im Stande ist, difsfalls gehörige Genüge zu tuhn. Dieses aber ist nicht zu übergehen, dafs er eine Probe aufzuweisen hat eines hydrocaustici, wie er es nennet, oder mit Wafser gefülleten Brennglases, so zwar nicht grofs und nur etwa 9 Zoll im Diameter, defsen Einfafsung aber genugsam zeiget, dafs sie auch in gröfserer Form füglich angehen werde, welches dem Hrn. D. Jegwiz, der vor einiger Zeit auch daran gearbeitet, die gröfseste Schwürigkeit gemacht. Und weil er sich eines besonderen Handgriffs rühmet, die hiezu nötige Gläser behend zuzurichten, wird er, woferne es ihm gelinget, hie in Dienst genommen zu werden, wie ihm der Hr. Eosander dazu die Hoffnung macht, zu Fortsetzung dieses Experiments nüzlich zu gebrauchen sein.

Zu denen bevorstehenden Feiertagen und annahenden Jahreswechsel wünsche bei erspriefslicher Gesundheit alles selbstgefällige beständige Wolergehen, mir aber die Beharrlichkeit Dero hochgeschätzten Gewogenheit und dafs durch viel wolgefällige Proben mit schuldigem Respect auch in der Taht erweisen möge als u. s. w.

Berlin d. 21. Dec.
1709.

99.

Jablonski an Leibniz.

11. Januar 1710.

Aufs Dero geehrtem vom 26. des jüngstverflofsenen Jahres habe Dero glückliche Wiedererholung von einer zugestofsenen Leibesschwachheit erfreulich vernommen, wünsche von der göttlichen Güte zu dem neu eingetretenen und vielen folgenden Jahren nebst beständiger Leibesgesundheit alles selbstbeliebige vergnügte Wolergehen, mit aber erbitte die Ehre Dero beharrlichen Hochgewogenheit.

Mit dem Hrn. Chuno will es sich noch nicht beständig beßern, welches uns sehr leid und auch in den Sachen der Societät merkliche Hinderung tuht. Ich habe ihn vor wenig Tagen gesehen und ziemlich munter gefunden, erfahre aber daneben, daß es gleichwol zuweilen wechsle, und weil das Kopfweh, als die Quelle des Übels, noch unabläßig anhält, ist nicht zu verwundern, wenn die Anstöße der Schwachheit von einer Zeit zur andern wiederkommen. Wir wünschen von Herzen, daß er völlig wieder zukehren möge und wird er vielleicht von seinem Zustand selbst Nachricht geben.

Die Conferenz mit dem Hrn. des Vignolles über des Hrn. Hänflings Musicalia dörfte der gegenwärtige Zustand des Hrn. Chuno schwerlich verstatten, wiewol er sich dazu willig erkläret, wie er denn in alle dem Übrigen an seiner Vorsorge noch nichts abbrechen will, auch sein Schediasma wo möglich zum Stande zu bringen oder begehrtermaßen zu übersenden versprochen, allermaßen deßen E. Excell. zu versichern und vor Dero gültigen Wunsch und Andenken Dank zu sagen er mir anbefohlen.

Den Hrn. Werner habe selbst besucht und wegen des entworfenen Titelkupfers so viel vernommen, daß er solches seinem Sohn zu völliger Ausarbeitung übergeben, welcher auf geschehene Anfrage solches nächstbevorstehende Woche fertig zu liefern versprochen, deßen man denn also gewärtigen muß, und werde ich an fernerer Erinnerung es nicht mangeln laßen.

Der Hr. Naudé hat sich der Correctur der mathematischen Sachen unterzogen; es klaget aber der Hr. Chuno, daß ein Bogen darunter, nicht zwar aus des Hrn. Correctoris, sondern aus des Sezers Schuld nicht allzuwol gerahten, daß er fast auf die Meinung falle, daß er umgedruckt werden müße. Sonst gehet der Druck immer seinen Gang und wenn nicht der Adreßcalender einigen Anstand verursachet, würde man dem Ende gar nahe sein. Waß hinten noch anzuhenken befohlen, soll geschehen, auch des Hrn. Frischen caeruleum darunter begriffen werden. Des Hrn. Dagly seine Notitz ist übersetzt und an ihren Ort eingerücket.

Der von mir jüngst gedachte Mathematicus stehet dem Hrn. Eosander so wohl an, daß er ihn hie anzubringen gedenket, ihm auch eine Machine zu inventiren aufgegeben, mit welcher durch ein Waßerrad die Lasten an dem Schloßbau bis 50 Centner schwer in die Höhe gezogen, bei der Nacht aber das den Tag über nötige Waßer hinauf gepompet werden möge. Er sagte mir neulich, daß er das Modell davon schon angegeben. Die machine, so er in Magdeburg anzubringen vermeinet, soll dienen, die Schiffe gegen den starken Fall, welchen der Strom unter der Brücke machet, mit leichterer Mühe hinaufzuziehen: es scheinet aber dieselbe also componirt und gekünstelt zu sein, daß sie in praxi schwerlich reußiven dörfte, auser waß sie vor Mängel in der Stärke selbst zeiget. Die hiesige hat etwaß mehr auf sich, und wo er damit zurecht kommt, wird er ein großes Meisterstück beweisen.

Mit denen Exemplarien des Hrn. Langen soll verordnetermaßen verfahren werden; vor mein Teil sage schuldigen Dank. Die Schreiben nach der Schweiz zu befordern suche eine beqweme Gelegenheit; sobald solche finde, sollen sie abgehen.

Wegen der Kaufgelder des Societäthauses ist so leicht keine Hoffnung zu machen, weil des Geldes hie gar zu wenig, und noch neulich die Amtskammer Befehl bekommen, alle ihre Einnahmen in die Rentei zu liefern, auch sogar mit Hindansezung ihrer eigenen Besoldungen, welche sie doch jederzeit vormals vorwegnehmen dörfen, so daß sie verschiedenen Bedienten zu 2 und 3 Quartalen würklich zurückstehen.

Die in Pohlen hin und wieder aufschlagende Contagion rühret blos von der unvorsichtigen Beziehung der angesteckten Häuser und übereilten Gebrauch des unreinen Hausrahts und Kleiderwerks her, womit die Leute, es sei aus Unwißenheit oder aus Geiz nicht recht umgehen.

In Preußen will es ebenfalls sich noch nicht recht legen, wiewol es an guten Anstalten numehr nicht ermangelt.

In meinen Rechnungen finde, daß auf E. Excell. Besoldung ferner bezahlet worden:

Anno 1707: 600 Thlr.

Anno 1708: 300   »

Anno 1709: 900   » ,

wovon aber die zwo letzte Quitungen jede von 300 Thlr. noch zurück sind und nach obiger Rechnung die letzte mit 1. May 1707 schließen würde.

Es sind wieder 300 Thlr. bereit, zu deren Übermachung die beliebige Anordnung erwarte.

Mein Bruder läßet seine dienstliche Empfehlung hiebei gehen, und ich verharre mit schuldigem Respect u. s. w.

Berlin d. 11. Jan.

1710.

100.

Jablonski an Leibniz.
1. Februar 1710.

Mein jüngstes vom 11. dieses wird hoffentlich wol eingelaufen sein. Mit gestriger Post habe ein Schreiben vom Hrn. D. Langen aus Lucern erhalten, so aber etwas alt und den 1. Jan. datiret, worin er meldet, daß er dem Hrn. Bondeli 12 Exemplare seines Tractats de origine lapidum figuratorum, welchen er der Societät dediciret, hieher zu bestellen übergeben, so zum Dienst der Societät gewidmet. Sobald das Packett wird eingelaufen sein, werde davon gehörige Nachricht erteilen und ferneren Befehls erwarten.

Der Hr. Dagly hat eine große Sache vor und gehet mit einer Probe um, das Holz für dem schädlichen Wurmfraß, welchem die Schiffe in den Amerikanischen Meeren unterworfen sind, zu bewahren. Die Probe seines unzerstörlichen Kitts hat er schon vor vier Wochen bei dem Englischen Gesandten ablegen sollen; er gehet aber mit dem einen und dem andern so langsam um, als ob er keine Lust dazu hätte.

Es hat sich einer mit einer neuen Machine hervorgetahn, die ich aber noch nicht erkundigen kan. Der Erfinder ist ein Idiot, so einen Verwalter oder Kornschreiber auf dem Lande abgegeben, daher um so viel mehr zu verwundern, wenn die Erfindung so beschaffen ist, wie verlautet. Es bestehet aber solche in einem nicht gar großen Kasten, darin ein Mehlwerk, so durch eigenen Trieb in 24 Stunden 6 Schll. Mehl abmahlen kan. Die, so ich davon reden hören, stimmen nicht überein, ob es von selbst und immerwärend gehe, oder durch ein Getrieb, so aufgezogen werden muß. Er hält sich damit sehr heimlich und will es Niemand, als den König sehen laßen, wozu er aber noch nicht gelangen können. Ich kan noch nicht erfahren, wo er diese machine niedergesezet, und weil es auf der Friedrichstatt sein soll, so läßt die obhandene Winterluft nur nicht zu, so weit hinaus zu laufen und darnach zu fragen. Doch habe ich verschiedene Freunde besprochen, so mir nähere Nachrichten erteilen wollen. Sobald etwas Gründlicheres erfahre, will es unverweilt überschreiben. Ich besinne mich hiebei einer dergleichen machine, so der Mechanicus Trescher in Königsberg vor etlich und dreißig Jahren erfunden, so ebenfalls in einem Kasten bestanden, in welchem durch eines Menschen Hand in 24 Stunden 28 Schll. Korns abgemahlen werden können. Es wurde aber solche Machine ihm abgenommen und bei hoher Strafe verboten, dergleichen nicht mehr zu machen. Vermuthlich dürfte die hiesige kein befseres Glück haben.

Der Hr. Chuno bleibt noch immer im vorigen Stand, indem der heftige Zufall zwar gehoben, die Ursach defselben aber, die unabläfsige Kopfschmerzen einen Weg wie den andern anhalten. Indefsen nimmt er sich der Geschäfte, so viel er im Hause abtuhn kan, wieder an und treibt auch den Druck der Miscellaneorum. Ich verbleibe mit schuldigem Respect u. s. w.

Berlin d. 1. Feb.
1710.

101.

Jablonski an Leibniz.
1. März 1710.

Dero geehrtes jüngstes aus Braunschweig ist zu recht eingelaufen und habe ich dem Hrn. Hofrath Chuno davon Nachricht gegeben, welcher übernommen, nach dem unter Einschlufs an Hrn. Ludwigen abgelafsenen Packet zu fragen. Wenn solches zu rechter Zeit überkommen wäre, hätte der Druck, so in defsen Ermangelung um 4 Wochen stille stehet, schon geendiget sein können.

Indefsen wird mit dem Abdrucken der Kupfer fortgefahren. Es sind derselben ziemlich viel, daher der Verleger besorget, sie werden das Werk höher in Preis sezen, als es zum erstenmahl diensam sein möchte.

Der Hr. Chuno beginnet wieder auszugehen, mufs sich aber sehr schonen, weil die Kälte ihm noch sehr schädlich ist, im Hause aber kan er seine Arbeit ungehindert verrichten.

Der von Magdeburg hie angelangte Künstler wird dem Ansehen nach mit seinen Machinen nicht viel ausrichten und läfset mehr und mehr vermerken, dafs er die Grundsäze der Mechanique entweder nicht recht begriffen oder nicht recht anzubringen wifse. Indefsen findet er doch hie so viel zu tuhn, dafs er sein Brot ehrlich gewinnet.

Der Andere, so die behende Mehlmühle erfunden, hat zu seiner Belohnung so ungereimte Dinge gefordert, dafs er damit kein Gehör gefunden, worüber er ungedultig worden und wie man sagt nach Holland gegangen. Die machine stehet bei dem Feldmarschall, ist aber nicht im Gang und weifs sie auch Niemand darein zu bringen. Der Hr. Chuno, so vormals mit dem Feldmarschall über dergleichen anderweite Erfindungen gesprochen, nachdem ich ihm hievon gesaget, will, sobald es seine Gesundheit zuläfset, hingehen und versuchen, ob er das Werk zu sehen bekommen könne. Es hat sich einer angegeben, so in die Societät aufgenommen zu werden verlanget. Er ist aus dem Stift Paderborn, hat sich den studiis und sonderlich der teutschen Antiquität dermafsen gewidmet, dafs, derselben desto fleifsiger zu obliegen, er allen Bedienungen und öffentlichen Functionen abgesaget und zu Hause in der Stille zu leben beschlofsen, weil ohne dem seine Gesundheit, so er durch seinen Fleifs selbst geschwächet, ihm solches anräht. Er heifset Efsler, und sein Bruder, so vor ihm anhält und ein Doctor juris ist, befindet sich itzo hie in anbefohlenen Verrichtungen. Ich habe ihm gesaget, dafs die Statuta Societatis erfordern, dafs ein Aspirant sich durch gewifse specimina recommendiren könne; worauf er geantwortet, dafs dergleichen hie noch nicht in Druck vorhanden, aber künftig erfolgen sollen, allermafsen das Absehen dahin gehe, sein Leben zu gelehrter Arbeit zu widmen. Wafs hiebei zu tuhn, wird E. Excell. hochgeneigtes Gutfinden erwartet.

Meine vorigen werden hoffentlich wol eingelaufen sein, worauf nach Dero Gefallen die ermangelnde Quittungen samt Ordre, wie das hie bereit liegende Gelt zu übermachen mit nächstem erwarte, und mit schuldigem Respect verharre u. s. w.

Berlin d. 1. Mart.
1710.

102.

Jablonski an Leibniz.
8. März 1710.

Dero geehrtes vom 18. Jan. aus Hannover ist mir erst am verwichenen 4. dieses durch Hrn. Chuno behändiget worden.

Wegen der Erinnerungen bei dem obhandenen Druck habe noch nicht Gelegenheit gehabt, mit dem Hrn. Chuno mich zu besprechen; das Meiste wird auch wol vor dieses mahl nicht geändert werden können und zu anderweiter Verbeſserung überbleiben müſsen.

Die verlangten kleinen Calender kommen hiebei. Weil aber die Person, durch welche sie überzumachen begehret worden, weder mit ihrem Nahmen noch nach ihrer Bedienung bedeutet worden, indem an beiden Stellen sich ledige spatia befinden, so habe den Weg der Post ergreifen müſsen, um die Zeit zu gewinnen.

Mit Übermachung des Geldes durch sichere Gelegenheit dörfte es etwaſs ungewiſs sein, weil ich hie keine Gelegenheit habe, dergleichen in Erfahrung zu bringen, es wäre denn, daſs sie mir von dort aus angewiesen würde. Doch werde hiebei mein Möglichstes zu tuhn nicht unterlaſsen.

Bei der Beschauung der jüngsten Sonnenfinsterniſs hat sich befunden, daſs die Calender-rechnung an der Zeit sowol, als an der Gröſse um ein Ziemliches gefehlet, und sind in dem Calculo selbst der hiesige und der Sächsische merklich unterschieden. Ich verharre mit schuldigem Respect u. s. w.

Berlin d. 8. Mart.
1710.

103.

Jablonski an Leibniz.
22. März 1710.

Dero geehrtes vom 12. dieses habe durch Hrn. Ancillon richtig erhalten, diene darauf in schuldiger Antwort:

Daſs das durch Hrn. Raht Ludwig beforderte Packett richtig eingelaufen und darauf das Nöhtige besorget worden.

Die kleine Calender, so vor 14 Tagen bei der Post abgehen laſsen, werden inmittelst zurecht gekommen sein.

Das Schreiben an den Hrn. von Sparvenfeld habe dem hiesigen Schwedischen Abgesandten in die Hände geliefert, der es angenommen und an seinen Ort zu befordern versprochen.

Die Figur zu des Hrn. Hänflings Musicalischen Gedanken hat müſsen in Kupfer gestochen werden, weil es sich anderst nicht schicken wollen.

Der Hr. Chuno beginnet wieder auszugehen und ist der starken Anfälle wieder befreiet, die Wurzel aber des Übels, das Haubtwehe, hat noch nicht gehoben werden können.

Ich verharre mit schuldigem Respect u. s. w.

Berlin d. 22. Mart.
1710.

104.

Jablonski an Leibniz.
8. April 1710.

Weil es mit dem Druck der Miscellaneorum zu Ende gehet und der Verleger stark darauf dringet, daſs sie vor der bevorstehenden Leipziger Meſse fertig werden, damit sie auf dieselbe gebracht werden können, und dann es an dem Titel, Vorrede und Zuschrift noch fehlet, so ist mir anbefohlen worden, bei E. Excell. diesfalls nochmahlige Erinnerung zu tuhn. Und zwar waſs den Titel betrifft, ist der letzte Schluſs den 14. Feb. 1709 dieser gewesen, daſs er lauten solle:

> Miscellanea Berolinensia ad incrementum scientiarum pertinentia, ex transmiſsis ad Secretarium Societatis Regiae scientiarum &c.

Ob es nu dabei bleiben oder waſs und wie geändert werden solle, wird Dero schlieſsliche Meinung erwartet. Die Vorrede haben damals E. Excell. selbst aufzusezen übernommen, und solten die ingredientia sein eine kurze Anzeige der Absicht des Werks und Entschuldigung, daſs es so langsam herauskommt. Nach solcher Vorschrift kan sie, wenn E. Excell. sich der Mühe überheben wolten, auch hie entworfen und so noch etwas mehr nötig, auf Dero Gutfinden eingerücket werden.

Von einer Zuschrift ist damals auch gerahtschlaget, solche aber vor diesesmahl auszulaſsen beschloſsen worden. Solte nu ein Anderes gefällig sein, wird man auch demselben beistimmen.

Es hat vor einiger Zeit ein Königsbergischer Magister L i l i e n t a h l eine Schrift de historia literariae certae gentis scribenda im Druck ausgelaſsen und der Societät dedicirt. Dieser hat nachgehends zu verstehen gegeben, wie er verlangete, in Societatem aufgenommen zu werden, allermaſsen er verschiedene Schriften mehr fertig habe, die er alsdann herausgeben wolte. Ob nu seinem Suchen, welches zwar dieses Orts keinen Anstand gefunden, Statt zu geben, wird E. Excell. hochgeneigte Meinung erwartet. Der von mir jüngst gemeldte Aspirant Hr. E l e r s ist kürzlich in Frankfurt mit Tode abgangen. Ich verbleibe mit schuldigem Respect u. s. w.

Berlin d. 8. Apr.
1710.

105.

Jablonski an Leibniz.
19. April 1710.

Dero geehrtes vom 9. April ist richtig eingelaufen, hoffe, es werde mein jüngstes vom 8. dergleichen getahn haben, in welchem ich um die Praefation zu den Miscellaneis angehalten, weil solche inständigst verlanget wird, wenn das Werk auf die Meſse herauskommen und nicht wieder ein Jahr liegen bleiben soll.

Die Frau Hofmeisterinn der Kronprinzeſsinn schickte neulich an mich, mit Vermelden, daſs eine Gelegenheit vorhanden, so aber in einer Stunde nach Hannover abgehen würde. Ich will aber mit dem Hrn. Raht L u d w i g richtige Abrede nehmen, damit der nächsteinfallenden mich bedienen könne.

Des Königs Bildniſs kommt en buste auf das Titelkupfer und ist auch eine Anzahl exemplaria auf Postpapier bestellet.

Philos.-histor. Abh. 1897. III.   10

Sobald wir nach den Feiertagen wieder zusammen kommen, werde die vorgeschlagene Candidatos anzeigen, und wie hoffentlich kein Anstand sich dabei finden wird, sollen alsdann die diplomata ausgefertiget werden.

Der Hr. Rödike hat eine Verantwortung von sechs Bogen, auf den über seine Erfindung von der Societät erstatteten Bericht eingegeben. Man hat aber nicht rahtsam geachtet, anders als in generalibus darauf zu antworten und die Sache ganz von sich zu weisen.

Die beede Quittungen über die vor dem Jahr getahne Zahlungen erwarte noch, und nehme die Freiheit, darum zu erinnern, um so viel mehr, weil meine Rechnung ins Reine zu bringen bemühet bin, der ich mit schuldigem Respect verharre u. s. w.

Berlin d. 19. Apr.
1710.

106.

Jablonski an Leibniz.
3. Mai 1710.

Dero geehrtes vom 22. April an mich ist sowohl als das vorige an meinen Bruder richtig eingelaufen und die übersandte Dedication und Praefation eben zu rechte gekommen, da sie am nötigsten gewesen, so dafs sie nu noch geraum fertig werden können.

Das Kupfer ist auch verlangtermafsen eingerichtet und die angegebene Schriften darauf gesezet worden.

Die Behändigung des Exemplars an den König wird wol nicht anders als durch den Obercammerherren oder einen andern vornehmen Ministre geschehen können, und wird man sorgen, damit es damit am füglichsten angestellet werde.

Die beiden zuletst eingesandten Stücke haben dasmahl nicht beigefügt werden können, weil das Werk schon geschlofsen gewesen und der Custos des letsten Bogens auf den Indicem gewiesen.

Nachdem E. Excell. die Abrechnung vielfältig in Händen haben und entweder nach derselben oder wie vorhin auf Abschlag die Quitung beliebig einrichten können, so habe hierunter nichts vorzuschreiben und stelle es zu Dero Gefallen. Wenn man hiemit richtig, werden dieselben über die von geraumer Zeit her fertig stehende 300 Thlr. zu disponiren belieben, denen in kurzem gleich so viel aus Magdeburg folgen können, und ich verharre mit schuldigem Respect u. s. w.

Berlin d. 3 May
1710.

Indem ich schliefse, sendet Hr. Frisch den Einschlufs, mit Begehren, dafs er unverzüglich befördert werden möge.

107.

Jablonski an Leibniz.
17. Mai 1710.

Die letst eingesandte Errata sind zwar zu spät gekommen, darum aber nichts versehen, sondern durch des Hrn. Chuno sonderbaren Fleifs diese sowol als andere mehr angemerket und verbefsert worden.

Das Buch ist zwar in Leipzig schon heraus, hie aber wird es noch nicht ausgegeben, bis es am Hofe überreichet worden, wozu die Exemplaria bei dem Buchbinder in der Arbeit sind.

Wie viel Exemplaria und wie beschaffen E. Excell. vor sich verlangen auch auf wafs Weise solche zu übersenden, erwarte Befehl. Man hat vermeinet, den Catalogum membrorum Societatis bis hieher continuirt abdrucken zu lafsen und bei der Übersendung der Miscellaneorum an die auswärtige membra mit beizulegen, wenn E. Excell. es also gut befinden.

Mit dem Hrn. Oewen ist es so weit gekommen, dafs er von seinem Schwager nach Ruppin abgeführet worden, weil er sich ganz contract nicht nur am Leib, sondern auch am Gemüht befunden und so wenig seine Gliedmafsen als den Verstand mehr brauchen können. Ich verbleibe mit schuldigem Respect u. s. w.

Berlin d. 17. May
1710.

108.

Jablonski an Leibniz.
14. Juni 1710.

Dero geehrtes mit dem Einschlufs an des Oberkammerherrn Exc. &c.[1] ist zu rechter Zeit eingelaufen, und weil der Hof sich beständig auser dieser Residenz aufhält, habe solchen nebst denen zugehörigen Exemplarien durch den Hofraht Groben behändigen lafsen. Der Kronprinz, die Markgrafen wie auch die Ministri haben gleichfalls ihre Exemplaria empfangen, und nu werden die anwesenden, bei Gelegenheit auch die abwesenden Mitglieder damit versehen. Wieviel Exemplar und wie beschaffen E. Excell. verlangen, erwarte noch Dero beliebigen Befehls.

Ich vermeine, es werde der Factor zu Magdeburg 300 Thlr. übersendet haben. Alhie habe dergleichen Summ zum Absenden fertig.

Dörfte ich einen Vorschlag tuhn, so möchte eine Quitung an den Hrn. Raht Ludwig gesendet werden, welche es bis zu einer vorfallenden sicheren Gelegenheit bei sich behalten und sodann gegen Empfang des Packetts mir ausantworten könte.

Wafs diesesmahl bei dem Druck versehen worden, wird man ein andermal zu verbefsern bedacht sein müfsen; die Erfahrung ist die beste Meisterinn, und ich verbleibe mit schuldigem Respect u. s. w.

Berlin d. 14. Jun.
1710.

[Bei diesem Briefe liegen die beiden nachfolgenden (109. 110.) Concepte von Leibnizens Hand, ohne Datum, stark corrigirt.]

109.

Leibniz an den König.

Es wird E. Königlichen Majestät von wegen Dero Societät der Wissenschafften diese kleine Probe allerunterthänigst überreichet, unsern Eifer zu Dero Glori und gemeinen Nuz zu beweisen.

Solten wir das Glück haben, dafs E. M[t]. ein allergnädigstes Wohlgefallen darob bezeigen möchten, würden auch diejenigen aufgemuntert werden, die sonst aus vermeynter

---

[1] Siehe Br. 109 u. 110.

10*

Ermanglung defsen hieran das Theil nicht nehmen werden, so ihnen zukomt; und wir dürfften uns dadurch verhoffentlich bald in Stand sehen, denen auswärtigen Societaten diefsfals an die Seite zu treten, wozu nichts anderes als die fernere nachdrückliche Handhabung der hohen Königl. Verordnungen erfordert wird.

Ich habe wegen bisherigen Zustandes meiner Gesundheit dieses Probestück zu E. M⁵. Füfsen zu legen nicht vermocht, hoffe doch die Gnade von Gott, dafs ich bald werde gegenwärtig zu erkennen geben können, wasgestalt ich Lebenszeit mit unabläfsiger devotion verbleibe u. s. w.

110.

Leibniz an den Oberkammerherrn.

La Societé a jugé necefsaire de produire un petit efsay, pour marquer qu'on en peut attendre quelque chose. Peu de personnes surtout de ceux du pays y ont concouru, mais si l'on voit que c'est l'intention du Roy, que chacun fafse le sien encore en cela, il y aura bien autre chose, et les productions de la Societé repondront mieux à la gloire du fondateur. J'espère qu'on aura droit d'en juger ainsi par cet échantillon. Vostre Excellence en ayant jetté les fondemens Elle même sous les auspices de Sa Majesté, y pourra mieux contribuer que personne, et je la supplie de presenter à ce grand Prince le livre avec ma lettre, estant avec respect etc.

111.

Jablonski an Leibniz.
12. Juli 1710.

Ob ich zwar in meinem gehorsamen jüngsten der Einsendung einigen Geldes von Magdeburg gedacht, so habe doch dieser Tagen die Nachricht erhalten, dafs solche noch nicht geschehen, daher es hiemit erinnern sollen, damit difsfals keine fernere Bemühung erwachse. Ich werde aber die Anstalt machen, damit solche mit ehestem noch erfolge.

Wie es mit der Maulbeerpflanzerei fortgehe, wird aus dem Einschlufs zu sehen sein.

Der Hr. Profefsor Starke ist kürzlich an einem Schlagflufs verstorben und dadurch ein fleifsiges Mitglied der Societät abgegangen.

Der Hr. Rödike hat eine Commifsion ausgebeten, seine Sache aufs neue zu untersuchen, darunter zwar einige membra der Societät mit vorgeschlagen worden, doch nicht als membra Societatis, sondern als gelehrte und von der Sache zu urteilen tüchtige Leute dabei angesehen.

Hr. Hoffmann ist so glücklich gewesen, die Bestallung eines Informatoris der Cadets, die ihm 15 Thlr. monatlich einträgt, zu erhalten, so ihm und der Societät wol zu Statten kommt. Ich verbleibe mit schuldigem Respect u. s. w.

Berlin d. 12. Jul.
1710.

112.

Jablonski an Leibniz.
26. Juli 1710.

Nicht ohne traurige Bewegung mufs berichten, dafs es dem grofsen Gott gefallen, den Hrn. Kirch nach einer kurzen Schwachheit gestern durch den zeitlichen Tod abzufordern.

Ob nun zu defsen Stelle sich auswärtige Competenten angeben möchten, stehet dahin. An diesem Ort und in der Nähe ist Niemand, der mir bekannt wäre, und weil der Hr. Hoffmann auf solche Hoffnung bisher gehalten worden, würde es sich übel schicken, wenn er zurückgesezt würde. Zum wenigsten werden E. Excell. gut finden, dafs man bei Hofe trachte vorzubauen, damit ohne Vorwifsen der Societät Niemand eingeschoben werde, der ihr nicht anstehen dörfte. Unterdefsen wird die Stelle doch auch nicht lange ledig bleiben müfsen, weil der Preufsische Calender gleich mit Anfang des Jahres fertig sein mufs, damit er gegen den Königsbergischen Johannismarkt abgedruckt sei.

Weil mein Bruder in einer Commifsion verreiset und der Hr. Chuno in seinem Garten auser der Statt seiner Gesundheit noch pfleget, so habe mit ihm hieraus mich noch nicht unterreden können, es wird aber ehestmöglich geschehen und E. Excell. davon gehörige Nachricht erteilet werden.

Der Oberkammerherr ward vor drei Tagen zu Oranienburg von einem heftigen Zufall ergriffen, dafs auch der Ruf erschollen, als ob er todt sei. Es hat sich aber nachgehends wieder gebefsert, doch scheinet es, er werde nicht so bald zum Stande völliger Gesundheit wieder gelangen.

Auf meine verschiedene vorige erwarte noch Dero geneigten Befehls und verharre u. s. w. Berlin d. 26. Jul.

1710.

113.

Aus Dero geehrtem vom 7. dieses ersehe zuforderst, dafs von dem Factor zu Magdeburg das angewiesene Gelt überkommen, aber in teils geringen Sorten bestanden. Es sind zwar die Orte über der Elbe und bifs in Westphalen, aber vor allen Magdeburg mit solchen Geltsorten, so hie nicht gangbar oder doch nicht ohne Verlust ausgebracht werden können, der Cafsa jederzeit beschwerlich gewesen, doch hätte nicht vermuthen sollen, dafs in Magdeburg auch solche Sorten, so in dortiger nächster Nachbarschaft ungangbar, laufen solten, und würde der Factor, wenn er sich hierunter finden wolte, schon zu rahten wifsen. Die andern zu Halberstatt, Minden &c. sind endlich darauf gefallen, dafs sie harte Sorten einsenden, aber in so hohem Preis, sonderlich das Gold, dafs es hie davor nicht auszubringen, zum wenigsten nicht ohne Unterschied.

Die Frau Kirchin hat ein langes Memorial übergeben und darin Verschiedenes gesuchet, worüber man mit nächstem sich berahten wird.

Hr. Wagner hat bei einem reichen und curieusen Edelmann in Schlesien Dienst genommen, dahin er vor einiger Zeit auch abgereiset und also auf eine Zeitlang versorget ist, doch an einem Ort, da man ihn allezeit und leichter als wenn er nach Mofskau gegangen wäre, wird haben können, wenn man seiner bedörfen solte.

Des seel. Hrn. Kirchen Observationes sind in guter Verwahrung, die Wittwe weifs, wafs daran zu tuhn und hält sie wie einen Schaz, daran sich der Sohn, welcher von dem Vater gar fleifsig angeführet worden und, wie man sagt, ziemlich weit gekommen sein soll, sich künftig erholen könne.

Mit Einsendung der Exemplarien hat man nur auf E. Excell. beliebige Ordre wegen der Zahl und Beschaffenheit sowol, als des Weges gewartet. Nunmehr soll mit nächster Gelegenheit über Magdeburg von jeder Sorte Papiers ein Exemplar überkommen, auch an die angezeigte auswärtige Gelehrte die verordnete Exemplaria übersandt werden, sobald man hiezu eine beqweme Gelegenheit findet, welche wol schwerlich vor der Leipziger Mefse sich äusern dörfte. Nach Engelland ist an den Hrn. Harris ein Exemplar auf sein Ansuchen gesandt und hierunter die Beförderung des hiesigen gesandtschaftl. Predigers gebraucht worden, durch welchen man auch das an den Hrn. Newton wird bestellen können. Die Seidenpflanzung wird man in ernstliche Berahtschlagung ziehen, sobald man dazu wird gelangen können, welches bei dermahliger Zerstreuung nicht geschehen können, wobei denn auch des Hrn. Frischen Vorschlag kan überleget werden. Das Werk läfst sich so an, dafs, wenn es recht angegriffen wird, es der Mühe wol lohnen solte, zum wenigsten die Möglichkeit der Sache samt ihrer Nuzbarkeit zu zeigen, und den übrigen Einwohnern mit dem Exempel vorzuleuchten. Gott bewahre uns nur, dafs wir im Lande und sonderlich an diesem Ort von dem herumschleichenden Übel nicht erlanget werden, sonst wie alles Andere, also auch die Societät in ihrem Vornehmen mächtig zurückgesezt werden müste.

Unterdefsen sind wir nicht auser Gefahr, nachdem das Übel schon in Prenzlau eingedrungen, wiewol man hoffet, dafs ihm noch zu steuren sein werde, weil es bei denen erst angesteckten Häusern noch zur Zeit verblieben und die Krankheit nicht weiter um sich gegriffen. Ich verharre mit schuldigem Respect u. s. w.

Berlin d. 16. Aug.
1710.

114.

Jablonski an Leibniz.
13. September 1710.

Die drei Exemplar der Miscellaneorum, wovon in meinem jüngsten gedacht, sind dieser Tagen nach Magdeburg abgangen und werden hoffentlich wol überkommen.

Bei der Societät ist sonst nichts Veränderliches vorgefallen. Der Hr. Chuno hat den Sommer über und noch, seiner Gesundheit befser zu pflegen, in seinem Garten auser der Statt gewohnet, wodurch denen vorkommenden Sachen einiger Anstand, doch ohne haubtsächliche Verabsäumung gegeben worden, so aber mit nächstem einbringen zu können gehoffet wird.

Die Contagion in Preufsen und Pommern tuht auch unserem fundo merklichen Abbruch; Gott verhüte nur, dafs es nicht weiter einreifse, wie denn zu hoffen ist, dafs in Stargard und Prenzlau es sich mit der Zeit legen werde, weil die Ansteckung nicht heftig ist, sondern blos durch Vorwiz der Leute und weil sie sich gar nicht wollen sagen lafsen, verursachet und fortgeschleppet wird. Sonst werden die gemachte Ordnungen nach der Strenge beobachtet und täglich einige Übertreter zur Strafe gezogen. Ich verharre mit schuldigem Respect u. s. w.

Berlin d. 13. Sept.
1710.

115.

Jablonski an Leibniz.
27. September 1710.

Dero geehrtes nebst dem Buch von dem Hrn. Hartsoeker ist mir behändiget worden. Der Frau Kirchin Suchen kommt in Abschrift hiebei. Wenn E. Excell. Dero Gedanken darüber zu eröfnen belieben, so können dieselben bei bevorstehender Überlegung derselben zur Richtschnur dienen. Hie ist man vorläufig der Meinung, dafs man die Sache so ansehen müfse, wie sie nicht nur gegenwärtig, sondern auch in Zukunft allezeit bestehen könne, immafsen wafs ihr eingeräumet würde, denen Künftigen zum Exempel dienen werde.

Die Schreiben von und an den Hrn. Bourget sind noch bei dem Hrn. la Croze, von deme sie aber mein Bruder (so hiebei zugleich seine dienstliche Empfehlung abgehen läfset) ebestens abfordern will.

Mit Versendung der Miscellaneorum an die auswärtigen Membra bedienet man sich der vorfallenden Gelegenheiten wie man kan, wiewol noch die wenigsten damit versehen worden, weil man sie ihnen gerne frei verschaffen, annebst aber auch das Postgeld sparen wolte. Wie nu dieses mit denen nach Italien angehen werde, will ich durch einen bekannten Kaufmann, so nach Venedig Freundschaft hat, bei bevor stehender Mefse aus Leipzig einen Versuch tuhn. Man mufs hoffen, es werde das vor itzo gegebene und ferner zu gebende Exempel auch diejenigen, so noch nichts beigetragen, aufmuntern, dafs sie fleifsiger sein, etwafs beizutragen.

Das Seidenwerk, so weit es in unsern Händen ist, würde wol von Statten gehen, wenn es recht angegriffen würde, wie die heurige Probe solches dargeleget. Und weil man dieses siehet, ist man bedacht, es also zu fafsen, damit es in dem guten Gang, wozu es sich anläfset, erhalten und gefördert werde.

Die bei Dero Anwesenheit albie lezt ausgestellte Quitung ist gleich den vorigen nur auf Abschlag gerichtet, weil sie vor der gehaltenen Abrechnung erteilet worden. Die Abrechnung haben E. Excell. eigenhändig ausgezogen und zu sich genommen. Wenn nun dieselbe sich dort finden wolte, so wäre es leicht, sich daraus zu finden, soll ich aber einen neuen Auszug verfertigen, so erwarte difsfalls gefälligen Befehles.

Der Hr. la Rose ist, als ich nach ihm fragen lafsen, schon wieder abgereiset gewesen, welches mir leid ist, weil das Gelt eben bereit ist und ich es gerne abgeliefert hätte. Der Hr. Chuno hatte sein Packett von dem Hrn. Merian, als ich ihm die Nachricht davon gegeben, noch nicht empfangen.

Mit der obhandenen Veränderung bei der Societät wird auf Niemand anders denn Hrn. Hoffmann gezielet, des Astronomi Stelle zu ersezen, weil man Niemand weifs, der hiezu tüchtiger wäre und sich befser schicke. Ob aber seine Stelle so bald wieder zu besezen, solches wird noch in Bedenken gezogen, zumalen es defsen keine dringliche Noht hat und vor der Hand noch Niemand zu finden, so sich dazu genugsam fügen wolte.

Ich verbleibe mit schuldigem Respect u. s. w.

Berlin d. 27. Sept.
1710.

116.

Jablonski an Leibniz.

1. November 1710.

Zufolge Dero geehrten jüngsten vom 19. Oct. übersende hiebei den Auszug über Dero vorhandene Quittungen und wafs darüber noch bezahlet, davon die Quittungen noch ermangeln, wornach nun die termini künftig können richtig fortgetragen werden, wenn die abgängige Quittungen ersezet oder doch generaliter abgetahn werden.

Von des Kronprinzen Abreise nach der Görde wird hie nichts gehöret; solte ich zeitig genug etwas davon erfahren, werde solche Gelegenheit zu beobachten nicht ermangeln.

Der Frau Kirchin gönnet Jedermann alles Gutes und wird ihr Niemand entgegen sein, ihr alles zuzuwenden, wafs möglich und anständig ist. Dafs sie aber bei der Calenderarbeit oder Observiren gebraucht und beibehalten werde, würde sich darum so viel weniger schicken, weil schon zu ihres Mannes Lebzeit sich Spötter gefunden, so der Societät aufgebürdet, dafs ihre Calender durch ein Weib verfertiget werden, denen man hiemit das Maul noch weiter aufsperren würde.

Mit dem Seidenwerk hoffet man ziemlich fortzukommen, wenn es, wie man vor hat, recht in die Hände genommen wird. Es hat unlängst der Hr. Chuno nebst dem Hrn. Frisch die Gelegenheit zu Köpenick besehen und wafs zu der Sachen Beförderung nötig sein möchte, angemerket, worüber nun mit nächstem wird gerahtschlaget werden. Der Hr. Frisch läfset indefsen ihm die Fortpflanzung der Stämme bestens angelegen sein und hat einen fleifsigen Pflanzer an der Hand, welcher gute Dienste leistet und hiernächst zu einem mehrern kan angewendet werden.

Das Packett des Hrn. Hartsoeker an den Hrn. Chuno ist zu recht gekommen. Mein Bruder, welcher sich dienstlich empfiehlet, hat übernommen, wegen der dem Hrn. la Croze mitgeteilten Schreiben die nötige Sorge zu tragen, und ich verharre u. s. w.

Berlin d. 1. Nov.
1710.

117.

Jablonski an Leibniz.
8. November 1710.

Bei Gelegenheit des Einschlufses berichte gehorsamst, dafs des Kronprinzen Königl. Hoheit durch Dero stätiges Ab- und Zureisen zwischen hie und Wusterhausen verursacht, dafs von Dero Abreise nach Hannover nichts kund worden, bis dieselbe von dem lezten Ort aus wirklich erfolget. Daher ich zu der bewusten Übersund keine Gelegenheit gefunden. Soll ich aber den Weg der Post nehmen, welches, weil das Gelt in lauter groben Sorten bestehet, bequem geschehen kan, so erwarte Befehls, und verharre mit schuldigem Respect u. s. w.

Berlin d. 8. Nov.
1710.

118.

Jablonski an Leibniz.
29. November 1710.

Es ist jüngster Tagen abermahl albie ein Kopfsteuer-Patent publiciret worden, welches das vierte, so ich hie erlebet, und darin wie in den vorigen verordnet wird, dafs die, so einige Pensionen oder Besoldungen geniefsen, anstat des Kopfgeldes den zwölften Teil solcher Besoldung oder Pension, aus wafs vor einer Immediat- oder Mediat-Cafse die auch herfliefsen möge, entrichten sollen: mit dem Anhang, dafs die Säumigen das duplum, und die, so sich nicht selbst angeben, das quadruplum zu erlegen angehalten werden sollen. Bei denen vorigen nun hat man es darauf ankommen lafsen und meinet auf den Fall einer Anmahnung sich damit zu schüzen, dafs S. Königl. Mt. versprochen, diejenigen, so allein von der Societät dependiren, oder auch Andere insoweit sie davon dependiren, privilegia personarum academicarum geniefsen zu lafsen. Es ist auch also hingegangen, dafs man nicht gemahnet worden und hiemit frei verblieben.

Dieweil aber dem gegenwärtigen Ausschreiben eine besondere Clausel vorgesezet, dafs vor diesesmal auch die Profefsores auf Universitäten und Gymnasiis nicht ausgenommen sein sollen, so habe nötig erachtet, E. Excell. geneigten Befehls und Gutachtens mich zu erholen, wie mich hierunter zu verhalten; und erstlich zwar: ob man wie vormals also auch izo sich stille halten und nicht melden solle? Oder, wo man sich melden wolte, an welchem

Orte und bei wem Solches zu tuhn? Die andern Cafsen sind alle an den Ober-Empfänger Kraut gewiesen und sollen die ratam aller zu bezahlen habenden Besoldungen nach einer richtigen Specification in summa demselben einliefern und seiner General-Quitung darüber gewärtig sein. Und endlich: wie es einzurichten, damit durch jeziges Anmelden nicht Anlaſs gegeben werde, nach den vorigen Kopfgeldern zu fragen und deren Rückstand zu fordern. Ich erwarte diſsfals Dero beliebige Weisung und Befehl, der ich mit schuldigem Respect verharre u. s. w.

Berlin d. 29. Nov.
1710.

119.

Jablonski an Leibniz.
9. December 1710.

Dero geehrte beide vom 1. und 4. Dec. mit eingeschloſsener Quitung habe zu recht erhalten. Zufolge Dero Befehl sende hiebei abermal 300 Thlr., wie solche in dem Sortenzettel sich finden werden; hoffe, sie sollen richtig überkommen.

Bei dem gegenwärtigen Kopfgeld ist nur dieses zu bedenken, daſs die vorzuschüzende academische Immunität noch nicht ausdrücklich bestätiget sich befindet und solche Bestätigung allererst gesucht werden müste, womit aber, wenn es gemerket würde, warum es zu tuhn, man fortzukommen Schwürigkeit haben dörfte. Hingegen, da man aus Unachtsamkeit die vorige mahl übersehen worden, wenn man sich jezo melden wolte, dörfte man die Einnehmer, die ohne dem lieber aus einem Pfennig zween machen, des vergangenen eingedenk machen und die Rückstände zu fordern Anlaſs geben. Nun stünde dahin, unter beiden Gefahren man am ersten laufen wolte: entweder stille zu sein und es darauf ankommen zu laſsen, daſs man wie vormals wieder übersehen werde, oder wenn solches nicht geschehe, in das quadruplum verfalle, wobei es zweifelsohne nicht einmahl bleiben, sondern über das noch die Rückstände gefordert werden dörften: oder sich mit dem gegenwärtigen melden und erwarten, wie es um die Rückstände laufen werde. Der Hr. Chuno und mein Bruder haben davor gehalten, daſs man am besten tähte, wenn man sich meldete und bei der Meldung selbst supponirte die angemaſste Immunität, dergestalt, daſs man sagte, wie man sich eben darum melde, weil vor dieses mal auch diejenigen, mit denen man sonst bisher gleicher Befreiung genoſsen, herbeigezogen werden. Wolte solche Vorstellung nicht angenommen worden, so wäre alsdann Zeit genug, den König anzugehen und nicht eben confirmationem, sondern manutenentiam in poſseſsione vel quasi zu suchen. Ew. Exc. geruhen, der Sache nachzudenken und mich fordersamst meines Verhaltens zu bescheiden.

An die Hauskaufsgelder zu gedenken dörfte nu wol von der Zeit nicht sein, weil alle Cafsen, sonderlich aber die Amts-Cammer, an welche wir gewiesen, so ledig und so überladen, dafs die Einnahme kaum zur Hälfte der Ausgabe reichet. Und dörften wir schwerlich jemals etwas zu hoffen haben, wo wir nicht andere Wege finden, wie denn durch den Hrn. von Prinzen gelegentlich dazu zu gelangen sich einige Hoffnung zeiget, als welchen der König die Sachen der Societät zu respiciren verordnet, wie aus beigehendem Reglement zu sehen, welches nach so langer Zeit endlich zu Stande gekommen und dem zufolge am verwichenen Donnerstag eine Zusammenkunft gehalten worden, nach der darin enthaltenen Weisung sich zu faſsen und auseinander zu sezen, damit man einmal zu der so lang gewünschten Activität gelangen könne. Wie das Werk weiter fortkommen und waſs nach und nach vorgehen werde, ermangele nicht, in Zukunft gehorsamst zu berichten.

Philos.-histor. Abh. 1897. III.   11

Die ansteckende Seuchen machen uns in unserm Calenderwesen grofse Schwürigkeiten, dafs wir fast nicht wifsen, wie wir es mit dem Druck anfangen sollen, sonderlich vor Preufsen, dahin nichts zu bringen, und die Wege nach Danzig Gott weifs, aus wafs vor Ursach oder auf wefsen Angaben gesperret sind, auch nicht abzusehen, nachdem es sich in Pommern auf dem Lande anläfst, dafs solche Sperrung bald aufhören werde.

Der Aufnehmung des Hrn. Wolfii werde eingedenk sein, und verharre mit schuldigem Respect u. s. w.

Berlin d. 9. Dec.
1710.

120.

Jablonski an Leibniz.
27. December 1710.

E. Excellence gratulire in schuldiger Ergebenheit zu dem instehenden Jahreswechsel und wünsche, dafs Sie denselben wie in guter Gesundheit und völligem Vergnügen antreten, also noch viele dergleichen in allem selbstbeliebten Wolergehen erfreulich erreichen mögen.

Hiernächst habe gehorsamst vermelden sollen, wie S. Königl. M^t. allergnädigst beliebt, die Societät solenniter nidersezen zu lafsen, auch hiezu den nechstbevorstehenden 19. Jan. bestimmet und die Ceremonie zu verrichten dem Hrn. Geheimen Raht von Prinzen aufgegeben, wie derselbe solches vorgestern meinem Bruder zu verstehen gegeben.

Wenn nu bei derselben, wie gehoffet wird, E. Excell. sich einzufinden belieben wollen, so werden Dieselben dirsfals zu befehlen, wie auch wegen des Kopfgeldes den endlichen Schlufs zu eröfnen geruhen.

Wafs wegen der Reception des Hrn. Cupers, Ba[s]nage und Wolfii an den Hrn. Ancillon gelanget und von demselben mir zu fernerer Beförderung anbefohlen worden, deme soll gehörige Folge geleistet werden, und ich verbleibe mit schuldigem Respect u. s. w.

Berlin d. 27. Dec.
1710.

121.

Jablonski an Leibniz.
30. December 1710.

Deroselben mit Gegenwärtigem aufzuwarten geben mir beikommende Einschlüfse Anlafs, davon der eine von dem Hrn. Kemmerich mir sonderlich anbefohlen worden.

Meine vorigen vom 9. und 13. dieses werden nebst dem jüngsten, so mit letstvoriger Post abgangen, hoffentlich wol eingelaufen sein, worauf Dero beliebiger Befehle noch gewärtig bin, der ich mit schuldigem Respect verharre u. s. w.

Berlin d. 30. Dec.
1710.

Die am hiesigen Hofe vorgefallene grofse Veränderung wird ihres Orts zweifelsohne schon bekannt sein.

122.

Jablonski an Leibniz.
10. Januar 1711.

E. Excell. werden hoffentlich sich hochgeneigt erinnern, dafs, als vor etwa anderthalb Jahren das Observatorium der Societät in ziemlich brauchbarem Stand eingeräumet worden und also wenn anders nichts gewesen wäre, per honorem Societatis die Einrichtung derselben in ihren Gang und Trieb nicht länger ausgesezet werden können, ich verschiedenlich berichtet, wie man im Werk begriffen sei, die Societät zu ihrer Activität zu bringen, obzwar des Reglements insbesondere nicht erwähnet, weil solches als eine vor nu fast sieben Jahren entworfene und mit E. Excell. gutem Belieben so gut als abgetahne Sache angesehen, daß also mir hierunter einiger Unfleiß oder Nachläßigkeit hoffentlich nicht wird beigeleget werden wollen, wie denn hierum gehorsamst bitte. Sonst ist es mit der Sache so langsam hergegangen, daß man wenig Anlaß gehabt, derselben oft zu erwähnen, indem sie fast ein Jahr lang in der Ministres Händen gewesen, und da sie endlich heraus kommen um vieler eingefallener Hinderungen willen nicht eher als geschehen zur Vollstreckung gedeihen können. Es sind auch mehr nicht als zwo allgemeine Versammlungen seither gehalten, in derer ersten denen gesamten Mitgliedern von dem bisherigen Zustand der Societät und wie weit es endlich damit gelanget, Nachricht gegeben, zugleich mit sämtlichen Belieben die Directores erwählet; in der zweiten aber die Tage und Stunden der künftigen beständigen Unterredungen, derer Ordnung und Anfang verabredet und bestimmet worden, und sollen dieselben, weil die Inauguration von des Hrn. von Prinzen Exc. nachmals auf den 19. dieses angesezet, mit dem 29. den Anfang nehmen; wegen der Inauguration habe E. Excell. alsofort gehorsamste Nachricht gegeben, wiewol dieselbe erst nach Erlaßung Dero geehrten an mich eingelaufen zu sein abnehme.

Des Hrn. von Prinzen Exc. sind bei der ersten Aufwartung die Abschriften der Fundation- und General-Instruction übergeben worden, mit einem mehrere denselben zum Anfang zu beladen hat man nicht rahtsam erachtet, es wird aber unfehlbar im Fortgang, nach dem es nötig sein wird, geschehen.

Das Diploma vor den Hrn. Banage ist hie unter der Feder, der Entwurf desjenigen vor den Hrn. Cuper kommt anbefohlener maßen hierbei und wird auf erfolgte Dero beliebige Verbeßerung zur Ausfertigung zurück erwartet.

Der kleine Calender des Hrn. Blesendorf ist noch nicht fertig; sobald man sein wird habhaft werden, sollen die begehrten Exemplaria erfolgen, und ich verharre mit schuldigem Respect u. s. w.

Berlin d. 10. Jan.
1711.

123.

Jablonski an Leibniz.
31. Januar 1711.

Die bestimmte Ein- und Nidersezung der Societät ist an dem gesezten Tage glücklich und mit allgemeinem Vergnügen vollbracht worden, wie aus beiliegendem Bericht mit Mehrerem wird zu ersehen sein. Absonderlich haben S. Königl. Mt. darob großes Wolgefallen bezeuget und der Societät absonderlich aufgegeben, das erste, so sie vornehmen werde, dieses sein zu laßen, daß sie ein Teutsches Wörterbuch ausarbeite. Weil nu dieses bald im Anfang von E. Excell. angegeben worden, auch einige nähere Gedanken und Entwürfe deshalb vorhanden, so wird bei nächster Zusammenkunft des Teutschen Abteils am ersten hievon gesprochen werden, wiewol ich wenig Leute an diesem Ort sehe, so daran zu arbeiten es sey Lust oder Zeit oder Fähigkeit, am wenigsten alle drei beisammen hätten. Waß bei solcher und allen den andern Unterredungen vorgehen wird, davon werde jedesmal gehörigen Bericht zu erstatten nicht ermangeln.

Vorgestern ist die erste Zusammenkunft des medicinischen Abteils gehalten und dabei sonderlich angetragen worden, daß man auf benötigte Werkzeuge die erforderte Experimenta

11*

vorzunehmen und deren Anschaffung, imgleichen die auswärtigen sonderlich in den Königlichen Landen lebende Medicos einige Observationes anzustellen zu ermuntern bedacht sein
möge. Dieser des Hrn. Raht Hoffmanns Vortrag ist durchgehends beifällig aufgenommen
und zu fernerer Fortsezung deßelben ein und andere Anstalten beliebet, daneben auch erinnert worden, ob nicht die Mitglieder unter sich die verschiedene Objecta dieser Claſsis
teilen und ein Jeder in seiner Ordnung bei denen künftigen Zusammenkünften etwas in
Bereitschaft mitbringen wolle, davon alsdann gehandelt werden möge, worüber man sich
hiernächst zu vergleichen beschloſsen.

Künftigen Donnerstag wird die Ordnung claſsem mathematicam treffen, worauf die
claſsis philologiae Germanicae und dann die philologia et literatura exot. folgen wird.

Das Schreiben an den Hrn. Bourget ist bestellet.

Die kleine Kupfer-Calender habe von dem Hrn. Blesendorf noch nicht bekommen,
auch sind die Adreſs-Calender noch nicht fertig.

Mit denselben soll das von dem Hrn. Neukirch verfertigte Carmen, imgleichen einige
Stück der Medaille, so auf diese Begebenheit geprägt worden, erfolgen.

Man hat Hoffnung, die von dem Hrn. von Prinzen gehaltene Rede zu bekommen, alsdann ist man Willens, dieselbe samt der Antwort mit einer kurzen Erzählung der Fundation
und bisherigen Ergehen der Societät teutsch und lateinisch um der Ausländer willen heraus
zu geben und das diploma fundationis, das letzte Reglement nebst dem Catalogo membrorum
beizufügen, wenn E. Excell. solches also gut finden.

Ich verbleibe in schuldiger Ergebenheit u. s. w.

Berlin d. 31. Jan.
1711.

124.

Jablonski an Leibniz.

7. Februar 1711.

Hiebei überkommt gehorsamst der Adreſs-Calender, nachdem er endlich mit Mühe
fertig worden. Imgleichen das von Hrn. Neukirch auf die vorgewesene Solennität auf-
gesezte Carmen und vier Stück von denen darauf geprägten Schaupfennigen. Dem Könige
hat das Carmen so wol angestanden, daſs Er den Hrn. Neukirch in die Societät aufzunehmen befohlen.

Am vergangenen Donnerstag ist die ordentliche Zusammenkunft des mathematischen
Abteils gehalten worden, dabei aber wegen unvermuhteten Ausenbleibens des Hrn. Chuno,
so durch einen Anstoſs von der Darmgicht verursachet worden, nichts weiter vorgegangen,
als daſs auf die Anschaffung der nötigen Instrumente angetragen worden.

Künftigen Donnerstag wird die Teutsche Zunft zusammenkommen, und da insonderheit auf Königlichen Befehl über die Verfertigung eines »vollständigen«, wie der König
sich ausgedrücket, Wörterbuchs zu rahtschlagen sein, wozu aber hie gar wenige Glieder,
die etwas beitragen könten, vorhanden, und auch auswärtig, wie Hr. Neukirch davor hält,
nicht viele dörften gefunden werden. Indeſsen soll von dem, so dabei vorgehen wird,
gehöriger Bericht erfolgen, und ich verbleibe mit schuldigem Respect u. s. w.

Berlin d. 7. Feb.
1711.

NB.: Über einen jetzt fehlenden Brief vom 14. Feb. 1711 s. die Einleitung.

125.

Jablonski an Leibniz.

Ich habe von Polnischen Zeitungen nichts als waſs ein guter Freund mir des Sonnabends blos zu lesen zuzusenden pfleget, wiewol es oft auch später kommt, maſsen das jüngste mir erst am Sonntag zukommen. Darin war vornemlich enthalten, daſs der Sohn des Tartar-Chans nebst dem Wojewoden von Kijow durch einen Umweg über den Dniester gekommen und hinter der Moſskowitischen Postirung über Niemirow nach Wollhynien gehen, der Hoffnung, die Polen auf ihre Seite zu ziehen, maſsen zu gleicher Zeit der Baſsa von Bender den Kronfeldherren wiſsen laſsen, daſs die Pforte mit Polen nichts Feindseliges vorhabe, sondern nur die Moſskowiter verfolge und die Polen von ihrer Bedruckung zu befreyen suche. Der Cham [sic] selbst hätte sich mit einem gröſseren Haufen gegen den Dnieper gewendet.

Danzig werde von den Moſskowitern um 500/m Thlr. zur Satisfaction wegen alter Beleidigungen angesprochen und im Weigerungsfall mit der Execution bedrohet.

Die Diplomata sind in der Arbeit und der Catalogus membrorum kommt hiebei, ich aber verharre u. s. w.

Berlin

[Datum fehlt.]

126.

Jablonski an Leibniz.

Mit der jüngsten Danziger Post ist aus Polen weiter nichts gekommen als daſs der Sultan Gercy, nachdem er gesehen, daſs die gemachte Hoffnung, einen Anhang vor den Stanislaum es sey bei dem Adel oder bei der Cronarmee zu gewinnen, fehlgeschlagen, sich wieder zurück, doch nicht auf Bialacerkiew, wie vorhin gemeldet worden, sondern weiter hinab auf Czyrkaſsy und Krylow gewendet. Der Czar habe beschloſsen, seine Grenzen gegen die Tartaren, als welche ihm keinen sonderbaren Schaden zufügen könten, nur defensive zu verwahren, Polen aber mit seiner besten Macht zu bedecken, und sobald dieselbe beisammen sein werde, den Krieg über den Dnieper in das Türkische Gebiet zu versezen.

Der Freund, von dem ich die Zeitungen zu bekommen pflege, hat dieser Tage eine Beförderung erhalten, so daſs ich nicht weiſs, ob und wie ich es diſsfals mit ihm hinführo haben werde. Das letzte mal habe die Zeitung erst am Sonntage bekommen; wie es heute werden möchte, muſs erwarten. Solte zu rechter Zeit noch etwas einlaufen, so werde damit gehorsamst aufwarten, der ich verbleibe u. s. w.

[Ohne Datum.]

127.

Jablonski an Leibniz.
23. Mai 1711.

Nachdem ich nicht zweifle, Dieselben werden numehr an Ihrem Ort glücklich wieder angelanget sein, so habe beikommende Schreiben, so nach Dero Abreise eingelaufen, hiemit gehorsamst übersenden sollen.

Imgleichen kommt das diploma receptionis vor den Hrn. Varignon.

An den Hrn. Zendrini ist ein Exemplar der Miscellaneorum abgegangen.

Mit dem von der Kammer übernommenen Anania gibt es viel Verdrüfslichkeit, die aber, sobald man nur allerseits vollkommen richtig sein wird, hoffentlich sich werden heben lafsen. Sonst ist bei der Societät nichts Veränderliches vorgegangen.

Durch einen gewifsen Diefsbach ist eine Eröfnung getahn worden eines Vorschlags, wie ohne des Königs und sonst Jemandes Beschwerung der Societät ein Zugang geschaffet werden könne, worüber mit nächstem soll gerahtschlaget werden. Ich verbleibe mit schuldigem Respect u. s. w.

Berlin d. 23. May
1711.

128.

Jablonski an Leibniz.
8. August 1711.

Nach Dero Befehl habe an Mr. Ottens Ehefrau 12 Thlr. bezahlet; die darüber empfangene Quitung behalte, mich derselben bei nächster Gelegenheit zu bedienen.

Der Hr. Raht Chuno und mein Bruder lafsen sich dienstlich empfehlen und werden nicht unterlafsen, den Vorschlag mit dem Hrn. Raht Hoffmann zum Stand zu bringen, wenn es immer möglich, die Gemüter, so hiezu noch nicht genügsam geneigt sich anlafsen, zu gewinnen, welches sich, wenn nach den Ferien die Versammlungen wieder angehen, bald zeigen wird.

Der Buchdrucker Schlechtiger hat um die Bestallung als Drucker der Societät angehalten. Man hat dabei um so weniger Anstand gefunden, als man Ursache hat, mit seiner die Zeit her gelieferten Arbeit vor anderen wol zufrieden zu sein, im Übrigen aber keine Beschwerlichkeit oder besondere Verbindlichkeit dabei verlanget wird.

Ich verbleibe u. s. w.

Berlin d. 8. Aug.
1711.

129.

Jablonski an Leibniz.
29. August 1711.

Nachdem die gewönliche Augustfeyer geendiget, so haben am vergangenen Donnerstag die gewönlichen Versammlungen bei der Societät sich wieder angefangen. Künftigen Donnerstag ist die Reihe an der Clafse medica, da denn man sehen wird, ob die Sache mit dem Hrn. Raht Hoffmann zum Stand kommen wolle. Wiewohl wenn es wahr wafs am Hofe geredet wird, dafs er wieder nach Halle gehen werde, jenes alsdann von selbst hinfallen würde.

Von dem Hrn. Neukirch will auch verlauten, dafs er in seinem Vaterland, wohin er vor einigen Wochen abgereiset, eine beqwemere Ruhestelle suche, und auch wol erhalten werde. Dieser dörfte auf solchen Fall bei seiner Clafse eben wie der Hr. Hoffmann bei der seinigen vermifset werden.

Der Einschlufs ist mir gar drünglich anbefohlen worden, und ich verbleibe mit Respect u. s. w.

Berlin d. 29. Aug.
1711.

130.

Dero geehrtes vom 3. Sept. mit 8 Beilagen von Schriften zu denen künftigen Miscellaneis gehörig, habe zu recht erhalten. Auser dem Hrn. Raht Schott und Hrn. Naudé hat meines Wißens noch Niemand etwafs herbeigegeben. Der Hr. Raht Spener hat mich jüngst versichert, dafs er mit seinem Beitrag ehestens fertig sein wolle. Hr. des Vignoles ist noch nicht hie; ich zweifle aber nicht, er werde mit seiner Arbeit auch bereit sein. Hr. Chauvin hat versprochen, aus des Hrn. Colas eingesandten vielen Sachen das Beste herauszuziehen und aus dem Französischen ins Latein zu übersezen. Mit dem Theatro anatomico hat man nicht fortfahren können, weil das dazu dienende Gemach mit dem Druck von Hofe noch eingenommen ist; die Antlia pneumatica aber ist aus Holland unterweges.

Die Historia Societatis teutsch wird diese Mefse fertig sein; ich bitte, zu befehlen, mit wie vielen Exemplaren aufwarten soll. Die lateinische Übersezung wird man gegen Ostern zu beschaffen bemühet sein.

Des Hrn. Junkeri Reception wird keine Schwürigkeit haben. Auser diesen wird der Hr. Reue, Archidiaconus bei S. Nicolai alhier, ein Mann, der in Physica experimentali sehr fleifsig ist, von meinem Bruder, und der junge Hr. Naudé von dem Hrn. Raht Chuno recommendirt. Von der Reception des Hrn. Retzals ist schon bei E. Excell. Anwesenheit gesprochen worden, und weil sie bei dem medicinischen Abteil beliebt worden, hat man dabei keinen Anstand gefunden.

Ob die zu den Miscellaneis hie einkommende Sachen zum Übersehen an E. Excell. übersenden soll, erwarte Befehls und verbleibe mit schuldigem Respect u. s. w.

Berlin d. 19. Sept.
1711.

P. S.

Von dem Streit des Hrn. Raht Hoffmanns habe so viel vernommen, dafs selber über einem Recept entstanden, so der Hr. D. Mentzel in Abwesen des Hofes dem Prinzen von Oranien verordnet, der Hr. Hoffmann aber getadelt, worüber jener die Sache an den Hrn. Gundelsheim nach Holland gebracht, welcher ihm beigefallen und dem Hrn. Hoffmann mit einiger Heftigkeit widersprochen. Endlich haben sie auf gewifse medicinische Facultäten compromittirt; ich habe aber nicht vernommen, auf welche Seite der Ausspruch ausgefallen. Der Hr. Hoffmann ist itzo mehr als vorhin beständig bei Hofe, wiewol man dennoch sagen wollen, dafs er wol wieder nach Halle, alwo seine Bedienungen ihm noch alle offen stehen, kehren dörfte.

131.

Das von dem Hrn. la Croze mir anbefohlene hiebei kommende Packet gibt mir Anlafs, einige Exemplar der numehr in Druck herausgekommenen Historia Societatis zu übersenden, wobei ich 2 Exemplar der General-Instruction gefüget. Diese ist zu drucken nötig gefunden worden, damit die Mitglieder ihre Obliegenheit daraus ersehen können, der Historia aber nicht beigefüget, weil sie nicht Jedermann zu wiſsen nötig. Wenn mehr Exemplaria verlanget werden, sollen sie auf Befehl erfolgen. Man hat derer 500 vor die Societät aufgelegt, damit sie sonderlich auch hie unter alle ansehnliche Leute ausgeteilet werden mögen. Nun wird an einer lateinischen Übersezung gearbeitet, die den Ausländern dienen und gegen künftige Ostern mit Gottes Hülfe fertig werden soll. Dem Hrn. Junker werde durch eine sichere Gelegenheit, so bis Jena gehet, sein Diploma ehester Tagen übersenden. Aus dem hiesigen Ministerio ist der Hr. Reue, Archidiaconus zu S. Nicolai, und auf des Hrn. Chuno Vorwort der junge Hr. Naudé aufgenommen worden, wie ich glaube in meinem jüngsten, daſs solche Receptiones obhanden, schon gemeldet zu haben. Wenn auch ich im Stande bin, zu denen vormals gezahlten 200 Thlr. so viel zu legen, daſs 600 Thlr. voll werden, so erwarte darüber beliebigen Befehls, ob solche auf der Post übersenden möge, weil ich sonst keine Gelegenheit weiſs. Ich verbleibe mit schuldigem Respect u. s. w.

Berlin d. 24. Oct.
1711.

132.

Jablonski an Leibniz.
5. December 1711.

Dero geehrtes vom 23. Nov. ist zu recht eingelaufen und waſs darinnen dem Hrn. Observatori Hoffmann anbefohlen, ihm in conferentia claſsis mathematicae vorgestern angezeiget worden, dem er auch fordersamst nachzukommen verheiſsen.

Der Hr. Heineccius hat bei seiner Anwesenheit alhie gewiſse Schreiben sowol an des Hrn. Herzog Ludwig Rudolphs Durchl., als an E. Exc. veranlaſset; ich zweifle aber, ob er das letztere persönlich übergeben werde, weil er Dieselben zu Wolfenbüttel nicht antreffen wird, welches zu Beförderung der Sache wol dienlich gewesen wäre.

Der Hr. Naudé hat wegen eines Buchs »Elemens des courbes du Marq. de l'Hopital«, so bey E. Exc. sein wird, erinnert und gebeten, ob es wieder zurück bekommen möge. Wenn dieses geschähe, könten die etliche Bände Actorum Societatis Anglicanae mit zurück kommen, weil verschiedenlich darnach gefraget worden.

Die Antlia pneumatica, so aus Holland verschrieben, ist nu angelanget und wird man ehestens einen Versuch tuhn, die Experimenta damit zu machen, wiewol auser dem Hrn. Chauvin Niemand hie ist, so damit recht umzugehen wiſse und dieser ziemlich schwach zu werden beginnt.

Die jüngstgedachte 400 Thlr. kommen hiebei nach inliegendem Sortenzettel, erwarte dagegen eine Quitung über 600 Thlr. vom 1. May 1709 bis dahin 1710; dagegen die Interimsquitung über 200 Thlr. zurückgeben werde.

Der Hof soll nach dem Krönungsfest nach Preuſsen gehen und, wie man sagt, ein Jahr, auch wol länger, da verbleiben. Ob hierunter die Societät nicht auch etwaſs leiden werde, stehet zu erwarten; zum wenigsten wird man eilen müſsen, dasjenige, so wegen der Seidenzucht bei Hofe noch zu erhalten ist, vor der Abreise richtig zu machen, und ich verharre mit schuldigem Respect u. s. w.

Berlin d. 5. Dec.
1711.

133.

Jablonski an Leibniz.

27. December 1711.

Ich will hoffen, es werde(n) seither dem Ablauf Dero geehrten vom 14. dieses, welches ich den 20. richtig erhalten, das durch den Hrn. D. Heineccium abgelassene Schreiben eingegangen sein. Gestern ist von demselben die Nachricht von seiner gehabten Verrichtung eingekommen, wovon die Abschrift hiebei gehet, und wie daraus zu ersehen, dafs eine schleunige Wiederantwort erfordert werde, solche aber ohne E. Excell. Mitwifsen und Zustimmung abzufafsen bei dem Concilio alhie angestanden wird, als werden Dieselben nomine concilii dienstlich ersuchet, Dero beliebige Meinung darüber fordersamst zu eröffnen.

Wenn das übersandte Geld wohl überkommen, ist es mir lieb. Ich finde, dafs der terminus a quo ist der 1. Mai 1700 und werden mit dieser letzten Post eben zehn Jahr bezahlet sein.

Dafs der Hr. Naudé sein pensum in Beschreibung des Strumpfstuhl wol abgelegt, werde in einem meiner vorigen schon berichtet haben. Es wäre zu wünschen, dafs mehr andere seinem Fleifs nachtuhn wollen.

Zu denen Observationibus sowol magneticis als astronomicis ist alles Mögliche und Nötige verschaffet und zugerichtet, und so noch etwafs daran mangelt, ist es blos des Observatoris Schuld, weil er die Anstalt dazu zu verfügen, zum öfteren erinnert worden. Dafs aber würklich etwafs geschehen sey, habe noch nicht vernommen. Vielleicht hätte er eines Adjuncti, wie die Frau Kirchinn ist, nötig, der ihn ein wenig antreibe. Diese hat auch sich und ihren Sohn schon dazu angeboten, so aber bedenklich gefunden wird.

Nachdem in der Streitsache des Hrn. Hof[f]manns und Menzels die Responsa, worauf sie compromittirt, eingelaufen und dem Hrn. Hof[f]mann zuwider ausgefallen, ist ihm der Hof verboten worden, wobei es meines Wifsens noch verbleibet. Solte aber, wie wohl zu vermuten, auch die Besoldung ihm eingezogen werden, dörfte man ihn hie verlieren.

Der Hr. Frisch befindet sich noch wol und hat mit Versezung der Maulbeerpflanzen im späten Herbst ziemlich zu tuhn gehabt, weil man die, so in hiesigem Lustgarten sowol als die, so zu Glinicke gesäet waren, aus Noht zur höchsten Unzeit ausheben mülsen, und ist das gelinde Wetter uns noch zu Statten gekommen, dafs sie nicht gar verdorben.

Mit der Besoldung vor den Hrn. Hermanni zu Frankfurt kan man noch nicht aufkommen. Der Hr. Geh. Raht von Bartholdi ist kürzlich zu Frankfurt gewesen und hat den Zustand des Einkommens selber Universität untersuchen sollen. Wafs er da ausgerichtet, davon wird nichts gehöret; es ist ihm aber alda viel Ehre widerfahren.

Dafs die Besoldungen zu Duisburg an sich selbst schlecht und noch schlechter bezahlt werden, ist mir äuserlich bekant, werde aber um eigentlicher Nachricht bei erster Gelegenheit mich erkundigen.

Sobald der Kupfer-Calender des Hrn. Blesendorfs wird fertig sein, will mich bemühen, die verlangte Zahl unter den Ersten zu bekommen.

Schliefslich wünsche zu dem bevorstehenden neuen Jahr nebst beständiger Gesundheit alles selbst verlangende vergnügte Wolergehen und verbleibe u. s. w.

Berlin d. 27. Dec.
1711.

[Zwischen den Zeilen dieses Briefes und an den Rändern findet sich von Leibnizens Hand das (sehr eilig hingeworfene unleserliche) Concept der Antwort, nachfolgend Nr. 134.]

134.

Leibniz an Jablonski.

Dero wehrtes ist mir nach Abgang meines Schreibens an m. Hrn. mit der Post erst
zukommen, und weil eine schleunige Antwort verlanget wird, habe ohnmafslich melden
sollen: es köndte meines Bedünkens Hr. D. Heineccio Folgendes vorgängig bekand gemacht
werden: dafs der Praeses der Societät bereits zu Torgau das Verlangte bey des Czars
Majestät besorget, der sich dazu allergnädigst erbothen, und scheine, dafs diesem grofsen
Monarchen, so selbst ungemeines Licht in den Wifsenschafften hat, nicht mit blofsen Schreiben,
sondern mit Realien gedienet, dazu auch Vorschläge gethan und einige Anstalt gemacht
worden. Wo solche nun vorhanden, würden hohe Recommendationes mehr Nachdruck haben,
sonsten aber mit blofsen Worthen beantwortet werden. Es würde der Praeses auch ehestens
der hohen Herrschafft zu Wolfenbütel (: nach abgelegter Ihrer DDD[urchlauchten] Reise zu
Kayserlicher Majestät :) unterthänigst aufwarten und nicht allein Dero hocherleuchtete Gedancken vernehmen, sondern auch der Societät bekand machen, darauf die weitere Noth-
durfft zu verfügen.

Im Übrigen kan nicht umbhin, gegen m. Hrn. zu melden, dafs mich wundert, worumb
Hr. D. Heineccius zu Torgau gegen mich von seinem Vorhaben nichts gedacht, so mich doch
sowohl meines Amts als meiner Studien wegen angegangen, sehe auch nicht, worumb er
gezweifelt, ob ich zu Hannover sey. Mich wundert auch noch mehr, worumb sein Schreiben
an mich zwischen Wolfenbütel und Hannover verunglücket. Ich bin ganz versichert, dafs
alle Schreiben und Memorialen an den Czar ohne etwas Würckliches nicht nur vergeblich
seyn, sondern auch tort thun werden. Dafs der Hr. von Schleinitz nach den Feyertagen
nacher Moscau gehen werde, ist irrig, denn er mir selbst alhie leztens gesagt, er wolle
nach den Feyertagen wieder nach Hanover kommen und alda wegen des Czars den Winter
verbleiben.

Nachdem die Jahre, darauf Hr. Herman zu Padua engagiret, bald aufhöhren werden, wäre hohe Zeit, dahin zu arbeiten, dafs seine Vocatur nach Frankfurt zu Stande
komme.

135.

Jablonski an Leibniz.

23. Januar 1712.

Dero geehrte sind mir richtig eingelaufen und die Einschlüfse wol bestellet worden.
Die Erinnerung an den Hrn. Hof[f]mann, eine Anweisung zu denen Observationibus mathematicis aufzusezen, ist einmal in pleno und nachgehends insbesondere zu mehrenmahlen geschehen, von mir aber noch nichts gesehen worden. Ob er bei dem Hrn. Chuno etwas
eingegeben, ist mir nicht wifsend.

Die hiesige Hof-Calender sind etwafs langsam fertig worden, nun kommen aber die
verlangten 4 Stücke nebst einem Adrefs-Calender hiebei; wenn ein Mehrers verlanget würde,
soll es erfolgen.

Die Frau Kirchinn hat mir die Inlage fleifsigst anbefohlen. Vielleicht hat sie auch
wegen ihres hiesigen Gesuchs etwafs erwehnet, welches aber bei den Directoren schlechten
Beifall findet.

Ich verbleibe mit schuldigem Respect u. s. w.

Berlin d. 23. Jan.

1712.

136.

Jablonski an Leibniz.
5. März 1712.

Seither meinem gehorsamen lezten ist beikommendes eingelaufen, welches, weil es so angelegen gemachet wird, hiemit übersende.

Die Sache des Hrn. Hermanni soll sich geändert haben und seine Berufung in der Ausfertigung sein, woran insonderheit der Hr. Chuno stark gearbeitet.

Das Schreiben an den Hrn. Ancillon ist, wie alle die andern Einschlüfse jedesmal, richtig behändiget worden. Ihn selbst habe in langer Zeit nicht gesehen, von Hrn. Papen aber vernehme, dafs er wegen vieler Anstöfse und Beschwerlichkeiten sich sehr übelauf befindet und selten aus dem Hause kommt.

Der Hr. Colas ist ursprünglich ein Franzos, aber in Engelland, dahin sein Vater geflüchtet, geboren. Er hat nach defselben Tod seine Mittel zusammengeklaubt und sich damit nach Königsberg begeben, alwo er sich auf dem Lande durch Ankauf eines Gutes gesezet; sonst ein in der architectura civili und Landmefserey vornemlich wolgeübter, auch in Untersuchung der Natur fleifsiger und in der Arbeit unermüdeter Mann. Er ist vor einiger Zeit, weifs nicht wo, Medicinae, und neulich zu Frankfurt abwesend Juris Doctor creiret worden, auch, ohne Zweifel auf Recommendation der Grafen von Dona und Dönhof, denen er von langer Zeit in ihrem Bauwesen bedient gewesen, kürzlich den titre als Königl. Ober-Baudirector im Königreich Preufsen erhalten. Er schickt ohn Unterlafs etwafs ein, von Bau-, Landmefs-, Physicalischen, Medicinischen und andern Sachen, auch allerhand Proben von Experimenten und Observationen. Weil es alles unter einander, theils zu dem Objecto der Societät nicht gehörig, Manches eben nicht so gar sonderlich (wie die Herren der clafsis medicae davon geurteilet) und französisch geschrieben ist, dörfte es Mühe haben, einen Ausschufs davon zu machen und die Übersezung zu beschaffen, damit ein Theil in die Miscellanea gebracht werden könne, wiewol er verlanget, dafs alles und zwar in der Sprache, in welcher er es aufgesezet, hineingerücket werde. Wenn E. Exc. eine Probe davon verlangen, will ich etliche Hefte (deren schon ein gantz Alphabet beisammen) übersenden.

Der Hr. Hoffmann gehet nun auf Königlichen Befehl wieder nach Halle und hat das Unglück, dafs er am Hofe von Niemandem beklaget wird.

Wafs von E. Excell. Erhebung zu der Reichshofrahtsstelle alhie ausgebreitet worden, ist aus des Hrn. von Prinzen Hause gekommen, wenn es noch nicht richtig damit wäre, so wünsche wenigstens, dafs meine gehorsame Gratulation difsfalls bald zu wiederholen Ursach habe, der ich mit schuldigem Respect verharre u. s. w.

Berlin d. 5. Mart.
1712.

137.

Jablonski an Leibniz.
30. April 1712.

Auf Dero geehrtes vom 12. dieses diene hiebei gehorsamst mit denen verlangten Stücken von dem Hrn. D. Scheuchzer. Ich sehe noch wenig, so von andern Orten eingekommen wäre; von den hiesigen membris ist auser dem Hrn. Spener, welcher zugleich

12*

von ein und andern seinen auswärtigen Correspondenten etwafs theils schon beigetragen, theils noch vertröstet, dem Hrn. Schott und dem Hrn. Dangicour wenig zu hoffen. Der Hr. Raht Hoffmann ist noch hie, weil ihm sein Gehalt bis Johannis gelafsen worden, alsdan er aber sich von hinnen zu begeben die Anstalt machet, wiewol man noch nicht weifs, wohin er sich wenden werde. Nach Halle wiederzukehren mag er wol schlechte Lust haben, weil ihn die profefsio physicae abgenommen und seinem aemulo dem Hrn. D. Stahl übergeben worden. Es hat verlautet, ob sey er als Leibmedicus nach Hanover beruffen worden, weil aber E. Excell. hievon nichts wifsen, hat man es nicht vor gewifs annehmen wollen, wie es denn nu auch sich anders weiset.

Der Beischlufs an den Hrn. de Larray ist bestellet und kommt dagegen ein ander von dem Hrn. la Croze zurück. Die mir vor einiger Zeit überschickte Verzeichnifs derer Quitungen und ausgezahlten Posten habe gegen die hie befindlichen Belege gehalten und richtig befunden, wird also hiernach der terminus ad quem sich leicht ergeben. Wenn es E. Excell. zufrieden, werde mit ehestem eine Post abermal übersenden können, oder wenn Dieselben einen Umschlag zu treffen wüsten, könte die Zahlung hie geschehen, und ich verbleibe mit schuldigem Respect u. s. w.

Berlin d. 30. Apr.
1712.

138.

Jablonski an Leibniz.
28. Mai 1712.

Die Instruction zu denen Observationibus magneticis ist vor einiger Zeit von dem Hrn. Hoffmann aufgesezt und dem Hrn. Chuno übergeben worden, der aber noch etwafs hinzuzusezen nötig geurteilet und zu solchem Ende sie dem Hrn. Hoffmann wieder zurück gegeben. Dieser hat bei seiner drünglichen Calenderarbeit sich nicht daran machen können, jedoch versprochen, dafs es ehestens geschehen solle.

Der Hr. Raht Hoffmann macht sich nu fertig, weil die ihm vorgeschriebene Zeit herannahet, von hinnen zu ziehen und, wie man nicht anders weifs, wieder nach Halle, wiewol er sein allda gehabtes Haus neulich erst verkaufet.

Das Seidenwerk ist durch fleifsige Überlegung ja wol gefafset, wie es am besten fortgezet werden könne. In der Ausführung aber finden sich immer Schwürigkeiten, unter welchen eine nicht der geringsten, dafs man ungeachtet aller angewandten Bemühung zu einem Land, darauf eine zulängliche Baumschule angeleget werde, nicht gelangen kan. Man ist aber damit noch bemühet und hoffet endlich etwafs auszufinden. Unterdefsen sind schon viel tausend Stämme in und auser Landes ausgebreitet, und also ein guter Anfang gemacht, die Zucht fortzusezen und unter dem Volk eine Lust dazu zu erwecken.

Der König hat zu Erbauung der nötigen Häuser hie und zu Potstamm einen Vorschub an Holtz getahn.

Die Blätter sind auf dieses Jahr verpachtet worden, aber in allem nicht viel über 30 Thlr. tragen. Künftig wird man sie befser zu nuzen trachten.

Mit Übermachung des Geldes werde mich nach Dero Befehl richten und warte nur auf eine Post, so mir mit ehestem einlaufen soll, alsdann ich etwafs werde einsenden können, und verharre mit schuldigem Respect u. s. w.

Berlin d. 28. May
1712.

139.

Jablonski an Leibniz.
11. Juni 1712.

Dero geehrtes vom 30. May ist mir zu recht worden und habe ich die Einschlüße richtig bestellet. Die Bedienten von der Ritteracademie haben ihren Gehalt noch auf ein halb Jahr zu genießen, nach solcher Zeit wird mit denen dazu gewidmeten Geldern schon disponiret seyn und ist es so weit davon, daſs man bei gegenwärtiger Verwaltung geneigt seyn solte, neue pensiones aus des Königs Einkünften zu machen, daſs man vielmehr alles waſs nur möglich ist, sogar den weiteren Gnadengehalt einzuziehen beschäftiget ist. Unterdeſsen ist der Vorschlag wehrt, in Überlegung gezogen zu werden, und wird man darüber bei dem nächsten Concilio sich unterreden.

Hiebei überkommen 300 Thlr. besage einliegenden Postenzettels. Wenn E. Excell. es so gefällt, so kan die Quitung über die vorige 400 Thlr. bis Ausgang 1709 gestellet werden und die folgenden sodann allezeit von halbe zu halben Jahren fortgehen.

Der Hr. Spener ist unlängst zu Leipzig gewesen, da er mit verschiedenen Leuten, so der Societät nützlich sein können, bekannt worden, unter andern mit dem D. Lehmann, einem gelehrten und sehr curieusen Mann in naturalibus sowol als artificialibus, und mit dem Profeſsore chymiae, der ihm von vielen vortrefflichen Experimenten gesagt und solche nach und nach mitzutheilen versprochen. Diese beide hat er zu membris Societatis recommendirt. Imgleichen hat er daselbst einen gelehrten mechanicum Leupold gefunden, der auser andern schönen Erfindungen sonderlich die antliam pneumaticam in vielen Stücken vermehrt und verbeſsert. Diesen will man herkommen laſsen, um unsere antliam zu besehen und waſs von denen dazugehörigen Stücken unterweges zerbrochen, zu ergänzen oder waſs noch dazu gebracht werden könte, anzuschaffen. Ich verbleibe mit schuldigem Respect u. s. w.

Berlin d. 11. Jun.
1712.

140.

Jablonski an Leibniz.
2. Juli 1712.

Mein jüngstes vom 11. Jun. mit 300 Thlr. an Gelde wird hoffentlich wol überkommen sein, desfalls ich bisher auf Nachricht gewartet und mit dem Einschluſs, so mir inmittelst zukommen, an mich gehalten, das aber mir zu lang werden wollen, solchen nicht länger aufhalten mögen.

Das Seidenwerk ist am Hofe wieder in Bewegung. Einer von denen, so einige Bäume von uns angenommen, hat Anlaſs gegeben, daſs der König einige Cammerräthe verordnet, sein Werk (wiewol es eben nicht zum besten gerahten) anzusehen. Diese, weil sie meistenteils dem Werk vorhin gewogen waren, sind weiter gegangen und haben auch von denen Anstalten, so zu der Fortpflanzung der Bäume gemacht worden, in ihren Bericht etwaſs einflieſsen laſsen, woraus ein guter Erfolg verhoffet wird. Der Kronprinz hat nun auch beſsere Gedanken von der Sache bekommen und wird uns nicht mehr zu hindern begehren. Unter den vorgedachten Commiſsariis ist auch der bekannte Kappisch, der zwar wider die Societät diesfalls sehr eingenommen gewesen, nunmehr aber auch zurecht gebracht worden.

Die Bäume zu Spandau sind von dem Hrn. Frisch vor 2 Jahren an einen Franzosen daselbst verpachtet worden um 8 Thlr. Dieser hat heuer daraus 40 ℔ Seide gemacht und bekennet, dafs er nicht alle Blätter verbrauchet, weil es ihm an Würmern gemangelt, indem er nur 4 Unzen auskriechen lafsen, da er wol 5 oder 6 ausfüttern können. Also lernet man algemach die Sache kennen und mufs ein Tag des andern Lehrmeister sein.

Man hoffet, übers Jahr ganz andere Anstalten zu machen und auf die Spur zu kommen, wie man die stehende Maulbeerbäume anders als bisher geschehen und mit größerem Vorteil nuzen möge.

Ich verbleibe mit schuldigem Respect u. s. w.

Berlin d. 2. Jul.

1712.

141.

Jablonski an Leibniz.

16. Juli 1712.

Dero geehrte beide vom 1. und 5. Jul. habe zu recht erhalten und die dabei gewesene Einschlüfse gehörig bestellet.

Am vergangenen Montag ist der verordnete Wechsel des Vicepraesidii bei der Societät vorgegangen und solches dem Hrn. Krug von Nida übertragen worden.

Die Fortpflanzung der Maulbeerbäume ist das erste gewesen, worauf bei der über das Seidenwesen angestellten Überlegung das Absehen gerichtet worden, und wie man hiezu alle nötige Mittel vorkehrt, also ist man absonderlich bemühet, einen gelegenen Raum zu einer Baumschule, die 40 bifs 50 tausend Stämme halten könne, zu finden, womit es aber schwer hergehet. In dem Weinberg ist etwafs zu versezen angefangen worden, aber nicht recht und mit Unwillen der Weingärtner, daher es auch schlecht fortkommet. Unterdefsen ist noch für viel hundert Stämme Raum vorhanden, welchen nach und nach zu besezen, und künftiges Frühjahr den Anfang zu machen mit der Kammer schon Abrede genommen. Man ist auch bedacht, anderswo im Lande dergleichen Pflanzung auszubreiten.

Anania thut etwafs, aber nur vor sich; uns ist er viel zu kostbar und wird man ihn wol müfsen gehen lafsen, sobald man sich ein wenig befser gefafset hat.

Die Departemens kommen zwar ordentlich zusammen, es ist aber einer vor dem andern darin etwafs fleifsiger. Verschiedene, so zu den künftigen Miscellaneis etwafs beizutragen versprochen, wenn sie defsen erinnert werden, geben immer neue Vertröstungen, nur dafs es allezeit auf einen neuen Aufschub ankommt. Hr. Colas hat in langer Zeit nichts eingeschickt, es wird aber davor gehalten, dafs daran wenig verlohren, weil nicht alles und, wie Hr. Spener urteilet, das wenigste so beschaffen, dafs es darin Platz finden könne. Unter andern hat er eine weitläufige Unterweisung von dem Zimmerwerk, welches er an gewifse architectonische Regeln binden will, und also a priori demonstriren, wobei viel Zeichnungen vorhanden. Man glaubt, dafs dieses Werk den Liebhabern angenehm und nüz sein könne, ob es aber in den Miscellaneis Statt habe, ist man noch nicht einig worden. Der Hr. Beer, welcher gebeten worden, es zu überlesen und sein Gutachten davon abzustatten, hat sich wegen seiner andern Geschäfte entschuldigt. Also weifs man noch nicht, wafs es eigentlich auf sich habe. Des Hrn. Hoffmanns Instruction zu denen Observationibus magneticis ist bis auf etliche Rifse fertig. Des Hrn. Speners Cabinet ist auf dem Observatorio, aber unter seinem Schlüfsel. Er hat ihm den Raum zu demselben da erbeten, und wenn er sein Haus zu verkaufen entschlofsen und wenn er zur Miete wohnen müfste, näher zukommen kan, nachdem er sich defsen entlastet, über dafs es auch in einem sichern und beständigen Ort befser verwahret ist, als wo es der Feuersgefahr unterworfen und oft gerücket werden müste. Wie man sich deshalb in Zukunft mit ihm vergleichen werde, stehet dahin. Man hatte einen Vorschlag, zu einem neuen fundo zu gelangen, es scheinet aber, daß nichts daraus werden wolle.

Hr. Raht Hoffmann ist wieder nach Halle gezogen, nachdem die ihm verliehenen Gnadenquartale verflossen.

Die Quitung über die lezt eingesandte Gelder habe empfangen, finde sie aber um ein Jahr zu kurtz gestellet. Der terminus a quo ist die Mitte des 1710. Jahres und sind 6000 Thlr. bezahlt, welche bis in die Mitte des (nicht 1709ten, sondern) 1710. Jahres reichen. Doch dieses ist leicht zurecht zu bringen. Ich verbleibe mit schuldigem Respect u. s. w.

Berlin d. 16. Jul.
1712.

142.

Jablonski an Leibniz.
20. August 1712.

In beikommendem Packett wird endlich die Instruction, wie die magnetischen Observationes anzustellen, enthalten sein. Der Hr. Hoffmann ist an einem hitzigen Fieber todtkrank gewesen und hat wenig gefehlet, daß er nicht draufgegangen, welches gewiß uns nicht wenig Ungelegenheit gemacht hätte.

Zu Beförderung des Seidenbaus ist von ungefehr Gelegenheit zu einem sehr vorteilhaften Vorschlag gegeben worden, davon aber der Ausschlag bei damaligen Ferien, da fast Niemand zugegen, und auch der Hof selbst sich entfernet, noch zu gewarten stehet.

Es betrifft derselbe ein Stück Landes, so uns zu einer Baumschule hochnötig ist und von geraumer Zeit her vergeblich gesuchet worden, hie aber um einen leidlichen Erbzins erhalten werden könte. Und weil wir einen großen Vorraht von Stämmen, so nohtwendig versezt werden müfsen, albereit haben, so suchen wir ebenfals Raum, dieselben zu lafsen, und wird deshalb wol ein und andere Reise getahn werden müfsen. Der Hr. von Prinzen ist dem Werk sehr geneigt; wie der Hr. von Kameke dagegen gesinnet, weiß man noch nicht; es wird sich aber wol bald äusern müfsen, wenn der obengedachte Vorschlag wird zur Überlegung kommen, denn auf ihn dörfte der Ausspruch ankommen. Ich verbleibe mit schuldigem Respect u. s. w.

Berlin d. 20. Aug.
1712.

143.

Jablonski an Leibniz.
29. October 1712.

Dero geehrtes vom 19. dieses ist richtig eingelaufen und die dabei gewesene Einschlüfse gehörig bestellet worden.

Die Observationes declinationis magnetis allhie will ja Hr. Hoffmann fortgesezt haben; ob er davon ordentlich etwas zusammengetragen, weiß ich nicht, weil er die jährliche Observationes, so er zu übergeben sich verbindlich gemacht, noch nicht geliefert. Es scheinet auch, daß es damit schwer hergehen möchte, weil die unumgängliche Calenderarbeit so mühsam von ihm zu bekommen ist, daß darüber nicht geringe Hinderung und Versäumnifs in dem Calenderdruck verursacht wird; weshalb ich diesen Punct als ein objectum deliberandi bei dem nächstbevorstehenden Concilio mit aufgesezet. Sonst ist um solche Observationes wie auch die Ermefsung longitudinis und latitudinis nach Königsberg geschrieben worden und stehet zu erwarten, ob der Hr. Blāsing sich hie fleifsiger, als da anno 1706 um die Observation der grofsen Sonnenfinsternifs an ihn gelanget worden, darauf aber nichts erfolget.

Der Hr. Colas hat in geraumer Zeit nichts eingeschickt. Von seinen Sachen wāre ein und anderes wol zu gebrauchen, er will aber, dafs nichts davon gelafsen, auch nicht ins Latein übersezet werde, was er französisch geschrieben (denn was er zuletzt überschickt, war lateinisch gestellet), deren erstes aber die, so seine Sachen gelesen, nicht tuhlich finden, das lezte aber wider die Einrichtung der Miscellaneorum ist.

Mit dem Seidenwerk unterläfset man ja nichts was möglich ist, ihm aufzuhelfen; doch will es sich noch schlecht anlafsen, dafs die Societät einigen Nuzen davon haben werde, weil ihr zu viel Schwürigkeiten und Hinderungen erwachsen, auch selbst von denen, so ihr Bestes fördern solten und sich defsen angemafset. Indefsen mufs man sehen, wie weit man gelangen kan. Der Hr. Frisch, weil seine Wohnung für dem Brand erhalten worden, hat keinen weitern Schaden gelitten, als wafs im Retten und Räumen verstreuet oder beschädiget worden. Einige aber seiner Collegen, so in dem hintern Gebäu gewohnet, sind übel zu kurz gekommen.

Über 8 Tage werde abermal 300 Thlr. übersenden. Des Hrn. von Prinzen Excell. sind tödtlich krank gewesen, nun aber wieder auf dem Wege der Befserung.

Die Fürsten- und Ritteracademie ist nicht, wie der Ruf gegangen, eingestellet, sondern man hat dieses Mittel erfunden, sich einige Personen, die man davon lofs werden wollen, zu entledigen. Nachdem solches geschehen, soll sie unter der Direction des Hrn. Geh. Rahts von Osten in kurzem wieder aufgerichtet werden. Der Hr. Hamraht hat in seiner Sache Revisionem actorum erhalten und sind der Hr. Graf von Dohna und der Cammergerichtspraesident Hr. von Sturm zu Commifsariis oder Revisoren verordnet, die auch nu würklich daran arbeiten.

Der Hr. Spener ist beschäftiget, sein Cabinet in dem auf dem Observatorio ihm eingeräumten Zimmer aufzustellen, und die antlia pneumatica mit vielenteils neuen Instrumenten und Machinen ist auch in Stand gebracht, so dafs man mit der Zeit etwas haben wird, die Curiosität der Liebhaber zu vergnügen.

Die Frau Kirchin hat das Krosickische Observatorium bezogen, weil die, so bisher darauf gewesen, ihrer Verbindlichkeit keine Genüge getahn. Ich verbleibe mit schuldigem Respect u. s. w.

Berlin d. 29. Oct.
1712.

144.

Jablonski an Leibniz.
20. December 1712.

Dero geehrtes vom 19. Nov. aus Dresden habe richtig erhalten und die Einschlüfse gehörig abgegeben. Hätte mit der schuldigen Antwort nicht so lange angestanden, wenn nicht auf die Nachricht von richtigem Einlauf des überschickten Geldes zugewartet. Nachdem aber beikommende Einschlüfse meiner Bestellung anbefohlen worden, habe mit denselben nicht verweilen sollen.

Dem Hrn. Astronomo hat nomine Concilii eine Weisung geschehen müfsen, worauf man hoffet, dafs er befseren Fleifs anwenden werde. Der Frau Kirchen Hülfe hat er sich, wie sie sagt, zwar heimlich bedienet, offentlich aber alle Zeit darwider gesprochen, sie auch niemals auf das Observatorium laſsen wollen, wiewol sie deſsen nu nicht mehr benötiget, und nachdem sie eine so schöne Gelegenheit, ihre Observationes zu üben, erlanget, auch mit den herausgegebenen Anmerkungen über die groſse Conjunction sich ziemlich bekannt gemacht, dörfte sie leicht bewogen werden, diesem Wege nachzusezen und mit dergleichen Herausgebungen fortzufaren.

Der Hr. Frisch hat sich anfänglich des Seidenwesens wol angenommen und dem Ansehen nach nichts davon genoſsen, allein nachdem er viel tausend Stämme in und auserhalb Landes vor die seinen verkauft, numehr auch eine eigene Pflanzung vor sich angelegt, imgleichen mit dem Hrn. von Arnim sich gesezt und bei demselben eine starke Pflanzung eingerichtet, wovor ihm eine ansehnliche Belohnung, wie ich berichtet worden, von 100 Thlr. zugesagt, so hat er die Angelegenheit der Societät aufgegeben, und weil er die Kunden an sich gezogen, können wir an keinem Ort fortkommen. Man tuht zwar sein Bestes hin und wieder, allein noch mit schlechtem Succeſs. Der Ernst zu Stargard, welcher damals, als er sich um die Factorey der Calender beworben, güldene Berge versprochen, hat auf mein Anbringen dieserwegen begehret, daſs man ihm erst zu einer gewiſsen Aufsicht über die ehemals anbefohlne Pflanzungen fruchtbarer Bäume auf dem Lande, warum er sich schon damals bemühet, verhelfen solle, und da man dieses Beding abgelehnet, hat er weiter nicht einst [sic] antworten mögen.

Der Hr. von Kameke, so als Hofkammerpraesident auch sonst der Sache einen guten Vorschub ohne einigen Schaden des Königs oder sonst Jemandes tuhn könte, ist ihr zuwider und bei ihm nichts zu erhalten. Unterdeſsen muſs man sehen, wie weit man kommen kan, ad impoſsibilia nemo tenetur.

Der Graf Alexander von Dona ist hieher berufen gewesen wegen eines Streits, den er mit seinem Concommiſsario, dem Hrn. von Osten, gehabt, der aber also beigeleget worden, daſs man dem von Osten einen Verweis, dem Hrn. Grafen eine pension von 4000 Thlr. gegeben, die Sache selbst aber in medio gelaſsen und sie also wieder fortgeschickt.

Die zu Mitgliedern vorgeschlagene Subjecta sind ohne Schwürigkeit beliebt und zugleich Hr. D. Pauli, Ertzpriester zu Mümmel, so etliche Jahr als Generalstabs-Feldprediger bei der Ruſsischen Armee gedienet und groſse Bekanntschaft in Moſskau hat, imgleichen der D. Sloan(n)e, Secretarius der Königl. Societät zu London praeconisirt worden.

Wie es um die Collection zu dem neuen Volumine Miscellaneorum stehe, weiſs ich nicht, weil die Sache in verschiedenen Händen, welchergestalt ein Ganzes zu machen etwas schwer ist.

Daſs der König Stanislaus auf der Post nach Bender abgereiset, wird bekannt sein. Unser Abgeordneter ist auf dem Rückwege und hat nichts ausgerichtet. Die Schwedische Sache in Pommern stehet in momento critico, wie die Zeitungen versichern. Ich verbleibe mit schuldigem Respect u. s. w.

Berlin d. 20. Dec.
1712.

145.

Jablonski an Leibniz.
31. December 1712.

Wenn Dieselben den instehenden Jahreswechsel in Gesundheit und vergnügtem Wolwesen, wie ich hoffe, erreichet, so habe dazu hiemit schuldigst gratuliren sollen, mit eiferigem Wunsch, daſs die Göttliche Güte über Denselben ferner gnädig walten, Dero wichtige

Vornehmen und Verrichtungen zu dem gemeinen Besten und Dero eigenen Ruhm ausschlagen und Ihnen alle selbstbeliebige Zufriedenheit auf lange Zeit beständig widerfahren lassen wolle, ich aber Dero verehrten Gewogenheit mich bis ans Ende unverruckt erfreuen möge.

Mein jüngstes vom 20. wird hoffentlich eingelaufen sein. Seither ist nichts Veränderliches vorgelaufen. Wie das diploma receptionis an den Hrn. M. Täuber zu bringen, erwarte beliebigen Befehls.

Vor drey Tagen habe mit dem Hrn. Conrector Frisch, weil uns gesamtlich die Besorgung des Seidenwesens von dem concilio aufgetragen worden, mich zusammengetahn und in einer weitläufigen Überlegung dasjenige, so zu diesem Zweck in bevorstehendem Jahr vornemlich zu tuhn nötig sein möchte, vest gestellet, so daſs wir hoffen, wenn unsere Anstalten gelingen, einen Schritt weiter vorwärts zu tuhn. Vom Hofe haben wir nichts zu gewarten, weil der Hr. von Kameke gar keine Lust zu der Sache bezeuget, also müſsen wir sehen, wie wir uns selbst forthelfen.

Sonst ist ein Vorschlag auf der Ban, wodurch die Societät zu einem Anfang eines Laboratorii gelangen kan, durch Verleihung eines privilegii über die Bereitung des Scheidewaſsers und anderer dergleichen Artäten, welches ein gewiſser mit Namen König zeither gehabt, deſsen aber misbrauchet und darauf stehet, daſs er deſselben verlustig erkannt werden soll. Die Sache ist so weit gut eingefädelt, wenn nur der Hr. von Prinzen, welcher bisher ein mächtiger Beschützer des König gewesen, kan ungestimmet werden.

Ich verharre mit schuldigem Respect u. s. w.

Berlin d. 31. Dec.

1712.

Der Hr. Rödicke hat nach einem langen Lager, darin ihn die Waſsersucht gehalten, endlich die Zeitlichkeit gesegnet. Man ist bedacht, seine Mss. von der lingua universali von den Erben zu erlangen.

146.

Jablonski an Leibniz.

18. Februar 1713.

Mein jüngstes vor 8 Tagen unter der anbefohlenen Adreſse des Hrn. Hennebergs wird hoffentlich wol überkommen und daraus ersehen worden sein, daſs Dero vorige nur richtig eingelaufen.

Das letztanbefohlene Schreiben an Hrn. Dagly, so in Dero geehrten ohne Datum am vergangenen 15. dieses mir zukommen, sende heut nach Wesel, alwo derselbe sich eine geraume Zeit aufgehalten und Werkstücken nach seiner Erfindung gieſsen soll, die den natürlichen an Härte nichts bevor geben. Von seinem gerühmten Ciment habe von ihm selbst viel gehöret, und mehrmalige Versprechungen erhalten, die Probe davon, wenn er dieselbe hie oder da (wie er vorgegeben, daſs geschehen solte) ablegen würde, mit anzusehen. Es hat nur aber so gut nicht werden wollen, wiewol er doch eine bewärte Probe zu Caſsel in dem neuen Lustgarten bei denen Waſserkünsten daselbst getahn und davor 1000 spec. Ducaten bekommen. Er hat das folgende Jahr wieder dahin und ferner nach Mainz gehen sollen; warum es nachgeblieben, weiſs ich nicht. So viel habe von ihm gehöret, daſs der Landgraf ihm einen Gehalt ausgemacht, so ihm folgen soll, wo er auch sein möchte. Ich habe nicht einmal das Glück haben können, nur ein Stücklein davon zu sehen zu bekommen, wiewol ich inständig darum gebeten. Sein Hausgenoſse, den er viel

Jahre bei sich gehabt, ist kürzlich auch weggegangen, so dafs ich Niemand antreffen können, der mir ein Mehrers von solchem Ciment sagen können. Mit des Königs Zustand hat es sich vor 4 Tagen unvermutet heftig verschlimmert. S. M⁴. aber haben sich nu wieder erholet und befinden sich auf dem Wege verhoffter Befserung. Ich verbleibe mit schuldigem Respect u. s. w.

Berlin d. 18. Febr.

1713.

147.

Jablonski an Leibniz.
1. April 1713.

Dero geehrtes vom 8. Mart. ist mir richtig geworden und hat die Nachricht von Dero vergnügtem Wolbefinden mich und alle die mit mir daran Teil nehmen, höglich erfreut, defsen angenehme Folge wir zugleich wünschen. Der hohe Todesfall hat mehr Veränderungen nach sich gezogen, als man je vermutet. Sie betreffen aber meist die Oeconomica und haben S. K. M⁴· sich so weit herausgelafsen, dafs Sie erst einen beständigen Grund guter Haushaltung legen müfsen, damit Sie zuforderst eine ansehnliche Kriegsmacht wol unterhalten und nachgehends ihren Untertahnen einige Erleichterung schaffen können. Hernach werden Sie schon Mittel finden, auch ihre treue Diener zu belohnen; vor den Anfang aber müfsen sie sich mit ihm in die Zeit schicken und nach seinem Exempel rüchtiger haushalten lernen. Die unmäfsige Besoldungen einiger Hof- und Staatsbedienten sind merklich eingezogen und aller Überflus bei Hofe gemäfsiget worden, so dafs man sagt, es werde an Küche, Keller und Silberkammer allein bis 400/m Thlr. jährlich ersparet werden.

Die Mahleracademie ist aufgehoben, wenigstens weil ihnen die Besoldungen genommen, wird sie von selbst zergehen, und man weifs noch nicht, ob sie die Gemächer auf dem Stall behalten werden. Von dem Observatorio sind auch gefährliche Gerüchte gegangen und weifs man noch nicht recht, woran man ist, wie denn nach der Leichbegängnifs erst Alles in rechten Stand soll gebracht werden. Sonst hat der König von der gehabten Abneigung von der Feder viel nachgelafsen und selbst gestanden, wie er nu wol sehe, dafs mit dem Degen allein sich nicht Alles ausrichten lafse. Er hat selbst Hand angelegt und alle Rechnungen, Aufsäze und was ihm nötig gewesen, mit unglaublicher Arbeitsamkeit durchgesehen und die nötige Änderungen mit eigener Hand hinzugesezet. Er decretirt auf gleiche Weise mit eigener Hand teils publique Sachen, die ihm auf einem halbgebrochenen Denkzettel gegeben werden müfsen, teils Privatmemorialien, die er willig annimmt und mit Fleifs durchlieset. Er will ernstlich der Justiz aufgeholfen und die Procefse verkürzt wifsen, wozu auch schon eine Commifsion niedergesezt ist, mit der es aber nicht recht fort will.

Der Graf Christoff von Dona ist bei dem König wol angesehen und der erste unter den Vieren, so den neuerrichteten Cabinet recht ausmachen; die andern sind die Herren von Ilgen, von Prinzen und Grumkau. Dafs aber der Graf Alexander so bald herkommen solte, wird nicht gehöret. Der Hr. von Hamrat ist zum Praesidenten von der Regierung zu Halberstatt ernennet und soll ehestens dahin gehen. Der Hr. Feldmarschall Gr. von Wartensleben hat alle seine Bedienungen behalten.

Der Hr. Chuno ist unpäfslich gewesen, es hat sich aber mit ihm gebefsert.

Das Seidenwerk suchet man aufs möglichste zu fafsen; es scheinet aber, dafs in den ersten Jahren etwas verseumet worden, zum wenigsten, wenn die gegenwärtigen Anstalten damals den Anfang genommen hätten, würde man so viele Zeit gewonnen haben.

13*

Auf die Miscellanea ist man mit Ernst bedacht, einen neuen tomum zusammen zu bringen, weil aber die Sachen in verschiedenen Händen stecken, weiß ich und Keiner nicht, was da sei oder nicht da sei. Vielleicht wird der künftige Vicepraeses sich der Sache fleißiger annehmen. Der Vorschlag wegen des Scheidewaßers hat mit der eingefallenen Veränderung einen Stoß bekommen, doch wird man suchen, ihn wieder zu erwecken. Ich verharre mit schuldigem Respect u. s. w.

Berlin d. 1. Apr.
1713.

P. S. Es sind bei mir Schreiben und Bücher vor E. Exc. von dem Hrn. D. Neumann in Breßlau und von dem Hrn. D. Wolf zu Halle. Der Hr. Oberpraesident von Dankelmann ist auf Königl. Befehl bergekommen und wird sehr wol angesehen. Worauf es aber gemeinet, ist noch unbekannt.

148.

Jablonski an Leibniz.

22. April 1713.

Meine vorigen werden hoffentlich richtig überkommen sein. Immittelst hätte wol Ursach gehabt, von dem hiesigen Zustand eher zu berichten, wenn nicht von Breßlau aus mir Hoffnung gemacht worden wäre, Dero ehester Herauskunft selbigen Weges, wobei ich vermutete, daß die fernere Reise hieher zutreffen werde. Nachdem aber es sich damit so lange verzogen, so habe gehorsamst melden sollen, daß es mit der Societät mehr an deme gewesen und vielleicht noch ist, daß sie das Glück mehr anderer Collegien haben dörfte. Allzeit das Observatorium ist auf Königlichen Befehl von der Amtskammer zur Miete öffentlich angeschlagen worden, und als man sich dagegen gemeldet, hat man kaum erhalten, daß das Memorial nur ad acta genommen worden. In termino hat sich zwar Niemand gefunden, der das Observatorium zu mieten verlanget, also hat man sich von Seiten der Societät auf die gethane Vorstellung bezogen und zur Antwort erhalten, es solle derselben in dem Bericht gedacht werden. Wie es nun ferner laufen werde, lehret die Zeit. Die Mahleracademie hat ihre Zimmer um 60 Thlr. in Miete genommen, nach deren Exempel es mit dem Observatorio wol auch wird geschehen müßen. Ob es aber dabei aufhören werde, stehet dahin[1]. Es äusern sich täglich neue machinationes zum Nachteil der Societät, dagegen man zwar alles Mögliche vorkehret, allein weil directe nichts auszurichten, muß man es dabei bewenden laßen, daß man indirecte wehret so viel man kan.

Der Hof hat sich sehr verändert und hat der ganze Zustand eine andere Gestalt gewonnen, so daß man sich kaum mehr darein finden kan.

Wenn die Leichbegängniß vorbei, wird sich der Ausschlag dieser und mehr anderer Sachen, die noch in der Ungewißheit schweben, ergeben, alsdann hoffe etwas Beßeres zu berichten, indeßen verbleibe u. s. w.

Berlin d. 22. Apr.
1713.

[Marginalien von Leibnizens Hand:]

»Am Saal des Parlements, so England kann gebieten,
Schrieb Cromwel endtlich an: Der Orth ist zu vermiethen.
Dem Kunstwerck zu Berlin geschicht noch größre Ehr,
Ein König schreibt ans Hauß: Weicht oder Thaler hehr!«

---

[1] [Hier hat Leibniz an den Rand die am Schluß des Briefs abgedruckten Verse geschrieben.]

149.

Jablonski an Leibniz.
15. Mai 1713.

Dero geehrtem vom 6. dieses zu gehorsamer Folge diene hiebei mit den verlangten Exemplarien der Epistola ad amicum. Wie es um die Societät stehe, habe in meinem lezten, so durch den Hrn. D. Neumann über Breßlau befördert, berichtet. Seitdem ist es also geblieben auser daß der Ruf von Einziehung des Calenderverlags sich wieder verlohren. Unterdeßen ist man doch nicht sicher und hat demnach beschloßen, sobald der Hr. von Prinzen, welcher seiner Gesundheit zu pflegen auf das Land gereiset, wieder hier sein wird, mit demselben in Raht zu stellen, ob man nicht die Bestätigung der vorigen Verschreibungen bei iztregierender Königl. M^l suchen solle[1].

Sonst haben die Veränderungen gar weit um sich gegriffen und ist Niemand damit verschonet worden weder im Civil- noch Militairstand. Unter andern hat es auch die Bibliothec gar hart betroffen und der Hr. Schott nicht mehr denn 200 Thlr. behalten, der Hr. la Croze aber Alles verlohren.

Sonst sind S. Kgl. M^l bei Dero Regierung sehr fleißig und decretiren unzählbare Supplicata mit eigener Hand. Sie eifern absonderlich über schleunige und richtige Verwaltung der Gerechtigkeit und haben schon einen Anfang gemacht, die Proceßordnung am Kammergericht zu reformiren, wodurch die Rechtssachen merklich verkürzt werden sollen.

Einen würklichen Maitre des requetes haben Sie nicht bestellet, es ist aber einer Nahmens Köppen, ein Generaladjutant, so stets um Dieselben sein muß und alle Suppliquen annimmt. Der Hr. von Kreuz ist würklicher Staatsministre und Directeur general des finances geworden.

Die Gelehrten möchten sich wol wenig zu erfreuen haben. Von denen Condolenz- und Gratulations Complimenten, so ein und andere dem König überreichen wollen, hat er keine angenommen. Es haben auch keine in der Schloßdruckerei angenommen werden dörfen, daher hie fast nichts dergleichen bei der vorbeigegangenen Leichbegängniß zu sehen gewesen auser die Beschreibung der Leichprocesßion, des Sarges und der Verzierungen in den Kirchen, so der junge Rüdiger und Hr. Wechter auf ihren Kosten drucken laßen und ihren Wucher damit getrieben. Dem lezten ist es auch nicht zu verdenken, weil er gleich Andern seine pension verlohren und sich hieran erholen muß. So ist mir auch gesaget worden, der König habe dem Pagenhofmeister ausdrücklich verboten, die Pagen in Latein unterweisen zu laßen. Bei solcher Bewandniß ist es nicht wol zu glauben, daß Er die Ritteracademie wieder aufrichten werde, wie man sagen wollen, wo nicht der Hr. von Dankelmann noch etwas ausrichtet, wiewol auch dieser schon ein Teil seines Ansehens soll verlohren haben.

Der König ist die meiste Zeit zu Mittenwalde und Wusterhausen bei seinen sogenannten Kindern, ganz allein, und kommt nicht herein als auf die Rahts- und Sonntage. Weil auch der König die auswärtig gewesene Abgesandten zurückberufen und nur Residenten halten will, so machen die sie seienden fremden Abgesandten sich gleichfalls fertig, nach Hause zu gehen.

---

[1] [Hierzu hat Leibniz an d. Rand bemerkt:] »Man mache zugleich einen neuen tomum Miscellaneorum praesentiren und allerhand manifeste utilia hineinbringen«.

Mein Bruder befindet sich wol und läſst sich dienstlich empfehlen. Hr. Chuno hat vor einiger Zeit einen Zufall vom Schlagfluſs gehabt, davon er bettlägerig worden, auch noch nicht recht wieder aufgekommen.

Ich verbleibe mit schuldigem Respect u. s. w.

Berlin d. 15. May
1713.

150.

Jablonski an Leibniz.
10. Juni 1713.

Auf Dero Begehren erfolgt hiebei die General-Instruction. Mit der Societät stehet es noch bei dem Vorigen, und wiewol man versuchet, die Bestätigung derer ihr ertheilten Verschreibungen zu erbitten, ist doch von dem Hrn. Protectore solches noch nicht de tempore erachtet worden, weil der König noch zur Zeit mit andern Dingen gar zu sehr eingenommen ist.

Von der Einrichtung eines neuen Tomi Miscellaneorum wird zwar jezuweilen gesprochen, aber ohne genugsamen Nachdruck. Vielleicht wird es beſser gehen, wenn bei nächster Versezung das Vicepraesidium an den Hrn. Chuno gelangen wird.

Der Hr. la Croze, so bei der Bibliothec völlig ausgetahn gewesen, hat das Glück gehabt, bei dem Markgrafen von Schweet als Informator mit 400 Thlr. Besoldung wieder bestellet zu werden, welches ihm wol zu gönnen, weil man sonst ihn hie würde verlohren haben.

Ich verbleibe mit schuldigem Respect u. s. w.

Berlin d. 10. Jun.
1713.

151.

Jablonski an Leibniz.
1. Juli 1713.

Ich weiſs nicht, wie es zugegangen, daſs der zweite Bogen der General-Instruction jenes mal zurückgeblieben; weshalb dienstlich um Vergebung bitte und denselben hiebei gehen laſse.

Das Diploma vor den Hrn. Varignon kan leicht ausgefertiget werden; wie es aber sicher an ihn zu bringen, wird eine neue Sorge erfordern. Doch weil bei erfolgtem Frieden der Briefwechsel richtiger und leichter geworden, wird es sich auch hiemit schicken.

Der Hr. Hermann hat nichts zu sorgen, maſsen die hiesigen Veränderungen nicht bis dahin gehen.

Es ist eine kleine Schrift unter der Preſse, so bei nächster Veränderung des Vicepraesidii soll ausgeteilet werden: »Von der Möglichkeit und Nuzbarkeit des Seidenbaues«. Der Zweck ist, zu deſsen Fortsetzung aufzumuntern, und weil man vermerket, daſs der König an solchem Bau Wolgefallen hat, wird gehoffet, daſs ihm solches angenehm sein werde.

Ich verharre mit schuldigem Respect u. s. w.

Berlin d. 1. Jul.
1713.

152.

Jablonski an Leibniz.
12. August 1713.

Nachdem bei jüngster Versezung das Vicepraesidium an den Hrn. Chuno gekommen und dieser ihm nu angelegen sein läfset, die Ausfertigung eines neuen tomi der Miscellaneorum zu wege zu bringen, so findet sich unter andern, dafs von E. Excell. einige vorhin eingesandte Stücke wieder zurück gefordert, auch von mir übersandt worden. Solte nu Dero Wiederkunft nach Hanover so bald noch nicht geschehen, so werden Dieselben so gütig sein, Jemand, der solches auszurichten vermöge, aufzutragen, dafs er solche Stücke daselbst aufsuchen und mir fordersamst zuschicken möge.

Der Zustand der Societät bleibt bei dem vorigen, und weil der König fast aller Affairen auser die das Soldatenwesen betreffen, sich entschlägt, so wird zwar eine der Societät nachteilige Veränderung nicht leicht zu besorgen, hingegen auch vor dieselbe wenig Vorteile und Woltahten zu hoffen sein.

Von dem Zustand der Gesundheit zu Wien laufen hie so mancherlei und widerwärtige Zeitungen, dafs man nicht weifs, was davon zu glauben. Ich wünsche das Beste und verbleibe mit schuldigem Respect u. s. w.

Berlin d. 12. Aug.
1713.

153.

Jablonski an Leibniz.
9. September 1713.

Der Einschlufs gibt mir Gelegenheit, mit diesem abermal aufzuwarten und zu berichten, dafs mit der Societät es noch bei dem alten Wesen verbleibe. Insonderheit ist der Hr. Spener bei seiner neuen Profefsion gar fleifsig und dörfte wol mit ehestem ein Subjectum erhalten, an demselben seine Kunst durch würkliche Section zu beweisen, da mitlerzeit das Theatrum anatomicum vollends fertig werden kann.

Ich wünsche, dafs die Gefahr Ihres Orts mit fortgehender Jahreszeit sich vermindern möge, sowie dergleichen auch von Hamburg gehoffet wird, defsen Sperrung in allen Stücken viel Ungelegenheit nach sich ziehet und sich hie stark empfinden läfset. Ich verbleibe mit schuldigem Respect u. s. w.

Berlin d. 9. Sept.
1713.

154.

Leibniz an Jablonski.
6. December 1713.

Wien 6. Decemb. 1713.

Es hat des neuen Königs M*. der Welt gezeiget, dafs Sie nicht nur vor die Waffen sorgen, sondern auch guthen Raht zu ergreiffen wifsen. Sie haben durch Erlangung des Besizes von Stetin erhalten, wornach ihr Hr. Vater glorwürdigsten Andenkens (des Hrn. Grofsvaters zu geschweigen) vergebens getrachtet. S. M*. haben noch dazu Tonningen erhalten und den Grund zu der nordischen Ruhe wenigstens in den Reichslanden geleget und da anderswo nur zugesehen worden, die Hand an das Werk mit Nachdruck geleget. Ist also auch billig, dafs Sie defsen geniefsen. Es heifset jura vigilantibus scripta sunt. Ich schliefse aufs diesem allem, dafs S. M'. den Studien nicht abgeneigt seyn, sondern wohl wifsen werden, was im Regiment daran gelegen. Daher ich auch der Hoffnung lebe, Sie werden die von ihrem Hrn. Vater fundirte Societät der Wifsenschafften allergnädigst protegiren.

Es ist nöthig, dafs man dahin bedacht sey, wie künftiges Jahr ein neues Volumen Miscellaneorum Berolinensium zu Stande komme, darin nicht nur speculativa et curiosa, sondern auch practica et utilia zu bringen; wie man zwar auch beym ersten Volumine darauf gesehen. Ich will unter andern ein Problema tacticum inseriren: wie aufs einer gegebenen Zahl ein bataillon quarré vuide also zu formiren, dafs am wenigsten Personen übrig bleiben, item etwas ad rem balisticam. Und weil der König auch die Manufacturen gern befordert, so stelle dahin, ob einige merkwürdige Vortheile oder Observationen und dergleichen zu haben und beyzufügen. Ich solte vermeynen, in Berlin würde sich dazu Gelegenheit finden.

Hrn. Naudé bitte auch bey Gelegenheit meinetwegen zu grüfsen und zu entschuldigen, dafs ich noch nicht sein Buch restituiret; meine theils unvermuthete Reisen haben es verhindert; es ist aber unverlohren.

P. S. Weilen ich hier eine überaus grofse und zwar doppelte Taxe, eine bey der Reichscanzley, die andere bey der Hofcammer zu zahlen habe, so sich fast auf 800 Thlr. erstrecket, ehe ich zum würklichen Genufs gelange, so mufs m. Hrn. ersuchen, mir wenigstens 300 Thlr. rückständiger Besoldung hieher zu schicken.

.

155.

Jablonski an Leibniz.
16. December 1713.

Dero geehrte beide vom 11. Nov. und 6. Dec. habe zu recht erhalten. Wenn dann aus dem jüngsten ersehe, wie Dieselben an jenem Ort eine neue ansehnliche Bestallung erhalten, wozu in schuldiger Ergebenheit gratulire und wünsche, dafs Sie derselben mit hohem Ruhm und vielem Vergnügen lange geniefsen mögen.

Der Hr. Vicepraeses ist allezeit fleifsig daran gewesen, die Materie zu einem neuen volumine Miscellaneorum zu sammlen und haben die meisten anwesenden Mitglieder das ihre beigetragen.

Weil er die Sachen alle bei sich hat, erwarte ich die Verzeichnifs derselben von ihm augenblicklich und hoffe, sie noch vor Abgang der Post zu erhalten. Seine öftere Unpäfslichkeit ist ihm sehr hinderlich, dafs er damit so wie er gerne wolle, nicht fortkommen kan.

Die Anatomie und Botanica, so der Hr. Gundelsheim in seine Obsorge genommen, finden durch Beforderung Sr. Königl. M'. ziemliches Aufnehmen, und ist dieser Tagen eine Demonstratio anatomica publice gehalten worden; dergleichen nach dem Fest wieder vorgenommen werden soll, weil ein neues Subjectum schon vorhanden.

Die andern Künste und Wifsenschaften haben sich noch wenig zu rühmen, und wenn es wahr, was verlauten will, dafs das Naturalien-Cabinet zusamt der Antiquitaten- und Medaillen-Cammer an Chursachsen verhandelt worden, so verlieren wir nicht nur einen grofsen Schaz zur zierlichen Gelörsamkeit nötig, sondern auch einen in dieser Erkänntnifs gründlichen Mann, zugleich aber die Gelegenheit, curiosos, die dieses studii Liebhaber sind, hieher zu ziehen.

Die verlangte Summa kommt durch remise hiebei. Die anbefohlene Bestellungen habe ausgerichtet, und verbleibe mit schuldigem Respect u. s. w.

Berlin d. 16. Dec.

1713.

[P. S.] Der Hr. Rödicke, Erfinder der Universal-Sprache ist an einer Waſsersucht gestorben. Ich hab ein und andermal erinnert, ob man seine Mss. hiezu gehörig (denn sein Übriges ist sub hasta verkauft worden) an sich handeln wolte, als etwas Curioses beizulegen, habe aber kein Gehör gefunden. Hr. Marperger ist über Jahresfrist als Fürstlicher Hofraht zu Oels gestanden, hat aber den Dienst wieder aufgegeben und ist nu des Hrn. Kreutz Consulent bei Einrichtung der Manufacturen. Hr. Frisch lebt nach der alten Weise. Das Seidenwerk wird nu von dem Commiſsariat vor die Hand genommen und stark getrieben; wie lange, stehet dahin. Es ist auch eines solchen Nachdrucks noht, wo es einigen Fortgang gewinnen soll.

Die hiebei gehende Continuatio I Catalogi membrorum Societatis, so bei jüngstem Anniversario herausgegeben worden und jährlich continuiren soll, wird zeigen, wie die Zahl derselben bis dahin und izo angewachsen.

Ich bediene mich der vorigen Adreſse, bis ich das Glück habe, eine neue zu erfahren.

[NB. Diesem Brief liegt ein gedrucktes Quartblatt bei, welches Jablonski Leibniz übersandt hat.]

Continuatio I.

Catalogi Membrorum Regiae Soc. Scient. Prusso-Berolinensis.

Exhibens nomina eorum, qui ab initio an. 1711 ad medium
an. 1713 in Soc. sunt cooptati, recepto ordine disposita:

Ioh. Barbeyrac, Iuris et Historiarum Prof. P. in Acad. Lausanensi.

Henr. Iac. van Bashuysen [sic], S. T. D. eiusdemque et philosophiae Prof. Ord., Dicasterii Ecclesiastici Consiliarius et Pastor Hanov.

Henr. Bernoulli, Reg. Brit. Societatis Socius.

Ioh. Chamberlaine, Reg. Soc. Brit. Socius et eius quae de propaganda fide instituta est, Secretarius.

Sam. Groſserus, Rector Gymn. Gorlicensis.

Pet. Ludov. Henrich, S. T. D. Reg. Maj. Pruss. Concionator aulicus et Bibliothecarius Berol.

Christ. Gottlieb Hertel, Matheseos Prof. in illustri Collegio Imper. Lignic.

Gabr. Holst, J. U. D. Gedan.

Matth. Kramer, Linguarum Prof. Noriberg.

Ioh. Christ. Lehmanus, Med. D. Physices P. P. Ord. Lipsiens.

Ioh. Georg. Lenkfeldius, Pastor Primarius Groning. Ser. Duc. Brunsvico-Luneb. Consiliarius rerum eccles.

A. Maurice, Pastor Eccles. et Historiarum iuxta ac Humaniorum Litter. Prof. Genev.

Claud. Grosteste de la Mothe, Eccl. Gallicae Londinens. Pastor †.

Ioh. Arnold Pauli, S. T. D. Pastor ecclesiae et Archipresbyter Dioeceseos Mummelens.

Henr. von Sanden, Med. D. Prof. Physices ordin. et Medicinae extraordin. Regiomont.

Christ. Schlegelius, Bibliothecarius & Antiquarius Princip. Schwartzburg. Arnstatt.

Hans Sloane, Med. D. eiusdemque Prof. et Soc. Reg. Brit. Socius Londin.

Gottfr. Tauber, Ser. Duc. Saxo-Cizic. Concionator aulicus.
Ioh. Christ. Wolfius, Prof. Linguarum Orient. in Gymnasio Hamburg.

Schriftlich bemerkt Jabl.: »Noch sind dazu gekommen
　　M. Bonet, K. Resident zu London,
　　M. Bentley, Director Collegii Trinitatis zu Cambridge«.

156.

Jablonski an Leibniz.

27. Januar 1714.

Dafs das remittirte Geld wol überkommen, ist mir lieb; es ist solches hie in lauter Dritteln bezahlet worden. Es wundert mich aber nicht, dafs die Französische Thlr. und wichtige Ducaten dort so hoch im cours sind, weil sie eben auch hie ziemlich gestiegen und ich keinen Ducaten anders als vor 18 gr. [?] und die Französische Thaler zu 2 R. Reinisch gerechnet bekomme, welche hie so häufig sind, dafs aus Magdeburg und weiter hinaus fast kein ander Gelt bei mir einleuft.

Von den Denkmünzen der Societät werden noch ein paar übrig sein und könte damit gedienet werden, wenn man nur wüste, wie er [sic] überzubringen, denn auf der Post alhie dergleichen nicht angenommen werden dörfte, weil die reitenden Posten nichts als blofse Briefe führen dörfen.

Der Hr. Colas aus Königsberg ist auf Befehl des Königs vor einiger Zeit hieher gekommen und ferner nach Magdeburg gesandt worden nebst dem hiesigen Oberlandbaumeister, einige Schaden an der Elbe zu besehen. Er ist bei dem König in sonderbaren Gnaden und wäre zu wünschen, dafs er viel um ihn sein möchte oder die, so um den König sind, ihm gleicheten. Von seinen Sachen werden einige sehr curiose Observationes de generatione insectorum den Actis miscellaneis Societatis einverleibt werden. Er hat auch etwas vom Zimmerwerk ausgearbeitet, so er gerne darin haben wolte, es ist aber in Französisch geschrieben und würde schwer zu übersezen sein. Zudem sind die dabei gefügte Rifse sehr künstlich und würden viel Mühe erfordern, in Kupfer gebracht zu werden.

Das Teutsche Abteil der Societät hat nu die Orthographie vorgenommen und ist schlüfsig worden, seine Gedanken stückweise herauszugeben und unter der Hand mit gelehrten Männern in Teuschland sich darüber zu vernehmen, um einen Versuch zu tuhn, ob man zu einer gemeinsamen Zusammenstimmung gelangen könne. Die erste Probe davon soll in der nächsten Zusammenkunft überlegt und, wenn sie eingerichtet, ferner ausgebreitet werden.

Die anatomischen Übungen werden fleifsig getrieben und sind kürzlich zwo sectiones männlicher subjectorum vorgegangen, denen mit nächstem eine dritte folgen soll, inzwischen aber ein Hirsch, davon hiernächst ein Geripre zu machen, eingekommen, und noch eine Sau und ein ungemein grofser Hund zu eben dem Ende von dem König versprochen worden.

Der Hr. Spener hat sich angestellet, als ob er nach Rufsland in Czarische Dienste gehen wolte, welches uns ein grofser Schaden wäre, weil bei dem medicinischen Abteil er fast der einige ist, der mit Lust sich der Sachen annimmt und statliche Briefwechsel unterhält. Es ist aber davon wieder still geworden.

Ich verbleibe mit schuldigem Respect u. s. w.
Berlin d. 27. Jan.
1714.

157.

Es hat meinem Bruder geglücket, mit dem König ein-, mit der Königinn aber zu mehr malen von der Societät und deren Angelegenheiten zu sprechen, da denn er an beiden Orten einen guten Eingang angetroffen und gnädig angehöret worden. Was es aber vor eine Folge haben werde, stehet noch zu erwarten. Der König hält viel auf die Anatomie und läfset sie [sic] dieselbe nicht wenig kosten, nur weil das Werk von dem Hrn. Gundelsheim herrühret und also auser der Societät seinen Anfang genommen, so kan ihr davon wenig zukehren, wiewol man nichts gesparet, sich mit dem Hrn. Gundelsheim näher zu sezen und wo möglich das Werk der Societät völlig einzuverleiben.

Von dem Hrn. Colas habe, seitdem er nach Magdeburg verreiset, nichts vernommen, kan aber nicht glauben, dafs er wieder zurück, viel weniger nach Hause gekehret sei ohne bei mir einzusprechen, erwarte also seiner alle Tage. Seine Schrift von dem Zimmerwerk dergestalt absonderlich dem Druck zu untergeben habe schon vorgeschlagen, es scheinet aber weder er dazu, noch die Herren Directores zu Verlegung der Kosten grofse Lust zu haben.

Was bei der Societät belangend die teutsche Orthographie aufgesezet worden, ist nicht zum öffentlichen Druck, sondern nur dahin gemeinet, dafs der Gelehrten Meinungen darüber eingezogen und nachmals als durch gemeine Zustimmung ein beständiger Unterricht daraus gezogen und aufgesezet werden könne, dieweil, wenn schon die Societät unter ihrem Namen etwas heraus gäbe, solches gleichwol ohne dergleichen vorhergehende Beraht- und Vernehmung vor ein Privatwerk angesehen und keine mehrere Folge, als andere dergleichen Schriften mehr, haben würde. Was nun hier entworfen worden, soll nach und nach bogenweise ausgeteilet und herumgeschicket werden.

Die meisten bei der Societät vorfallende Sachen sind so bewandt, dafs sie keinen langen Verzug leiden, sondern bald abgetahn werden wollen, worunter mehrenteils auch die Receptiones membrorum Societatis, dieweil sie bei gewifsen Occasionen sollicitirt werden, da man mit der Ausfertigung kaum fertig werden kan. Sonst würde nicht ermangeln, von allem Zeitigen Vortrag zu tuhn.

Dem Hrn. Abt Varignon sein diploma zu übermachen hat Hr. Herrmann übernommen, dem es auch nächstens zufertigen werde.

Die Denkmünze vor den Hrn. von Greifenkranz soll in Vorraht verbleiben, und ich verharre mit schuldigem Respect u. s. w.

Berlin d. 17. Feb.
1714.

158.

Der Hr. Colas ist, nachdem er von der Oder bis an den Rhein alle vorhandene Wafserschaden besichtiget, hie wieder angelanget und seinen Bericht darüber abgestattet. Nu stehet er auf der Abreise nach Preufsen, alwo er als Ober-Ingenieur und Landbaumeister alle Hände voll zu tuhn hat. Er hat der Societät nicht wenig Dienste getahn und dem König einen befseren Begriff von derselben beigebracht, als Er im Anfang mag gehabt haben,

14*

so daſs S. K. Mᵗ. sich erkläret, daſs Sie die Fundation derselben und waſs der anhängig bestätigen, auch das Theatrum anatomicum ihr einverleiben wollen. Hierüber wird nu bei dem nächstbevorstehenden Concilio gerahtschlaget werden, wie insonderheit solche Einverleibung mit gutem Willen derer, so die Anatomie bisher independenter von der Societät gehandhabet, geschehen möge.

Der Einschluſs ist von dem Mahler, welcher schon ehedeſsen ein Schreiben von mir beischlieſsen laſsen, und ich verharre mit schuldigem Respect u. s. w.

Berlin d. 3. Mart.
1714.

159.

Jablonski an Leibniz.
24. März 1714.

Dero geehrtes mit dem Einschluſs an Hrn. Secretarium Oppermann ist mir wol worden und nachdem derselbe mir die Inlage wieder zugestellet, habe solche zu übersenden nicht verabsäumen wollen.

Die Exercitia anatomica werden fleiſsig getrieben, doch weiſs ich nicht, daſs dabei etwas Neues vorgekommen wäre, so eine besondere Anmerkung verdiente, es wäre denn, daſs der weiſse Bär, welcher gestern mir unwiſsend secirt worden, und ich also nicht dabei gewesen, etwas an Hand gegeben hätte. Dieses ist das zweite Stück von Tieren, so der König hergegeben und davon Gerippe zu machen anbefohlen.

Hingegen geht es bei der Societät etwas schläferig zu wegen anhaltender Unpäſslichkeit zweier Directores: des Hrn. Chuno und Hrn. Schott, welche letztere verhindert, daſs die entworfene Probe der Teutschen Rechtschreibung noch nicht eingerichtet ist. Mit derselben hat es die Meinung nicht, daſs sie gewönlich in den Druck gegeben, sondern allein, daſs, die Mühe des Abschreibens zu ersparen, Abdrücke davon gemacht werden sollen, die Meinungen der Gelehrten darüber einzuholen, und werden E. Excell. der erste sein, dem hiemit soll aufgewartet werden.

Der Mahler, von welchem ich einsmals ein Schreiben eingeschloſsen, ist verschiedenlich bei mir gewesen und hat gefragt, ob nicht ein Befehl an ihn eingelaufen.

Ich verbleibe mit schuldigem Respect u. s. w.

Berlin d. 24. Mart.
1714.

160.

Jablonski an Leibniz.
10. April 1714.

Dero geehrte beide vom 21. und 31. Mart. habe zu recht erhalten und die Einschlüſse richtig behändiget, davon das hiebei Zurückkommende zeugen wird. Den Catalogum der Stücke, so zu den Miscellaneis gesammlet worden, hätte schon gesandt, wenn nicht des Hrn. Chuno teils Unpäſslichkeit teils Unmüſsigkeit, indem er mit Räumung eines Teils des Archivs, so wegen des fortzusezenden Baues abgebrochen wird, beschäftiget gewesen, mich daran verhindert. Sobald dazu gelangen kan, soll er erfolgen. Das diploma vor Hrn. Varignon habe auf des Hrn. Hermanns Begehren demselben zugeschickt, der die fernere Bestellung über sich genommen. Der von dem König bestellte Profeſsor anatomiae ist der Hr. Hofraht Spener, der bei denen vorgegangenen verschiedenen Sectionen seinen Fleiſs nicht gespart, sein Auditorium wol zu unterrichten und bei einem jeden neuen Subjecto eine neue Methode zu gebrauchen. Er ist auch bisdaher darin so wol fortgekommen, dafs er eine allgemeine Beistimmung und grofsen Ruhm erworben. Der König hat nicht nur Mensch-, sondern auch thierische Körper zu verschaffen versprochen, darunter ein Hirsch und ein Bär albereit geliefert worden und die Gerippe davon aufgestellet werden sollen.

Von dem Observatorio ist noch zur Zeit keine Miete gegeben worden, obgleich vielleicht aus Irrtum eine Anfrage darum geschehen, so man aber abgelehnet. Der König hat auf des Hrn. Colas Zureden eine gar gute Meinung von der Societät geschöpfet, wiewol von einigen Andern Ihm eine gar widerige beigebracht worden, und wird man ferner suchen, Ihn darin zu stärken, wozu der Seidenbau einigen Anlafs geben wird, als welchen der König ernstlich will fortgesezet wifsen.

Hr. Colas ist gestern wieder abgereiset, sehr vergnügt über der Gnade des Königs, aber um so viel mehr mit neidischen Augen angesehen von Andern, die sich eines monopolii der Königl. Gnade anmafsen.

Ich verharre mit schuldigem Respect u. s. w.

Berlin d. 10. Apr.

1714.

Der Hr. La Croze hat das Glück gehabt, bei dem Prinzen Friedrich Wilhelm als Informator bestellet zu werden, aber auch das Unglück, dafs nach wenig Monaten aus einigem empfangenen Mifsvergnügen er wieder abgedanket. Und weil er durch die geschehene Reduction das meiste seiner Pensionen verlohren, also hie bequemlich nicht zu leben hat, ist er kürzlich nach Leipzig und Dresden gegangen, wiewol sein Absehen mit solcher Reise noch nicht bekannt ist.

161.
Jablonski an Leibniz.
12. Mai 1714.

Ich habe nicht umgehen sollen zu berichten, welchergestalt der Hr. Raht D. Spener nach einer kurzen Krankheit von 9 Tagen an einem hizigen Fieber sein kurzes Leben, indem er nur 36 Jahr alt worden, beschlofsen und am vergangenen Dienstag begraben worden. Es hat die Societät an diesen Mann viel verlohren, weil er nicht allein vor sich curios und ein fleifsiger arbeitsamer Mann gewesen, der das Aufnehmen der Societät ihm ernstlich angelegen sein lafsen, sondern auch eine statliche Correspondenz gehabt, wodurch er der Societät viel Ehr und Vergnügens geschaffet.

Der Hr. Gundelsheim hat schon einen andern Profefsorem anatomiae verschrieben, einen Namens Henrici, so Profefsor medicinae extraordinarius zu Halle gewesen. Auch in diesem Stück verliert die Societät nicht wenig, dafs die Communication derselben mit dem Hrn. Gundelsheim, die ihr doch auf gewifse mafse nötig ist und durch den Hrn. Spener als ein Mitglied derselben noch so unterhalten werden können, nun auf einmal aufgehoben, und wol zu zweifeln, ob sie durch den neuen Ankommenden werde können wieder angezettelt werden.

S. Königl. Mt. haben endlich die Privilegia der Societät auf gewifse mafse bestätiget, wiewol das Diploma confirmationis noch nicht ausgefertiget ist. Ich verbleibe mit schuldigem Respect u. s. w.

Berlin d. 12. May

1714.

162.

Jablonski an Leibniz.
28. Juli 1714.

Berichte gehorsamst, wie unter mancherlei Bedrückungen der Societät, darunter sie sich schmiegen und biegen muſs, die gewönliche Versezung des Vice-Praesidii bei allgemeiner Versammlung der sämtlichen Glieder am vergangenen 11. Jul. vollbracht worden. Es ist dabei gleich wie vor dem Jahr die Continuatio catalogi membrorum ausgeteilet worden, wovon ein Blättlein hiebei lege.

Die Claſsis medica will durch die lange Abwesenheit des Hrn. von Nida und das Absterben des Hrn. Speners etwas trauren; damit sie nu wieder aufgemuntert werde, hat man den D. Schwarzen, so sich schon einige Jahr hie aufgehalten und neulich durch Beforderung des Hrn. Gundelsheim zum Raht und Hof-Medico erklärt worden, zum Mitglied aufgenommen.

So hat auch der gewesene und nunmehr in dem Rufsischen Reich fürstlich versorgte Hospodar aus der Wallachei sich zu einem Mitglied angemeldet. Er wird als ein in verschiedenen Sprachen wie auch in den orientalischen Geschichten wolerfahrener Herr gerühmt und hat ein küriges [sic] Ms. de vita et gestis Ottomannorum in Arabischer Sprache, welches er in Latein zu übersezen und mit seinen Anmerkungen herauszugeben gedenket.

Ich verharre mit schuldigem Respect u. s. w.

Berlin d. 28. Jul.

1714.

163.

Jablonski an Leibniz.
18. December 1714.

Dero geehrtes ohne Datum habe erhalten und den Einschluſs an Hrn. Hoffmann richtig behändiget.

Mit der Societät ist es seither einiger Zeit in einen gar andern Zustand gerahten, indem derselben in ihren fundum gegriffen und über 1000 Thlr. daraus jährlich durch eine Königliche Verordnung zu einem anderweiten Vorwand zu zahlen, auser dem aber andere Zahlungen zu tuhn mir verboten worden. Deme zufolge werden E. Excell. mich hochgeneigt entschuldigt halten, wenn mit der verlangten Geldsumme diesesmal nicht andienen kan, der ich verbleibe u. s. w.

Berlin d. 18. Dec.

1714.

164.

Jablonski an Leibniz.
6. April 1715.

[Ein Auszug aus diesem Brief findet sich auch im Geh. Staatsarchiv; Leibniz hat ihn dem Minister von Printzen zugesandt.]

Auf Dero geehrtes vom 21. Dec. jüngsthin hätte mit der schuldigen Antwort eher aufwarten wollen, wenn nicht die Zeit her die Sache der Societät in einer stäten Bewegung gewesen wäre, da man immer gearbeitet, die Brüche derselben auf einige Weise zu stopfen und sie vor dem gänzlichen Einsturz zu bewahren. Und in solcher Hoffnung habe selbst mit Gutfinden der Herren Directoren mein Schreiben aufgeschoben, bis ich etwafs Beständiges zu berichten hätte, worüber denn die Zeit unvermerkt verlaufen.

Es wird bekannt sein, wie nach veränderter Regierung die Societät den ersten Anstofs gelitten, da der ganze Marstall und mit demselben specifice auch das Observatorium durch offentlichen Anschlag zum Vermieten ausgeboten worden. Ob nu wol, weil Niemand zu solcher Miete sich gefunden, die Societät im Besiz des Observatorii geblieben, so hat man doch im folgenden Jahr daher Anlafs genommen, unter dem Namen einer Miete 50 Thlr. von der Societät zu fordern, welche dem Aufwärter bei dem Theatro anatomico zu seiner Besoldung angewiesen worden. Kaum hatte man nach langem Weigern sich hierin bequwemet, so wurde ein Aufstand der Societät-Rechnungen von den nächsten 3 Jahren gefordert, und bald darauf ist die in Abschrift hiebei kommende Verordnung ergangen, welche mit der auch hiebei kommenden Nachricht begleitet worden.

Wie nu dawider directe nichts anzufangen gewesen, so hat man versucht, ob nicht indirecte eine Änderung zu erhalten, und darüber eine Unterhandlung angetreten, von der man sich anfänglich etwafs Gutes versprochen, die aber endlich in Stocken gerahten und allem Ansehen nach also bleiben wird.

Hiebei ist das widerige Verhängnifs der Societät nicht stehen blieben, sondern, nachdem man resolviren müfsen, weil anders das Maulbeerlaub zu Potstamm nicht zu nuzen gewesen, ein eigen Haus mit nicht geringen Kosten anzurichten, mit einem feinen Saal und ordentlichen Rüstungen in demselben zu Erziehung der Seidenwürmer, denselben auch vor 18 Thlr. und mit einer jährlichen Erhöhung vermietet, so haben die grofsen Grenadiere, so daselbst einquartirt sind, sich den Ort so wol gefallen lafsen, dafs unter Vorwand Königlicher Ordre, die aber nicht vorgezeigt worden, sie die Tühr erbrochen, die Rüstungen ab und zum Fenster hinaus geworfen und den Saal eingenommen. Zum Unglück ist, da dieses vorgehet, der Hr. Protector nicht zugegen, sondern abwesend in seinen eigenen Angelegenheiten, so dafs man sich ohne Raht und Hülfe befindet. Dieses lezte ist um so viel mehr zu beklagen, weil, wenn der Seidenbau an dem Ort, wie man Ursach zu hoffen hatte, bei so guter Einrichtung wol gelungen wäre, solches ein Exempel zu Nachfolge vielen Anderen würde gegeben haben. Die Herren Chuno und Schott sind auch, und der lezte von langer Zeit, unpäfslich, dafs sie den Versammlungen nicht beiwohnen können, wodurch denn die Societät in einen languorem verfällt, daraus sie sich mit Mühe wird helfen können.

Ich verbleibe mit schuldigem Respect u. s. w.

Berlin d. 6. Apr.

1715.

[Diesem Briefe liegen bei die sub Nr. 165 folgenden Abschriften von Jablonski's Hand.]

165.

Demnach S. K. M^t. in Preufsen, unser allergnädigster Herr, aus der eingeschickten Specification der Einnahm und Ausgabe und dabei gefügten Nachricht ersehen, welchergestalt die bei der Societät der Wifsenschaften alhie einkommende Gelder zu allerhand und zum Teil unnötigen Dingen verwendet worden, und dann Dieselben allergnädigst resolvirt, eine gewifse Anzahl junger Leute zu choisiren, die in der Chirurgie und Wundarztnei und andern dem gemeinen Wesen nüzlichern Wifsenschaften sich exerciren, und zu deren Perfectionirung in auswärtige Länder reisen, die dazu erforderte Kosten aber aus obgedachten Geldern hernehmen sollen, und dahero nötig erachtet, wegen der bei obgedachter Societät der Wifsenschaften zu salariren seienden membris eine andere Repartition, als bisher geschehen, zu machen, gestallen [sic] denn Dieselben hiemit allergnädigst wollen und befehlen, dafs dem Praes. Leibniz hinfüro nur 300 Thlr., dem Secretario 200 Thlr., und zu denen extraordinär Ausgaben, Bau und mathematischen Instrumenten in allem mehr nicht als 830 Thlr. jährlich ausgezahlt, der Überschufs der 1000 Thlr. aber zum Behuf erwehnter in der Chirurgie studirenden Jugend employirt werden sollen: Als befehlen allerhöchstgedachte S. K. Mt. Dero Societät der Wifsenschaften hiemit in Gnaden, sich hiernach allergehorsamst zu achten, was dem Praesidi, Secretario und an Extraordinarien verordnet ist, in denen behörigen Quartalen auszuzahlen und damit von bevorstehendem Luciae-Quartal bis Reminiscere 1715 den Anfang zu machen, die überschiefsende 1000 Thlr. aber an Dero Hofraht, Praesidenten des Collegii medici und ersten Leibmedicum Gundelsheimer quartaliter mit 250 Thlr. gegen Quitung abfolgen zu lafsen.

Signatum Berlin den 29. Nov. 1714.

Fr. Wilhelm.
M. L. von Prinzen.

Ich gebe mir die Ehre, dem Hrn. Hofraht Chuno hiebei zu communiciren eine Königliche Verordnung, welche S. K. Mt. mit Dero eigenen höchsten Hand angegeben und mir allergnädigst anbefohlen, ohne Remonstration sofort expediren zu lafsen, und wird der Hr. Hofraht Chuno wol belieben, selbige bei der Königlichen Societät gebührend publiciren zu lafsen. Den 30. Nov. 1714.

M. L. von Prinzen.

166.

Jablonski an Leibniz.

20. April 1715.

Zufolge Dero geehrtem vom 11. dieses sende hiebei 4 Lot Maulbeersamen und habe damit um so weniger seumen wollen, weil die Jahreszeit schon ziemlich weit gekommen, damit er noch zu rechter Zeit bestellet werde.

Bei dermaliger langueur der Societät ist der Seidenbau das einige, wodurch man gehoffet, den Vorwurf abzuwenden, dafs bei der Societät nichts getahn werde, darum denn auch dieses Werk mit Fleifs fortgesezet worden. Es scheinet aber, als wenn ein besonderes unglückliches fatum ihr über dem Haubt schwebe, dafs sie nirgens auf- und durchkommen kan und in allen guten Intentionen eine Schwürigkeit und Hinderung über die andere erfährt, auch da man sich derselben am wenigsten vermuten sollen. Es sind nu anderthalb Jahr, da man Rahts worden, aus der hie gewonnenen Seiden ein Stück Damast weben zu lafsen, um solches am Hofe vorzulegen. Wie sehr man sich nu bemühet, ja mit Händen und Füfsen gearbeitet, solches zuwege zu bringen, hat es nicht fertig werden können, bis nu da es binnen 8 Tagen vollendet sein soll. Wafs es gehindert und warum es sich so lange damit verzogen, würde kaum mit der Einbildung zu fafsen sein, wenn man es nicht in der Taht erfahren hätte und hie zu erzählen viel zu lang fallen wolte. Wenn dieses Einige zu rechter Zeit wäre herfürgebracht worden, hätte hoffentlich viel Widerwärtiges abgewendet werden können. Ob es nunmehr post vulneratam causam noch einigen guten Effect tuhn werde, ist wol mehr zu wünschen als zu hoffen.

Es ist aber in dieser Sache allein nicht so gegangen. Die Acta Societatis geben, dafs vor mehr denn vier Jahren damit umgegangen worden, wie ein Theatrum anatomicum anzurichten und publica specimina anzustellen. Allein weil auf dem Observatorio hiezu kein Raum und an den Pavillon, der nachmals dazu angerichtet worden, dazumal nicht zu gedenken gewesen, hat es nachbleiben müfsen. Das Unglück der Societät ist, dafs diejenigen, so derselben Ehr und Aufnahme suchen, nicht so mächtig sind, als die ihr zu schaden trachten, daher alle gute intentiones vor dieselbe stecken bleiben. Insonderheit zu dieser Zeit, da sie in languore und fast in agone liegt, nicht nur morali, sondern auch physico, indem diejenigen, so bisher am meisten getahn und zu tuhn Lust gehabt, durch Krankheit und andere Zufälle in ihrer Activität gehindert werden. Ich meine vornemlich die Herren Chuno und Schott, die von ihrer Unpäfslichkeit noch nicht wieder aufkommen können, daher auch die Zusammenkünfte des Concilii nicht ordentlich gehalten werden und man sich nicht gehörig berahten kan, wie es doch so hoch nötig ist. Man mufs aber das Beste hoffen. Ich verharre mit schuldigem Respect u. s. w.

Berlin d. 20 Apr.

1715.

167.

Jablonski an Leibniz.
18. Mai 1715.

Eine Ungelegenheit an der rechten Hand, von welcher ich noch nicht gäntzlich wieder zurecht gekommen, hat mich gehindert Dero geehrter [sic] vom 25. Apr. mit gehöriger Antwort eher zu bedienen, da inmittelst Dero folgendes vom 29. Apr. wiewol etwafs langsam eingelaufen.

Es ist nicht ohne, dafs die progrefsus bei der Societät von Anbeginn nicht mit solchem Nachdruck getrieben worden, wie es wol zu wünschen gewesen. Aber wafs ist solches grofs zu bewundern von Leuten, die von ihrem Fleifs und Arbeit nichts zu gewarten hatten, und an einem Ort, da das primum mobile aller Dinge ist res privata. Wenn man nu hinzusezt die lange Zeit, da die Societät als noch nicht formirt in der Inaction bleiben müfsen, und die kurze Zeit, da sie durch die eingefallene Veränderung in ihrer kaum erlangten Activität wieder gestöret und fast gar daraus gesezet worden, so kan ein Mehrers, als wafs sie geleistet, ihr kaum abgefordert werden, man wolle denn von einem kaum gebohrenen Kinde die Tahten eines gesezten Mannes fordern.

Die besondern Mitglieder betreffend, so ist der Hr. Colas (welcher eben derjenige in Königsberg ist, defsen Name E. Exc. entfallen) unglücklich gewesen, indem er sich eines Mehrern, als ihm zugekommen, angemafset und die Landesoeconomie reformiren wollen, bei der Probe aber, die der König in Gegenwart selbst abgenommen, gegen seine Widersacher nicht bestanden und also aus des Königs Gnade gefallen. Ob er im Grund Unrecht gehabt, lafse dahin gestellet sein. Und eben er hat indirecte zu dem Abfall der Societät viel beigetragen, weil er den Hrn. Gundelsheim ihm zum Feind gemacht. Hr. Hoffmann hat die Gabe nicht, opera supererogatoria zu tuhn und will ihm alle seine Zeit zu seiner ordentlichen Arbeit kaum zureichen. Hr. Spener ist uns ein unersezlicher Verlust, weil er nicht nur die Lust und den Fleifs hatte, Physicam experimentalem zu treiben, sondern auch eine statliche Correspondenz, die mit ihm gar aufgehört, weil Niemand ist, der nach ihm dergleichen wieder hernehmen könte. Hr. la Crose [sic] hat sich von Anfang der Societät geäusert und ist gar selten in denen Versammlungen erschienen.

Wafs die Societät am meisten in ihrer Hand und Gewalt gehabt und womit sie am besten aufgekommen, ist der Seidenbau, soweit nemlich es auf Sie angekommen, einen Vorraht junger Stämme zuzuziehen und die vorhandenen alten Bäume zu Nuz zu bringen. Es stehet in verschiedenen Baumschulen ein Vorraht von mehr denn 50/m Stämmen, die zum Versezen dienen, und weil der Hr. von Gromkau als General-Commifsarius die Sache ihm sehr angelegen sein läfset, auch deshalb eigene Königliche Befehle in das Land veranlafset, so stehet zu hoffen, wie es sich denn auch in der Taht zu zeigen beginnet, dafs solche Stämme nach und nach abgeholet, dadurch der Societät die aufgewandte Kosten nicht nur wieder eingebracht, sondern auch noch wol ein ansehnlicher Nuzen zuwachsen werde. Nur ist auch hiebei das Unglück, dafs dem König, welcher noch als Kronprinz der Sache überaus zugetahn gewesen, dieselbe in odium Societatis dermafsen verleitet [sic] worden, dafs er sie nur en ridicule handelt. Aus denen alten Bäumen, wiewol sie vor den Anfang, um den Leuten eine Lust zu erwecken, nur gar gering verpachtet, werden mit diesem Jahr anzufangen über 50 Thlr. gelöset und sind derer, so weit man hin und wieder kommen können, noch viele 100 nachgesezet, welche mit der Zeit ihre Nuzung auch zu tragen beginnen.

Der Hr. Chuno hat zur Zeit seines Vicepraesidii die Ausgebung eines neuen Tomi Miscellaneorum ihm angelegen sein lafsen, wegen seiner eingefallenen schweren Unpäfslichkeit aber damit nicht zum End gelangen können. Und weil eben diese Hinderung seinem Nachfolger, dem Hrn. Schott im Wege gestanden, ist es dabei geblieben. Dem Könige ist zwar mit gelehrten Sachen nichts gedienet, denn er fraget nicht, wafs die Societät denke oder erfinde, sondern nur wafs sie tuhe. Vor der Welt aber sich in Reputation zu erhalten, würde freilich nötig sein, mit etwafs Neues aufzutreten. Es solte auch, soviel mir davon wifsend, weil Hr. Chuno Alles in seine Hände hingenommen, so schwer nicht sein, dergleichen zusammen zu bringen, wenn nur Jemand vorhanden wäre, der die Zeit und Kräfte hätte, den vorhandenen Vorraht zu übersehen und in Ordnung zu bringen und einige der Auswärtigen, so das Ihrige, wozu sie Hoffnung gemacht, noch nicht beigetragen, zu erinnern.

Hr. Frisch, defsen ich eher gedenken sollen, ist ohne Widerrede der activeste, aber unter so viel objecta zerstreuet, dafs man oft kaum weifs, wo man ihn suchen soll. Izo hat er eine Pflanzung von etlich 1000 Maulbeerbäumen angelegt, und weil der Plaz noch innerhalb der Landwehr, dafs er leicht ab- und zugehen kan, ist er täglich draufsen und arbeitet mit eigenen Händen. Er verspricht allerhand Observationes sowol was die Fortpflanzung der Maulbeerbäume, als wafs die generationem insectorum betrifft, die er aus eigener Erfahrung samlet.

Mit mir ist eine Veränderung obhanden, davon ich hiemit Nachricht zu geben nicht umgehen wollen. Es ist einige Zeit verflofsen, da ich der Information eines Prinzen des Königlichen Hauses admovirt worden. Und nachdem derselbe an dem ist, seine Reisen in die Fremde anzutreten, hab auch ich Befehl, ihm darauf zu folgen. Bei dem Concilio ist man intentionirt, meine Function provisionaliter durch verschiedene Mitglieder versehen zu lafsen, damit, wo ich mit Gottes Hülfe wiederkomme, sie mir offen bleibe; es ist aber der Vorschlag bei Hofe noch nicht angebracht.

Ich verharre mit schuldigem Respect u. s. w.

Berlin d. 18. May

1715.

168.

Jablonski an Leibniz.
15. Juni 1715.

Indem ich eben auf der Abreise begriffen, erhalte Dero geehrtes vom 3. Jun. und ersehe daraus unter andern, wie Dieselben etwafs auf Dero Rückstand verlangen. Weil ich nu meine Rechnungen geschlofsen und Alles von mir gegeben, ist es nicht mehr in meiner Hand, hiemit zu dienen. Es ist auch noch Niemand bestellet, der die Geldsachen übernehmen soll, wiewol es doch mit ehestem geschehen mufs. Indefsen habe Dero Schreiben in Händen des nächstkünftigen Vicepraesidis, defsen Reihe auf bevorstehenden 11. Jul. meinen Bruder treffen wird, gelafsen und unter die proxime agenda verzeichnet.

Der Prinz, mit dem ich reise, ist des seel. Markgrafen P h i l i p W i l h e l m s ältester Sohn. E. Excell. danke vor den gütigen Wunsch und erwiedere denselben mit einem schuldigen Gegenwunsch alles hochvergnügten zu langen Zeiten beständigen Wolergehens, erbitte mir die Beharrung Dero hochwehrten Gewogenheit und verbleibe mit schuldigem Respect u. s. w.

Berlin d. 15. Jun.
1715.

Register.

[Die Zahlen beziehen sich auf die Nummern der Briefe.]

15*

ANHANG ZU DEN

ABHANDLUNGEN

DER

KÖNIGLICHEN

AKADEMIE DER WISSENSCHAFTEN

ZU BERLIN.

ABHANDLUNGEN NICHT ZUR AKADEMIE GEHÖRIGER GELEHRTER.

AUS DEM JAHRE
1897.

MIT 4 TAFELN.

BERLIN.
VERLAG DER KÖNIGLICHEN AKADEMIE DER WISSENSCHAFTEN.
1897.

GEDRUCKT IN DER REICHSDRUCKEREI.

IN COMMISSION BEI GEORG REIMER.

Inhalt.

PHYSIKALISCHE ABHANDLUNGEN.

Das Rückenmark von *Elephas indicus*.

Von

Dr. FR. KOPSCH,
Assistent am I. Anatomischen Institut der Universität Berlin.

Vorgelegt in der Sitzung der phys.-math. Classe am 4. Februar 1897
[Sitzungsberichte St.VI. S.55].
Zum Druck eingereicht am 11. Februar, ausgegeben am 6. März 1897.

Durch das dankenswerthe Entgegenkommen des Hrn. Dr. Heck, Directors des Zoologischen Gartens zu Berlin, bot sich dem Verfasser im Frühjahre 1892 die Gelegenheit, das Rückenmark eines männlichen indischen Elephanten zu erlangen. Der Wunsch, dieses seltene Material zu untersuchen, veranlafste mich, an die mühsame Arbeit zu gehen, welche zur Gewinnung des Organes nothwendig war. Mufste doch von dem grofsen Cadaver die Rückenmusculatur entfernt und alsdann der Wirbelkanal in einer Länge von ungefähr 2^{m} aufgemeifselt werden.

Die Durchsicht der Litteratur[1] ergab nur bei Owen[2] einige kurze Bemerkungen über die beträchtliche Gröfse des Subduralraumes und über den Unterschied zwischen dorsalen und ventralen Wurzeln. Leider giebt Owen weder an diesen Stellen noch an einer anderen, welche von den Geschlechtsorganen des Elephanten handelt, die Quelle an, aus welcher er

---

[1] Zur Durchsicht gelangten für die Litteratur der Jahre:

1700—1846 Bibliotheca historico-naturalia von Engelmann;
· 1846—1860 Bibliotheca Zoologica;
1861—1871 Wiegmann's Archiv;
1872—1896 Jahresberichte der Anatomie und Physiologie von Hofmann und Schwalbe;
1879—1895 Zoologische Jahresberichte;
1896 Anatomischer Anzeiger.
Eine sehr vollständige Litteraturzusammenstellung enthalten die Arbeiten von:
L. C. Miall und Greenwood, Anatomy of the Indian Elephant. London 1878. 8.
M. Watson, On the Anatomy of the Female Organs of the Proboscidea. Transactions of the Zoological Society of London. 1885.
[2] On the Anatomy of Vertebrates. Vol. III. Mammals, London 1868. p. 75 and 166.

1*

seine Kenntnisse von der Anatomie des Elephanten geschöpft hat, während im Übrigen die Litteraturnachweise in seinem Werke sehr reichlich sind. Owen selbst hat nach dem am Schluſs des dritten Bandes befindlichen Litteraturverzeichniſs nichts über Elephanten-Anatomie publicirt, und in den dort aufgeführten Arbeiten, welche diesen Gegenstand behandeln und welche ich, soweit sie mir zugänglich waren, nachgesehen habe, finden sich keine Angaben über das Rückenmark. Sollte mir eine Arbeit über dieses Organ entgangen sein, so wäre mir der Nachweis derselben sehr erwünscht.

Die Eröffnung des Wirbelkanales geschah unter Durchtrennung der Wirbelbögen vermittels kräftiger Meiſsel, und zwar vom dritten Halswirbel bis zum Os sacrum. Die beiden ersten Halswirbel waren im Zusammenhange mit dem Schädel behufs Erlangung des Gehirns schon früher entfernt worden. Den Wirbelkanal auch noch in der ganzen Ausdehnung des Os sacrum aufzumeiſseln, verhinderte der Eintritt der Dunkelheit und die Ermüdung, welche sich nach siebenstündiger ununterbrochener Arbeit einstellte.

Nach Entfernung der Wirbelbögen zeigt sich die äuſsere Fläche des inneren Duralblattes, von welcher zahlreiche bindegewebige Faserzüge zu dem die Wand des Wirbelkanales bekleidenden äuſseren Duralblatt ziehen. Es fällt namentlich auf der weite Raum zwischen den beiden Blättern der Dura mater. Derselbe ist bekanntlich ein Lymphraum (Epiduralraum) und enthält beim Menschen auſser einem mächtigen Venenplexus reichlich Fettgewebe. Letzteres ist beim Elephanten an dieser Stelle nicht vorhanden, von dem Venenplexus war auch nichts zu bemerken, doch soll daraus nicht geschlossen werden, dass derselbe nicht vorhanden ist, vielmehr liegt die Vermuthung nahe, dass in Folge des starken Ausblutens — die Haut des Thieres war abgezogen, der Kopf abgeschnitten, die Eingeweide waren entfernt — die Venen nicht mehr zu erkennen waren. Die im Subduralraum befindliche Cerebrospinalflüssigkeit war ebenfalls abgeflossen; nur in der Sacralgegend fand sich noch ein wenig klare, fleischwasserähnlich aussehende Flüssigkeit sowohl im Subduralraum als auch zwischen dem Bindegewebe des Epiduralraumes.

Alsdann wird die Dura mater durch einen medianen Längsschnitt gespalten, um die Länge des in situ befindlichen Rückenmarkes und die Lage seiner einzelnen Abschnitte zum Skelett festzustellen. Was die Zahl der Wirbelkörper anlangt, so sind vorhanden: 7 Halswirbel, 19 mit Rippen versehene Wirbel[1] und 3 Lendenwirbel. Das caudale Ende des Conus terminalis liegt in der Höhe des ersten Sacralwirbels. Wie weit das Filum terminale reicht, vermag ich nicht anzugeben, da der Wirbelkanal ja nur bis zum Os sacrum eröffnet wurde.

Der transversale Durchmesser des Wirbelkanales beträgt innerhalb der Halswirbelsäule 65^{mm}.0-75^{mm}.0, nimmt alsdann im Bereiche der Brustwirbelsäule ab bis auf 40^{mm}.0 (in der Höhe des 10. Brustwirbels) und ist innerhalb der Lendenwirbelsäule wieder 60^{mm}.0. Im Vergleiche hiermit sind die Querdurchmesser entsprechender Stellen des Rückenmarkes nur ungefähr halb so grofs. Die folgende Tabelle enthält eine Zusammenstellung der Mafse entsprechender Stellen vom Rückenmark und Wirbelkanal.

Wirbelkörper	Transversaler Durchmesser		
	des Wirbelkanales mm	des Rückenmarkes	mm
C. III	65.0	C. III. IV	32
C. V	75.0	C. VI. VII	28-29
D. I	60.0	D. I-III	24.75-22.5
D. X	40.0	D. X-XIII	20-21
L. I	60.0	breiteste Stelle der Intumescentia lumbalis	26.5

Der Subduralraum zeigt ebenso wie der Duralraum eine beträchtliche Weite, was Owen[2] gegenüber den Verhältnissen bei den Cetaceen besonders hervorhebt. Genaue Mafse über die Entfernung der Dura von der Pia lassen sich aus naheliegenden Gründen nicht beibringen, doch kann man aus der Breite des Ligamentum denticulatum eine gewisse Vorstellung über den Abstand der beiden Hüllen von einander gewinnen. Die Breite des Ligamentum denticulatum beträgt im Cervicalmark 10^{mm}.0-12^{mm}.0, im Dorsalmark 7^{mm}.0-8^{mm}.0, im Lubalmark 6^{mm}.0-8^{mm}.0.

Die Länge des in situ befindlichen Rückenmarkes, gemessen vom cranialen Ende des dritten Cervical-Segmentes bis zum caudalen Ende des freigelegten Stückes vom Filum terminale, betrug 175^{mm}.0. Nachdem jedoch die Spinalnerven durchschnitten waren und die Dura mater losgelöst war,

---

[1] In Bronn's Classen und Ordnungen· wird die Zahl der Rückenwirbel bei *Elephas indicus* auf 19-20 angegeben. Nach F. Schlegel, Der sumatranische Elephant, Zoologischer Garten 1870, S. 333-335, hat *Elephas sumatranus* 20 Rippen, *indicus* 19, *africanus* 21.

[2] A. a. O. S. 57.

verkürzte sich die Länge auf 150^{cm}0. Dabei waren keine Falten oder Runzeln an der Pia zu sehen, dieselbe sah ebenso glatt aus wie vorher im ausgespannten Zustande. Worauf nun die beträchtliche Verkürzung beruht, darüber kann man nur Vermuthungen aufstellen. Es liegen zwei Möglichkeiten vor, wie mir scheint: einmal, daſs das Rückenmark, wie auch andere Organe des thierischen Körpers, intra vitam sich in einer gewissen Spannung befindet, zum zweiten, daſs bei der Lage des Cadavers (der Rumpf des Thieres lag abgehäutet und ohne Eingeweide und Extremitäten mit seiner ventralen Seite auf der Erde, indes die Wirbeldornen nach oben gerichtet waren) das Rückenmark sich in einer starken Spannung befand, bei deren Nachlassen in Folge des Loslösens der Hüllen von den benachbarten Knochen es sich auf seine natürliche Länge zusammenzog. Welches nun auch der Grund für die Verkürzung sein mag, so liegt es doch nahe anzunehmen, daſs bei den Bewegungen eines so grofsen Thieres das Rückenmark eine beträchtliche Dehnung erfahren wird, eine Vermuthung, welche an Wahrscheinlichkeit gewinnt durch einen Befund an der Arteria spinalis anterior, von welchem weiter unten (S. 12) die Rede sein wird.

Das Gewicht des Organes konnte leider nicht festgestellt werden, da die Hüllen mit demselben im Zusammenhang bleiben muſsten behufs guter Erhaltung der äuſseren Form.

Die Conservirung geschah in Müller'scher Flüssigkeit. In dieser blieb das Organ bis zum Herbst 1894 und wurde dann in 70 Procent Alkohol übertragen.

Vierzehn Tage nach der Herausnahme wurden bei Verkleinerung auf die Hälfte von dem Rückenmark photographische Aufnahmen gemacht und unter Zugrundelegung derselben eine Zeichnung angefertigt, welche das Verhältniſs der Länge zur Breite und das Verhalten der Nervenwurzeln zeigen soll.

Versuchen wir an der Hand der Fig. 1 einen Gesammtüberblick über das Rückenmark zu erhalten, so fällt die Schmächtigkeit desselben auf, welche bedingt ist durch den im Verhältniſs zur Länge nur geringen transversalen Durchmesser. Aus demselben Grunde treten die Intumescentia cervicalis und lumbalis nur schwach hervor. Die Zahl der austretenden Nervenwurzeln beträgt 41, davon sind in der Abbildung nur 39 vorhanden, da die beiden obersten Cervicalsegmente im Zusammenhang mit dem Gehirn herausgenommen worden sind. Mithin sind die sechs obersten

Nervenwurzeln der Fig. 1 die Cervicalnerven III–VIII. Dorsale Nervenwurzeln sind vorhanden 19, lumbale 3, sacrale 5. Die noch vorhandenen 6 Nervenwurzeln müssen mithin als Nervi coccygei bezeichnet werden. Die gröfste Breite der Intumescentia cervicalis befindet sich bei *C.* III und *C.* IV, woselbst der transversale Durchmesser $32^{mm}{,}0$ beträgt; bei *C.* V hat derselbe um $2^{mm}{,}0$ abgenommen und wird nach dem Dorsalmarke zu und im Bereiche desselben immer geringer, bis er bei *D.* III nur $22^{mm}{,}5$ beträgt. Im Bereiche der Segmente von *D.* IV an bis *D.* XIII bleibt er ziemlich constant ($20^{mm}{,}0-21^{mm}{,}0$). Bei *D.* XIV beginnt die Intumescentia lumbalis, deren gröfste Breite bei *D.* XIX mit $26^{mm}{,}5$ erreicht wird. Von diesem Segment an nimmt die Lendenanschwellung wieder ab und geht über in den langgestreckten Conus terminalis, dessen transversaler Durchmesser in der Höhe der Wurzel des letzten Nervus coccygeus noch $4^{mm}{,}0$ beträgt.

Der sagittale Durchmesser zeigt nur geringe Schwankungen. Er ist am längsten im Bereiche der Intumescentia cervicalis mit $19^{mm}{,}0$, im Dorsalmarke ist er von *D.* I bis *D.* XVI constant ($15^{mm}{,}5$ und $16^{mm}{,}0$), innerhalb der Intumescentia lumbalis erfährt er erst bei *D.* XVII eine geringe Zunahme, am gröfsten ist er bei *D.* XIX, bei welchem Segmente der Lumbalanschwellung auch der transversale Durchmesser am gröfsten ist. Von *D.* XIX findet eine allmählige Abnahme statt; beim Nervus *Cocc.* III ist der sagittale Durchmesser gleich dem transversalen, nimmt aber alsdann schneller ab als der transversale Durchmesser, so dafs er bei *Cocc.* VI wieder kleiner ist.

Die Wurzelfasern von *D.* XIX bis *Cocc.* VI bilden eine Cauda equina, deren längste Fasern, gemessen vom Austritt aus dem Rückenmark bis zur Durchtrittsstelle durch die Dura, bei *S.* II $60^{mm}{,}0$, bei *Cocc.* IV $68^{mm}{,}0$ betragen.

Tabelle I.

Segment	transversaler Durchmesser	sagittaler Durchmesser	Segment	transversaler Durchmesser	sagittaler Durchmesser
C. III	32.0	19.0	*D.* I	25.0	16.0
IV	32.0	19.0	II	23.0	16.0
V	cranial. 32.0 caudal. 30.0	19.0	III	22.5	15.5
			IV	21.5	15.75
VI	cranial. 30.0 caudal. 28.75		V	21.0	15.5
VII	28.25	18.0	VI	21.0	15.5
VIII	26.25	17.0	VII	21.0	15.5

Segment	transversaler Durchmesser	sagittaler Durchmesser	Segment	transversaler Durchmesser	sagittaler Durchmesser
D. VIII	21.0	15.5	L. I	cranial. 26.0 caudal. 24.0	17.0
IX	21.0	15.5	II	23.0	17.0
X	21.0	15.5	III	22.0	16.0
XI	20.5	15.5	S. I	19.5	15.0
XII	21.0	15.5	II	17.5	14.5
XIII	21.0	15.5	III	16.0	13.0
XIV	cranial. 22.0 caudal. 23.0	15.5	IV	13.0	11.0
XV	23.0	15.5	V		
XVI	24.0	15.5	Cocc. I		
XVII	25.0	16.5	II		
XVIII	26.0	16.5	III	8.0	8.0
XIX	cranial. 26.0 Mitte 26.5 caudal. 26.25	17.0	IV		
			V		
			VI	4.0	3.0

Die Maße sind genommen von dem noch mit der Pia umgebenen Rückenmarke.

Die Maßverhältnisse der ventralen und dorsalen Nervenwurzeln hinsichtlich der Breite beim Austritt aus dem Rückenmark, ihrer Entfernung von den benachbarten Wurzeln und von der Mittellinie, sowie die Höhe der einzelnen Segmente sind zusammengestellt in der folgenden Tabelle.

Tabelle II.

		I. Vordere (ventrale) Wurzeln				II. Hintere (dorsale) Wurzeln					
		Breite		Entfernung		Abstand der Austrittsstellen von der Mittellinie	Breite		Entfernung		Abstand der Austrittsstellen von der Mittellinie	Länge der Segmente
		links	rechts	links	rechts		links	rechts	links	rechts		
C.	III	26.5	28.0	—	—	5.5	48.0(?)	?[40.0]	—	—	—	26.50
	IV	32.0	34.0	—	—	5.5	26.0	35.0	8.0	9.0	10.0	32.00
	V	32.0	31.5	—	2	5.0	19.0	24.0	8.0	6.0	8.5	32.75
	VI	25.0	28.25	1.5	—	4.0	21.5	18.5	6.0	3.0	7.5	25.75
	VII	25.0	25.0	—	—	3.5	17.5	16.5	—	—	7.5	27.25
	VIII	23.0	23.0	4.5	—	3.5	18.5	23.5	6.0	5.0	7.5	25.25
D.	I	28.5	28.5	—	1.5	4.0	25.5	21.0	2.5	6.0	8.25	29.25
	II	40.0	38.5	1.5	1.5	4.25	27.5	27.5	11.0	11.5	8.25	42.25
	III	46.0	45.0	3.0	4.0	nimmt allmählich bis auf zu	43.0	29.0	5.0	11.0	9.0	49.50
	IV	53.0	52.0	4.0	5.0		38.0	33.5	26.0	23	9.0	57.75
	V	61.0	59.0	5.5	8.0		38.0	30.0	28.0	32.0	8.5	67.25
	VI	54.0	59.0	7.0	7.75		59.0	37.0	19.0	29.0	8.0	61.75
	VII	62.0	62.0	8.5	4.5		55.5	37.5	8.5	33.0	7.5	68.75
	VIII	62.0	61.0	5.0	2.0		40.5	36.5	22.5	32.0	7.5	67.00
	IX	58.5	58.0	5.0	7.5		41.0	40.0	30.0	29.0	7.5	64.50
	X	59.0	58.5	7.0	7.5	5.00	33.0	31.0	18.0	29.0	7.5	64.50

	I. Vordere (ventrale) Wurzeln					II. Hintere (dorsale) Wurzeln					
	Breite		Entfernung		Abstand der Austrittsstellen von der Mittellinie	Breite		Entfernung		Abstand der Austrittsstellen von der Mittellinie	Länge der Segmente
	links	rechts	links	rechts		links	rechts	links	rechts		
D. XI	55.5	59.0	4.0	6.0	von hier allmählich ab bis auf	26.0	27.0	36.0	35.0	8.0	60.75
XII	59.0	59.0	6.5	6.0		41.0	46.0	30.0	29.0	8.0	64.25
XIII	46.0	52.0	4.0	—		42.0	28.0	11.0	20.0	8.0	50.50
XIV	52.0	57.0	5.0	—		29.0	38.5	26.0	21.0		57.75
XV	42.0	41.0	6.5	—		30.0	40.0	9.5	16.0		48.00
XVI	36.0	43.5	5.5	3.0		33.5	29.0	16.0	3.5		40.00
XVII	31.0	35.0	2.5	4.0	4.00	23.5	39.0	11.0	2.0		33.00
XVIII	32.0	28.5	1.5	1.0	allmähliche Abnahme auf	27.5	27.0	10.0	6.5	7.5	32.75
XIX	26.5	26.5	—	2.0		16.5	19.0	4.5	7.0	7.5	26.50
L. I	22.0	20.0	—	1.0	3.00	22.0	15.0	3.0	2.0	7.5	22.00
II	18.5	17.5	—	2.0		15.5	16.5	3.5	4.0	7.0	19.75
III	15.0	17.0	2.5	—	2.0	12.0	13.0	1.5	—	6.5	16.25
S. I	10.5	12.0	—	—	1.5	7.5	9.5	—	2.0	6.5	10.50
II	11.0	8.5	—	—	bleibt constant	9.0	8.5	3.5	—	6.0	11.00
III	8.5	10.0	—	—		6.5	7.0	3.0	3.5	5.5	8.50
IV	10.0	8.5	—	—		5.5	8.0	2.0	1.0	5.0	10.00
V	9.5	9.5	—	—		6.5	6.0	1.5	3.0	4.5	9.50
Cocc. I	7.5	9.0	—	—		6.0	6.0	2.0	2.0	4.0	9.00
II	5.0	4.5	3.0	3.0		5.0	2.5	1.0	3.5	3.75	8.50
III	5.0	4.0	4.0	3.5		7.5	8.0	3.0	3.0	3.5	9.50
IV	5.5	6.0	5.0	6.0		4.5	3.5	2.5	2.0	3.0	10.25
V	4.0	4.0	4.5	5.0	1.5	3.5	3.5	6.0	3.0	3.0	8.50
VI	2.5	1.0	4.5	5.0	1.25	0.5	11.5	3.0	5.0	1.5	4.75

Die Zahlen drücken die Länge in Millimetern aus. Die Höhe der Segmente ist berechnet aus den Zahlen über die Breite der vorderen linken Wurzelbasen und den zwischen ihnen befindlichen Entfernungen.

Die Länge des Filum terminale beträgt (soweit das Filum am Praeparate erhalten ist) 90^{mm}, so dafs die Gesammtlänge des Rückenmarkes vom cranialen Ende von C. III bis zum Ende des Filum terminale $140^{\text{cm}}.3$ beträgt (berechnet aus der Breite der vorderen linken Wurzelbasen und den zwischen ihnen befindlichen Entfernungen plus der Länge des Filum terminale). Bei der Addirung der Wurzelbasenbreiten der anderen Wurzeln erhält man Werthe, welche von dem angeführten um einige Millimeter verschieden sind. Die gröfste Differenz beträgt noch nicht 1 Procent, so dafs dieser Fehler wohl nicht als zu grofs zu bezeichnen ist, zumal da er bei solchen Messungen sich nur schwer vermeiden läfst.

Auch für die Länge der Segmente würde man bei Zugrundelegung der Mafse der anderen Wurzelreihen etwas verschiedene Mafse erhalten, doch ist ja überhaupt eine genaue Abgrenzung der Segmente von einander schon dadurch unmöglich, dafs die zu demselben Segmente gehörenden Wurzeln oft in verschiedener Höhe und mit verschiedener Breite ihrer Basen entspringen, wie ein Blick auf die Entfernungen der Wurzelbasen zeigt.

Das Bemerkenswertheste aus diesen Messungen ist Folgendes: Als ein allgemeiner Unterschied zwischen den dorsalen und ventralen Wurzeln findet sich, dafs die Breite der dorsalen Wurzelbasen durchgehend geringer ist als der entsprechenden ventralen, so dafs die Entfernungen zwischen den benachbarten Wurzeln auf der dorsalen Fläche gröfser sind als auf der ventralen.

Die Breite der ventralen Wurzelbasen schwankt im Cervicalmarke zwischen 23.0 und 34^{mm}.0; am breitesten sind sie bei *C*. IV und *C*. V. Von *C*. III bis *C*. VII liegen sie dicht an einander (Fig. 2) mit Ausnahme einiger kleiner Entfernungen, welche an drei Stellen vorhanden sind. Dagegen schwankt die Breite der entsprechenden dorsalen Wurzelbasen von 16.5 bis 35^{mm}.0, und die Abstände zwischen denselben betragen 5.0 bis 9^{mm}.0. Nur bei *C*. VI und *C*. VII (Fig. 3) stofsen die Wurzeln dicht an einander.

Im Dorsalmark nimmt die Breite der Wurzelbasen allmählig zu, um bei *D*. VI und *D*. VIII (Fig. 4, 5) mit 62^{mm}.0 am gröfsten zu werden. Von *D*. VIII an findet wieder eine allmählige Abnahme statt. Die weitesten Abstände der ventralen Wurzelbasen sind 8^{mm}.5, der dorsalen 36^{mm}.0.

Von *D*. XIX bis zum Ende des Rückenmarkes nehmen die Entfernungen zwischen den benachbarten Wurzelbasen, sowie die Breite derselben und ihr Abstand von der Mittellinie ganz allmählig ab (Fig. 6 und 7). Die ventralen Wurzelbasen von *S*. I bis *Cocc*. VI grenzen wieder dicht an einander.

Die Entfernung der Wurzelaustrittsstellen von der Medianlinie ist am grössten im Cervicalmark und wird nach dem caudalen Ende des Rückenmarkes in gleichmäfsiger Weise geringer. Nur im Bereiche der Cervicalsegmente VI bis VIII ist die Entfernung geringer als in den nächst obern Cervicalsegmenten und den nächst unteren Dorsalsegmenten.

Die Länge der Wurzelfäden, gemessen von der Ursprungsstelle aus dem Rückenmark bis zur Durchtrittsstelle aus der Dura, ist verschieden, sowohl nach den Segmenten, als auch innerhalb der einzelnen Wurzeln (Fig. 1–7). Sie ist bedingt erstens durch die Höhe und die Breite des Segmentes und zweitens durch die Entfernung desselben von der Austrittsstelle der Nervenwurzeln aus der Dura. Deshalb sind am kürzesten die Wurzelfäden von *D*. XVI bis XVIII, bei welchen die Segmente kurz, der transversale Rückenmarksdurchmesser klein und die Austrittsstelle aus der Dura gegenüber der Mitte des Segmentes gelegen ist. Am längsten sind, wie schon oben bemerkt, die Wurzelfäden der Cauda equina. Denselben kommen am nächsten diejenigen der hohen Dorsalsegmente (Fig. 4, 5). Was den Längenunterschied der Fasern innerhalb derselben Wurzel anlangt, so sind die cranial gelegenen Fäden länger als die caudalen, da die Austrittsstellen der Nerven aus der Dura mit Ausnahme von *D.* XVI bis *D.* XVIII caudalwärts verschoben sind (Fig. 1–7). Innerhalb der langen Dorsalsegmente aber sind die mittleren Fäden die kürzesten, die caudalwärts entspringenden etwas länger, am längsten die cranialen, weil bei diesen Segmenten die Austrittsstelle der Wurzeln aus der Dura zwar auch caudalwärts verschoben, aber immer noch mehr cranial liegt als die Ursprungsstellen der untersten Fäden des betreffenden Segmentes (Fig. 4, 5).

In dem Aussehen und der Zahl der Wurzelfäden findet sich ein grofser Unterschied zwischen den dorsalen und ventralen Wurzeln, was Owen für den Elephanten besonders bemerkt[1]. Die Thatsache, dafs die ventralen Wurzeln mit zahlreichen dünnen, die dorsalen mit wenigen dicken Bündeln entspringen, ist ja allgemein bekannt. Da aber bei diesem Materiale der Unterschied ein so aufserordentlich grofser ist, so ist ein besonderer Hinweis darauf wohl gerechtfertigt (Fig. 2–7).

Die Länge (Höhe) der Segmente beträgt bei *C.* V 32^{mm}0; sie nimmt im Cervicalmarke ab bis auf 25^{mm}25 (bei *C.* VIII). Innerhalb des cranialen Abschnittes vom Dorsalmark findet von Segment zu Segment eine beträchtliche Längenzunahme statt, bis bei *D.* VII mit 68^{mm}75 die gröfste überhaupt an unserem Objecte beobachtete Länge erreicht wird. Von *D.* VII bis zum Filum terminale findet nun ein allmähliges Kürzerwerden der Segmente statt, bis auf 4^{mm}5 bei *Cocc.* VI, wobei innerhalb der Intumescentia lumbalis ein etwas gröfserer Abfall zu beobachten ist (Fig. 2–7).

Von den Blutgefäfsen ist das stärkste die Arteria spinalis anterior, deren Dicke trotz starker Zusammenziehung noch 1^{mm}5 im Cervicalmarke beträgt. Sie entspringt nach der Angabe von Mayer[2] aus der Arteria vertebralis dextra nahe an ihrer Verbindung mit der Arteria vertebralis sinistra und verläuft, ohne wesentlich an Caliber zu verlieren, bis zum Conus terminalis. Dort wird sie dünner und theilt sich in zwei Äste, welche das Filum terminale begleiten. Sie liegt in der Fissura longitudinalis anterior, bedeckt von einem bindegewebigen Band (Fig. 2, 4, 6), welches

---

[1] A. a. O. S. 166.
[2] **Mayer**, Beiträge zur Anatomie des Elephanten und der übrigen Pachydermen. Nova acta Leopold XXII. p. 47.

2*

fest mit der Pia verwebt ist und die Fissur zudeckt, so daſs die Arterie in einem auf dem Querschnitt dreieckigen Kanal verläuft. Im Cervicalmark (Fig. 2) zeigt die Arterie eine leichte Schlängelung, und das sie bedeckende Band ist nur an einigen Stellen mit der Pia mater und der Gefäſswand verwachsen. Infolgedessen treten die Windungen des Gefäſses seitlich neben dem Bande hervor. Sucht man nun nach einer Erklärung für dieses abweichende Verhalten, so wird man in erster Linie daran denken, daſs die Halswirbelsäule sehr ausgiebige Bewegungen vollführt und wird in dem Verhalten des Bandes und der Arterie eine Vorrichtung erblicken dürfen, durch welche das Gefäſs einerseits gegen Zerrung, andererseits gegen Zusammenschiebung gesichert ist. Bei der Bewegung des Kopfes nach hinten brauchen die Windungen des Gefäſses sich nur auszugleichen, so daſs keine Dehnung eintritt, und bei der Bewegung nach vorne können die Windungen mehr oder weniger neben dem Bande hervortreten, wodurch die sonst eintretende Zusammenstrebung verhindert wird.

Ein in ähnlicher Weise erklärtes Verhalten der Gefäſse findet sich im Ovarium der Säugethiere, dessen Gefäſse korkenzieherartig gewunden sind. Zur Erklärung dieser Erscheinung dient die abwechselnde Vergröſserung und Verkleinerung des Eierstockes, welche mit seiner Function zusammenhängt. Indem bei der Vergröſserung des Organes die Windungen der Gefäſse sich ausgleichen und bei der Verkleinerung wieder auftreten, werden sowohl Zerrungen, wie ein Zusammendrücken vermieden.

Was das die Arterie begleitende Band anbetrifft, so sind ähnliche Längsbänder von den französischen Forschern Jolyet und Blanchard[1] am Schlangen-Rückenmark beschrieben worden. Die genannten Autoren beschreiben bei *Boa constrictor*, *Tropidonotus natrix* und *Python Sebae* kräftige Längsbänder von faserigem Bau, welche, in der ganzen Länge des Rückenmarkes sich findend, innerhalb der Hülle desselben verlaufen. Die Ligamente liegen symmetrisch auf beiden Seiten und sind begleitet von einem Blutgefäſs, welches in derselben Richtung verläuft. Bei der *Boa* kommen auſser diesen beiden seitlichen Verstärkungsbändern noch zwei andere mehr ventral gelegene vor. Jolyet und Blanchard schreiben diesen Bändern eine groſse physiologische Bedeutung zu und stellen die Frage auf, ob sie

---

[1] F. Jolyet und R. Blanchard, Über das Vorkommen eigenthümlicher Bänder am Rückenmarke der Schlangen. Zoologischer Anzeiger. II. 1879. S. 284—286.

nicht dazu dienten, das Hin- und Herziehen des Rückenmarkes zu verhindern, wofür auch die seitliche Lage zu sprechen scheine, da ja die Seitenbewegungen bei den Schlangen im höchsten Grade entwickelt sind.

Diese Beobachtungen bei den Schlangen sind wohl geeignet, die oben von mir ausgesprochene Ansicht zu stützen, daſs das die Arteria spinalis begleitende Band als Schutzvorrichtung aufzufassen ist, welche das Rückenmark oder nur das Gefäſs vor Zerrungen schützen soll. Wir werden darum die von den französischen Forschern gegebene Erklärung, daſs die von ihnen bei den Schlangen beschriebenen Bänder das Hin- und Herziehen verhindern sollen, dahin modificiren, daſs vielmehr gerade durch die Bänder die Dehnung, welche bei plötzlichen Bewegungen nur eine Stelle des Rückenmarkes treffen würde, auf eine gröſsere Strecke desselben vertheilt wird.

Die Arteriae spinales posteriores liegen auf den Seitenflächen des Rückenmarkes zwischen dem Ligamentum denticulatum und den hinteren Wurzeln. Sie stehen in Verbindung mit Gefäſsen, welche mit den hinteren Nervenwurzeln an das Rückenmark herantreten.

Von den Hüllen des Rückenmarkes ist wenig zu berichten, da sie sich im Wesentlichen genau so verhalten, wie es bei den anderen Säugethieren bekannt ist. Die Pia mater ist $0^{mm}5$ dick; das Band, welches die Arteria spinalis anterior bedeckt, ist oben schon beschrieben worden. Die Dura mater hat eine Dicke von $1.5-2^{mm}0$. Ihre innere Oberfläche ist glatt und glänzend. Nach auſsen lockert sich das derbe Bindegewebe, aus welchem sie besteht, auf und befestigt gleich einer Gefäſs-Adventitia das Rückenmark und seine Hüllen im Wirbelkanale. Am reichlichsten ist es entwickelt am caudalen Ende des Rückenmarkes, mit welchem die im Wirbelkanale noch eine Strecke weit verlaufenden Nervi sacrales und coccygei durch das genannte Bindegewebe verbunden sind.

Die Arachnoides erscheint in Gestalt feiner Fasern; als zusammenhängende Haut wurde sie an keiner Stelle gefunden.

Das Ligamentum denticulatum ist sehr kräftig ausgebildet (Fig. 1 *Lg. dent.*). Die Anheftungslinie desselben an der Pia befindet sich im Cervicalmarke und im Dorsalmarke ungefähr gleich weit entfernt von der vorderen und von der hinteren Fissur auf der Seitenfläche des Rückenmarkes. Innerhalb der Intumescentia lumbalis aber rückt sie etwas weiter nach vorn. Der laterale Rand des Bandes ist verstärkt durch einen ungefähr $2^{mm}00$ dicken Strang, von welchem die einzelnen Zacken ausgehen. Die Zahl der letzteren beträgt 27 (von *C.* III an). Die caudalste Zacke befestigt sich an der Dura zwischen den Austrittslöchern von *L.* II und *L.* III. Die Incisura anterior ist im Verhältnifs zur Gröfse des Rückenmarkes und zur Dicke der Pia als schmal zu bezeichnen, sie enthält einen Pia-Fortsatz, reicht bis zur vorderen Commissur und verbreitert sich dort um ein Weniges (Fig. 8-21). Die Hinterstränge sind von einander durch ein Septum posterius getrennt.

Die Sulci laterales sind mehr oder weniger deutlich in den einzelnen Rückenmarks-Abschnitten. Der Sulcus lateralis anterior, welcher bei *C.* IV (Fig. 8) sehr deutlich ausgeprägt und auch bei *C.*VIII (Fig. 9) noch zu erkennen ist, erscheint im Dorsalmarke nur als seichte Furche (Fig. 10-15), erst von *D.* XVII an (Fig. 16-21) tritt er wieder in Gestalt einer breiten Furche auf. Was seine Form anbetrifft, so ist er am besten zu vergleichen mit einem seichten Graben mit flacher Sohle (Fig. 17 links, Fig. 18, 19). Letztere wird von den zahlreichen feinen Wurzelfäden durchbrochen. Der Sulcus lateralis posterior dagegen ist in der ganzen Länge des Rückenmarkes als scharfe Rinne vorhanden, welche am tiefsten wird innerhalb der Intumescentia lumbalis (Fig. 18 bis 20). Von den Sulci intermedii ist der vordere gar nicht zu erkennen, der hintere ist nur schwach ausgebildet.

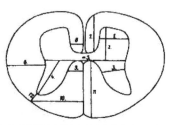

Durch die mit den Nummern 1-11 bezeichneten Striche sollen die Stellen bezeichnet werden, an welchen die in Tabelle III aufgeführten Mafse genommen wurden Es sind: 1. Breite des Vorderhornes; 2. Höhe des Vorderhornes, gemessen auf dem durch die hintere Commissur gelegten transversalen Durchmesser; 3. Breite des Hinterhornes in der Gegend des Halses; 4. Höhe des Hinterhornes von der Mitte der Basis bis zum Apex; 5. Breite der gesammten grauen Substanz, gemessen auf dem durch die hintere Commissur gelegten transversalen Durchmesser; 6. Vorderstrang, Breite; 7. Vorderstrang, Höhe; 8. Seitenstrang, gröfste Breite; 9. Hinterstrang, Breite in der Gegend des Halses vom Hinterhorn; 10. Hinterstrang, Breite in der Gegend der Lissauer'schen Randzone; 11. Höhe des Hinterstranges; 12. Breite der Lissauer'schen Randzone.

Die Gestalt der grauen Substanz und ihr Verhältnifs zur weifsen ist untersucht worden mit Hülfe von Querschnitten (Fig. 8-21). An denselben fällt vornehmlich auf die grofse Menge der in die graue Substanz einstrahlenden Faserzüge. Wie viele davon bindegewebige Septa sind und was Nervenfasern, kann natürlich nur an mikroskopischen Praeparaten entschieden werden. Die vordere und hintere Commissur treten sehr deutlich hervor (Fig. 8) wegen der zahlreichen Nervenfasern, welche in denselben liegen. Der Centralkanal ist nicht zu erkennen. Die Substantia gelatinosa ist kräftig entwickelt, namentlich im Cervical- und Lumbalmark.

Über die Maßverhältnisse der grauen und weißen Substanz auf den 14 abgebildeten Querschnitten giebt die folgende Tabelle Aufschluß. Die Figur auf S. 14 zeigt, in welcher Weise die einzelnen Maße genommen wurden.

Tabelle III.

	C. IV	C.VIII	D. I	D.III	D. V	D.XII	D.XV	D.XVI	D.XVII	D.XVIII	D.XIX	S. I. II	S. III	Cocc. II. III
I. Graue Substanz.														
1. Vorderhorn.														
a) größte Breite	5.5	4.0	1.5	1.0	1.0	1.25	1.5	2.0	2.0	3.0	5.25	3.5	3.0	1.25
b) Höhe	5.0	5.0	3.0	3.5	2.75	3.0	3.0	3.0	3.25	3.25	4.0	6.5	5.0	3.0
2. Hinterhorn.														
a) Breite	2.5	2.75	2.25	1.75	1.5	1.5	3.0	2.75	3.0	3.0	2.75	3.25	4.25	1.5
b) Höhe	5.0	4.0	3.75	3.25	4.0	2.75	4.5	4.5	4.75	6.0	5.25	4.5	3.0	1.75
3. Breite der gesammten grauen Substanz	12.5	11.0	8.75	5.75	4.25	6.5	8.5	9.0	9.5	12.5	14.0	8.5	8.0	4.0
II. Weifse Substanz.														
1. Vorderstrang.														
a) Breite	3.0	3.5	2.75	2.25	1.25	1.5	2.25	2.25	2.25	2.5	.2.25	2.0	1.75	0.75
b) Höhe	7.5	8.0	7.0	6.5	6.0	6.5	6.25	6.25	6.75	6.75	7.0	6.0	5.0	2.0
2. Seitenstrang.														
a) Breite	8.5	7.75	8.0	8.5	8.25	7.5	7.5	6.5	7.0	6.25	5.5	4.25	3.0	2.0
3. Hinterstrang.														
a) Breite in der Gegend des Halses	3.75	2.5	1.75	1.75	1.25	1.25	2.25	2.5	2.75	3.5	3.25	1.75	1.0	—
b) Breite in der Höhe der Lissauer'schen Randzone	9.75	7.5	6.0	6.25	6.5	6.5	7.5	8.25	8.25	8.5	8.0	6.5	6.0	2.5
c) Höhe	9.5	7.75	7.0	7.0	7.5	6.75	6.5	6.25	7.5	7.75	8.0	5.75	4.25	2.5
4. Breite der Lissauerschen Randzone	3.5	3.5	3.75	4.0	4.0	3.75	2.25	2.5	2.0	2.0	1.5	1.0	1.0	0.75

Die Maße wurden genommen an den zweimal vergrößerten Photographien, welche zur Ausführung der Fig. 8—21 dienten; durch Division der erhaltenen Werthe mit 2 wurden die in obiger Tabelle angeführten Werthe erhalten, welche die wirkliche Größe der betreffenden Durchmesser darstellen.

Betrachten wir nun das Aussehen der grauen Figur auf den einzelnen Querschnittbildern, so haben wir zuerst zwei Schnitte vom Cervicalmark *C.* IV und *C.* VIII. Die graue Figur ist sehr groß; besonders bemerkenswerth sind die langgestreckten Commissuren, sowie die an der Spitze des Hinterhornes liegende Substantia gelatinosa. Die Veränderungen, welche sich vom *C.* IV bis *C.* VIII bemerkbar machen, bestehen hauptsächlich in einer für alle Theile der grauen Figur gleichmäßigen Abnahme der Durchmesser. Bei *D*. I dagegen macht sich nicht allein in Bezug auf die Gröfse, sondern vor Allem hinsichtlich der Stellung der einzelnen Theile zu einander ein bedeutender Unterschied bemerkbar. Das Vorderhorn hat eine mehr sagittale Richtung, indes das Hinterhorn sich mehr nach der Seite und hinten erstreckt und die Substantia gelatinosa etwas auf die mediale Seite rückt, was auch schon bei *C*. VIII etwas angedeutet ist. Bei *D*. III und *D*. V wird die graue Figur noch kleiner, bei *D*. XII aber nimmt sie schon wieder an Gröfse zu und hat bei *D*. XV ungefähr wieder Gröfse und Aussehen, wie es bei *D*. I der Fall ist, so dafs eine Unterscheidung derselben schwierig wäre, wenn nicht die Stellung des Hinterhornes eine verschiedene wäre. Die Richtung desselben wird nämlich in den unteren Dorsalsegmenten immer mehr seitlich, was hervorgerufen wird durch die Vergröfserung der Hinterstränge. Von *D*. XVI beginnt wieder eine schnelle Zunahme der grauen Substanz und tritt eine Änderung ein in der Stellung der Hinterhörner. An den Vorderhörnern bemerkt man bei *D*. XVI, XVII, XVIII nur eine Verbreiterung, ihre Stellung bleibt annähernd dieselbe, das Hinterhorn aber bekommt allmählig wieder eine mehr sagittale Richtung. Bei *D*. XVI und XVII verläuft es zwar noch bedeutend lateralwärts, bei *D*. XVIII aber ist es schon weit weniger der Fall und bei *D*. XIX ist seine Richtung wieder ziemlich genau sagittal. Dabei rückt auch die Substantia gelatinosa wieder an die Spitze des Hinterhornes und nimmt an Mächtigkeit zu. Bei *D*. XIX zeigt die graue Figur schon die gedrungene Gestalt, welche für das Lumbalmark charakteristisch ist, und die laterale Ecke des Vorderhornes verlängert sich nach vorn und aufsen. Bei dem nächsten Schnitt (Grenze von *S*. I und II) ist dadurch die Richtung des ganzen Vorderhornes eine schräg nach vorne und aufsen gerichtete geworden, so dafs die vorderen Wurzelnfasern auf seiner medialen Fläche austreten. Das Hinterhorn bleibt in seiner sagittalen Lage, es wird immer breiter und gedrungener dadurch, dafs seine Höhe nur in geringem Mafse abnimmt, während die Breite bei *S*. III sogar noch gröfser wird. Im Lumbal- und Sacralmark, sowie im Conus terminalis, werden die Commissuren allmählig immer dicker, so dafs schliefslich (vergl. *Cocc*. I, III) Vorder- und Hinterhörner wie Appendices an der grofsen Masse der Commissur erscheinen.

Über das Seitenhorn und den Processus reticularis können keine bestimmte Angaben gemacht werden, weil diese Theile der grauen Figur an den Querschnitten nicht deutlich genug abgegrenzt werden konnten.

Was die weifse Substanz anbetrifft, so ist der Vorderstrang am kräftigsten bei *C.* IV, VIII und *D.* I, d. h. innerhalb der Intumescentia cervicalis. Im Dorsalmark werden die Dimensionen geringer, bleiben aber ziemlich constant sowohl im Dorsalmark wie in der Intumescentia lumbalis; eine stärkere Abnahme findet erst von *S.* I an statt. Der Hinterstrang dagegen ist zwar in *C.* IV am gröfsten, im unteren Cervicalmark und Dorsalmark aber bedeutend schwächer als innerhalb der Intumescentia lumbalis, wo er dorsalwärts hervorspringt und die bedeutende Tiefe des Sulcus lateralis posterior bedingt. Der Seitenstrang und die Lissauer'sche Randzone nehmen von *C.* IV an allmählig ab.

Erklärung der Figuren.

Fig. 1. Übersichtsbild vom Rückenmark. Dorsal-Ansicht. *Lg. dent.* Ligamentum denticulatum. *F. t.* Filum terminale. Gröfse ⅓.

Fig. 2. Cervicalsegment VI und VII. Ventrale Ansicht. *A. sp. a.* Arteria spinalis anterior. *Lg.* das die Arterie deckende Band.

Fig. 3. Cervicalsegment VI und VII. Dorsale Ansicht. Fig. 2 und 3 sind Zeichnungen von demselben Stück; in Fig. 3 sieht man oben auf der rechten, wie auf der linken Seite noch Wurzelbündel von *C.* V; auf der rechten Seite unten auch noch ein Wurzelbündel von *C.* VIII.

Fig. 4. Dorsalsegment VIII. Ventrale Ansicht. *Lg.* das die Art. spinalis anterior deckende Band.

Fig. 5. Dorsalsegment VIII. Dorsale Ansicht.

Fig. 6. Lumbalsegmente I, II, III. Sacralsegment I. Ventrale Ansicht. *A. sp. a.* Arteria spinalis anterior. *Lg.* das die Arterie deckende Band.

Fig. 7. Lumbalsegmente I, II, III. Sacralsegment I. Dorsale Ansicht. Auf der rechten Seite oben befindet sich noch ein Wurzelbündel von *D.* XIX.

Fig. 8—21. Zeichnungen nach Querschnitten durch das in Müller'scher Flüssigkeit gehärtete und in Alkohol von 70 Procent aufbewahrte Rückenmark. Die Zeichnungen sind eine ganz genaue von Hrn. Dr. Müller mir freundlichst angefertigte Wiedergabe dessen, was man bei Lupen-Vergröfserung auf einem Schnitte sehen kann. Die Genauigkeit wurde dadurch erreicht, dafs den Zeichnungen Photographien zu Grunde gelegt wurden.

Es entspricht Fig. 8 — *C.* IV.   Fig. 15 — *D.* XVI.

    » 9 — *C.* VIII.   » 16 — *D.* XVII.

    » 10 — *D.* I.   » 17 — *D.* XVIII.

    » 11 — *D.* III.   » 18 — *D.* XIX.

    » 12 — *D.* V.   » 19 — Grenze von *S.* I und II.

    » 13 — *D.* XII.   » 20 — *S.* III.

    » 14 — *D.* XV.   » 21 — Grenze von *Cocc.* II und III.

Fig. 2—7 natürliche Gröfse. Fig. 8—21 doppelte Gröfse.

Die Praeparate, nach welchen die Zeichnungen angefertigt wurden, sind aufgehoben in der Sammlung des I. Anatomischen Instituts zu Berlin.

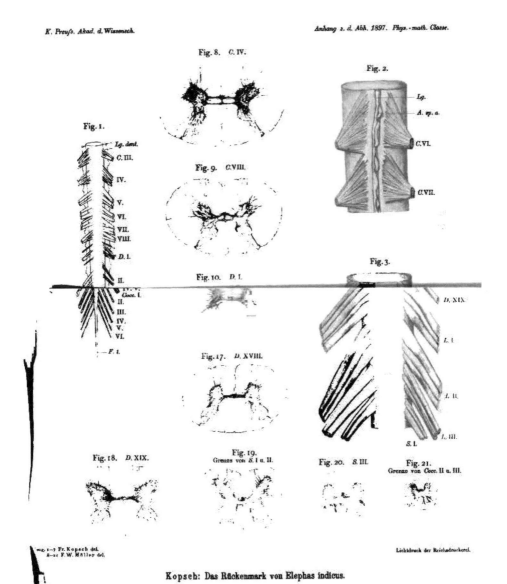

Fig. 8.　C. IV.

Fig. 2.

Fig. 1.

Fig. 9.　C.VIII.

Fig. 10.　D. I.

Fig. 3.

Fig. 17.　D. XVIII.

Fig. 18.　D. XIX.

Fig. 19.
Grenze von S. I u. II.

Fig. 20.　S. III.

Fig. 21.
Grenze von Coce. II u. III.

1–7 Fr. Kopsch del.
8–21 F. W. Müller del.

Lichtdruck der Reichsdruckerei.

Kopsch: Das Rückenmark von Elephas indicus.

321

Über die Bogenspectren der Elemente der Platingruppe.

Von

Dr. H. KAYSER,
Professor an der Universität Bonn.

Phys. Abh. nicht zur Akad. gehör. Gelehrter. 1897. II.

1

Vorgelegt in der Sitzung der phys.-math. Classe am 2. December 1897
[Sitzungsberichte St. L. S. 1081].
Zum Druck eingereicht am 14. December, ausgegeben am 31. Januar 1898.

Bis vor wenigen Jahren waren die Spectra der 6 Platinmetalle: Platin, Osmium, Iridium, Palladium, Ruthenium, Rhodium so gut wie unbekannt. Für Ru und Rh lagen gar keine Messungen vor, für Ir hatte Kirchhoff[1] von unreinem Material 3 Linien des Funkenspectrums erhalten, und Lockyer[2] hat ebenfalls einige Linien des Bogenspectrums zwischen 4000 und 3900 gegeben; für Os hatte Huggins[3] 18 Linien des Funkenspectrums gemessen, und nur für Pt und Pd lagen Messungen der stärksten Linien im sichtbaren Theil des Funkenspectrums von Kirchhoff[1], Huggins[3], Thalén[4] und Lecoq de Boisbaudran[5] vor.

Den ersten Versuch einer modernen Erforschung dieser Spectren verdanken wir McClean[6], welcher mit Rowland'schem Concavgitter die Funkenspectra zwischen den Wellenlängen 5700 und 3800 photographirte und mit übergedruckter Scala der Wellenlängen publicirte. Leider waren seine Materialien sehr unrein, so daß zahlreiche Linien in mehreren Spectren vorkommen. Immerhin würde es möglich sein, aus den Tafeln die stärkeren Linien der Elemente bis auf 0.1 Å.E. genau zu ermitteln.

Das Bogenspectrum von 5 der Elemente ist dann von Rowland[7] zwischen den Grenzen 3000 und 4500 gemessen worden; Ir ist nicht untersucht. Rowland macht dabei auf die besondere Schwierigkeit dieser Untersuchung aufmerksam, die darin liegt, daß es fast unmöglich scheint,

[1] Kirchhoff, Untersuchungen über das Sonnenspectrum (1861).
[2] Lockyer, Phil. Trans. 1881.
[3] Huggins, Phil. Trans. 154 (1864).
[4] Thalén, Nova acta Reg. soc. scient. Upsal. (3) 6 (1868).
[5] Lecoq de Boisbaudran, Spectres Lumineux. Paris 1874.
[6] McClean, Comparative Photographic Spectra of the Sun and the Metals (1891).
[7] Rowland, Astrophysical Journal 2 (1895) und 3 (1896).

1*

die Elemente chemisch rein darzustellen, so dafs bei ihm namentlich in den Spectren von Rh, Ru und Pd auch die stärkeren Linien der übrigen Elemente erscheinen.

Die neuesten Publicationen betreffen wieder das Funkenspectrum, welches Exner und Haschek[1] mittels Rowland'schen Concavgitters zwischen 4700 und 2200 photographirten und nach einer zwar schnellen, aber wenig genauen Methode ausmafsen. Die Metalle bezogen sie von Heräus in Hanau.

Ich selbst habe im Jahre 1891 Theile der Bogenspectra der Platinelemente photographirt, 1894 gemeinsam mit Runge ihre vollständige Untersuchung aufgenommen. Wir hatten die Spectra zum gröfsten Theil durchgemessen, als durch meinen Umzug nach Bonn unsere gemeinsamen Arbeiten unterbrochen wurden. Die Elemente hatten wir auch von Heräus bezogen, und zwar als denkbar rein für spectralanalytische Zwecke. Pt und Pd erwiesen sich auch als brauchbar, aber die vier übrigen Elemente waren aufserordentlich unrein, so dafs die meisten Linien in den Spectren mehrerer von ihnen vorkamen. Es wäre wohl nahezu unmöglich gewesen, aus diesen Spectralaufnahmen die Zugehörigkeit der Linien zu den verschiedenen Elementen festzustellen. Glücklicherweise erhielt ich aber besseres Material. Dr. Bettendorff in Bonn hatte Salze der Platinelemente mit aller denkbaren Sorgfalt dargestellt, um neue Bestimmungen des Moleculargewichts auszuführen, und er hatte die grofse Gefälligkeit, mir sein Material zur Verfügung zu stellen. Da ich gleichzeitig in den Besitz einer wesentlich besseren Theilmaschine gelangte, auch das der Berliner Akademie der Wissenschaften gehörige Gitter, welches ich benutzen konnte, sich als besser herausstellte als das in Hannover gebrauchte Gitter, verwarf ich die alten Platten vollständig und begann die Untersuchung ganz von neuem.

Das benutzte Concavgitter hat 110000 Furchen, $6^m.5$ Krümmungsradius; es befand sich in der von Rowland vorgeschriebenen Aufstellung. Bei jeder Aufnahme wurde zum Schlufs auf die eine Hälfte der Platte das Eisenspectrum photographirt, indem ein kleines Stückchen Eisen in den Bogen geworfen wurde, der bis dahin mit den Salzen oder, für Platin und Palladium, mit den Metallen selbst beschickt worden war. So stand eine

---

[1] Exner und Haschek, Wiener Sitzungsber., Math.-naturw. Classe. 104, II (1895) und 105, II (1896).

reichliche Zahl von Normalen zur Berechnung der Wellenlängen zur Verfügung. Bei dem grofsen Linienreichthum der vorliegenden Spectra — es kommen bis zu 5 Linien eines Elementes innerhalb des Intervalls einer Ångström'schen Einheit vor — war zu erwarten, dafs recht häufig Linien verschiedener Elemente nahezu an dieselbe Stelle fallen würden; es schien deshalb wünschenswerth, die Genauigkeit in der Bestimmung der Wellenlängen so weit wie möglich zu treiben, wo möglich bis auf einige Tausendstel einer Ångström'schen Einheit zu bringen, statt bis auf einige Hundertstel, wie bei den gemeinsamen Arbeiten mit Runge erreicht worden war.

Dazu sind sehr zahlreiche, genau bekannte Normalen nöthig. Als solche benutzte ich, wie auch bei den früheren Arbeiten, die Eisenlinien. Als Grundnormale dienten ausschliefslich die von Rowland[1] veröffentlichten Eisenlinien im Bogenspectrum, dagegen keine Linie des Sonnenspectrums. Auf diesen beruht auch die früher von Kayser und Runge[2] publicirte Nachtragsliste zum Eisenspectrum; da wir aber bei ihrer Aufstellung nur eine Genauigkeit von einigen Hundertsteln der Ångströmschen Einheit erstrebten, konnte ich sie jetzt nicht gebrauchen, sondern mufste zunächst neue Tabellen des Eisenspectrums herstellen, welche die erforderliche Genauigkeit besafsen. Ich habe daher das Eisenspectrum unter Fortlassung der schwächsten Linien 6 bis 10 Mal zwischen den Wellenlängen 2300 und 4500 gemessen und mittels der Rowland'schen Normalen berechnet. Aus den sehr gut übereinstimmenden Werthen gehen Mittelwerthe mit einem mittlern Fehler von 0.001 bis 0.005 Å.E. hervor.

Für gröfsere Wellenlängen als 4500 A.E. gibt Rowland leider viel zu wenig Normalen, als dafs man durch Interpolation zwischen ihnen solche Genauigkeit erhalten könnte. Es bliebe hier nur der Weg übrig, nach der Coincidenzmethode die langen Wellenlängen aus den kurzen in zweiter Ordnung zu bestimmen. Da diefs aber eine ziemlich zeitraubende Arbeit ist, habe ich mich entschlossen, von 4500 Å.E. an Rowland's Eisenlinien des Sonnenspectrums zu benutzen. Diese Wellenlängen stimmen zwar sicher nicht mit denen im Bogenspectrum überein, aber sie bilden doch wenigstens ein wohldefinirtes System von grofser Genauigkeit; auch ist die Verschiebung zwischen Bogenlinien und Sonnenlinien sicher nur eine geringe, und es

---

[1] Rowland, Phil. Mag. (5) 27 (1889).

[2] Kayser und Runge, Abhandl. d. Berl. Akademie 1890.

wird später jederzeit möglich sein die kleine Correctur anzubringen, sobald diese Verschiebung genau genug gemessen ist.

Durch die besprochenen Eisenlinien sind die Spectralaufnahmen der Platinelemente ausgewerthet worden. Jede Linie ist wenigstens auf 2 verschiedenen Platten, jede Platte wenigstens 2 Mal gemessen worden, so dafs für jede Linie mindestens 4 Messungen vorlagen, aus denen das Mittel genommen wurde. Die einzelnen Werthe stimmten sehr gut überein, Abweichungen um 0.015 Å.E. vom Mittel sind selten, aufser bei unscharfen Linien; nicht selten stimmten die 4 Messungen absolut überein. Der mittlere Fehler der Mittelwerthe liegt fast stets zwischen 0.000 und 0.005 Å.E. Als Beispiel gebe ich ein beliebig herausgegriffenes Stück des Spectrums von Ruthenium:

Einzelmessungen				Mittel	Mittl. Fehler
5040916	5040906	5040905	5040906	5040.908	0.003
5041528	5041522	5041535		5041.528	0.004
5045574	5045569	5045576	5045560	5045.570	0.004
5047477	5047470	5047474	5047464	5047.471	0.003
5053108	5053118	5053114	5053115	5053.114	0.002
5057495	5057489	5057485	5057480	5057.487	0.004
5062816	5062816	5062806	5062821	5062.815	0.003
5073143	5073145	5073137	5073140	5073.141	0.001
5077240	5077248	5077240	5077244	5077.243	0.002

Ich kann danach wohl annehmen, dafs Fehler von 0.010 Å.E. beim Mittel nur selten vorkommen werden.

Ein Vergleich meiner Wellenlängen mit denen Rowland's, welcher im allgemeinen nur die stärkeren Linien gemessen hat — seine Messungen sind in den folgenden Tabellen hinter den meinigen angeführt — zeigt genügende Übereinstimmung, wenn man annimmt, dafs Rowland's mittlerer Fehler etwa ebenso grofs ist wie der meinige. Wir haben z. B. im Pd 41 Linien gemeinsam, die mittlere Differenz beträgt 0.006 Å.E.; Differenzen zwischen 0.002 und 0.005 Å.E. kommen 21 Mal vor, solche zwischen 0.006 und 0.010 Å.E. 14 Mal, zwischen 0.011 und 0.020 6 Mal, über 0.020 kein Mal. Ebenso sind uns für Os gemeinsam 141 Linien, die mittlere Differenz beträgt 0.007 Å.E.; Differenzen zwischen 0.000 und 0.005 kommen 73 Mal vor, zwischen 0.006 und 0.010 37 Mal, zwischen 0.011 und 0.020 24 Mal, über 0.020 7 Mal.

Ein Vergleich mit den Zahlen von Exner und Haschek hat kaum Zweck, da dieselben nur auf 0.1 Å.E. messen, und vor allem, weil ihr

Funkenspectrum sehr verschieden von dem Bogenspectrum zu sein scheint. Ich habe nur einzelne Stellen zu vergleichen gesucht, z. B. im Spectrum des Ru. Im sichtbaren Theil ist eine Identificirung ihrer Linien mit meinen wohl möglich; zwischen den Wellenlängen 465 $\mu\mu$ und 435 $\mu\mu$ schwanken die Differenzen zwischen +0.2 Å.E. und −0.4 Å.E. Im äufsersten Ultraviolett aber sind die Spectren so verschieden, dafs man nicht ahnen würde, dafs sie von demselben Körper herstammen.

Sehr viel Mühe verursachte die Aussonderung der fremden Linien trotz der relativen Reinheit meines Materials. Zuerst wurden die bekannten Verunreinigungen, die von der Kohle herrühren, ausgeschieden: Ca, Al, Na, Mn, Cr, Ni, Ti u. s. w. Das war dadurch erleichtert, dafs sie sich in den meisten der Elemente wiederfinden. Dann wurden für jedes der 6 Elemente Listen der stärksten Linien angefertigt und constatirt, ob und mit welcher Intensität sie in den Spectren jedes der anderen Elemente vorkommen. So zeigte sich beispielsweise, dafs bei Ir viel Ru-Linien vorkommen, und zwar alle, deren Intensität im Ru auf 6 oder höher geschätzt war, fanden sich mit einer um 4 bis 5 Stufen niedrigeren Intensität, während von den im Ru mit 4 bezeichneten Linien nur noch wenige mit der Intensität 0 vorkamen. Es wurden daher im Spectrum des Ir alle Linien gestrichen, die nahezu dieselbe Wellenlänge hatten, wie Ru-Linien, aber eine um 4 bis 5 Einheiten kleinere Intensität. Dagegen wurden Linien von nahezu derselben Wellenlänge als zwei verschiedene Linien angenommen, wenn z. B. ihre Intensität im Ru zu 4, im Ir zu 3 geschätzt war. Es sind auf diese Weise viele Hunderte von Linien aus den ursprünglichen Listen gestrichen worden, und es mag dabei manche weggelassen worden sein, die hätte stehen bleiben sollen; aber dafür hoffe ich, dafs es mir gelungen ist, wenigstens die Mehrzahl der fremden Linien beseitigt zu haben. Mehrfach fanden sich in den Spectren aller oder der meisten der 6 Elemente Linien von derselben, meist geringen Intensität, ohne dafs ihr Ursprung nachgewiesen werden konnte. Solche Linien sind als gemeinsame Verunreinigungen betrachtet und fortgelassen worden.

Indem ich nun zu den Listen der Wellenlängen übergehe, bemerke ich, dafs die Intensitäten von 0 bis 10 geschätzt sind, wobei 0 die kleinste, 10 die gröfste Intensität bedeutet. Diese Intensitätsschätzungen befinden sich noch in einem recht unbefriedigenden Zustande. Wenn man auch durch viele Übung dahin kommt, fast immer gleiche Schätzungen auszuführen, so fallen dieselben doch je nach dem Charakter des Spectrums ganz verschieden aus, so dafs z. B. eine 5 im Spectrum des Ir ganz etwas anderes bedeutet als im Spectrum des Ca. In einem Spectrum mit lauter schwachen Linien schätzt man unwillkürlich alle Linien höher als in einem Spectrum mit starken Linien. Daher haben die Intensitäten höchstens innerhalb eines Spectrums eine gewisse Bedeutung. Die umgekehrten Linien lassen sich überhaupt nicht mit den anderen vergleichen; so habe ich diese nach einer besonderen Scala von 3 bis 10 geschätzt. — In den Tabellen bedeutet ein r hinter der Intensität, dafs die Linie umgekehrt war, u bedeutet unscharf, U sehr unscharf, uR unscharf namentlich nach der Seite der gröfseren Wellen, uV unscharf namentlich nach der Seite der kleineren Wellenlängen. d bedeutet, dafs die Linie doppelt zu sein schien.

1. Platin.

Es wurde von Heräus bezogenes metallisches Platin benutzt, welches sich recht rein erwies; nur Ir war stark beigemischt.

2305.72	2	2418.151	3	2498.592	4	2560.438	0
2308.12	3	2420.912	0	2500.895	0	2564.263	0
2315.58	2	2424.964	2	2503.075	2	2572.723	0
2318.371	2	2426.523	2	2504.128	2	2574.580	2
2326.185	2	2428.206	8 r	2506.014	4	2582.415	2
2331.047	1	2429.186	2	2508.589	3	2587.890	2
2340.255	2	2434.551	0	2510.604	0	2596.081	4
2343.468	0	2436.771	4 r	2513.999	0	2599.148	0
2346.822	0	2439.533	1	2514.165	2	2599.986	2
2347.239	0	2440.158	4 r	2515.119	3	2602.182	0
2353.123	0	2450.527	2	2515.666	3	2603.223	4
2356.415	0	2451.046	3	2517.273	1	2606.126	0
2357.181	4 r	2460.160	1	2520.356	0	2608.333	0
2357.656	0	2461.474	0	2522.616	0	2613.204	0
2368.357	4 r	2467.504	6 r	2529.499	2	2613.337	0
2380.035	0	2469.537	0	2536.068	2	2614.701	2
2383.732	4	2471.092	3	2536.581	4	2616.839	0
2386.886	0	2473.247	0	2538.361	0	2619.668	4
2387.448	0	2477.365	0	2539.285	3	2619.977	0
2389.615	3	2481.270	2	2541.433	2	2625.419	2
2391.856	0	2483.312	2	2544.042	4	2627.484	4
2396.243	2	2483.452	2	2544.807	2	2628.122	7 r
2396.762	0	2487.261	4 r	2546.562	0	2635.372	0
2401.089	1	2488.819	4	2546.986	0	2639.434	5
2401.959	3	2490.217	2	2548.194	0	2645.453	4
2403.180	4 r	2495.910	4	2549.552	3	2646.969	6 r
2413.138	1	2497.197	1	2552.326	3	2650.938	4 r

2653.867	0	2776.111	1	2899.764	1	2998.087	7 r	.079 R.
2656.907	0	2776.859	0	2900.903	0	3001.304	2	
2658.266	4	2777.558	0	2901.282	2	3002.385	4	.388 R.
2658.790	2	2788.728	0	2901.798	0	3003.400	2	
2659.535	10 r	2790.593	0	2903.129	0	3004.269	2	
2664.723	2	2790.987	0	2904.258	0	3005.911	2	
2668.748	0	2793.372	4	2906.001	4	3010.051	0	
2673.707	0	2793.736	2	2908.008	4	3012.498	2	
2674.649	4	2794.304	5 r	2908.928	0	3014.636	0	
2677.232	5 r	2796.165	1	2910.569	3	3015.013	0	
2686.990	0	2800.560	0	2911.888	0	3015.510	2	
2688.352	2	2803.338	6	2912.884	0	3017.450	2	
2694.314	4	2806.151	0	2913.361	2	3018.003	4	.983 R.
2696.069	0	2807.396	0	2913.655	4	3019.961	0	
2698.498	6	2808.603	4	2914.443	0	3022.957	3	
2701.208	0	2810.921	0	2915.278	0	3024.410	2	
2702.484	6 r	2813.080	2	2916.505	2	3025.179	2	
2705.985	5 r	2814.121	0	2919.451	4	3025.671	2	
2713.215	4	2818.354	4	2921.336	1	3026.446	2	
2714.613	0	2818.741	2	2921.498	3	3036.554	6	.563 R.
2715.866	2	2821.179	0	2922.381	0	3039.612	0	
2717.709	0	2822.273	0	2927.040	1	3041.323	2	
2719.125	6 r	2822.602	2	2928.226	4	3042.752	4 r	.745 R.
2725.433	2	2825.192	1	2929.903	8 r	3048.6	2 U	
2730.002	5	2830.402	8 r	2930.904	4	3054.4	2 U	
2733.725	5 r	2831.981	0	2933.837	0	3054.8	2 U	
2734.057	8 r	2834.815	0	2938.935	4	3055.402	4	
2734.584	2	2837.338	2	2941.219	2	3056.719	0	
2736.886	0	2837.643	0	2941.908	0	3059.748	4	.749 R.
2737.656	2	2839.345	2	2942.880	4	3061.905	1	
2738.569	4	2848.406	2	2944.879	3	3062.3	0 U	
2744.928	2	2849.241	1	2948.844	0	3062.845	0	
2747.701	4	2853.207	4	2949.900	2	3064.825	6 r	.824 R.
2753.850	2	2853.484	2	2950.929	0	3069.207	2	
2753.957	3	2854.781	0	2951.341	2	3070.369	2	
2754.327	0	2855.866	0	2958.650	0	3072.042	5	.042 R.
2755.003	4	2868.783	2	2959.219	4	3074.938	1	
2757.799	2	2870.572	4	2959.825	1	3075.122	0	
2758.164	0	2878.823	1 u	2960.864	5 u	3078.948	0	
2758.333	2	2884.583	1	2967.596	0	3079.674	4	
2759.424	0	2885.447	0	2969.965	0	3081.172	0	
2763.299	0	2888.307	4	2974.252	0	3082.779	0	
2766.764	5	2890.495	2	2978.179	2	3084.217	3	
2769.940	4	2891.030	2	2982.414	0	3084.978	2	
2771.750	4 r	2891.170	0	2983.882	2	3087.319	0	
2772.925	4	2891.873	0	2984.565	0	3088.677	0	
2773.696	2	2893.335	4	2988.177	0	3089.780	0	
2774.095	4	2893.984	6	2988.913	0	3098.887	0 u	
2774.306	3	2896.245	1	2989.915	4	3100.146	4	.136 R.
2774.880	2	2897.988	5	2994.916	2	3101.077	4	.070 R.

Phys. Abh. nicht zur Akad. gehör. Gelehrter. 1897. II.   2

331

3102.710	0		3243.533	2 ·		3418.311	0		3948.550	4	.539 R.
3103.231	1		3247.388	2 d?		3420.493	0		3953.780	1	
3103.704	2		3248.623	2		3426.887	2	.880 R.	3966.507	3	.504 R.
3104.170	0		3248.843	0		3428.079	4	.110 R.	3976.460	1	
3112.718	0		3250.481	4	.475 R.	3431.495	0		3980.746	1	
3118.547	0		3252.117	5	.103 R.	3432.002	2	.032 R.	3996.720	3	.722 R.
3119.911	4		3252.785	1		3448.523	1 u		4002.649	2	
3122.192	0		3253.319	0		3454.290	3	.285 R.	4054.928	2	.925 R.
3123.065	0		3255.356	0		3464.097	2	.080 R.	4066.087	2	.094 R.
3132.187	0		3256.048	6	.038 R.	3472.080	0		4081.631	1	.627 R.
3133.443	4		3256.634	1		3483.588	5	.561 R.	4098.426	3	.421 R.
3133.785	1		3258.551	0		3485.430	6	.411 R.	4118.854	5	.838 R.
3134.413	1		3259.282	1		3488.877	1		4164.709	4	.722 R.
3136.381	0		3259.866	4	.859 R.	3491.155	1	.141 R.	4192.577	4	.589 R.
3139.503	7	.505 R.	3261.202	2		3498.321	1	.308 R.	4201.374	2	
3141.767	4		3261.818	4	.819 R.	3505.848	1	.835 R.	4247.838	1	
3154.858	1		3263.737	1		3514.869	4	.887 R.	4251.277	1 [1]	
3156.686	5	.683 R.	3268.557	4	.570 R.	3528.700	2	.691 R.	4263.664	2	
3159.841	0		3282.104	5	.097 R.	3611.057	2	.060 R.	4269.411	2	
3160.314	1		3283.336	2	.332 R.	3615.443	0		4274.042	2	
3169.006	1		3283.443	2	.436 R.	3621.839	2	.812 R.	4281.905	1	
3174.959	2		3285.367	0		3628.275	5	.272 R.	4288.215	4	.217 R.
3176.081	1 u		3287.245	0		3629.025	3	.017 R.	4291.070	2	
3177.707	1		3290.363	6	.370 R.	3638.956	6	.944 R.	4327.243	4	.230 R.
3179.650	1		3293.615	0		3643.331	6	.313 R.	4334.827	2	
3191.604	0		3293.820	0		3652.411	1		4343.852	0	
3192.635	3		3298.688	0 u		3654.132	1		4358.522	2 [2] u	
3199.076	0		3300.070	1 u		3659.571	2	.564 R.	4364.624	4	
3199.215	0		3302.015	8 u	.996 R.	3663.239	4	.242 R.	4391.999	4	.996 R.
3200.848	4	.830 R.	3311.504	1		3668.564	1		4411.580	3	
3204.165	6	.161 R.	3311.959	2		3672.165	4	.142 R.	4414.420	2	
3207.347	0		3312.614	3		3674.207	4	.191 R.	4437.470	4 u	
3208.968	0		3313.186	1		3675.107	1		4442.730	6	.723 R.
3212.502	2	.493 R.	3315.186	4	.182 R.	3681.227	0	.229 R.	4445.710	4	.713 R.
3218.603	1		3323.914	6	.921 R.	3683.169	4	.123 R.	4473.633	3 u	
3218.972	0		3325.861	2		3687.582	4	.554 R.	4481.808	3	
3220.904	3		3327.234	0		3700.070	4	.059 R.	4484.882	5 u	
3221.416	0		3338.214	2		3706.685	3	.667 R.	4493.350	3	
3222.680	0		3342.429	1		3818.827	5	.827 R.	4498.926	6	.930 R.
3222.930	0		3344.031	4	.037 R.	3898.880	4	.886 R.	4511.417	3 u	
3223.928	0		3367.139	4	.135 R.	3900.873	4	.874 R.	4521.099	5 u	
3227.305	2	.290 R.	3368.628	2		3903.864	2		4523.192	5 u	
3230.401	5	.406 R.	3372.960	0		3904.534	3		4548.056	3 u	
3233.550	5	.541 R.	3406.733	2		3906.433	2		4552.116	2	
3240.324	5	.323 R.	3408.286	7	.277 R.	3911.045	3	.050 R.	4552.586	5 u	.594 R.
3241.652	1		3414.610	2		3923.105	5	.106 R.	4554.759	4	.828 R.
3243.224	0		3417.227	2		3925.483	4	.486 R.	4560.209	4	

[1] Rowland gibt 4252.229; vielleicht liegt ein Druckfehler vor.
[2] Rowland gibt 4358.025; wohl ein Druckfehler.

4577.584	4	4980.532	1	5257.609	o u	5475.996	6
4580.685	2	4998.123	2	5260.982	3	5478.722	6
4580.828	2	5002.762	2	5265.290	o	5514.324	4
4639.982	4	5033.686	4	5275.008	o u	5526.077	4
4650.192	1	5037.859	o u	5286.289	o u	5560.245	2
4658.105	5	5038.681	o	5295.918	o	5684.908	2
4684.255	4	5044.194	4	5301.182	6	5699.190	1
4737.722	2	5044.645	6	5306.493	o	5700.672	o
4739.924	1	5050.006	1	5319.540	o	5728.369	o
4746.046	1	5059.658	5	5324.799	o	5762.877	3
4772.467	1	5095.950	o u	5369.188	4	5763.778	3
4831.371	o	5118.583	1	5388.105	2	5840.354	5
4854.067	4	5194.050	1	5391.010	4	5845.050	4
4862.577	o	5208.775	o	5452.984	o	5861.074	2
4879.700	4	5227.782	6	5469.714	2		

Rowland führt noch 16 Linien an, welche ich nicht gefunden habe. Ein Theil davon fällt in die Cyan- und Kohlebanden, die viel verdecken, so dafs die Linien wohl vorhanden sein können, ohne dafs ich sie gefunden habe. Von einigen aber habe ich das Fehlen auf meinen Platten sicher constatirt, so dafs ich sie nicht für Platinlinien halten kann. Diefs sind: 2627.228, 3959.170, 4012.016, 4047.796, 4069.850, 4132.544, 4370.483, 4379.184.

2. Palladium.

Es wurde von Heräus bezogenes metallisches Pd benutzt, welches als Verunreinigung nur etwas Pt enthielt. — Das Pd-Spectrum ist durch eine grofse Anzahl äufserst unscharfer Linien ausgezeichnet, die man überhaupt nicht Linien nennen kann. Man sieht sie nur als dunkle Wische auf der Platte, ohne deutliches Intensitätsmaximum, so dafs von einer genaueren Messung keine Rede ist.

2316.569	0	2418.835	0	2471.275	0	2544.821	4
2319.328	0	2421.	3 U	2473.011	2	2546.283	0
2327.575	0	2424.564	0	2476.509	10 r	2546.990	0
2336.522	0	2426.964	0	2482.05	o U	2548.165	0
2336.663	0	2431.051	0	2486.618	1	2551.095	0
2347.611	0	2435.408	0	2489.010	4	2551.971	0
2351.428	0	2441.52	6 r U	2498.873	3	2564.0	2 UR
2357.732	0	2446.275	0	2503.597	0	2565.595	0
2360.614	0	2447.998	10 r	2505.804	2	2605.157	4
2362.406	0	2457.361	0	2513.0	1 U	2609.716	0
2368.044	0	2461.2	1 U	2521.102	0	2614.270	1
2373.701	0	2469.353	0	2536.872	2	2631.692	0
2414.850	0	2470.091	0	2539.690	0	2641.149	0

2*

λ	I	R	λ	I	R	λ	I	R	λ	I	R
2653.7	2 U		3039.748	0		3383.025	4		4379.8	0 U	
2655.1	4 UR		3041.102	0		3388.811	0		4386.614	1	
2658.819	2		3046.614	2		3389.192	2	.195 R.	4388.776	2	
2663.249	2		3049.502	0		3396.081	0		4406.759	5	
2676.050	2		3062.3	0 u		3396.926	3		4421.217	1 u	
2686.373	3		3062.430	0		3404.732	10 r	.725 R.	4443.191	3	
2734.095	0		3063.537	1		3406.210	1	.196 R.	4458.785	2	
2742.532	2		3065.425	4 r	.408 R.	3419.818	4	.803 R.	4469.307	0	
2751.972	2		3066.210	1		3421.368	8 r	.367 R.	4473.771	7	.761 R.
2763.199	8 r		3067.243	0		3433.582	5 r	.578 R.	4489.641	4 u	
2802.009	3		3068.564	0		3441.548	6 r	.539 R.	4497.813	2	
2806.561	1		3073.924	0		3442.545	2	.548 R.	4516.406	5 u	
2807.8	8 UR		3075.274	4		3460.888	7 r	.884 R.	4541.314	5 u	
2835.133	0		3078.356	0		3481.308	7 r	.300 R.	4553.096	2	
2835.385	0		3088.636	0		3488.293	0		4590.191	3 u	
2837.2	2 U		3089.756	0		3489.930	4 r	.915 R.	4632.770	2	
2839.5	4 UR		3103.176	0		3517.087	8 r	.096 R.	4677.617	4	
2846.4	2 U		3103.909	0		3528.881	2	.878 R.	4708.261	0	
2849.912	2		3107.435	0		3553.242	7 r	.236 R.	4724.204	3	
2854.694	2		3109.276	2		3566.775	2	.781 R.	4762.098	0	
2875.875	2		3114.157	5 r	.152 R.	3571.305	5 r	.302 R.	4776.715	1	
2922.615	7 r		3122.917	0		3574.040	2		4788.327	8	
2932.4	0 UR		3138.417	0		3596.795	2	.804 R.	4791.061	0	
2936.570	0		3139.531	0		3609.698	9 r	.696 R.	4817.26	0 u	
2936.901	2		3139.804	2		3634.840	10 r	.841 R.	4817.662	9	
2938.552	0		3142.932	6	.927 R.	3646.116	1		4822.347	0	
2950.920	1		3146.075	1		3654.574	2		4836.654	0	
2951.134	0		3147.730	0		3690.491	6 r	.483 R.	4875.577	7	
2956.811	0		3148.532	0		3719.061	4 r	.046 R.	4919.008	3	
2962.443	0		3168.022	1 u		3799.332	5 r	.335 R.	4924.373	0	
2968.356	0		3213.018	0		3894.335	6 r	.334 R.	4930.145	1	
2975.953	0		3219.088	4	.097 R.	3958.777	5 r	.772 R.	4972.081	3	
2995.400	0		3242.824	10 r	.828 R.	3992.5	1 U		5063.549	4	
2996.660	0		3251.754	5 r	.760 R.	4007.6	0 U		5101.704	1	
3002.775	4 r	.765 R.	3258.907	6 r	.900 R.	4011.8	0 U		5110.940	6	
3009.903	3		3272.925	2		4020.3	1 U		5114.530	2	
3010.980	1		3284.080	0 u		4021.2	0 U		5117.158	7	
3014.733	1		3286.337	1		4087.518	6	.513 R.	5127.849	2	
3015.052	0		3287.378	5	.377 R.	4098 bis			5161.491	1	
3020.835	2		3299.875	1 u		4101	U		5163.970	10	
3021.859	3		3300.325	0		4123.761	2		5209.044	4	
3022.744	0		3302.253	6 r	.256 R.	4170.005	5	.006 R.	5234.992	7	
3025.094	0		3310.251	1		4213.116	6 r	.115 R.	5256.321	3	
3028.031	4 r	.021 R.	3311.136	2		4268.4	4 U		5294.267	2	
3028.894	1		3313.093	2		4321.8	0 U		5295.744	10	
3029.600	0		3317.455	0 u		4328.125	0 u		5312.752	4	
3032.324	1		3321.100	2		4344.8	4 U		5345.278	4	
3036.220	1		3346.268	0		4351.1	2 U		5346.980	0	
3038.830	0		3373.137	6 r	.139 R.	4358.773	0 u		5362.864	4 uR	
3039.128	0		3380.840	5 u	.832 R.	4360.4	0 U		5363.474	1	

5377.833 1 u	5542.997 10	5642.898 5	5690.333 4
5385.668 0	5547.219 9	5655.628 5 u	5695.293 9
5394.958 4 uV}$_1$	5548.514 2 u	5664.578 1	5700.978 0
5395.471 8 uR}	5562.902 2 u	5668.605 2	5736.826 5
5427.425 1	5601.867 3	5670.263 10	5737.842 3
5435.379 3	5608.229 5 u	5674.432 2	5739.881 4
5497.056 4	5619.667 9	5680.993 0	5760.122 1
5529.657 6	5621.520 2	5687.670 2	

Rowland gibt noch zwei Linien: 3486.122 und 3662.520, von denen ich die letztere für entschieden nicht zu Pd gehörig halte.

3. Ruthenium.

Es wurde Kalium Ruthenium Sesquichlorür von Dr. Bettendorff benutzt, welches reichlich Os, etwas Ir und Spuren von Pt enthielt.

2335.047 2	2450.464 0	2479.611 0	2513.417 2
2338.094 2	2450.650 1	2481.216 0	2515.372 1
2340.767 2	2454.267 0	2482.628 0	2516.882 0
2342.920 2	2455.005 2	2484.055 0	2517.403 2
2351.411 2	2455.614 5	2490.017 2	2517.728 2
2357.991 2	2456.376 0	2490.555 0	2518.601 0
2370 251 2	2456.519 4	— 2491.847 2	2520.041 0
2375.346 2	2456.666 4	2494.116 2	2520.925 1
2392.501 2	2457.050 1	2494.773 1	2521.700 2
2396.791 2	2457.311 0	2495.775 2	2522.410 0
2402.802 4	2458.706 2	2498.512 2	2524.952 0
2407.997 2	2459.146 0	2498.670 2	2525.263 0
2408.744 1	2461.506 0	2499.873 2	2525.726 0
2420.905 2	2463.026 2	2500.484 0	2526.011 0
2429.672 2	2464.474 0	2500.940 0	2526.914 2
2434.980 0	2464.781 2	2501.569 2	2528.027 0
2437.019 0	2467.674 0	2501.990 0	2528.813 0
2439.715 0	2470.608 0	2502.484 0	2529.812 1
2441.051 1	2470.805 0	2502.966 0	2532.128 1
2441.419 0	2471.576 0	2507.090 2	2533.331 1
2443.036 0	2472.215 0	2508.377 2	2535.147 0
2444.129 1	2474.115 1	2508.508 2	2536.315 0
2444.497 0	2474.506 0	2509.160 1	2537.776 0
2444.924 0	2475.483 2	2509.709 0	2538.565 0
2445.519 0	2476.395 0	2510.238 0	2539.822 1
2447.537 1 u	2476.960 2	2511.058 0	2540.411 0
2448.958 0	2479.010 2	2511.652 1	2541.381 0
2449.958 1	2479.458 0	2512.898 2	2542.601 0

1 Vielleicht Ränder einer umgekehrten Linie, welche dann die stärkste des ganzen Spectrums wäre. Huggins, Thalén, Kirchhoff und Lecoq de Boisbaudran geben im Funkenspectrum eine starke Linie bei 5393.

2543.240	0	2580.883	2	2628.621	0	2661.249	2
2543.349	2	2581.216	2	2630.010	0	2661.690	4
2543.778	1	2581.990	2	2630.314	1	2661.937	0
2544.318	2	2583.131	2	2631.657	1	2664.833	4
2545.866	0	2584.211	2	2632.210	0	2665.227	0
2546.765	2	2585.412	1	2632.584	1	2665.542	0
2547.600	1	2585.815	0	2633.537	0	2665.803	1
2549.260	0	2586.157	0	2635.451	0	2667.479	1
2549.576	2	2587.413	0	2635.927	4	2668.042	1
2549.664	2	2589.129	0	2636.617	0	2668.421	0
2550.946	1	2589.649	2	2636.760	2	2670.586	0
2551.466	1	2589.886	0	2638.597	2	2670.813	0
2551.822	0	2591.087	1	2639.205	2	2672.451	0
2552.083	0	2591.201	2	2640.413	2	2673.089	0
2552.384	0	2591.710	0	2641.549	0	2673.550	2
2552.524	0	2592.093	2	2642.063	0	2673.691	2
2552.965	0	2594.926	2	2642.607	0	2674.930	0
2554.060	1	2595.734	0	2643.042	4	2674.273	0
2554.790	1	2596.043	0	2643.600	0	2676.430	2
2555.734	0	2597.417	1	2644.187	0	2677.057	0
2555.955	2	2598.681	0	2644.711	0	2677.406	0
2556.100	2	2600.840	2	2646.087	2	2677.967	0
2556.994	0	2601.392	0	2646.715	0	2678.267	0
2557.784	1	2601.553	2	2647.394	2	2678.837	4
2558.359	0	2604.409	0	2648.019	1	2679.843	1
2558.626	2	2605.439	2	2648.535	1	2683.756	1
2559.497	0	2605.950	2	2648.706	0	2684.172	1
2560.347	2	2607.440	0	2648.872	2	2684.540	0
2560.920	3	2608.024	1	2649.608	2	2685.242	0
2562.252	2	2609.143	4	2650.076	0	2686.375	4
2564.503	0	2609.573	2	2650.486	1	2687.214	1
2564.674	1	2611.130	2	2650.693	0	2687.580	1
2565.277	1	2612.165	2	2650.968	0	2688.216	1
2566.666	2	2612.990	0	2651.366	2	2688.668	1
2567.981	1	2613.143	0	2651.603	0	2688.969	1
2568.854	4	2614.151	1	2651.936	4	2690.487	1
2569.840	2	2614.671	2	2652.240	0	2690.904	0
2570.180	0	2615.179	2	2653.240	1	2691.199	4
2571.068	2	2617.882	1	2653.776	1	2693.392	2
2572.370	2	2619.105	0	2654.563	0	2693.750	0
2572.512	2	2619.745	2	2654.898	0	2696.653	0
2573.654	0	2620.154	0	2655.193	0	2697.595	0
2575.339	1	2520.713	2	2655.292	1	2698.161	0
2577.052	0	2621.173	0	2656.328	1	2699.957	1
2578.653	2	2623.914	1	2656.641	1	2700.578	1
2579.071	2	2625.168	0	2656.776	1	2700.772	0
2579.309	1	2626.290	0	2657.249	1	2701.434	4
2579.623	2	2626.444	0	2658.482	2	2702.916	4
2579.879	0	2627.737	1	2658.862	0	2703.221	0
2580.316	0	2628.375	4	2660.673	0	2703.403	0

2703.891	2	2751.698	0	2810.788	0	2860.491	0
2705.416	0	2752.548	2	2811.360	0	2861.508	5
2708.054	2	2752.868	2	2812.925	2	2861.833	1
2708.930	0	2753.543	2	2813.807	0	2862.963	0
2709.157	0	2757.175	0	2815.410	0	2863.112	2
2709.291	2	2757.912	1	2817.192	3	2864.726	0
2709.851	0	2758.104	0	2818.460	4	2866.743	5
2710.321	0	2760.268	0	2818.913	0	2868.286	2
2712.169	0	2762.400	2	2819.062	2	2868.426	2
2712.493	4	2763.232	2	2819.667	0	2868.662	0
2712.967	0	2763.513	4	2821.279	1	2869.047	0
2713.272	2	2764.005	1	2821.504	0	2870.322	2
2713.824	1	2764.824	2	2822.142	2	2871.296	3
2715.326	0	2765.530	2	2822.371	0	2871.756	4
2715.595	2	2766.323	0	2822.659	2	2872.468	2
2717.100	0	2768.032	0	2822.912	0	2874.161	2
2717.510	2	2769.024	4	2824.004	0	2875.104	5 u
2718.919	0	2769.993	0	2824.866	0	2877.197	2
2719.610	5	2770.399	0	2827.627	0	2877.930	2
2719.838	0	2770.805	2	2827.969	4	2879.466	0
2721.653	3	2772.716	0	2829.253	2	2879.853	3
2721.937	0	2773.068	0	2830.815	1	2880.637	0
2722.493	0	2774.589	2	2831.280	0	2881.373	1
2722.760	3	2775.288	1	2832.755	0	2882.222	2
2722.903	0	2775.723	0	2834.107	3	2882.697	2
2724.153	2	2776.009	1	2836.254	2	2883.701	3
2725.549	4	2777.629	0	2836.684	2	2884.601	2
2727.063	0	2779.081	0	2837.384	0	2886.640	4
2729.540	2	2780.858	2	2838.729	2	2887.224	0
2730.115	0	2782.305	1	2840.657	2	2888.112	2
2730.416	2	2784.625	0	2841.777	2	2888.739	2
2731.028	2	2784.978	0	2842.651	1	2889.543	0
2732.011	0	2785.746	1	2842.859	0	2891.242	2
2733.167	0	2787.930	3	2843.277	2	2891.762	2
2734.438	3	2789.720	0	2846.430	1	2892.654	4
2735.806	2	2790.695	0	2846.662	0	2893.844	0
2736.412	0	2791.164	0	2848.688	1	2895.554	0
2736.917	0	2792.418	2	2849.399	0	2895.925	1
2738.983	0	2792.746	2	2851.225	1	2896.638	3
2739.311	4	2795.464	0	2853.433	0	2897.820	1
2740.085	0	2796.652	0	2854.173	4	2898.650	3
2740.327	1	2800.243	0	2854.465	0	2898.845	1
2744.022	2	2800.785	1	2854.820	0	2899.817	1
2744.541	2	2802.260	0	2855.454	0	2901.890	1
2744.821	0	2802.907	2	2855.995	2	2902.223	1
2745.343	0	2803.593	1	2856.153	2	2902.969	1
2746.169	0	2806.845	0	2857.367	1	2903.180	2
2746.991	0	2808.335	0	2857.770	0	2904.825	0
2749.923	0	2810.131	4	2858.693	0	2905.756	3
2750.452	0	2810.645	3	2860.114	4	2905.952	1

λ	I		λ	I	R	λ	I	R	λ	I	R
2906.424	3		2950.080	0		2989.770	2	.768 R.	3038.289	2	.284 R.
2908.590	0		2950.650	1		2990.413	2		3038.851	0	
2909.352	1		2951.516	2		2992.080	0		3039.586	0	
2910.542	2		2952.599	2		2993.070	1		3040.071	2	
2912.451	0		2953.116	0		2993.387	3	.385 R.	3040.418	3	.420 R.
2912.555	0		2954.371	0		2995.083	5	.077 R.	3042.025	1	
2912.866	0		2954.594	4		2997.011	3	.006 R.	3042.598	3	.587 R.
2913.286	3		2955.463	2		2997.743	2	.730 R.	3042.953	2	.944 R.
2914.403	2		2955.714	0		2998.446	3	.458 R.	3043.161	1	
2915.736	2		2955.960	0		2999.011	1		3044.077	0	
2916.351	6		2957.297	0		3000.341	2		3045.630	0	
2917.249	2		2958.118	3		3001.756	3	.751 R.	3045.833	4	.828 R.
2917.353	0		2958.993	0		3002.188	0		3046.114	2	
2917.880	2		2959.855	2		3003.600	2		3046.356	2	
2919.276	0		2961.097	2		3004.708	2		3047.108	0	
2919.723	4		2961.803	3		3006.094	2		3048.442	0	
2920.369	1		2962.442	0		3006.708	4	.699 R.	3048.606	4	.603 R.
2921.068	2		2962.705	0		3008.387	2	.366 R.	3048.897	4	.900 R.
2921.276	0		2963.523	2		3008.695	0		3049.174	0	
2924.760	0		2963.829	3		3008.911	2	.906 R.	3050.309	1	
2925.189	0		2964.415	0		3009.798	0		3050.504	0	
2925.685	0		2965.286	4		3010.623	2		3051.704	2	
2925.890	0		2965.670	3		3012.003	0		3051.974	0	
2926.913	0		2965.820	1		3013.040	3	.030 R.	3052.445	1	
2927.232	2		2966.674	1		3013.172	0		3053.450	0	
2927.858	0		2967.456	2		3013.477	3	.468 R.	3055.042	4	.039 R.
2928.608	2		2968.233	0		3014.312	0		3056.192	4	
2929.027	0		2968.564	4		3016.818	0		3056.877	0	
2933.367	0		2969.069	4		3017.356	5		3056.971	0	
2934.300	2		2969.850	0		3018.158	2		3057.468	3	
2934.638	0		2972.594	0		3019.472	2		3058.762	2	
2936.131	2		2973.743	0		3019.876	0		3058.909	1	.891 R.
2936.380	0		2974.099	3	.095 R.	3020.360	0		3059.284	3	.275 R.
2936.591	0		2974.454	2	.457 R.	3020.989	2	.985 R.	3260.346	0	
2937.448	1		2975.253	1		3025.212	0		3062.155	2	
2937.679	0		2976.707	4	.700 R.	3027.195	2		3064.958	4	.951 R.
2939.247	2		2977.048	3	.037 R.	3027.361	0		3068.355	4	.363 R.
2939.796	0		2977.346	2		3027.678	0		3069.289	2	
2940.057	3		2977.596	2		3027.910	0		3071.586	2	
2940.474	3		2978.760	2		3028.785	0		3071.721	0	.711 R.
2942.366	1		2979.847	3	.834 R.	3030.801	2		3071.824	0	
2942.823	0		2980.065	3	.056 R.	3030.890	2		3073.440	4	.442 R.
2943.593	1		2981.080	0		3032.026	2		3075.412	1	
2944.035	3		2982.045	4	.048 R.	3032.771	0		3076.886	2	.883 R.
2944.294	0		2986.104	0		3033.562	4	.564 R.	3077.175	2	
2945.591	0		2986.453	1		3034.167	4	.169 R.	3077.657	2	
2945.775	4		2988.047	1		3035.578	3		3078.209	1	
2946.670	1		2988.224	1		3036.580	1		3079.953	0	
2947.102	4		2989.079	6	.061 R.	3037.845	2		3080.292	4	
2949.612	4		2989.451	2		3038.078	2		3031.009	4	.010 R.

λ	I	R	λ	I	R	λ	I	R	λ	I	R
3081.218	1		3118.170	4	.182 R.	3163.186	0		3210.287	2	
3081.489	0		3118.792	4	.799 R.	3164.939	0		3213.098	3	.105 R.
3081.946	0		3120.650	1		3165.086	0		3214.475	2	
3083.252	3	.257 R.	3122.108	1	d?	3165.307	1		3215.613	0	
3084.631	2	.637 R.	3122.970	0		3165.507	0		3216.641	4	.646 R.
3084.728	0		3123.610	0		3167.514	0		3219.274	1	
3085.597	0		3124.277	4	.279 R.	3168.355	1		3220.195	1	.199 R.
3086.181	4	.182 R.	3124.481	2	.480 R.	3168.648	5	.678 R.	3220.899	2	
3086.631	2		3124.709	2	.720 R.	3170.196	2		3221.303	2	.311 R.
3086.888	1		3126.068	4	.075 R.	3171.352	2		3221.493	1	
3087.039	2		3126.730	2		3172.778	0		3223.393	4	.394 R.
3088.050	0		3127.387	1		3173.221	2		3223.723	0	
3088.177	2		3127.643	0		3173.500	2		3224.772	2	
3088.362	0		3128.539	2		3174.243	4	.254 R.	3225.418	0	
3089.252	4	.259 R.	3129.574	0		3176.401	3		3226.497	5	.502 R.
3089.915	4	.916 R.	3129.717	2		3177.159	4	.170 R.	3227.016	2	.027 R.
3090.341	2	.348 R.	3129.935	3	.951 R.	3178.843	1		3228.021	3	.007 R.
3091.004	2		3130.709	0		3179.380	2		3228.276	2	.280 R.
3091.974	2	.980 R.	3132.122	1		3180.569	0		3228.651	4	.651 R.
3092.085	0		3132.988	4	.995 R.	3181.126	0		3228.850	0	
3092.351	0		3133.800	2		3181.312	0		3229.881	2	
3094.500	2	.507 R.	3134.895	1		3185.276	0		3230.738	2	
3095.640	0		3135.170	0		3185.553	2	'	3231.869	0	
3096.062	0		3136.044	2		3186.161	4	.162 R.	3232.180	1	
3096.672	6	.669 R.	3136.451	1		3186.867	1		3233.881	4	.872 R.
3097.706	4	.704 R.	3136.663	3	.671 R.	3188.057	2		3233.650	0	
3098.954	0		3137.036	0		3188.463	5	.468 R.	3234.920	2	
3099.390	5	.390 R.	3138.884	2		3188.713	2		3235.230	2	
3100.953	4	.945 R.	3139.379	2		3189.418	2		3235.431	0	
3104.070	0		3140.201	1		3189.835	3	.843 R.	3236.101	2	
3104.570	2		3140.596	3	.604 R.	3190.088	4	.096 R.	3238.132	0	
3105.382	2		3141.081	4	.094 R.	3191.303	1		3238.667	5	.660 R.
3105.524	2	.523 R.	3143.764	0		3191.900	2		3238.904	2	
3105.910	0		3144.369	4	.383 R.	3192.171	2	.191 R.	3239.745	3 d	.727 R.
3106.942	3	.954 R.	3144.820	2		3193.617	2		3241.362	4	.360 R.
3107.373	0		3146.183	2		3195.137	0		3241.643	0	
3107.698	0		3147.323	2	.326 R.	3195.438	1		3241.884	0	
3107.829	3	.825 R.	3147.547	0		3196.718	4	.725 R.	3242.283	2	
3108.526	2		3148.138	0		3197.603	0		3242.978	2	
3110.147	0		3148.593	2		3198.437	2		3243.638	2	.632 R.
3110.641	4	.650 R.	3150.283	1		3199.238	0		3244.475	0	
3112.012	3	.031 R.	3150.803	4	.816 R.	3201.372	2		3244.585	1	
3112.408	2		3151.780	1		3201.604	3	.631 R.	3244.719	0	
3112.782	2	.792 R.	3153.927	4	.941 R.	3202.703	2		3245.746	0	
3113.502	2		3154.543	2		3205.428	2		3246.380	0	
3113.756	0		3156.733	0		3207.751	0		3247.501	0	
3115.536	0		3156.917	2		3208.405	0		3248.977	2	
3116.945	1		3157.739	2		3208.542	3		3250.065	2	
3117.181	0		3159.003	4	Ca?	3208.865	1		3250.146	2	
3117.563	0		3160.036	4	.042 R.	3209.758	1		3250.605	1	

3251.464	3	.459 R.	3296.252	4	.248 R.	3336.296	2		3374.115	2	
3252.031	3	.029 R.	3296.786	2	.780 R.	3336.774	3		3374.790	4	.790 R.
3252.400	0		3297.393	3	.389 R.	3337.963	4		3375.036	2	
3252.683	2		3298.096	3	.089 R.	3338.849	2		3375.377	2	
3253.038	1	.041 R.	3298.559	4	.549 R.	3339.092	0		3376.186	1	
3253.136	2		3299.479	2	.466 R.	3339.691	6	.690 R.	3378.165	4	.170 R.
3254.674	4	.670 R.	3299.926	0		3339.932	2		3379.402	4	
3254.856	4	.834 R.	3301.726	5		3341.230	2	.230 R.	3379.747	4	.744 R.
3255.173	0		3302.312	1		3341.361	1	.365 R.	3380.301	4	.308 R.
3255.356	1		3304.141	4	.126 R.	3341.809	4	.811 R.	3381.040	2	
3256.477	4	.460 R.	3304.418	0		3342.854	0		3383.053	0	
3256.746	0		3304.634	2		3342.999	0		3385.303	4	.297 R.
3258.176	3	.173 R.	3304.772	0		3344.666	4	.679 R.	3385.609	2	.608 R.
3259.111	0		3304.948	2	.951 R.	3344.934	2		3385.838	2	.836 R.
3259.811	4	.805 R.	3305.804	0		3345.450	4	.457 R.	3386.390	2	
3260.304	2	.301 R.	3306.305	4	.310 R.	3346.360	0		3387.368	2	.369 R.
3260.494	5	.477 R.	3307.679	2		3347.748	4	.757 R.	3387.967	0	
3261.257	3	.256 R.	3308.122	4		3348.145	2	.153 R.	3388.849	4	.846 R.
3263.740	0		3308.751	0		3348.833	2	.847 R.	3389.250	0	
3263.988	3	.984 R.	3309.965	0		3349.822	0		3389.639	4	.644 R.
3264.692	3	.688 R.	3310.220	0		3350.236	2		3391.042	2	
3264.808	2	.790 R.	3311.090	4	.096 R.	3350.363	0		3392.032	2	.032 R.
3266.588	4		3311.388	0		3350.681	2		3392.654	4	.672 R.
3267.269	0		3312.068	0		3352.060	4	.075 R.	3395.465	0	
3268.345	5	.346 R.	3312.348	1		3353.122	1		3396.060	0	
3269.087	2		3314.203	2		3353.444	2		3396.967	4	
3269.336	2		3315.181	2		3353.776	4	.790 R.	3398.470	0	
3270.388	2		3315.365	3	.363 R.	3354.001	2		3399.040	0	
3271.746	0		3315.590	2	.579 R.	3355.803	2		3400.116	0	
3272.366	0		3316.523	6	.524 R.	3356.327	2		3400.738	1	
3273.217	5	.208 R.	3317.045	1		3356.598	2		3400.890	2	
3273.765	0		3318.012	4	.025 R.	3358.110	0		3401.304	0	
3274.831	5	.834 R.	3318.992	6	.965 R.	3359.230	6	.239 R.	3401.637	2	.646 R.
3276.820	0		3319.655	1		3361.295	2		3401.878	3	.876 R.
3277.699	4	.697 R.	3319.944	1		3362.142	4	.151 R.	3403.924	1	
3279.521	2		3321.385	2		3362.457	2	.473 R.	3405.426	0	
3280.599	2		3321.634	0		3364.230	4	.243 R.	3406.017	2	.025 R.
3280.678	1		3322.368	2		3364.933	1		3406.736	2	.731 R.
3281.735	0		3323.226	4		3365.163	0		3407.042	0	
3281.995	2		3324.077	2		3365.470	0		3409.420	5	.424 R.
3282.744	0		3324.509	0		3367.868	0		3409.707	2	
3285.067	4	.066 R.	3325.136	4	.136 R.	3368.053	0		3411.768	4	.780 R.
3285.505	2		3325.373	2		3368.588	6	{ .524 R. / .604 R. }	3412.221	2	
3286.040	1		3327.831	2	.843 R.				3412.947	3	.939 R.
3289.389	2 u		3328.583	2		3369.433	2		3413.870	0	
3291.250	2		3332.186	4	.190 R.	3369.813	2		3414.130	0	
3291.789	2		3332.483	0		3370.720	2		3414.422	2	
3292.390	2		3332.768	2	.781 R.	3371.793	0		3414.787	3	.782 R.
3294.269	6	.233 R.	3334.764	0		3371.990	4	.992 R.	3416.329	1	.320 R.
3294.926	0		3335.822	4	.836 R.	3372.922	0		3417.493	7	.466 R.

λ	I	R	λ	I	R	λ	I	R	λ	I	R
3417.790	1		3465.437	1		3567.308	2	.309 R.	3663.526	5	.520 R.
3418.125	2	.117 R.	3467.190	2	.192 R.	3570.743	2	.748 R.	3668.890	1	
3419.394	2	.389 R.	3472.843	2		3571.910	1	.913 R.	3669.694	4	.688 R.
3420.243	4	.236 R.	3473.900	5	.892 R.	3574.744	3	.748 R.	3671.363	2	.355 R.
3420.881	0		3477.350	0		3579.923	0	.924 R.	3672.210	2	
3422.578	2		3480.295	2		3587.344	2	?1	3675.408	3	.400 R.
						5672.525	2	.521 R.			
3426.120	2	.089 R.	3481.044	0		3589.370	4	.360 R.	3676.817	3	.808 R.
3427.717	0		3481.465	4	.449 R.	3591.044	1		3677.100	2	.098 R.
3428.476	4 r	.460 R.	3482.499	2		3593.177	4 r	.178 R.	3678.140	3	
3428.790	2	.769 R.	3483.317	2	.317 R.	3596.315	5 r	.342 R.	3678.222	2	
3429.702	4	.689 R.	3483.463	2	.438 R.	3599.548	0		3678.465	4	.456 R.
3430.568	0		3486.360	2		3599.913	4	.914 R.	3683.730	1	
3430.910	4	.908 R.	3486.948	2		3601.627	2	.630 R.	3685.204	2	
3431.905	0		3489.895	1		3605.792	3	.785 R.	3686.109	4	.086 R.
3432.354	3	.348 R.	3490.879	1		3606.297	1		3686.742	1	
3432.560	0		3492.256	1		3608.862	2	.878 R.	3690.179	1	
3432.909	4	.896 R.	3493.377	2		3609.241	2	.247 R.	3693.740	2	.734 R.
3433.406	4	.397 R.	3494.410	3	.404 R.	3614.486	1		3696.738	4	.725 R.
3434.325	0		3496.145	2	.131 R.	3617.090	4	.100 R.	3697.921	3	.906 R.
3435.340	4	.327 R.	3496.293	2	.272 R.	3619.334	4	.348 R.	3698.016	2	
3436.237	0		3498.103	1	.086 R.	3620.426	4	.434 R.	3700.487	1	
3436.481	2	.475 R.	3499.098	10 r	.095 R.	3623.804	4		3701.134	2	
3436.886	5 r	.883 R.	3501.510	1		3623.995	0		3701.457	2	.456 R.
3438.522	4	.510 R.	3502.578	2		3625.345	5	.339 R.	3702.369	2	.369 R.
3438.819	0		3509.870	2		3626.897	5	.886 R.	3703.344	2	.343 R.
3439.835	2		3513.807	2	.799 R.	3627.425	2	.433 R.	3705.506	2	.496 R.
3440.361	4	.351 R.	3514.649	4	.631 R.	3629.352	1		3712.443	3	.444 R.
3441.942	0		3514.911	1		3631.860	3	.859 R.	3714.788	1	
3443.309	2		3516.046	0		3632.545	1		3715.703	3	.705 R.
3443.818	0		3519.795	3	.785 R.	3634.063	4	.064 R.	3716.323	3	.314 R.
3444.574	1		3520.285	4	.286 R.	3635.093	7	.084 R.	3716.583	1	
3445.453	1		3528.841	2	.832 R.	3635.661	4	.658 R.	3717.152	4	.146 R.
3445.675	0		3531.545	3	.543 R.	3637.614	4	.612 R.	3717.823	2	.822 R.
3446.095	0		3532.965	2	.962 R.	3638.163	2	.161 R.	3719.474	4	.468 R.
3446.227	2		3535.529	2	.537 R.	3640.791	4	.786 R.	3722.458	1	
3446.630	2		3535.985	2	.988 R.	3645.827	1		3724.110	4	
3449.105	4	.107 R.	3538.100	3	.100 R.	3646.266	3	.262 R.	3724.633	2	
3449.608	0		3539.418	2	.415 R.	3650.473	4	.465 R.	3725.115	4	.117 R.
3451.014	0		3539.518	2	.521 R.	3652.465	3	.460 R.	3726.254	4	.239 R.
3453.056	4		3541.788	3	.777 R.	3652.627	0		3727.077	4 r	.073 R.
3453.373	0		3547.136	1	.131 R.	3652.816	0		3728.170	5 r	.173 R.
3455.548	2		3550.420	2	.419 R.	3653.857	2		3730.587	7	.577 R.
3455.888	2		3554.002	1	.998 R.	3654.559	4	.549 R.	3730.745	3	.737 R.
3456.769	4	.763 R.	3556.779	0	.773 R.	3656.112	2		3731.045	2	.048 R.
3457.849	0		3557.203	0	.207 R.	3657.315	2		3732.170	2	.170 R.
3459.736	2		3562.035	0	.040 R.	3657.716	1		3733.187	2	.188 R.
3462.208	2	.218 R.	3564.517	0	.509 R.	3660.964	3	.961 R.	3737.548	3	.540 R.
3463.289	4	.286 R.	3564.714	1	.719 R.	3661.486	7	.525 R.	3737.904	2	.902 R.
3463.751	0		3564.945	0	.949 R.	3661.727	2	.721 R.			

1 Rowland gibt 3584.349; wohl ein Druckfehler.

3738.774	2	.773 R.	3898.500	3	.498 R.	4006.749	4	.748 R.	4108.003	4	.001 R.
3739.058	2	.057 R.	3901.393	4	.391 R.	4007.680	3	.686 R.	4108.218	2	.224 R.
3739.622	4	.610 R.	3906.141	1		4008.422	2	.418 R.	4109.796	0	
3742.435	5	.422 R.	3908.907	3	.906 R.	4011.882	2		4112.910	4	.905 R.
3742.938	4	.933 R.	3909.229	5	.222 R.	4013.655	4	.652 R.	4113.532	2	.542 R.
3744.367	2	.363 R.	3911.279	3		4013.871	2		4114.285	1	
3744.550	2		3912.248	3	.252 R.	4014.297	2		4118.678	2	.666 R.
3746.372	2		3915.000	4	.990 R.	4018.891	1		4121.147	2	.153 R.
3753.695	4	.684 R.	3919.711	0		4019.699	2		4121.287	2	
3755.241	3	.234 R.	3921.060	4	.060 R.	4021.146	3		4123.227	2	.227 R.
3755.865	2	.868 R.	3922.476	1		4022.327	5	.315 R.	4127.611	2	.609 R.
3756.083	4	.075 R.	3923.636	6	.615 R.	4022.837	2		4128.017	2	.035 R.
3759.976	2	.979 R.	3924.776	2	.774 R.	4024.001	4	.986 R.	4137.410	3	.394 R.
3760.178	4	.163 R.	3926.071	6	.062 R.	4024.449	2		4138.923	0	
3761.644	4	.655 R.	3926.581	0		4024.848	2	.847 R.	4144.335	4	.324 R.
3764.179	1	.173 R.	3931.936	4	.920 R.	4026.650	1		4145.905	4	.905 R.
3765.938	0		3932.444	0		4028.584	2		4146.956	4	.939 R.
3767.500	4	.495 R.	3934.352	1		4031.147	3	.155 R.	4148.530	1	.539 R.
3771.244	0		3938.045	3	.060 R.	4032.363	4	.362 R.	4150.475	1	.470 R.
3773.306	0	.314 R.	3939.268	0		4032.650	1 u		4161.817	4	.823 R.
3777.723	3	.729 R.	3941.811	3	.819 R.	4036.612	2		4167.030	0	.047 R.
3781.313	3		3942.209	4	.215 R.	4037.892	2		4167.666	5	.683 R.
3782.891	0		3944.341	2	.339 R.	4039.370	4	.365 R.	4170.218	2	.219 R.
3786.193	5	.194 R.	3945.723	0	.730 R.	4040.620	2		4175.615	2	.604 R.
3790.649	5	.655 R.	3946.456	2	.468 R.	4042.123	2		4182.621	2	.623 R.
3795.327	0	.316 R.	3949.564	2	.560 R.	4049.570	2	.570 R.	4182.807	1	.812 R.
3798.205	1	.189 R.	3950.192	2	.183 R.	4051.566	4	.561 R.	4182.994	0	.998 R.
3799.040	4	.042 R.	3950.366	4	.360 R.	4052.356	4	.354 R.	4189.639	0	.631 R.
3799.486	4r	.489 R.	3950.548	3	.556 R.	4054.216	4	.212 R.	4197.038	2	.039 R.
3812.874	3	.869 R.	3951.351	4	.360 R.	4063.021	1	.023 R.	4197.748	4	.745 R.
3817.439	1	.424 R.	3952.436	1		4063.160	2	.147 R.	4199.039	4	.039 R.
3819.184	2	.173 R.	3952.850	5	.844 R.	4064.262	2	.263 R.	4200.069	7	.062 R.
3822.225	1	.223 R.	3957.376	0		4064.616	4	.615 R.	4206.178	4	.178 R.
3825.075	1	.074 R.	3957.596	2	.600 R.	4067.777	4	.771 R.	4207.797	2	.798 R.
3828.859	0	.849 R.	3965.057	4	.055 R.	4068.529	4	.529 R.	4212.240	5	.225 R.
3831.946	4	.937 R.	3969.936	2		4071.560	3	.561 R.	4214.610	4	.604 R.
3838.215	0	.201 R.	3972.568	0		4073.147	2	.156 R.	4217.438	7	.427 R.
3839.815	1	.832 R.	3974.646	4	.650 R.	4073.260	2		4220.838	4	.838 R.
3857.689	1	.680 R.	3978.620	5	.600 R.	4076.900	5	.886 R.	4225.258	3	.256 R.
3867.965	1	.962 R.	3979.591	4	.571 R.	4079.440	1		4226.825	0	.824 R.
3872.386	1		3982.043	2		4080.777	7	.757 R.	4229.472	4	.475 R.
3884.203	2	.207 R.	3982.372	3		4082.947	2		4230.470	6	.478 R.
3884.849	2	.849 R.	3984.840	1		4085.567	5	.589 R.	4232.478	4	.481 R.
3887.962	2	.960 R.	3985.011	5	.007 R.	4091.218	1	.223 R.	4236.838	4	.834 R.
3890.350	4	.347 R.	3987.959	4	.942 R.	4097.185	2	.185 R.	4240.194	0	
3891.567	2	.564 R.	3989.344	2		4097.965	4	.948 R.	4241.231	6	.215 R.
3892.366	4	.364 R.	3994.700	1		4100.533	2	.530 R.	4243.228	6	.216 R.
3892.916	2	.915 R.	3996.136	4	.128 R.	4101.906	4		4244.997	4	.992 R.
3894.387	2		3996.650	2		4102.438	2	.443 R.	4246.359	0	
3897.390	2	.383 R.	4005.789	4	.793 R.	4106.065	0		4246.522	4	.498 R.

4246.902	4	.893 R.	4332.655	2		4439.574	2		4596.879	4	
4248.304	2		4332.789	0		4439.938	5	.935 R.	4599.271	6	.265 R.
4255.868	1		4336.584	2	.591 R.	4440.245	0		4601.933	3	
4256.049	0		4337.427	4	.431 R.	4444.674	4	.681 R.	4602.978	0	
4256.790	0		4338.829	2		4449.509	4	.509 R.	4605.833	2	
4259.152	5	.144 R.	4340.503	2		4460.209	6	.197 R.	4617.827	0	
4260.166	3		4341.204	2		4464.661	0		4626.184	1	
4263.551	2		4342.243	6	.236 R.	4465.649	1		4628.495	0	
4265.766	2	.762 R.	4343.178	0		4466.511	2		4635.849	4	
4266.157	0		4346.640	4	.645 R.	4467.427	2		4638.569	0	
4273.115	0		4349.868	5	.867 R.	4471.200	0		4639.490	0	
4277.415	2	.413 R.	4350.632	0		4474.093	4	.100 R.	4641.135	0	
4278.842	2	.844 R.	4354.300	6	.296 R.	4475.493	2		4642.548	1	
4282.093	2	.089 R.	4354.960	3	.969 R.	4480.603	4	.617 R.	4642.752	1	
4282.357	2	.367 R.	4357.031	1		4482.194	2		4645.264	4	
4284.502	6	.490 R.	4361.372	5	.371 R.	4488.550	4		4646.326	0	
4287.209	4	.204 R.	4361.581	2	.597 R.	4490.396	2		4646.967	0	
4290.692	2		4362.872	1		4491.846	2		4647.787	5	
4292.419	0		4364.270	2		4498.322	4	.316 R.	4648.293	0	
4293.441	4	.443 R.	4365.741	0		4508.192	1		4652.371	0	
4294.268	4		4370.580	2		4508.715	2		4654.489	4	
4294.955	5	.948 R.	4371.363	4	.366 R.	4510.251	4	.265 R.	4654.901	0	
4296.090	5	.090 R.	4372.381	5	.363 R.	4511.353	4	.364 R.	4662.663	0	
4296.860	2		4376.745	1		4516.421	2		4670.146	4	
4297.887	8	.870 R.	4381.421	2		4517.060	4	.063 R.	4674.821	4	
4301.297	1		4383.530	2	.528 R.	4517.977	4	.985 R.	4681.563	0	
4302.150	0		4385.563	5	.553 R.	4521.110	4	.124 R.	4681.966	4	
4307.748	4	.746 R.	4385.823	5	.814 R.	4525.616	0		4683.258	0	
4308.567	0		4386.431	4	.436 R.	4531.035	4		4684.196	4	
4309.361	2		4389.150	2		4542.848	1		4685.947	1	
4312.047	0		4389.547	0		4547.105	2		4690.284	4	
4312.632	2		4390.614	6	.605 R.	4547.463	4	.467 R.	4709.672	6	
4313.067	0		4391.191	4	.191 R.	4548.030	4	.031 R.	4712.146	1	
4314.468	4	.471 R.	4395.125	2		4549.589	2		4714.335	0	
4315.219	4		4396.868	0		4550.112	3	.121 R.	4716.201	2	
4316.792	2	.801 R.	4397.956	4	.966 R.	4552.281	4	.293 R.	4718.228	0	
4318.596	4	.599 R.	4399.751	1		4554.696	6 r	.697 R.	4721.078	1	
4319.274	2		4405.809	0		4559.215	1		4731.504	3	
4320.045	5	.036 R.	4410.207	6	.193 R.	4560.157	4	.168 R.	4733.486	0	
4320.743	2		4412.058	0		4562.772	1		4733.710	4	
4320.972	0		4413.458	2		4564.862	2		4738.587	0	
4321.450	2		4414.607	1		4580.246	3		4743.205	1	
4323.120	2		4420.634	2		4584.632	4	.619 R.	4751.197	0	
4323.626	0		4421.006	4	.013 R.	4589.177	0		4753.280	0	
4325.215	4	.213 R.	4421.629	4	.626 R.	4589.734	0		4756.402	2	
4326.987	4	.986 R.	4423.143	1		4591.257	4	.285 R.	4758.043	6	
4327.489	2		4424.958	3		4591.717	2		4764.582	0	
4327.588	3	.590 R.	4426.182	1		4592.695	4	.699 R.	4767.315	0	
4328.712	2		4428.624	4	.631 R.	4593.161	0		4769.464	4	
4331.321	4	.329 R.	4430.478	1		4593.367	0		4773.325	0	

4774.168	o	4987.412	1	5243.109	2 u	5518.056	2
4781.937	1	4992.891	2	5245.112	o	5531.220	2
4794.547	2	5003.697	o	5245.612	2	5540.881	3
4795.721	2	5005.394	1	5251.816	1	5549.960	2
4798.607	2	5010.765	1	5257.240	2	5556.719	3
4801.343	1	5011.387	3	5264.113	o u	5559.962	6
4805.043	2	5019.140	1	5266.642	1	5569.233	4
4806.375	o	5020.472	o	5266.988	1	5570.906	2
4813.412	o	5026.343	3	5275.240	1	5578.594	4
4814.895	o	5039.794	o u	5280.989	2	5578.914	2
4815.694	5	5040.521	1	5284.256	4	5579.650	2
4817.512	1	5040.908	1	5291.327	1	5582.501	2
4822.738	o	5041.528	o	5305.030	4	5600.753	2
4828.865	o	5045.570	1	5306.035	o	5603.370	2
4833.157	2	5047.471	2	5306.624	1	5603.782	3
4839.174	3	5053.114	o	5307.481	o	5606.958	3
4839.930	1	5057.487	4	5309.440	4	5609.360	2
4844.720	4	5062.815	1	5315.520	2	5619.558	o
4854.731	1	5073.141	2	5333.114	3	5627.722	2
4862.024	2	5077.243	1	5334.901	2 u	5629.984	1
4863.265	o	5077.484	3	5336.110	3	5636.441	7
4865.253	1	5093.996	4	5348.340	o	5641.848	2
4869.314	6	5101.553	2	5361.967	5	5647.755	o
4869.952	1	5101.892	o	5362.271	2	5648.058	1
4874.489	o	5107.230	4	5365.799	2	5649.737	3
4875.188	o	5127.423	2	5373.505	o u	5650.981	2
4877.598	o	5134.059	2	5378.042	3	5653.005	o
4882.832	o	5134.285	o	5386.083	4	5653.482	2
4885.186	o	5136.717	5	5401.234	5	5657.127	2
4895.474	1	5142.933	4	5401.609	2	5663.233	o
4895.555	1	5147.401	4	5419.056	4	5665.370	4
4895.745	4	5151.230	4	5427.815	4	5876.720	1
4899.416	1	5153.364	2	5439.421	2	5679.790	4
4901.234	o	5155.302	4	5439.618	2 u	5688.990	2
4902.033	o	5160.167	2	5452.930	1	5692.288	1
4903.223	5	5168.237	o	5455.018	6	5693.190	4
4905.179	1	5168.793	o	5456.329	2 u	5694.626	2
4908.045	3	5169.242	o	5471.755	o	5696.526	1
4910.384	o	5171.193	6	5473.050	2	5699.224	4
4911.755	1	5174.105	o	5475.377	2	5699.741	2
4921.233	4	5176.361	o	5479.619	4	5702.522	4
4935.805	o	5195.171	4	5480.507	3	5713.025	4
4938.587	3	5200.040	3	5484.524	6	5714.391	2
4955.416	1	5202.285	2	5484.850	2	5724.975	4
4960.022	o	5209.667	2	5494.575	1	5725.895	4
4969.055	2	5213.586	3	5496.899	4	5730.122	2
4974.255	o	5214.247	1	5501.230	1	5734.606	o
4975.534	o	5223.708	3	5507.151	o	5740.710	o
4976.351	2	5235.774	1	5510.934	6	5745.776	1
4980.498	2	5242.560	1	5512.593	2	5746.131	4

5747.623	5	5771.352	0	5804.461	4	5833.561	0 u
5752.163	3	5774.533	2	5815.157	5	5864.830	0
5753.772	1	5782.511	2	5826.018	0	5887.371	0
5756.980	3	5782.720	4	5828.235	2		
5758.875	0	5790.741	1	5828.580	1		
5768.066	3	5792.382	1	5833.380	2		

Rowland führt noch 20 Ru-Linien auf, welche bei mir fehlen. Der gröfste Theil derselben liegt in der Cyanbande bei 3883, die auf meinen Ru-Platten sehr stark war, so dafs ich keinen Grund habe, die Richtigkeit dieser Linien zu bezweifeln. Von einigen anderen gilt das nicht: 2997.536 und 3097.337 kommen in allen 6 Spectren mit Intensitäten zwischen 0 und 2 vor. Für letztere Linie fand ich z. B. im Pt: 3097.340 (0), im Pd: 3097.338 (0), im Ir: 3097.333 (1), im Ru: 3097.335 (2), im Rh: 3097.338 (0), im Os: 3097.343 (0). Die Linie ist zwar am stärksten im Spectrum des Ru; aber da z. B. im Spectrum des Pt selbst die stärksten umgekehrten Linien des Ru fehlen, so kann es hier keine Ru-Linie sein. Ich halte es also für eine gemeinsame unbekannte Verunreinigung. — 3933.700 habe ich nicht gefunden, möglich ist freilich, dafs sie bei mir unter der starken Ca-Linie *K* verborgen ist. 4045.949 fehlt bei mir ebenfalls, vielleicht verdeckt hier die Eisenlinie 4045.97.

4. Rhodium.

Zur Darstellung des Spectrums hatte ich folgende Salze von Dr. Bettendorff zur Verfügung: schwefelsaures Rhodiumoxyd Natron, schwefligsaures Rhodiumoxyd Natron, Rhodium Sesquichlorür, Rhodium Ammonium Sesquichlorür. Die Salze enthielten nur Spuren von Os.

2308.88	2	2396.617	0	2418.718	3	2433.346	0
2318.432	2	2399.044	0	2420.271	2	2436.974	0
2319.173	2	2406.472	0	2420.947	0	2437.174	2
2328.737	2	2407.974	2	2421.060	2	2439.338	0
2334.762	1	2408.100	0	2422.237	0	2440.427	2
2345.597	1	2408.275	1	2424.021	2	2442.830	0
2368.380	3	2408.745	0	2424.521	0	2443.221	0
2369.654	2	2409.626	0	2427.193	3	2443.812	0
2370.642	2	2410.348	0	2427.777	2	2444.337	4 u
2382.969	2	2412.613	1	2429.053	2	2444.843	0
2383.490	2	2414.433	0	2429.268	0	2445.714	2
2384.751	2	2414.662	0	2429.610	2	2448.378	0
2386.322	4	2414.927	3	2431.936	2	2448.923	2
2386.489	0	2417.523	0	2432.755	1	2450.660	4

2453.898	0	2515.833	2	2584.016	1	2639.327	0
2455.521	0	2518.561	0	2586.897	2	2642.857	0
2455.788	2	2520.623	2	2587.245	2	2643.077	4
2456.277	1	2522.988	2 u	2587.353	0	2643.691	2
2459.004	2	2525.221	0	2588.545	0	2647.375	4
2459.237	1	2526.092	1	2589.892	1	2648.681	2
2461.120	2	2526.244	2	2592.247	0	2649.686	1
2463.670	4 u	2526.744	0	2596.134	0	2650.985	0
2469.203	1	2530.284	0	2597.014	3	2651.973	0
2470.486	2	2531.053	0	2597.484	0	2652.750	5
2470.860	0	2531.369	0	2597.774	2	2656.000	2
2471.561	2	2531.920	2	2598.166	2	2658.515	0
2472.571	2	2532.743	2	2599.352	0	2659.098	2
2473.199	2	2533.687	2	2601.926	0	2659.573	2
2474.116	0	2534.170	2	2603.500	4	2659.937	1
2474.677	1	2534.682	0	2605.807	2	2663.389	0
2475.097	4	2536.803	4	2606.540	4	2663.764	2
2475.749	0	2537.155	3	2607.831	2	2666.498	2
2475.978	0	2537.721	2	2608.639	2	2667.317	0
2477.618	0	2539.860	4 u	2609.266	0	2667.453	0
2480.596	0	2541.096	2	2610.156	0	2669.419	0
2480.921	0	2543.648	0	2612.315	0	2671.144	4
2481.686	0	2544.317	2	2613.145	0	2671.529	1
2483.423	2 u	2545.794	4	2613.689	4 u	2674.059	2
2485.688	2	2547.366	0	2615.735	2	2674.287	2
2487.581	4	2548.679	2	2616.178	2	2674.525	2
2488.547	1	2551.289	2	2618.596	3	2676.200	4
2489.986	0	2553.426	0	2621.099	2	2676.573	2
2490.860	3	2555.010	0	2622.661	4	2680.379	2
2492.395	2	2555.449	4	2622.756	1	2680.717	4
2493.733	1	2556.172	1	2624.821	0	2681.873	3
2494.604	4 u	2558.714	4	2624.948	0	2682.624	2
2499.095	2 u	2560.322	2	2625.309	2	2683.660	0
2500.668	2	2562.741	0	2625.496	1	2684.301	2
2500.740	0	2564.900	0	2625.973	3	2685.551	0
2501.115	1	2565.888	2	2626.776	2	2686.608	4
2502.546	2	2566.137	2	2627.042	0	2687.015	4
2502.843	1	2566.960	2	2628.222	0	2687.411	2
2503.458	0	2567.374	4	2630.003	2	2688.173	2
2503.939	1	2569.171	0	2630.509	2	2689.022	0
2504.384	4 u	2570.206	2	2633.373	2	2689.716	0
2505.189	2	2573.577	2	2633.523	2	2692.390	2
2505.758	2	2574.332	2	2634.605	0	2692.463	2
2507.342	0	2574.751	2	2635.082	4	2693.726	2
2508.743	2	2576.330	2	2635.407	2	2694.405	4
2509.788	2	2579.487	2	2636.744	1	2697.955	2
2510.747	2	2579.650	0	2637.484	0	2700.384	2
2511.133	2	2580.043	0	2638.388	0	2700.688	1
2512.180	2	2581.100	2	2638.839	2	2702.158	2
2513.464	2	2581.790	0	2639.097	0	2702.337	2

2702.621	0	2771.615	4	2832.893	2	2884.683	2
2703.820	6	2773.397	2	2833.981	1	2885.364	0
2705.059	0	2774.557	2	2834.233	4	2886.112	4
2705.718	3	2775.869	2	2834.990	1	2887.082	0
2706.135	2	2778.162	4	2835.671	1	2888.986	0
2707.320	2	2778.967	3	2836.799	4	2889.222	4
2707.896	0 u	2779.654	3	2838.425	2	2889.623	1
2709.613	3	2780.439	3	2839.666	0	2889.962	4
2714.499	4	2781.184	1	2841.909	4 U	2892.320	4
2714.881	0	2783.140	5 '	2842.270	4 u	2892.817	0
2715.149	2	2785.920	0	2844.463	4 u	2893.142	1
2715.399	2	2786.934	2	2844.917	0	2895.823	1
2716.645	0	2790.493	2	2845.868	2	2897.171	0
2716.912	2	2790.872	2	2849.461	2	2897.806	0
2717.606	3	2791.270	4	2850.608	1	2899.800	2
2718.111	0	2792.886	2	2851.526	0	2900.080	4
2718.648	2	2794.020	2	2852.459	1	2902.975	0
2720.235	3	2794.587	0	2852.809	0	2903.428	2
2720.622	3	2795.366	1	2854.237	0	2903.960	0
2722.243	2	2795.824	2	2854.848	2	2904.440	0
2722.389	0	2796.743	3	2855.273	4	2905.106	2
2725.961	0	2799.536	0	2859.735	2	2907.335	3
2726.934	0	2799.705	0	2859.908	2	2907.835	1
2729.034	6	2800.021	0	2860.208	0	2909.837	0
2729.611	0	2801.674	3	2860.774	3	2910.281	4
2731.874	0	2802.113	0	2860.886	4	2912.746	4
2732.261	0	2804.020	2	2861.877	0	2913.185	0
2734.906	2	2805.908	2	2862.572	0	2913.474	0
2736.860	3	2806.212	1	2863.057	6	2913.715	2
2737.509	2	2807.270	2	2864.517	4	2914.114	4
2737.717	2	2809.853	0	2865.755	2	2914.691	0
2738.359	2	2810.999	3	2867.973	1	2915.534	4
2739.845	1	2814.817	0	2868.400	2	2917.028	0
2740.027	1	2816.979	1	2869.746	0	2920.296	1
2740.304	2	2819.367	1	2870.108	2	2921.229	0
2740.487	0	2819.742	3	2870.551	2	2923.239	4
2740.647	2	2820.946	3	2871.489	5 u	2924.140	4
2743.568	0	2821.620	1	2873.104	0	2926.160	0
2751.140	0	2822.850	0	2873.742	4	2926.322	0
2751.450	2	2822.979	2	2874.115	2	2926.953	0
2752.941	2	2823.504	3	2874.507	0	2927.062	0
2754.845	0	2823.756	0	2875.764	2	2928.559	0
2757.005	1	2823.988	0	2876.592	0	2929.256	4
2760.541	2	2826.532	4	2878.139	0	2932.065	4
2762.311	0	2826.798	4	2878.770	4	2934.988	0
2762.938	2	2827.433	4	2879.628	0	2937.285	2
2764.909	2	2828.259	0	2880.775	1	2938.403	2
2767.832	4	2829.421	2	2880.912	2	2939.588	2
2768.336	4	2829.664	2	2881.400	2	2940.175	0
2770.277	1	2831.398	0	2882.497	4	2941.246	3

2942.116	0		3016.930	1 u	3073.550	0		3149.580	0	
2946.042	2		3017.225	1	3074.806	0		3149.978	0	
2948.388	0		3018.194	0	3076.736	2		3150.385	4	
2949.475	1		3019.569	2	3078.905	0		3152.724	6	.719 R.
2950.023	3		3019.664	2	3080.449	0		3154.945	0	
2951.957	1		3019.928	0	3081.714	0		3155.893	6	.893 R.
2955.395	2		3022.117	0	3084.078	4	.081 R.	3158.063	2	
2955.541	2		3022.673	0	3085.790	2		3159.001	2	
2955.942	0		3023.164	0	3087.180	0		3159.354	2	
2956.229	0		3024.018	3	.019 R.	3087.534	4	3162.388	1	
2956.406	1		3025.517	2	3088.428	2		3162.608	0	
2958.504	0		3027.053	2	3089.480	0		3163.551	1	
2958.899	4		3027.817	1	3089.775	0		3167.072	0	
2959.478	1		3028.545	4	3090.506	2		3170.379	0	
2959.769	4		3028.975	0	3091.840	0		3171.625	2	
2960.686	0		3031.573	0	3093.592	0		3172.392	4	
2960.773	0		3034.474	0	3094.691	2		3176.666	0	
2961.805	2		3036.483	0	3096.722	0		3177.020	0	
2963.664	2		3038.583	2 u	3096.834	1		3177.201	4	
2965.018	0		3043.586	0	3099.567	0		3178.517	4	
2965.801	0		3045.887	3	3102.634	4		3179.833	5	.843 R.
2968.790	6		3046.304	2	3105.110	4		3181.330	3	
2970.807	1		3046.871	4	3105.756	1		3182.519	0	
2971.741	0		3047.440	0	3108.405	2		3183.012	0	
2974.156	3		3048.095	2	3115.027	5	.026 R.	3183.558	0	
2975.935	2		3049.003	0	3119.846	0		3184.485	0	
2977.809	5		3049.334	2	3120.714	0		3185.702	5	.710 R.
2981.238	2		3049.919	0	3121.381	0		3187.265	0	
2982.514	3		3050.050	0	3121.879	6	.873 R.	3187.740	0	
2983.194	4		3050.842	2 u	3123.818	6	.814 R.	3187.998	1	
2984.135	0		3051.780	0	3124.508	2		3188.408	1	
2984.593	0		3053.988	2	3125.000	0		3189.162	5	.164 R.
2986.330	7	.321 R.	3054.980	0	3126.990	2		3190.466	3	
2987.117	5		3055.755	0	3130.918	4		3191.313	6	.305 R.
2987.568	3		3056.452	0	3134.047	1		3192.112	0	
2988.487	0		3057.996	4	3134.710	0		3192.336	0	
2988.977	0		3058.974	1	3135.590	2 u	3193.633	1	
2989.302	0		3059.473	2	3137.450	4		3193.963	2	
2990.048	2		3060.001	0	3137.825	5	.824 R.	3194.671	4	.660 R.
2990.158	0		3061.782	2	3138.506	1		3197.257	4	.248 R.
2991.881	2		3062.544	0	3140.355	0		3199.979	1	
2995.828	0		3063.700	1	3140.549	1		3206.202	4	
3001.582	0		3065.800	0	3140.963	0		3207.390	2	
3004.565	5	.555 R.	3066.333	0	3141.314	0		3211.504	3	
3005.929	2		3066.475	0	3145.518	1		3212.667	0	
3009.103	1		3067.395	6	3145.734	2		3214.440	4	.440 R.
3010.369	0		3069.034	2	3146.327	0		3214.628	0	
3011.021	0		3070.467	1	3147.274	0		3214.984	4	
3014.352	2		3071.134	3	3147.736	4		3218.009	4	
3015.960	0		3071.716	1	3148.350	1		3218.395	4	

λ	I	R	λ	I	R	λ	I	R	λ	I	R
3218.655	0		3299.066	2		3376.017	0		3457.219	5	.216 R.
3220.893	2		3300.133	0		3377.275	5	.282 R.	3458.070	6	.072 R.
3221.193	0		3300.479	2		3377.742	2		3458.815	0	
3221.422	1		3300.604	4	.593 R.	3377.850	4	.856 R.	3459.375	3	
3221.589	0		3301.820	0		3380.775	4		3462.191	5 r	.184 R.
3232.627	4		3303.474	0		3381.208	0		3469.355	0	
3233.440	0		3303.872	0		3381.578	4	.589 R.	3469.774	5	.770 R.
3234.656	0		3304.258	2		3385.919	6	.924 R.	3470.505	1	
3235.910	2		3305.298	4		3387.174	2		3470.817	4 r	.805 R.
3237.781	4	.777 R.	3307.091	1		3387.960	0		3472.402	5	.393 R.
3240.644	0		3307.474	0		3389.340	3	.361 R.	3472.994	0	
3240.998	0		3308.067	3		3390.608	1 u		3474.939	5 r	.920 R.
3241.602	0		3309.663	2		3391.847	2		3477.354	1	
3242.111	0		3314.665	2		3391.935	2	.927 R.	3478.646	2	.640 R.
3242.820	1		3316.670	0		3392.230	1		3479.064	4 r	.053 R.
3250.151	2		3323.232	6 r	.228 R.	3395.014	3	.040 R.	3480.658	0	
3253.457	2		3331.223	4	.230 R.	3396.956	8 r	.960 R.	3484.186	4	.184 R.
3255.104	4		3331.393	4	.381 R.	3399.823	7	.839 R.	3485.031	2	
3258.352	0		3332.648	1		3401.109	3		3487.366	3	.363 R.
3259.994	0		3335.328	0		3403.247	0		3487.621	3	
3260.938	2 u		3336.842	0		3404.021	2		3491.216	3	.218 R.
3263.280	8	.268 R.	3338.672	7	.687 R.	3406.690	5	.694 R.	3491.365	3	.353 R.
3263.924	2		3340.987	0		3407.387	2		3494.585	5	.591 R.
3264.313	0		3343.036	5	.039 R.	3407.884	2	.883 R.	3498.887	7	.878 R.
3266.511	1		3343.573	2		3408.990	0		3502.686	8 r	.674 R.
3267.605	1		3344.337	5	.340 R.	3410.074	0		3505.559	4	
3268.597	5		3347.437	1		3410.625	1		3507.471	4 r	.466 R.
3270.702	3		3347.660	0		3412.425	6	.417 R.	3508.754	1	
3271.748	8	.736 R.	3352.510	2		3415.824	0		3509.444	3	
3274.908	4		3353.834	2		3416.901	0		3511.696	3	.691 R.
3276.122	4		3354.853	4		3420.307	4	.312 R.	3511.942	4	.940 R.
3278.620	2		3356.670	1		3422.430	3	.434 R.	3513.258	4	.258 R.
3280.680	4 r	.664 R.	3357.560	0		3423.699	0		3519.690	2	.692 R.
3281.827	4	.822 R.	3357.980	2		3424.533	4	.532 R.	3525.805	2	.808 R.
3282.932	0		3358.962	0		3428.559	2		3528.183	7 r	.177 R.
3283.705	4 r	.695 R.	3360.043	6	.038 R.	3432.234	2	.238 R.	3538.269	3	.293 R.
3284.151	0		3360.952	8	.944 R.	3435.037	10 r	.039 R.	3538.409	3	.391 R.
3285.964	2		3362.321	5	.330 R.	3440.675	4	.671 R.	3542.068	4	.065 R.
3286.520	4		3363.382	0		3442.243	0		3544.122	5	.097 R.
3288.159	2		3364.281	0		3442.781	4	.775 R.	3549.681	5	.689 R.
3289.274	5	.266 R.	3365.138	0		3443.001	2		3550.165	0	.145 R.
3289.739	5	.750 R.	3365.652	0		3446.202	0		3564.290	2	.282 R.
3292.531	0		3368.518	6		3447.897	6	.883 R.	3590.688	1	.678 R.
3293.012	0		3368.914	3	.918 R.	3448.715	5	.723 R.	3593.685	3	
3293.533	0		3369.824	5		3450.437	5	.435 R.	3594.054	0	
3294.400	5	.404 R.	3372.379	7	.391 R.	3451.294	4	.298 R.	3596.183	4	.185 R.
3294.843	1		3372.672	2	.668 R.	3454.617	0		3596.343	4 r?	
3296.847	4	.842 R.	3372.930	0		3455.369	4	.365 R.	3597.300	6 r	.294 R.
3297.409	2		3373.879	0		3455.595	4	.571 R.	3598.057	3	.051 R.
3297.667	0		3375.735	0 u		3456.284	0		3600.911	4	

4*

3606.029	5	.019 R.	3775.864	2		4023.302	5	.301 R.	4373.212	5	.212 R.
3608.246	4	.243 R.	3778.279	4	.279 R.	4026.089	1		4374.976	7 r	.981 R.
3612.621	5 r	.618 R.	3788.633	5	.624 R.	4048.572	3	.573 R.	4376.350	1	.347 R.
3614.099	1		3793.366	4 r	.364 R.	4049.188	3	.200 R.	4380.097	5 u	.082 R.
3614.674	1		3799.466	4 r	.461 R.	4053.602	3	.603 R.	4388.224	1	.215 R.
3614.934	4	.931 R.	3806.071	4	.070 R.	4056.491	3	.503 R.	4402.725	1	.716 R.
3620.621	5	.605 R.	3806.920	4	.908 R.	4077.739	4	.748 R.	4410.449	0	
3626.759	7	.744 R.	3809.655	2	.648 R.	4080.690	1	.699 R.	4420.178	0 u	
3627.342	4	.334 R.	3812.599	2	.603 R.	4081.961	2	.975 R.	4421.383	0	
3627.958	4	.957 R.	3815.169	1	.166 R.	4082.942	5	.949 R.	4423.835	1	.824 R.
3639.684	6	.662 R.	3816.611	1	.611 R.	4084.442	2	.450 R.	4424.215	3	.217 R.
3643.301	0		3817.524	0		4087.950	4	.948 R.	4433.495	4	.489 R.
3644.363	0		3817.990	0		4088.646	4	.651 R.	4484.015	2	
3651.516	2	.505 R.	3818.345	5	.339 R.	4097.690	5	.692 R.	4492.644	4	.643 R.
3655.044	5	.026 R.	3822.397	4 r	.399 R.	4116.496	4	.496 R.	4503.955	4	.955 R.
3658.148	8 r	.135 R.	3827.505	0		4119.855	4	.852 R.	4506.815	1	
3661.760	2	.748 R.	3828.623	2	.615 R.	4121.870	4	.855 R.	4528.904	5	.901 R.
3662.027	3	.018 R.	3833.733	0		4125.063	2	.068 R.	4530.763	3	
3666.381	7	.366 R.	3834.016	5 r	.020 R.	4129.080	6	.054 R.	4544.447	4	
3667.070	4	.065 R.	3834.893	2	.895 R.	4135.448	4 r	.445 R.	4551.828	6	
3674.924	5	.916 R.	3856.167	0	.165 R.	4137.008	0	.025 R.	4557.343	4	
3681.205	6	.184 R.	3856.663	4 r	.645 R.	4154.495	2	.521 R.	4558.897	4	
3690.872	4 r	.853 R.	3865.291	1		4158.615	1	.634 R.	4561.062	5	
3691.481	2	.477 R.	3870.140	2	.151 R.	4177.780	1	.803 R.	4565.373	4	
3692.506	10 r	.502 R.	3872.534	0	.532 R.	4196.672	3	.661 R.	4568.538	2	
3695.105	2	.099 R.	3877.470	2	.482 R.	4206.770	2	.777 R.	4569.181	6	.184 R.
3695.674	5	.669 R.	3888.475	2	.470 R.?[1]	4211.306	5 r	.304 R.	4570.489	2	
3698.415	3	.410 R.	3891.953	0		4218.142	2	.153 R.	4571.466	4	
3698.758	5	.742 R.	3904.362	2	.359 R.	4228.002	0		4572.794	2	
3699.461	2	.458 R.	3905.423	1		4230.354	2	.358 R.	4599.553	0	
3701.057	8 r	.056 R.	3912.971	2	.964 R.	4244.598	4	.599 R.	4601.792	2	
3713.156	4 r	.172 R.	3913.657	4	.648 R.	4258.608	1	.617 R.	4608.294	2	
3713.593	3	.575 R.	3922.340	4	.337 R.	4270.696	2	?[3]	4620.059	5	
3714.989	4	.975 R.	3934.384	4 r	.368 R.	4273.578	4	.581 R.	4626.105	1	
3725.091	2		3935.123	2	.120 R.	4276.962	2	.974 R.	4634.017	4	
3735.429	4	.429 R.	3935.982	4	.983 R.	4278.744	3	.755 R.	4639.526	4	
3737.448	4	.421 R.	3942.862	5	?[2]	4288.883	7	.867 R.	4643.337	6	
3744.325	4	.325 R.	3953.214	2		4296.926	4	.931 R.	4666.261	2	
3748.383	5	.362 R.	3958.313	4		4308.982	2	.988 R.	4675.187	7	
3754.269	4	.268 R.	3959.006	5 r	.009 R.	4315.126	2	.123 R.	4677.532	4	
3754.441	3	.431 R.	3964.688	4	.688 R.	4325.584	0	.578 R.	4683.093	3	
3755.290	1		3968.320	2		4336.181	1	.176 R.	4689.610	1	
3755.748	2	.736 R.	3975.472	2	.465 R.	4342.608	1	.604 R.	4696.463	1	
3760.554	2	.559 R.	3976.240	2		4345.247	2	.245 R.	4704.230	5	
3765.232	5 r	.227 R.	3984.555	5	.556 R.	4345.629	3	.626 R.	4707.108	1 u	
3770.130	4	.125 R.	3995.768	4	.766 R.	4349.336	2	.333 R.	4719.545	2	
3771.779	2		3996.313	5	.307 R.	4362.393	0 u		4721.148	6	

[1] Rowland gibt 3886.470, was wohl Druckfehler ist.
[2] Rowland gibt 3942.059, wahrscheinlich ein Druckfehler.
[3] Rowland gibt 4260.706, wohl ein Druckfehler.

4724.483	2	5028.492	2	5292.279	4	5555.288	0
4731.333	1 u	5046.583	2	5314.911	3	5556.968	3
4745.276	6	5057.576	2	5329.571	0	5557.364	1 u
4750.007	0	5064.475	4	5329.890	4	5568.495	0
4755.717	4	5073.607	0	5331.237	2	5595.053	2 u
4770.938	3	5085.676	4	5336.794	0	5599.620	6 u
4771.687	2	5088.949	0	5339.845	0	5605.214	0
4777.304	2	5090.795	5	5349.463	2	5607.898	3
4791.164	3	5110.115	2	5354.573	7	5608.541	4
4791.640	0	5120.824	1	5356.638	3	5626.254	2
4794.364	0	5130.903	2	5359.850	0	5632.954	2
4798.829	4	5145.110	2	5364.290	0	5634.847	2
4801.517	1 u	5155.691	5	5369.470	1	5651.466	1 u
4803.393	0	5157.224	2	5379.275	5	5659.791	4
4810.645	6	5157.814	5	5381.683	0	5659.924	2 u
4813.678	1	5160.464	0 u	5384.214	0	5686.543	4
4817.233	0	5165.561	0	5390.622	5	5695.823	1
4833.627	0	5174.883	0	5404.898	4 u	5700.628	4 u
4842.556	4	5176.110	6	5408.972	2	5708.930	0 u
4844.145	6	5177.396	3	5423.483	2 u	5713.799	1 u
4851.777	6	5178.311	0	5424.910	4	5718.038	0
4856.614	0	5184.342	4	5425.636	4 u	5726.875	1 u
4861.497	2 u	5185.172	1	5431.813	2 u	5727.466	3
4861.808	0 u	5187.088	0	5432.224	2 u	5730.600	2
4865.922	4	5193.276	7	5439.783	4	5742.985	0
4888.045	0	5197.697	1	5441.547	4 u	5755.894	0
4898.022	1	5203.468	2	5444.508	2 u	5792.824	4
4908.744	2	5207.099	3	5445.424	4 u	5795.936	2
4913.649	2	5211.637	4	5468.288	3 u	5797.668	2
4918.953	2	5212.866	4	5468.921	2 u	5803.482	2
4919.823	2	5213.491	2	5471.040	5 u	5807.058	4
4922.633	2	5214.913	3	5475.318	2 u	5821.991	2
4944.975	2	5222.783	4	5480.997	0	5831.730	4
4960.318	1	5225.706	1	5481.602	2 u	5833.808	1 u
4961.012	0	5230.752	4	5484.421	4 u	5871.947	1
4963.831	4	5237.284	5	5492.048	2 u	5899.128	1
4966.511	2	5237.918	1	5497.197	0	5907.478	1
4977.869	4	5248.918	0	5503.776	2 u	5918.698	1
4985.107	2	5251.549	2 u	5504.845	4 u	5941.743	1
4996.012	0	5259.382	3	5534.074	1 u	5952.791	0
4997.919	1	5268.092	0	5535.235	5 u	5983.830	4
5012.538	0	5269.429	3	5542.260	0		
5025.692	1	5280.250	2	5544.797	6 uR		

Rowland gibt noch 25 Linien, die ich aber meist für falsch halte. 3076.006, 3282.455, 3302.712, 3303.668, 3345.156, 3345.707, 3346.071 sind die stärksten Zinklinien, über deren Auftreten man sich nicht wundern kann, da Zink bei der Darstellung der Elemente benutzt wird. Weiter fehlen bei mir zweifellos: 3100.407, 3100.556, 3261.175 (vielleicht ist

diefs Cd), 3602.182 (Cu?), 3654.569 (Ru?), 3656.994, 3709.773, 3736.295.
Die bei mir fehlenden Linien: 3673.710, 3679.353, 3683.030 bezeichnet
schon Rowland selbst als zweifelhaft. — Die übrigen Linien können bei
mir von den Cyanbanden überdeckt sein.

5. Osmium.

Es stand mir Kalium Osmium Chlorid von Dr. Bettendorff zur Verfügung, welches viel Ir, Spuren von Pt und Ru enthielt.

2325.636	0	2394.379	0	2429.025	0	2477.100	0
2327.081	0	2395.969	0	2429.801	0	2480.825	0
2329.356	0	2396.855	0	2431.299	1	2481.892	1
2332.288	1	2397.730	0	2431.699	1	2482.524	2
2334.640	1	2398.300	0	2434.605	0	2485.424	0
2336.876	1	2401.219	2	2434.731	0	2486.326	3
2338.723	1	2402.328	0	2437.798	0	2488.415	1
2340.732	0	2402.620	0	2440.913	0	2488.640	4
2342.043	0	2403.944	1	2442.104	0	2488.890	0
2343.831	1	2405.176	0	2445.980	0	2489.113	0
2345.855	0	2405.531	0	2446.125	1	2489.370	0
2347.480	0	2406.053	0	2449.987	0	2491.106	2
2350.323	0	2408.764	2	2450.581	0	2491.789	2
2351.878	0	2409.010	1	2450.833	1	2492.477	2
2351.826	0	2409.476	0	2451.290	0	2493.710	0
2355.378	0	2410.282	0	2452.869	0	2493.935	0
2356.999	0	2411.536	1	2453.392	0	2496.425	1
2357.344	0	2411.992	0	2453.989	0	2498.512	1 u
2362.498	0	2414.042	0	2454.278	0	2500.821	1
2362.855	2	2414.198	0	2455.002	1	2501.016	0
2363.128	0	2414.639	1	2455.422	0	2501.963	0
2363.421	1	2415.436	0	2455.716	0	2502.382	2
2367.434	2	2418.081	1	2456.555	1	2503.766	2
2369.346	1	2418.457	0	2457.273	0	2504.486	2
2370.796	1	2418.618	1	2457.804	0	2504.603	0
2371.270	1	2420.137	0	2459.940	0	2506.481	0
2376.398	0	2421.268	0	2461.508	3	2506.767	0
2377.128	2	2421.949	0	2464.577	1	2507.282	0
2377.704	0	2422.106	0	2466.535	0	2508.707	1
2378.842	0	2423.158	2	2467.420	0	2509.809	0
2379.482	1	2424.102	0	2468.209	0	2510.024	2
2379.730	0	2424.655	1	2470.925	0	2510.591	0
2379.931	0	2424.820	0	2472.378	1	2512.970	2
2382.595	0	2426.297	0	2473.756	0	2513.340	2
2384.715	0	2426.907	0	2475.064	0	2515.140	2
2387.378	2	2427.280	0	2475.769	0	2518.006	2
2391.248	0	2427.386	0	2476.179	0	2518.533	2
2393.986	0	2427.997	0	2476.923	2	2519.886	1

2520.156	0	2572.572	1	2621.473	0	2674.654	2
2524.879	0	2573.198	0	2621.912	2	2674.793	0
2526.833	0	2573.601	0	2623.711	0	2674.969	2
2527.174	0	2574.852	1	2624.677	0	2677.473	0
2527.335	0	2577.141	0	2625.436	0	2678.870	0
2527.832	1	2578.284	1	2628.377	2	2679.457	0
2529.047	0	2578.430	2	2632.994	1	2679.825	1
2532.083	1	2579.839	0	2634.375	2	2680.806	0
2532.732	0	2580.120	2	2634.547	1	2682.279	2
2534.270	1	2581.154	2	2637.223	4	2683.974	0
2535.484	0	2582.027	4	2638.081	0	2684.497	2
2536.184	0	2586.995	0	2638.428	0	2685.973	0
2538.087	4	2587.575	1	2639.533	0	2686.624	0
2538.174	1	2588.517	0	2640.079	0	2686.777	0
2538.500	0	2589.495	0	2640.625	0	2687.277	0
2539.751	0	2589.595	0	2641.271	1	2688.174	2
2540.230	2	2590.859	4	2641.700	2	2689.447	2
2540.835	2	2592.082	2	2643.132	1	2689.904	4
2541.747	0	2594.000	0	2643.727	2	2691.483	0
2542.592	4	2594.238	2	2644.211	4	2692.021	0
2543.892	0	2596.101	2	2645.207	0	2692.790	2
2544.067	4	2596.474	0	2647.817	2	2694.615	2
2546.261	2	2596.783	2	2649.428	2	2694.854	0
2547.289	0	2597.092	0	2650.754	0	2696.709	0
2548.196	2	2597.319	1	2651.562	0	2697.338	2
2548.930	1	2597.664	0	2652.369	0	2698.321	0
2550.873	0	2597.990	0	2653.068	2	2699.688	4
2554.558	2	2600.008	1	2653.388	1	2700.840	2
2555.205	1	2600.560	1	2653.860	2	2703.203	0
2555.378	1	2600.855	0	2655.297	0	2704.551	2
2555.902	1	2602.444	1	2655.879	1	2704.695	9
2556.179	0	2603.323	0	2656.774	2	2705.547	0
2557.868	0	2603.554	0	2657.203	0	2706.804	2
2558.191	1	2604.701	2	2658.682	4	2707.519	2
2560.308	0	2605.051	0	2659.924	2	2708.276	2
2560.578	0	2608.342	0	2661.011	1	2709.953	2
2560.831	0	2609.303	2	2662.069	2	2712.848	0
2562.771	1	2609.669	2	2662.653	2	2713.300	0
2563.257	2	2610.881	2	2663.314	2	2714.744	3
2564.287	1	2611.410	2	2663.950	0	2714.997	0
2564.469	0	2612.732	2	2664.390	0	2715.471	2
2565.261	2	2613.167	4	2664.879	4	2715.726	2
2565.816	0	2614.158	0	2665.370	0	2717.162	0
2566.595	3	2615.122	0	2666.079	2	2717.488	0
2567.335	0	2617.062	0	2666.295	2	2717.839	0
2568.937	2	2617.895	0	2667.593	0	2718.796	1
2570.855	0	2618.435	0	2669.158	0	2720.130	4
2571.244	0	2618.923	0	2669.606	2	2720.578	1
2571.611	0	2620.035	4	2670.640	0	2721.959	4
2571.878	2	2620.723	2	2672.145	0	2722.700	0

2722.867	0	2774.125	2	2821.367	2	2875.930	0
2727.357	0	2774.257	0	2823.687	0	2876.602	0
2728.364	2	2774.488	2	2824.051	0	2877.464	3
2729.093	0	2775.004	2	2824.283	2	2878.524	3
2730.782	4	2777.011	2	2824.918	0	2879.095	0
2731.467	1	2779.197	1	2825.013	1	2879.956	0
2731.931	0	2779.584	0	2825.437	0	2880.327	2
2732.905	4	2780.269	0	2827.038	0	2880.477	0
2735.848	0	2780.970	0	2827.670	0	2884.064	1
2736.479	1	2781.972	1	2829.138	0	2884.537	2
2738.427	0	2782.658	4	2829.390	2	2884.967	0
2738.636	2	2785.147	2	2829.468	1	2885.295	0
2740.414	2	2786.061	1	2831.693	2	2886.182	1
2740.701	2	2786.414	4	2832.345	2	2886.368	0
2740.862	2	2786.904	2	2837.542	2	2886.622	2
2742.801	0	2787.153	1	2838.283	3	2889.280	1
2744.981	0	2789.620	0	2838.751	5	2889.654	0
2745.632	1	2791.007	2	2839.792	0	2890.970	2
2748.003	2	2792.844	0	2840.557	2	2891.961	1
2748.964	2	2794.091	2	2841.711	4	2892.466	1
2750.970	0	2794.309	2	2844.501	4	2893.014	0
2751.246	2	2795.275	1	2844.802	2	2896.183	3
2751.875	0	2796.221	0	2845.067	0	2898.023	0
2753.792	2	2796.833	2	2846.507	2	2899.372	0
2754.780	0	2799.692	1	2846.707	2	2901.308	0
2755.680	0	2802.039	1	2847.408	0	2901.455	2
2756.095	0	2804.055	0	2848.360	2	2903.193	2
2757.902	2	2804.185	2	2849.175	2	2903.354	2
2758.775	0	2805.576	0	2849.427	0	2905.862	2
2758.923	2	2807.025	5	2850.877	4	2906.103	2
2760.168	0	2807.600	0	2853.441	0	2906.909	0
2761.184	2	2807.910	0	2853.971	0	2908.150	2
2761.530	2	2808.357	0	2855.455	1	2908.468	0
2762.745	0	2809.045	4	2857.117	0	2909.185	6
2763.371	2	2809.815	0	2857.659	2	2909.797	2
2764.032	2	2810.468	0	2858.210	0	2910.801	1
2764.637	0	2810.680	0	2858.733	0	2911.269	0
2765.143	2	2811.683	2	2860.184	2	2911.466	2
2765.541	1	2813.130	0	2861.075	4	2911.695	0
2766.650	1	2813.904	2	2861.895	0	2911.939	0
2767.236	1	2814.318	3	2864.366	2	2912.470	2
2768.369	0	2814.602	0	2865.131	0	2913.969	2
2769.385	3	2814.962	2	2865.802	2	2914.341	1
2769.975	1	2815.380	1	2865.892	0	2914.841	2
2770.213	1	2815.895	2	2867.216	1	2915.382	0
2770.825	4	2818.897	0	2872.529	3	2915.586	0
2771.150	1	2819.349	1	2873.126	0	2916.193	0
2771.869	0	2819.601	0	2873.534	3	2917.383	4
2773.176	2	2820.298	2	2874.700	1	2917.946	3
2773.592	0	2820.682	2	2875.083	4	2919.053	0

λ	I		λ	I		λ	I			λ	I		
2919.380	0		2958.467	1		3008.022	2			3055.086	2		
2919.935	4		2961.140	4		3012.902	1			3055.326	2		
2920.204	1		2961.526	0		3013.194	4			3055.726	0		
2920.974	0		2962.272	4		3014.068	2			3056.315	0		
2921.193	2		2962.465	2		3015.158	0			3057.014	1		
2922.818	0		2962.819	0		3015.772	2			3058.782	6	.766 R.	
2923.109	0		2963.005	1		3017.380	3			3060.248	0		
2923.298	2		2963.178	0		3018.169	4	.155 R.		3060.412	3		
2924.617	2		2964.190	4		3018.440	0			3061.814	1		
2925.414	2		2964.890	0		3018.744	0			3062.039	0		
2925.708	3		2965.215	1		3019.498	3			3062.297	4		
2927.370	0		2966.217	0		3020.782	3			3062.584	1		
2929.646	2		2966.428	0		3021.226	0			3062.803	2		
2930.334	2		2966.685	0		3022.382	0			3063.480	1		
2930.704	2		2967.860	0		3024.434	0			3065.391	0		
2931.416	4		2969.938	0		3027.659	1			3065.783	0		
2931.879	0		2970.825	0		3027.790	0			3066.225	2		
2932.585	2		2971.098	3		3028.032	2			3066.715	1		
2934.111	3		2975.461	2		3029.496	2			3066.945	2		
2934.420	0		2976.470	0		3030.817	4			3070.049	3		
2934.779	3		2977.757	3		3031.122	2			3070.374	1		
2935.083	0		2978.338	2		3031.418	2			3071.974	1		
2936.817	2		2978.645	2		3031.828	1			3072.681	0		
2937.111	0		2979.555	2		3032.924	2			3074.192	4		
2938.491	0		2979.802	0		3033.331	2			3074.771	0		
2938.590	0		2980.453	2		3033.843	0			3075.074	4		
2939.519	0		2982.252	2		3036.668	2			3076.845	1		
2940.208	0		2982.680	2		3040.184	1			3077.167	3		
2940.694	0		2983.032	3		3041.021	5	.023 R.		3077.557	2		
2940.873	0		2984.419	1		3042.860	2			3077.834	4	.841 R.	
2941.985	0		2984.751	0		3043.622	2			3078.227	2		
2942.267	1		2985.084	0		3043.793	2			3078.496	2		
2942.348	2		2985.752	2		3044.040	1			3080.614	0		
2942.692	0		2988.396	2		3044.191	2			3080.907	0		
2942.981	2		2989.253	2		3044.525	2			3081.313	0		
2943.291	2		2989.655	2		3045.031	2			3083.565	0		
2943.756	1		2989.963	0		3045.430	2			3084.715	2		
2945.437	0		2990.763	1		3045.898	2			3085.004	2		
2946.705	0		2992.240	3		3046.200	0			3085.982	0		
2947.277	0		2993.698	2		3047.574	1			3086.394	2		
2948.328	4		2994.908	0		3049.172	2			3087.125	0		
2949.635	3		2995.298	0		3049.580	3			3087.868	2		
2949.930	1		2995.762	2		3050.517	3			3088.385	2		
2950.986	1		2996.385	0		3051.280	2			3088.545	0		
2951.357	1		2997.777	3		3052.540	2			3090.205	2		
2952.412	2		3000.234	1		3053.004	0			3090.416	2		
2955.128	1		3003.605	2		3053.743	0			3090.613	2		
2956.629	2		3004.872	0		3054.091	2			3091.368	2		
2957.214	2		3005.064	0		3054.620	1			3092.613	0		
2957.774	0		3005.878	0		3054.780	0			3093.704	3		

3094.192	1	3138.157	1	3186.516	2	3250.974	0		
3102.503	1	3139.745	0	3186.643	2	3255.038	3		
3102.835	2	3140.431	2	3187.096	4	3255.139	0		
3103.412	0	3141.056	2	3187.443	2	3255.414	0		
3105.098	2	3143.169	2	3189.566	3	3257.051	4		
3106.114	3	3144.471	2 d?	3193.986	2	3259.530	0		
3106.762	0	3146.074	2	3194.350	4	3260.420	3		
3107.119	0	3146.843	0	3194.805	3	3260.683	1		
3107.495	2	3147.601	2	3195.494	2	3262.428	6		
3107.989	2	3149.365	0	3196.082	1	3262.880	4		
3108.098	2	3149.927	1	3196.152	0	3264.820	2		
3108.846	0	3150.260	0	3197.310	0	3266.565	2		
3109.102	3	3150.735	0 U	3202.956	1	3266.890	0		
3109.504	4	3151.005	0	3204.155	2	3267.338	2		
3109.800	2	3152.181	3	3204.646	0	3268.080	6	.078 R.	
3110.538	1	3152.806	4	3205.909	0	3269.340	4		
3110.743	2	3153.727	4	3212.240	2	3270.025	0		
3111.196	3	3154.666	0	3212.840	2	3271.002	0		
3112.630	0	3155.450	1	3213.418	3	3271.320	0		
3113.405	0	3156.365	6	3216.340	0	3272.118	0		
3114.932	2	3156.878	3	.384 R.	3217.177	1	3272.301	3
3115.150	1	3157.102	0	3218.153	0	3272.607	0		
3115.838	0	3157.342	1	3219.260	0	3273.513	1		
3116.593	2	3159.477	0	3220.318	1	3275.320	4		
3117.215	0	3160.397	0	3220.408	0	8276.533	0		
3118.014	1	3160.540	0	3220.895	4	3278.086	4		
3118.242	2	3161.547	1	3221.444	0	3279.590	1		
3118.450	2	3161.837	1	3223.987	1	3281.028	2		
3119.196	0	3164.550	0	3226.579	0	3281.778	0		
3120.016	2	3164.718	2	3227.409	2	3284.680	0		
3120.777	0	3165.772	2	3229.336	0	3288.616	0		
3121.307	0	3166.611	4	3230.525	0	3288.960	2		
3121.592	0	3168.390	2	3231.410	0	3289.387	4		
3124.142	1	3171.249	0	3231.543	2	3291.259	1		
3125.643	0	3173.306	2	3232.072	2	3298.374	0		
3127.620	0	3173.609	0	3232.196	4	.195 R.	3301.692	7	.708 R.
3128.677	1	3174.037	4	3232.672	1	3301.990	1		
3129.348	2	3174.284	1	3234.318	2	3304.980	0		
3130.125	2	3175.781	0	3234.651	0	3305.501	2		
3131.021	0	3177.522	1	3234.858	0	3306.352	2		
3131.227	4	3178.184	4	3238.304	1	3311.035	4		
3131.600	1	3178.357	2	3238.751	4	3312.178	0		
3131.995	0	3180.237	1	3239.398	0	3315.555	2		
3133.953	1	3181.907	1	3241.159	3	3315.816	2		
3134.805	0	3183.341	0	3241.642	2	3316.822	2		
3135.126	0	3183.661	1	3241.933	0	3317.420	0		
3136.334	0	3183.905	0	3242.108	1	3317.998	0		
3136.785	0	3184.458	0	3243.700	0	3318.284	0		
3137.421	0	3185.304	0	3248.106	0	3318.724	0		
3137.636	2	3185.439	3	3250.695	0	3322.175	0		

λ	I	R	λ	I	R	λ	I	R	λ	I	R
3322.734	1		3406.816	2		3681.705	2		4071.169	0	.162 R.
3324.486	4		3408.906	2		3689.191	4		4073.768	2	.763 R.
3324.876	0		3412.908	0		3691.750	0		4074.829	0	.834 R
3325.518	2		3412.946	0		3700.688	1		4088.598	0	.593 R.
3325.644	0		3414.390	1		3703.391	2		4091.980	2	.977 R.
3327.562	4		3421.558	0		3746.612	0		4097.087	1	.090 R.
3329.252	0		3421.837	2		3895.331	0	.305 R.	4098.233	0	.269 R.
3333.986	0		3422.800	1		3900.541	2	.527 R.	4100.436	0	.446 R.
3334.295	2		3427.590	0		3901.851	0	.843 R.	4112.177	2	.185 R.
3336.282	4	.301 R.	3427.816	5		3915.543	0		4124.760	0	.762 R.
3339.601	0		3434.023	4		3925.253	1	.244 R.	4129.114	0	.124 R.
3340.851	0		3437.150	2		3926.923	1	.916 R.	4135.955	4	.945 R.
3342.018	2		3437.642	0		3928.557	0	.554 R.	4138.021	1	.013 R.
3348.791	2		3438.792	0		3928.691	0	.681 R.	4152.448	0	.435 R.
3351.853	2		3439.639	1		3930.148	0	.138 R.	4172.708	1	.710 R.
3354.042	1		3444.616	2		3931.660	2	.660 R.	4173.391	2	.386 R.
3358.095	4		3445.695	3	.699 R.	3938.739	2	.739 R.	4175.783	1	.781 R.
3359.876	1		3449.352	4	.346 R.	3939.704	1	.708 R.	4190.059	2	.052 R.
3361.280	3		3455.172	2		3949.925	0	.921 R.	4201.541	0	.528 R.
3361.905	0		3459.163	2		3952.904	0	.921 R.	4212.028	3	.007 R.
3362.716	0		3462.335	1		3960.656	2	.653 R.	4219.005	0	.991 R.
3364.250	1		3465.029	0		3961.159	2	.163 R.	4229.531	0	
3364.486	0		3465.585	2		3963.774	4	.777 R.	4233.630	1	.613 R.
3368.617	2		3469.517	0		3965.106	1	.112 R.	4241.682	0	.679 R.
3370.340	2		3477.798	0		3969.832	2	.835 R.	4251.321	0	.331 R.
3370.725	4	.730 R.	3478.670	2		3975.596	3	.598 R.	4252.718	0	.690 R.
3371.602	1		3482.269	2		3977.389	4	.391 R.	4261.011	4	.993 R.
3372.929	0		3482.380	2		3979.524	0	.521 R.	4264.893	2	.903 R.
3373.337	0		3487.387	2		3988.340	2	.343 R.	4269.526	2	.521 R.
3375.262	0		3487.610	2		3988.785	0	.783 R.	4269.767	2	.767 R.
3377.088	2		3488.915	2		3995.103	0	.096 R.	4270.952	1	.945 R.
3380.674	0		3490.464	2		3996.979	0	.972 R.	4273.984	0	
3381.814	2		3498.686	2		3999.110	0	.103 R.	4275.074	0	.064 R.
3383.042	2		3501.314	2		4003.652	2	.652 R.	4277.315	1	.302 R.
3384.732	2		3504.811	4	.815 R.	4004.184	2	.193 R.	4281.535	0	.529 R.
3386.077	2		3513.145	1		4015.203	0	.211 R.	4286.056	2	.056 R.
3386.277	3		3513.791	2		4018.425	0	.430 R.	4294.105	2	.113 R.
3387.970	4		3528.743	3		4035.249	0	.250 R.	4296.382	2	.383 R.
3388.794	1		3598.260	2	.264 R.	4036.640	0	.634 R.	4297.556	0	.538 R.
3391.401	1		3601.984	0		4038.009	0	.017 R.	4299.870	0	.856 R.
3395.862	2		3604.624	2		4038.813	0	.782 R.	4309.041	1	.041 R.
3396.973	2		3616.726	2		4042.081	2	.073 R.	4311.561	4	.560 R.
3397.910	0		3630.099	0		4048.216	0	.197 R.	4317.754	0	.743 R.
3398.713	0		3640.487	4	.484 R.	4051.584	0	.580 R.	4319.513	0	.502 R.
3400.264	0		3648.962	1		4053.417	2	.407 R.	4326.413	2	.416 R.
3401.315	2		3653.873	0		4055.647	1	.641 R.	4328.838	3	.840 R.
3402.002	4	.001 R.	3654.631	2	.639 R.	4055.859	0		4338.913	3	.919 R.
3402.643	3	.654 R.	3657.048	2	.053 R.	4066.460	0	.464 R.	4342.681	1	.678 R.
3402.855	0		3671.040	3	.040 R.	4066.862	3	.848 R.	4351.695	2	.691 R.
3406.423	2		3675.599	1		4071.020	0	.008 R.	4354.631	1	.626 R.

4358.157	1	.153 R.	4420.639	5	.633 R.	4507.590	0		4738.215	1	
4358.318	1	.304 R.	4428.059	1		4514.445	0		4738.508	2	
4361.126	0		4432.584	2	.582 R.	4519.050	0		4744.050	2	
4365.835	3	.837 R.	4436.490	3	.488 R.	4525.035	1	.035 R.	4755.332	1	
4370.826	3	.824 R.	4437.258	1	.257 R.	4529.848	1	.842 R.	4763.263	0	
4377.070	1	.068 R.	4439.808	2	.810 R.	4540.093	2	.087 R.	4794.177	5	
4385.068	0		4445.582	1		4548.836	1	.827 R.	4816.105	2	
4386.485	1		4445.854	0	.850 R.	4550.584	4	.571 R.	4865.759	2	
4390.406	0		4447.535	3	.520 R.	4551.461	3	.463 R.	4899.386	0	
4391.251	2	.242 R.	4459.646	0	.658 R.	4595.206	3		4912.771	1	
4395.040	4	.042 R.	4459.790	0	.781 R.	4597.321	2		4937.522	0	
4397.424	3	.427 R.	4462.473	1	.470 R.	4616.948	4	.944 R.	5031.988	1	
4400.751	1	.747 R.	4466.134	1	.121 R.	4632.000	4		5103.670	2	
4402.901	3	.904 R.	4479.974	2	.976 R.	4634.930	1		5149.895	2	
4404.375	1	.378 R.	4484.935	2	.930 R.	4642.010	0		5202.789	3	
4410.899	1		4488.771	1	.766 R.	4663.977	4		5523.786	2	
4411.298	1		4503.774	0		4692.220	2		5728.735	2	

Rowland gibt 14 Linien mehr, von denen ich folgende für Verunreinigungen halte: 3895.023, 3918.888, 3919.107, 3991.640, 4005.324, 4033.095, 4071.716, 4097.004, 4305.440. Diese Linien fehlen auf meinen Platten sicher. 4090.922 dagegen kommt bei allen 6 Elementen als schwache Linie vor.

6. Iridium.

Ich hatte zur Darstellung dieses Spectrums von Dr. Bettendorff erhalten: Ammonium Iridium Sesquichlorid, Iridium Ammonium Chlorid, Natrium Iridium Sesquichlorür. Die Salze enthielten ziemlich viel Ru, sonst noch Spuren von Pt.

2321.481	0	2343.062	0	2363.134	4	2398.824	0	2422.286	0
2321.622	0	2343.255	2	2365.849	1	2401.866	2	2424.406	0
2324.006	0	2343.684	2	2367.469	0	2402.379	1	2424.741	0
2324.754	0	2347.329	1	2368.120	4	2403.113	0	2424.971	1
2325.029	1	2349.400	0	2368.486	0	2405.955	0	2425.069	2
2328.046	0	2349.790	0	2370.462	2	2406.115	0	2425.744	2
2328.324	0	2350.136	0	2372.856	4	2409.465	1	2426.622	1
2328.598	0	2351.492	1	2375.195	2	2410.264	2	2426.875	0
2328.790	0	2352.705	0	2381.714	2	2410.818	1	2427.189	0
2329.469	0	2355.082	2	2383.270	1	2414.473	0	2427.694	2
2333.372	2	2356.122	0	2383.840	0	2415.950	2	2427.878	0
2333.917	2	2356.388	0	2386.665	1	2416.334	0	2429.830	0
2334.406	0	2356.674	2	2386.981	2	2416.672	0	2431.331	2
2334.575	2	2357.623	0	2390.706	2	2418.190	2	2432.021	2
2337.628	0	2358.245	1	2391.282	3	2418.657	0	2432.439	1
2342.573	0	2359.668	0	2394.404	0	2420.698	1	2432.667	0
2342.763	1	2360.790	2	2395.974	0	2421.306	0	2433.433	0

λ	I	λ	I	λ	I	λ	I	λ	I
2434.107	0	2505.308	0	2569.962	2	2625.396	2	2692.429	4
2436.513	0	2505.814	1	2572.156	2	2626.844	2	2692.964	2
2445.184	0	2507.712	2	2572.459	2	2628.271	0	2693.571	2
2445.436	2	2508.434	0	2572.784	3	2629.498	2	2694.320	6
2446.926	0	2509.798	0	2573.338	0	2634.340	3	2695.550	0
2447.583	0	2512.016	1	2577.622	0	2634.513	0	2696.010	1
2447.850	2	2512.191	0	2578.794	2	2635.353	2	2698.688	2
2448.316	1	2512.665	2	2579.008	2	2636.967	0	2701.200	2
2449.112	1	2513.799	2	2579.573	2	2637.407	0	2704.117	3
2449.916	0	2515.448	0	2579.860	0	2639.073	2	2704.722	0
2452.893	3	2521.175	0	2581.019	0	2639.510	2	2705.213	0
2454.212	1	2523.290	0	2581.523	0	2640.462	2	2705.296	0
2454.945	0	2524.953	0	2583.261	1	2644.279	2	2705.453	0
2455.691	2	2526.856	0	2584.867	0	2646.334	2	2705.632	1
2455.949	2	2527.868	0	2586.146	0	2650.584	0	2706.985	0
2456.882	0	2528.011	0	2589.057	0	2653.124	3	2707.265	0
2457.123	2	2529.559	1	2589.231	0	2653.853	2	2708.752	0
2457.312	2	2529.870	0	2589.470	0	2654.033	2	2710.177	2
2462.454	0	2530.200	0	2590.296	0	2654.670	0	2711.402	0
2463.118	1	2530.498	0	2591.129	1	2656.898	3	2712.817	4
2464.462	0	2530.786	0	2591.927	1	2657.587	0	2713.195	1
2467.382	3	2532.290	0	2592.146	4	2657.799	2	2714.643	1
2468.263	0	2534.103	0	2593.224	1	2657.993	0	2716.612	0
2468.705	1	2536.760	0	2595.188	0	2660.040	0	2717.730	0
2469.594	0	2537.309	2	2595.914	2	2660.163	0	2719.906	0
2469.848	0	2537.770	1	2599.129	2	2661.080	0	2720.534	2
2470.143	0	2538.548	0	2599.224	0	2662.080	6	2721.443	0
2470.607	0	2538.949	0	2602.122	2	2662.706	4	2723.248	0
2472.709	0	2540.483	1	2604.645	2	2663.400	2	2723.849	2
2474.170	1	2541.556	1	2606.081	0	2664.871	5	2724.884	0
2475.209	4	2542.097	2	2606.668	0	2665.144	0	2726.566	1
2478.190	1	2544.059	5 n	2607.608	2	2667.540	2	2728.224	0
2479.255	0	2545.620	1	2608.314	4	2668.362	0	2728.494	1
2480.685	0	2545.868	0	2609.996	0	2669.070	2	2729.638	2
2481.262	3	2547.278	1	2610.198	0	2670.006	3	2730.500	0
2482.383	0	2550.987	0	2611.384	3	2671.930	4	2731.954	0
2486.463	0	2551.475	2	2612.136	0	2672.888	0	2732.752	2
2486.826	0	2554.480	2	2612.344	1	2673.694	4	2734.596	0
2488.325	0 n	2555.425	2	2614.287	1	2675.376	0	2735.165	1
2489.293	0	2555.955	1	2615.064	2	2676.911	2	2736.509	0
2491.778	0	2556.860	1	2616.090	2	2677.899	0	2738.875	0
2492.406	0	2557.285	0	2617.177	0	2679.506	0	2739.413	2
2493.163	2	2558.821	0	2617.514	0	2681.184	2	2740.085	2
2495.680	1	2559.643	0	2617.872	2	2682.536	2	2740.166	0
2495.951	0	2562.999	0	2618.352	0	2683.387	0	2740.267	2
2496.360	2	2563.365	1	2619.967	2	2688.381	0	2740.432	1
2500.357	0	2564.253	4	2620.102	0	2689.769	0	2743.477	0
2502.710	2	2564.922	0	2621.610	0	2691.154	2	2743.769	0
2503.068	4	2566.442	0	2622.203	0	2691.998	0	2744.091	4
2504.446	2	2568.407	0	2623.736	1	2692.267	0	2747.383	0

2747.602 2	2808.249 0	2856.048 2	2913.592 0	2967.360 0
2748.395 0	2810.657 2	2857.058 2	2915.625 0	2968.334 2
2749.075 0	2812.896 3	2859.138 0	2915.793 0	2971.205 2
2753.954 0	2814.532 2	2860.126 0	2916.479 4	2972.119 0
2756.206 1	2814.966 2	2860.767 3	2917.347 0	2972.646 0
2758.325 2	2815.744 0	2862.455 1	2917.885 2	2974.220 1
2759.100 2	2816.409 0	2863.955 4	2918.683 3	2974.659 1
2759.405 2	2817.039 2	2866.798 4	2919.299 0	2975.062 4
2760.009 2	2817.284 0	2869.815 3	2921.237 0	2976.857 0
2760.207 0	2819.848 0	2870.304 0	2924.912 7	2978.056 2
2760.474 0	2820.614 0	2870.698 0	2926.212 0	2980.375 0
2761.227 0	2820.738 2	2872.227 0	2927.129 2	2980.578 0
2761.700 0	2823.280 5	2873.929 0	2927.833 0	2980.776 4
2763.287 0	2823.831 0	2875.721 4	2930.298 2	2981.042 2
2767.423 3	2824.228 1	2876.096 4	2930.743 3	2982.962 0
2767.764 2	2824.546 6	2877.108 0	2931.821 0	2985.921 4
2771.711 3	2826.316 0	2877.781 4	2933.252 2	2988.335 0
2772.547 4	2827.259 2	2878.632 2	2934.748 4	2990.746 3
2774.685 2	2829.720 1	2879.515 4	2935.305 0	2991.520 1
2775.073 2	2830.264 3	2879.878 0	2935.427 0	2993.184 2
2775.646 4	2830.601 2	2880.174 0	2936.814 3	2993.751 0
2777.149 0	2830.964 0	2880.324 2	2937.371 0	2996.202 4
2777.536 2	2831.455 2	2881.270 2	2937.656 0	2996.785 0
2777.645 0	2831.912 1	2882.742 4	2938.097 0	2997.314 3
2779.752 1	2832.874 2	2882.970 0	2938.877 0	2999.155 0
2780.507 0	2833.337 4	2883.549 2	2939.390 0	3000.149 2
2781.047 2	2833.777 0	2885.615 0	2940.548 0	3001.383 0
2781.401 4	2835.408 0	2887.240 2	2940.669 2	3002.086 1
2782.342 0	2835.762 2	2889.688 1	2941.197 2	3002.375 4
2782.885 0	· 2836.197 1	2890.634 0	2943.287 5	3003.761 1
2783.492 0	2836.506 2	2892.371 1	2947.093 4	3004.429 0
2783.797 0	2837.421 2	2893.785 0	2949.882 3	3005.338 3
2785.319 4	2839.287 6	2894.388 0	2950.606 1	3007.745 0
2787.099 1	2840.332 4	2895.705 0	2950.883 2	3007.838 0
2787.687 0	2841.798 2	2897.070 2	2951.266 2	3008.753 1
2789.066 0	2842.390 2	2897.260 4	2951.363 2	3010.020 3
2790.795 0	2845.009 0	2897.783 0	2952.686 0	3011.812 3
2793.907 0	2845.245 1	2898.455 2	2953.205 0	3012.695 2
2794.189 2	2846.753 0	2899.055 0	2954.909 1	3012.984 1
2796.558 2	2848.557 0	2899.733 3	2956.301 0	3014.585 1
2797.456 4	2849.557 0	2900.165 0	2956.699 0	3014.854 1
2798.283 4	2849.848 6	2900.492 2	2959.049 0	3016.550 3
2799.522 0	2850.906 0	2902.430 0	2959.573 0	3017.450 4
2799.835 3	2851.161 0	2903.852 0	2961.009 2	3018.151 2
2800.755 1	2851.518 1	2903.995 0	2961.595 2	3019.350 4
2800.923 4	2851.648 2	2904.913 4	2962.580 1	3020.125 4
2804.300 0	2852.605 0	2905.744 2	2963.111 4	3022.536 3
2806.479 2	2853.416 2	2907.353 4	2965.095 0	3022.807 3
2806.772 0	2854.722 0	2909.669 4	2965.329 3	3024.410 2
2807.754 2	2855.931 2	2909.912 0	2966.245 2	3026.489 1

3029.487	4	3073.390	2	3133.210	2	3186.030	0	3237.115	0
3030.365	1	3073.500	0	3133.432	5 uR	3186.184	0	3238.003	0
3030.568	0	3074.864	2	3135.358	0	3186.667	1	3238.414	1
3032.528	3	3075.577	0	3136.418	0	3187.267	0	3238.675	0
3033.744	3	3076.800	4	3139.704	2	3188.487	0	3240.351	4
3034.675	2	3077.996	1 u	3141.947	1	3188.702	1	3240.688	2
3036.361	0	3078.793	2	3142.371	1	3189.486	2	3241.395	0
3037.861	3	3079.892	0	3142.994	0	3193.240	1	3241.640	4
3039.378	5	3081.709	0	3143.668	0	3193.345	2	3242.132	1
3040.580	4	3082.823	0	3147.860	2	3195.882	0	3242.462	2
3041.056	1	3083.085	1	3148.346	0	3198.226	2	3242.734	2
3041.979	1	3083.343	4	3150.128	0	3199.058	5	3243.568	0
3042.429	0	3085.088	1	3150.727	2	3200.166	2	3244.887	0
3042.760	2	3086.564	4	3151.748	2	3201.027	2	3245.022	2
3043.671	0	3088.163	4	3154.679	2	3202.023	0	3245.510	0
3044.255	0	3089.660	0	3154.874	3	3202.250	0	3246.431	2
3045.768	0	3090.277	2	3156.274	2	3204.230	0	3246.951	0
3047.277	4	3090.871	0	3157.614	2	3204.587	2	3247.417	1
3047.905	1	3091.254	0	3157.836	0	3205.227	4	3249.638	2
3048.783	1	3094.144	2	3159.280	5 $d?$	3205.837	0	3249.866	3
3049.559	4	3094.326	1	3159.644	2	3208.287	2	3253.497	1
3050.134	1	3097.147	0	3159.992	1	3209.050	0	3254.542	4
3051.243	3	3097.482	0	3161.477	2	3210.131	2	3256.194	2
3052.288	3 $d?$	3097.931	2	3161.948	2	3212.240	3	3256.346	1
3053.709	3	3098.555	0	3162.445	0	3212.350	2	3257.916	2
3054.351	0	3099.055	2	3162.871	0	3212.629	0	3262.147	4
3054.570	1	3100.586	2	3162.953	0	3213.681	4	3262.852	2
3056.770	0	3101.288	2	3163.972	1	3216.431	0	3263.062	2
3057.398	2	3103.667	1	3164.376	0	3216.903	1	3263.436	2
3057.590	2	3103.875	2	3165.323	1	3217.301	0	3265.399	0
3058.087	0	3104.301	0	3165.833	1	3217.700	0 u	3266.580	6
3058.438	0	3106.072	0	3166.886	2	3218.593	4	3267.236	1
3059.858	1	3108.670	2	3167.328	3	3220.924	6 u	3268.663	0
3060.114	1	3112.475	2	3167.792	0	3221.415	3	3269.835	0
3060.460	0	3113.259	1	3168.297	3	3222.600	1	3271.372	4
3060.950	2	3113.908	1	3168.404	1	3222.854	0	3271.936	4
3061.515	4	3114.170	4	3168.673	0	3223.138	0	3272.772	0
3064.216	0	3114.669	4	3169.010	5	3223.645	2	3274.686	2
3064.622	4	3117.457	0	3171.812	2	3224.016	2	3275.167	2
3064.904	3	3117.645	2	3172.915	3	3224.637	0	3275.452	1
3065.292	0	3117.968	0	3173.222	0	3226.840	3	3275.735	2
3065.944	0	3118.967	1	3173.466	1	3227.675	0	3276.291	1
3066.167	0	3119.422	0	3176.106	0	3228.672	0	3277.422	4
3066.766	0	3120.885	5	3177.325	0	3229.412	5 u	3280.011	0
3068.507	1	3121.894	4	3177.712	4	3230.903	5	3280.705	1
3069.005	4	3122.509	4	3178.811	2	3232.145	5 u	3282.024	0
3069.220	2	3123.334	2	3179.328	3	3232.342	1	3282.458	2
3069.825	2	3124.024	0	3180.487	2	3232.618	0	3284.456	1
3072.078	0	3124.203	2	3182.514	0	3235.370	0	3284.695	1
3072.904	0	3128.510	4	3182.924	1	3235.537	0	3285.721	0

3287.198	4	3335.185	0	3389.473	1	3488.727	2	3712.630	3
3287.726	4	3336.195	2	3391.032	1	3492.217	0	3721.628	1
3290.640	0	3337.637	0	3395.129	3	3494.787	3	3722.904	3
3291.010	0	3337.985	1	3401.927	4	3496.580	1	3725.536	3
3291.187	0	3338.535	4	3402.182	2	3499.272	1	3731.504	4
3294.150	0	3339.028	0	3402.962	2	3503.088	2	3734.900	1
3294.251	0	3339.532	3	3409.931	2	3508.731	1	3738.682	2
3295.220	2	3340.485	2	3410.180	2	3510.793	2	3742.948	1
3297.655	2	3342.930	0	3411.730	2	3512.054	1	3747.352	4
3300.732	0	3343.182	0	3412.762	2	3512.356	2	3750.539	2
3301.502	0	3343.745	0	3415.408	3	3513.807	4	3768.817	2
3301.735	0	3344.360	2	3415.906	2	3516.110	2	3794.211	0
3301.900	1	3346.609	1	3418.533	0	3522.191	2	3799.047	2
3303.236	2	3347.695	2	3419.592	4	3552.223	2	3800.243	2
3303.771	3	3348.015	1	3420.111	0	3557.325	3	3817.385	0
3304.460	0	3352.987	0	3420.646	2	3559.160	3	3889.715	0
3305.057	3	3353.696	1	3420.895	0	3568.156	1	3902.632	3
3305.787	1	3355.739	0	3421.923	2	3573.888	3	3902.807	2
3305.980	2	3355.942	2	3424.854	4	3594.308	2	3909.219	0
3307.774	2	3356.342	1	3425.526	1	3594.557	4	3915.055	2
3308.581	0	3356.697	0	3429.026	2	3596.356	0	3915.538	4
3308.939	0	3359.262	0	3429.748	0	3598.936	4	3923.634	2
3309.535	2	3360.038	6	3430.197	2	3601.568	4	3924.573	1
3310.032	0	3360.950	7	3430.941	0	3605.958	2	3931.903	3
3310.674	4	3364.380	2	3431.476	1	3609.933	4	3934.063	2 u
3311.161	2	3365.273	0	3432.930	0	3617.378	4	3935.005	4
3311.365	0	3365.678	0	3433.475	2	3619.326	2	3941.242	0
3312.268	4	3367.063	2	3434.915	2	3623.976	1	3944.534	1
3313.472	0	3367.210	2	3435.200	0	3625.872	3	3946.420	4
3316.129	0	3368.640	6	3435.554	0	3626.460	4	3948.459	1
3316.534	0 u	3370.785	2	3437.189	6	3628.843	5	3950.259	0
3316.771	4	3371.594	4	3437.670	4	3629.317	2	3952.099	2
3317.457	2	3372.958	1	3438.244	2	3629.911	3	3956.262	0
3317.664	0	3374.597	2	3445.682	0	3636.370	4	3962.926	2
3318.596	2	3374.942	0	3446.476	4	3641.037	1	3976.466	5
3318.812	0	3376.146	0	3446.793	2	3645.468	1	3978.240	0
3319.231	2	3377.288	0 u	3448.621	0	3647.857	1	3985.003	2
3319.680	0	3378.119	0 u	3449.133	6	3653.358	6	3987.963	2
3320.504	1	3378.550	0 u	3450.916	1	3657.774	0	3989.575	2
3321.901	0	3379.993	2	3455.949	2	3661.527	2	3992.277	6
3322.750	4	3381.151	3	3465.390	4	3661.867	5	3996.602	0
3323.011	4	3383.474	0	3468.749	2	3664.780	4	4005.164	1
3326.056	0	3383.917	0	3476.182	0	3675.160	4	4005.717	1
3326.245	2	3385.272	2	3476.611	3	3688.321	1	4020.194	5
3326.687	0	3385.752	2	3477.930	1	3689.476	0	4033.923	4
3327.039	2	3386.330	2	3481.254	1	3692.851	3	4040.224	4
3327.688	0	3386.417	0	3482.760	3	3696.308	2	4040.578	1
3330.968	0	3386.678	0	3484.256	2	3698.261	2	4048.782	0
3333.600	0	3388.023	1	3484.649	4	3701.107	2	4051.071	2
3334.318	4	3388.158	2	3485.660	3	3707.147	3	4051.538	0

4055.833	0	4230.486	0	4352.720	2	4545.837	4	4938.225	1
4056.620	2	4240.644	0	4362.289	1	4548.645	4	4939.311	0
4059.377	2	4241.198	0	4376.575	0	4550.941	2	4970.629	0
4070.067	4	4243.944	0	4377.175	3	4568.246	4	4999.898	2
4070.822	3	4257.528	2	4380.930	0 u	4570.183	2	5002.874	1
4072.532	2	4259.280	4	4392.758	3	4604.629	3	5009.323	0
4075.774	2	4261.408	2	4399.645	6	4614.342	0	5046.227	0
4080.737	2	4262.051	0	4403.952	4	4616.549	6	5050.001	0
4081.564	0	4265.450	2	4406.926	0	4640.231	2	5178.128	1
4082.542	1	4266.202	1	4411.344	2	4656.329	4	5239.091	1
4092.767	3	4266.532	0	4422.121	1	4669.130	2	5340.932	1
4115.957	4	4268.251	4	4425.936	0	4702.751	0	5357.081	0
4166.224	3	4269.101	0	4426.459	6	4709.034	2	5364.507	2
4172.736	1	4286.776	2	4449.540	0	4729.005	4	5449.716	4
4182.626	1	4300.802	1	4450.346	2	4732.014	1	5454.724	2
4200.031	2	4301.776	4	4452.987	1	4756.613	4	5469.648	1
4212.197	0	4305.359	0	4478.649	4	4758.107	2	5620.266	1
4212.383	2	4310.750	4	4491.523	2	4778.330	4	5625.772	3
4217.908	2	4311.669	5	4492.333	1	4795.827	3	5894.324	2
4218.243	0	4316.456	1	4495.525	3	4807.302	0		
4218.428	1	4330.060	0	4496.200	1	4809.636	2		
4220.950	2	4332.490	0	4533.003	2	4840.934	2		
4223.327	0	4351.462	1	4538.819	1	4845.539	0		

Bei so linienreichen Spectren, wie den vorliegenden, scheint es fast aussichtslos, falls nicht auffallende Gesetzmäfsigkeiten vorliegen, nach solchen zu suchen; und die Arbeit ist enorm, wenn man alle Linien in Betracht ziehen will. Trotzdem habe ich wenigstens einen Versuch machen wollen, und nahm dazu Pd, da diefs das einfachste Spectrum hat. Ich wählte die stärksten und die ganz unscharfen Linien aus, im ganzen 128, und berechnete die Schwingungsdifferenzen zwischen ihnen. Es zeigte sich in der That eine ganze Anzahl von Gesetzmäfsigkeiten, deren auffallendste folgende ist: eine Gruppe von 3 Linien wiederholt sich im Spectrum 6 Mal. Es sind diefs die Linien:

4473.771	7	3799.332	5 r	3634.840	10 r
4213.116	6 r	3609.698	9 r	3460.888	7 r
3958.777	5 r	3421.368	8 r	3287.378	5 r
3894.335	6 r	3373.137	6 r	3242.824	10 r
3553.242	7 r	3114.157	5 r	3002.775	4 r
3441.548	6 r	3028.031	4 r	2922.615	7 r

Phys. Abh. nicht zur Akad. gehör. Gelehrter. 1897. II. 6

Die Schwingungszahlen dieser Linien und ihre Differenzen sind:

Zahlen	Differenz	Zahlen	Differenz	Zahlen
2235251	396781	2632032	119121	2751153
2373530	396785	2770315	119117	2889432
2526033	396787	2922820	119118	3041938
2567833	396781	2964614	119118	3083732
2814331	396803	3211134	119119	3330253
2905669	396804	3302473	119120	3421593

Die erste Schwingungsdifferenz kommt noch 3 Mal vor bei den Linien:

4087.531	3	3517.087	8 r
3690.491	6 r	3219.088	4
3433.582	5 r	3021.860	4

Deren Schwingungszahlen und Schwingungsdifferenzen sind:

Zahlen	Differenz	Zahlen
2446465	396797	2843262
2709667	396803	3106470
2912410	396800	3309220

Es zeigt sich also, daſs zwar nicht Serien von Paaren oder Triplets vorhanden sind, wohl aber Gruppen mit constanter Schwingungsdifferenz sich vielfach wiederholen. Ähnliches haben Kayser und Runge[1] für As, Sn, Pb, Sb, Bi nachgewiesen, und kürzlich hat Rydberg[2] das gleiche für Cu gefunden. Offenbar ist das Auftreten der Serien von Paaren oder Triplets nur der einfachste Fall des gesetzmäſsigen Baues der Spectren, der denn auch zuerst gefunden worden ist und sich einigermaſsen hat mathematisch formuliren lassen, während wir über die Art des Gesetzes in complicirteren Fällen, wie dem vorliegenden, noch keine Ahnung haben.

Bei Betrachtung des Charakters der oben angeführten Linien fällt sofort auf, daſs fast alle umgekehrt sind, nämlich 19 von den 24. Im ganzen Palladiumspectrum habe ich nur 32 umgekehrte Linien gefunden, so daſs fast ⅔ derselben als nach einem unbekannten Gesetze gelagert nachgewiesen sind. Es zeigt sich auch hier wieder die hervorragende Bedeutung der umgekehrten Linien für die Spectren. Von den unscharfen Linien ist keine einzige aufgenommen worden.

Ich habe darauf das Spectrum des Platins einer gleichen Untersuchung unterzogen, indem ich alle umgekehrten Linien und die, deren Intensität

---

[1] Kayser und Runge. Abhandl. d. Berl. Akad. 1893.
[2] Rydberg, Astrophysical Journal 6, 1897.

mindestens zu 5 geschätzt worden war, nahm, im ganzen 63 Linien. Ich fand, daſs ein Paar mit der gleichen Schwingungsdifferenz 6 Mal vorkommt. Es sind dieſs die Linien:

3323.914	6		3240.324	5
3139.503	7		3064.825	6 r
2998.087	7 r		2929.903	8 r
2766.764	5		2677.232	4 r
2705.985	5 r		2650.938	4 r
2628.122	7 r		2467.504	8 r

Deren Schwingungszahlen und Schwingungsdifferenzen sind:

Zahlen	Differenz	Zahlen
3008501	77610	3086111
3185218	77611	3262829
3335460	77622	3413082
3657568	77633	3735201
3700299	77607	3777906
4020487	77608	4052678

Diese Paare lassen sich aber nicht in Serien unterbringen, weder ihrer Lage noch ihren Intensitätsverhältnissen nach. Es ist also auch hier das zu Grunde liegende Gesetz ein verwickelteres als bei den Elementen mit niedrigerm Schmelzpunkt.

Ich habe schliefslich noch das Spectrum des Ru auf constante Schwingungsdifferenzen hin untersucht, wobei ich mich wieder auf die umgekehrten und die stärksten Linien beschränkte, im ganzen auf 96.

Das Spectrum zeigt in viel höherm Mafse, als ich es bisher bei irgend einem Elemente gefunden habe, das wiederholte Auftreten derselben Schwingungsdifferenz. Ich habe über 200 verschiedene Differenzen 2, 3 oder 4 Mal gefunden. Trotzdem tritt ein gesetzmässiger Bau noch viel weniger hervor, als bei den übrigen Spectren.

Ich will mich darauf beschränken, nur einige wenige solcher Beziehungen anzuführen. Dabei soll der Kürze wegen statt der Schwingungszahl die Wellenlänge selbst in ihren 4 ersten Zahlstellen in Klammern gegeben werden.

(5699) − (5510) = 60109	(4758) − (4554) = 93832	(5559) − (4342) = 504374
(4354) − (4243) = 60116	(4385) − (4212) = 93825	(5484) − (4296) = 504386
(3428) − (3359) = 60125	(4372) − (4200) = 93830	(4869) − (3909) = 504372
(3368) − (3301) = 60116	(4243) − (4080) = 83818	(3799) − (3188) = 504372

Jede der hier vorkommenden Linien ist wieder mit einer ganzen Menge anderer verknüpft, wofür ich auch nur ein paar Beispiele anführe.

$$(5699) - (4647) = 397098 \quad = \quad (4647) - (3799) = 397093$$
$$(5699) - (4385) = 525609 \quad = \quad (5336) - (4167) = 525614$$
$$(5699) - (4294) = 573848 \quad = \quad (5336) - (4085) = 573830$$
$$(5699) - (4076) = 698379 \quad = \quad (4320) - (3742) = 698387$$

$$(4354) - (4342) = \quad 6377 \quad = \quad (2866) - (2861) = \quad 6382$$
$$(4354) - (4241) = \quad 61226 \quad = \quad (3409) - (3339) = \quad 61239$$
$$(4354) - (4080) = 153934 \quad = \quad (4349) - (4076) = 153924$$
$$(4354) - (4022) = 189543 \quad = \quad (4599) - (4230) = 189546$$
$$(4354) - (3985) = 212823 \quad = \quad (4903) - (4439) = 212809$$
$$(4354) - (3730) = 383963 \quad = \quad (3727) - (3260) = 386952$$

$$(4554) - (4385) = \quad 84673 \quad = \quad (4460) - (4297) = \quad 84678$$
$$(4554) - (4385) = \quad 84673 \quad = \quad (3436) - (3339) = \quad 84679$$
$$(4554) - (4372) = \quad 91547 \quad = \quad (3790) - (3663) = \quad 91540$$
$$(4554) - (4320) = 119040 \quad = \quad (3799) - (3635) = 119026$$
$$(4554) - (4200) = 185377 \quad = \quad (4410) - (4076) = 185377$$
$$(4554) - (3926) = 351540 \quad = \quad (4167) - (3635) = 351536$$
$$(4554) - (3923) = 353120 \quad = \quad (3786) - (3339) = 353114$$

Ich will es bei diesen wenigen Beispielen bewenden lassen, da sie doch keine Aufklärung über den Bau des Spectrums geben. Vielleicht würde sich ein günstigeres Resultat gefunden haben, wenn ich noch schwächere Linien berücksichtigt hätte; aber die Rechnungsarbeit wächst damit so gewaltig, dafs ich darauf verzichten mufste. Aus demselben Grunde habe ich auch die drei übrigen Spectren nicht untersucht.

MATHEMATISCHE ABHANDLUNGEN.

Mars-Beobachtungen 1896-97
auf der Manora-Sternwarte in Lussin piccolo.

Von

LEO BRENNER.

Vorgelegt in der Sitzung der phys.-math. Classe am 21. October 1897
[Sitzungsberichte St. XL. S. 884].
Zum Druck eingereicht am gleichen Tage, ausgegeben am 25. März 1898.

Vorbemerkungen.

Während der letzten Erscheinung des Mars wurde dieser Planet in der Zeit vom 8. Februar 1896 bis 20. Mai 1897 102 Mal von mir beobachtet (217 Stunden), wobei ich 73 Zeichnungen und eine Anzahl Skizzen aufnahm. Die hier beigefügten Tafeln geben einige dieser Zeichnungen wieder, nebst einer Karte der Mars-Oberfläche, welche alles enthält, was ich während der letzten Erscheinung nach und nach gesehen habe. Wenn ein Object sich zu verschiedenen Zeiten verschiedenartig zeigte, so wählte ich für die Karte das Aussehen, welches ich für das merkwürdigste oder ungewöhnlichste hielt.

Für die Karte habe ich nicht wieder die Mercator-Projection gewählt, in welcher die dem Bericht über meine Marsbeobachtungen 1894-95 (Astron. Nachr. Nr. 3268 u. 3288) beigefügte entworfen wurde, weil ich die durch diese Projection bedingte übertriebene Vergröfserung der Polarregionen für einen Nachtheil halte, der gröfser ist als das Ausziehen derselben in Länge. Die gegenwärtige Karte zeigt aber überhaupt im Vergleich mit der früheren ein verändertes Aussehen, welches theilweise auf wirklichen Veränderungen beruht, theilweise darauf, dafs ich in Folge gröfserer Übung trotz des kleinern Durchmessers der Planetenscheibe bedeutend mehr wahrnehmen konnte als während der vorletzten Erscheinung.

Da die Farbe der Planeten-Oberflächengebilde für deren Erklärung von Wichtigkeit ist, habe ich seit Gründung unserer Sternwarte alle Zeichnungen in Farben ausgeführt, und so erscheinen auch die der hier beigegebenen Tafeln in annähernd denjenigen Farben, welche mir der Planet zeigte. Ganz genau liefsen sie sich schon aus technischen Gründen nicht wiedergeben.

Alle Zeichnungen wurden nach Augenmafs angefertigt, und nur nach der Opposition manche Punkte mikrometrisch festgelegt, da mir nur während

1*

des letzten Theils der Beobachtungsreihe, von Mitte Februar 1897 ab, ein brauchbares Mikrometer zur Verfügung stand. Trotzdem kann ich für die richtige Wiedergabe einstehen, weil ich mich durch Versuche überzeugt habe, dafs ich mich eines vorzüglichen Augenmafses erfreue. Alle Beobachtungen geschahen mit dem Refractor von 268^{cm} Brennweite und 178^{mm} freier Öffnung von Reinfelder & Hertel in München, mit voller Öffnung. Wenn nicht der Planet bei Tage beobachtet wurde, benutzte ich stets zwei röthliche Blendgläser vor den Ocularen, durch welche die Bilder an Deutlichkeit wesentlich gewannen. Die Oculare (positive von 146—410-facher, am Mikrometer zuweilen eins von 790-facher Vergröfserung, und negative von 98-830-facher Vergröfserung) sind ebenso tadellos wie das Objectiv, dessen hohe Vollkommenheit in Verbindung mit unseren Luftverhältnissen, welche in Europa nicht ihresgleichen haben, und mit meinem in Planetenbeobachtung sehr geübten Auge die erzielten Erfolge ermöglicht haben.

Die folgende Tabelle gibt eine Übersicht über die angestellten Beobachtungen und deren nähere Umstände.

Tag	Stunde M.E.Z.	Scheinbarer Durchmesser	Vergröfserung	Luftzustand	Tag	Stunde M.E.Z.	Scheinbarer Durchmesser	Vergröfserung	Luftzustand
1896 Febr. 8	21¼—22¼	4″40	196	3 (Decl. des Plan. −24°)	1896 Juni 14	18—21	6″73	410	2, später 4-5 und Wolken
März 20	21¼—22	4.92	.	3	„ 18	19¼—22½	6.82	242—410	4, später 3
April 10	23—23½	5.20	146—196	4	„ 19	20—24	6.84	242—830	3
„ 14	20—21¼	5.25	242—310	2-3, etwas Wind	„ 21	20—22	6.90	242	4
„ 15	20—22	5.26	„ „	3, starker Wind	„ 22	20—21	6.93	242—410	3
„ 19	20—21	5.36	„ „	3	„ 23	21—23	6.95	310—410	4
„ 24	20—22	5.50	242—410	3, aber Wind	„ 28	19½—20½	7.06	98—410	4
„ 26	20—21	5.54	242	3	Juli 2	18½—19½	7.19	310—410	2-3
„ 29	20—21½	5.63	196	2-3	„ 2	21½—22½	.	410	3
Mai 5	21—22½	5.78	242—310	2-3	„ 6	19—21½	7.31	242	3, aber Wind
„ 10	20—20½	5.91	196—242	3-4	„ 7	20—20½	7.34	410	3
„ 18	19½—22½	6.11	310	3 und Wind	„ 8	20—21	7.36	196—242	4
„ 19	18½—22	6.14	310—410	2-3	„ 9	17½—18½	7.39	310—830	1
„ 20	18—20½	6.17	242—410	3, heftiger Wind	„ 9	20½—21½	.	196—310	3
„ 24	20—22½	6.26	„ „	3	„ 10	19½—20½	7.41	146—410	2, später 4 und Wolken
„ 26	19½—21½	6.30	410	3-4	„ 11	19—20½	7.44	„ „	3, aber Wind
„ 27	20½—21½	6.32	„	3	„ 15	16½—20½	7.60	242	3
Juni 2	19½—22½	6.45	310—410	4	„ 16	17—18½	7.62	242—830	2
„ 4	19½—22	6.50	„ „	2-3, aber Wolken	„ 19	17½—18½	7.69	310—410	4, Wind
„ 12	20½—22½	6.69	410	3 Wind u. Wolken	„ 20	19½—20½	7.72	146—410	4, Wind
„ 13	20¼—21½	6.71	242	4-5	„ 21	20½—22	7.75	242—410	4, dunstig

Tag	Stunde M. E. Z.	Scheinbarer Durchmesser	Vergröfserung	Luftzustand	Tag	Stunde M. E. Z.	Scheinbarer Durchmesser	Vergröfserung	Luftzustand
1896 Juli 22	17½—19¾	7″80	310—830	2	1896 Oct. 6	18¾—20¼	12″12	242—410	3 und Wind
" 23	17—18	7.84	410—830	2-3	" 7	14¾—16½	12.20	242	3 und Wind
" 25	17½—19½	7.90	" "	2-3	" 25	17—19¾	14.05	196—830	1
" 26	19—20½	7.93	146	4	Nov. 9	14½—16¾	15.59	200—302	3 u. starker Wind
" 27	18¾—20¾	7.95	242	3	" 12	15¾—17	15.93	200—480	3 und Wind
" 29	19—20½	8.06	166	4	" 12	18—19½	15.94	302	3
Aug. 1	19—21	8.16	242—410	3, aber Wind und Wolken	" 19	8—9	16.40	146	4-5
" 2	19¾—21¼	8.19	" "	2	" 24	9¼—16¼	16.85	200—302	2-3, später 2, zuletzt Wind
" 3	18½—20½	8.22	196—830	2	" 30	7—8	17.08	146—790	3 und Wind
" 4	16—20	8.26	310—410	4, später 3	" 30	9—12¾	"	410	2
" 12	19—20½	8.61	410	3-4	Dec. 9	7—13	17.03	242—410	2, später 5
" 13	19—20½	8.65	242—410	3	" 11	7—17½	16.95	196—410	1, zuletzt 5 (Wolken)
" 14	19—21	8.69	" "	2	1897 Jan. 4	9—11½	14.56	242—410	4 und Wind
" 17	19—21	8.83	242—830	3	" 5	5—13	14.45	410	3, später 2
" 18	19½—21	8.88	242—410	4, blickweise 3	" 26	6½—9	11.75	196—310	4-5
" 24	19—20¾	9.17	196—830	4	" 29	5—9½	11.36	310—410	4, später 3
" 25	19¾—20¾	9.22	242—410	4, Wolken	Febr. 4	9½—9¾	10.64	" "	3
Sept. 1	17—21½	9.60	410	2, später 3 und Wind	" 10	5—6	10.08	242—410	3
" 3	16¾—21½	9.70	242—830	3, später 4	" 11	6—7½	9.97	410—830	2
" 7	18½—21	9.94	242—410	2-3	" 15	5½—7½	9.61	410	3, später Wind
" 8	15½—16¾	10.00	410—830	1	" 18	5¾—7¾	9.23	410—790	4, später Wind
" 8	17¼—20¾	"	" "	1	März 8	5¾—8¼	7.95	310—830	3, aber bisweilen Wolken
" 12	18—21	10.26	242	3, später 4	" 14	5¾—6	7.57	310—410	4
" 15	18½—21	10.46	"	3, später 4	" 15	6¼—7	7.51	410—830	2, aber Wind
" 16	13½—19	10.52	242—410	2, später 3-4	" 24	6½—7	7.01	410	3-4
" 21	14½—17	10.87	302—410	2, später 3—5	April 27	6¾—7½	5.65	"	3
" 27	19—20	11.32	242—410	4, aber Wind	" 28	6¾—7½	5.62	410—830	4
" 28	19—21	11.40	302	3	Mai 9	5½—7¾	5.31	" "	4, später 3
Oct. 5	17—22	12.03	242—410	3-4, später 5	" 20	7¾—8¾	5.06	410	4
" 6	16¾—17¼	12.12	" "	3 und Wind					

Nur 12 Beobachtungen fallen in die Zeit, während welcher der Planet einen scheinbaren Durchmesser von 14″ bis 17″ besafs, dagegen 55 in solche Zeiten, zu denen dieser weniger als 8″ betrug, also so klein war, dafs die wenigsten Beobachter Mars der Beobachtung würdigten. Diefs erklärt sich aus folgenden Umständen. Von vorn herein war es meine Absicht gewesen, mit den Marsbeobachtungen früher zu beginnen, als diefs je zuvor geschehen war. Die ungünstigen klimatischen Verhältnisse von Mailand hatten Schiaparelli gezeigt, dafs es verlorene Zeit sei, dort Mars vor der Opposition zu beobachten, und seinem Beispiele waren die meisten Astronomen gefolgt;

selten begann einer die Beobachtungen zwei Monate vor der Opposition. Lowell war der erste, welcher es 1894 unternahm, Mars schon nahezu 5 Monate vor seiner Opposition zu beobachten und bis 5 Monate nach derselben zu verfolgen. Ich selbst hatte damals meine Marsbeobachtungen erst 3 Monate vor der Opposition begonnen, sie aber dafür bis auf $6\frac{1}{2}$ Monate nach derselben ausgedehnt — länger als ein anderer Beobachter bis dahin — und war durch die Entdeckung der Neubildung des Südpolarschnees und des Auftauchens der Nordpolarcalotte belohnt worden. In Folge dessen begann ich 1896 meine Beobachtungen bereits 10 Monate vor der Opposition, weil es meine Absicht war, wo möglich zu erforschen, ob die von Lowell über die Beschaffenheit der Mars-Oberfläche aufgestellte Hypothese haltbar wäre oder nicht. Zu diesem Zwecke wollte ich auch die Beobachtungen wieder so lange nach der Opposition fortsetzen, wie zwei Jahre zuvor.

Die Beobachtungen begannen auch mit dem schönsten Erfolge; leider aber überanstrengte ich meine Augen (da ich gleichzeitig auch Saturn, Uranus und Mercur beobachtete) derart, daſs ich mir eine Augenentzündung zuzog, die mich zu längeren Unterbrechungen zwang. Obendrein herrschte gerade in den Monaten um die Opposition herum auf unserer Insel eine ganz ungewöhnlich schlechte Witterung, so daſs die so schön begonnene Reihe der Beobachtungen ganz lückenhaft wurde. Ein ungünstiger Zufall wollte es zudem, daſs ich gerade die Gegenden zwischen 0° und 100° nur wenige Male unter guten Umständen betrachten konnte, während ich die Gegenden zwischen 100° und 320° besonders häufig gut sah. Die natürliche Folge davon ist, daſs meine Entdeckungen sich hauptsächlich auf diesen Theil des Planeten beziehen. Sonst würde wahrscheinlich auch der Rest viel mehr neue Objecte zeigen. Immerhin ist der Hauptzweck doch gelungen: die Unhaltbarkeit der Lowell'schen Hypothese trat klar zu Tage, wie ich an anderm Orte eingehend darlegen werde, während ich mich hier auf den Nachweis des thatsächlich Beobachteten beschränke.

Schließlich sei noch bemerkt, daſs für die südliche Halbkugel des Mars am 18. Februar 1896 das Frühlings-Aequinoctium, am 13. Juli das Sommer-Solstitium, am 19. December das Herbst-Aequinoctium, am 6. Juli 1897 das Winter-Solstitium stattfand und daſs der Planet am 10. December 1896 in Opposition zur Sonne stand.

Als ich meine Beobachtungen begann, stand der Planet sehr tief (Decl. $-23\frac{1}{2}°$) und zeigte uns seinen Südpol; am 26. Mai betrug seine Declination 0°, aber die Breite seines Mittelpunktes (β) immer noch $-24\frac{3}{4}°$. Am 24. September zeigte er uns seinen Aequator central ($\beta = 0°$), während seine Declination bereits $+22\frac{1}{2}°$ erreicht hatte. Am 19. October betrug $\beta+3°$, so dafs also schon der Nordpol des Planeten uns zugekehrt war, doch währte das nicht lange, denn schon am 25. November zeigte er uns wieder seinen Aequator central, worauf seine Neigung beständig zunahm, indem er uns seinen Südpol zuwendete, bis 15. Januar 1897, wo $\beta = -7\frac{1}{2}°$ war. Dann nahm die Neigung wieder ab, indem der Aequator am 13. März wieder central stand und zu Ende meiner Beobachtungen (20. Mai) der Nordpol uns ziemlich stark zugeneigt war ($\beta = +15°$); die Declination des Planeten war dabei beständig eine hohe gewesen, hatte am 13. März mit $+25\frac{3}{4}°$ ihren Höhepunkt erreicht und selbst zum Schlusse der Beobachtungen noch $+21\frac{1}{2}°$ betragen. Aus diesen Gründen fand die letzte Opposition trotz der gröfseren Entfernung des Planeten unter günstigeren Umständen statt als die beiden vorhergegangenen, und namentlich die Ab- und Zunahme der Polarflecke liefs sich gut studiren.

Südpolarfleck.

Zu Beginn meiner Beobachtungen war der Südpolarfleck das einzige, was sich (aufser der Phase) erkennen liefs; deshalb nahm ich erst am 14. April meine erste Zeichnung auf, weil aufser der Südcalotte damals auch noch die Meerbusen Aonius und Titanum deutlich sichtbar waren, während Amazonis besonders hell glänzte. Die Schneezone mufs, da sie sich bis auf ein Viertel der Planetenscheibe erstreckte, bis über den 50. Breitengrad gereicht, also Thyle vollständig bedeckt haben. Am 24. April bestimmte ich mit ziemlicher Genauigkeit, dafs die Schneegrenze unter 105° den 50. Breitengrad erreichte, während eine 5 Tage später aufgenommene Zeichnung sie bei Noachis Regio nur bis zum $-52°$ zeigt. Der Schmelzungsprocefs scheint dann unaufhörlich weiter vor sich gegangen zu sein, denn meine weiteren Zeichnungen zeigen die Schneegrenzen unter folgenden Breitengraden:

5. Mai (unter 310°):	−55°		20. Mai (unter 95°):	−68°		14. Juni (unter 215°):	−78°
10. "	233	60	26. "	69	65	22. "	169	81
18. "	147	65	2. Juni	25	70	2. Juli	46	77
18. -	180	66	4. "	336	72	2. "	89	80
19. "	118	66	4. "	0	71	7. "	18	80
19. "	158	67	12. "	275	75	9. "	333	80

10. Juli (unter 346°):	—81°		25. Juli (unter 165°):	—83°		8. Sept. (unter 90°):	—88°
15. »	250	82	1. Aug.	120	84	8. »	121	90
15. »	275	82	2. »	110	84		
16. »	240	83	4. »	51	82	(In den nächsten Tagen war wohl	
19. »	225	83	1. Sept.	155	90	der Südpol hell, aber kein eigent-	
22. »	195	83	1. »	196	90	licher Polarfleck erkennbar.)	
23. »	179	83	8. »	66	85		

Seither blieb der Südpolarfleck verschwunden, denn wenn ich auch am 8. März (unter 64°) eine Schneezone zeichnete, scheint es doch, als wäre es nicht der Polarfleck gewesen, den ich gesehen, sondern die oft blendend helle Insel Argyre II, weil sich jener sonst bis zum —61° erstreckt haben müfste, was natürlich unmöglich ist, weil die damalige Jahreszeit des Mars-Südpols dem Anfang November unseres Nordpols entsprach.

Ob es also zum vollständigen Schmelzen des Südpolarschnees und zur Neubildung desselben kam (wie beides zu beobachten mir in der vorletzten Erscheinung gelungen war), läfst sich deshalb nicht feststellen, weil gerade in den entscheidenden Momenten Mars uns seinen Nordpol zukehrte. Zwar wäre es im Januar möglich gewesen, das Vorhandensein des Südpolarflecks festzustellen, aber leider konnte ich nur am 5. Januar Zeichnungen aufnehmen, welche den Südpol wohl hell, aber keinen eigentlichen Polarfleck zeigen. Es ist jedoch möglich, dafs man auf anderen Sternwarten in dieser Beziehung glücklicher gewesen ist.

Nordpolarfleck.

Zum ersten Male vermuthete ich den Nordpolarfleck am 3. September, weil bei der Spitze der Phase eine glänzende Stelle war, die selbst mit Vergröfserung 830 noch deutlich sichtbar blieb. Es unterliegt keinem Zweifel, dafs es wirklich der Nordpolarfleck war, den ich sah, weil er 5 Tage später ganz deutlich hervortrat. Seine Sichtbarkeit wurde durch zwei Umstände beeinträchtigt: durch die Neigung des Planeten und mehr noch durch die Phase, welche den ganzen Nordpol verdeckte, so dafs nur seine Ausläufer gesehen werden konnten. Über seine Ausdehnung auf meinen Zeichnungen gibt nachstehende Tabelle Aufschlufs:

3. Sept. unter 195°:	+56°		21. Sept. unter 355°:	+50°		12. Nov. unter 213°:	+60°
8. »	106	55	5. Oct.	233	53	12. »	250	62
8. »	130	56	5. »	189	60	. 12. »	263	45
8. »	170	55	6. »	172	60	24. »	309	53
15. »	40	56	6. »	212	50	24. »	339	58
16. »	340	58	7. »	175	55	24. »	351	53
16. »	0	59	7. »	205	45	24. »	1	55
16. »	60	50	25. »	28	59	24. »	20	65
21. »	325	58	12. Nov.	184	60	24. »	30	60

24. Nov.	unter	50°:	+50°	11. Dec.	unter 170°:	+58°	5. Jan.	unter 330°:	+58°
24.	"	72	65	11. "	190	63	5. "	0	52
24.	"	100	58	11. "	200	60	5. "	30	57
30.	"	290	63	11. "	220	60	8. März	64	60
30.	"	300	53	11. "	230	64	15. "	320	50
30.	"	315	60	11. "	250	63	15. "	357	44
30.	"	325	54	11. "	270	61	15. "	40	50
30.	"	355	60	11. "	280	60	27. April	275	52
9. Dec.		170	60	11. "	300	65	27. "	313	52
9.	"	203	60	5. Jan.	240	53	27. "	350	55
9.	"	240	80	5. "	260	63	28. "	303	56
11.	"	140	55	5. "	285	54	9. Mai	170	56
11.	"	153	60	5. "	300	63	9. "	250	56

(Am 15. März, 27. und 28. April und 9. Mai wurde die Ausdehnung der Nordpolarcalotte mikrometrisch bestimmt.)

Aus dieser Tabelle (wie auch aus meinen Zeichnungen selbst) ergibt sich, daß die Schneegrenze der Nordcalotte sehr unregelmäßig verlief und namentlich viele stark hervorspringende oder stark eingezogene Stellen hatte. Es erklärt sich dieß ganz natürlich aus den klimatischen Verhältnissen, welche auf ausgedehnten Continenten viel wechselnder sind als in offenen Meeren. Übrigens zeigt die beigegebene Karte die Schneegrenze der einen Halbkugel, wie sie am 24. November, und der anderen, wie sie am 11. December annähernd verlief. Ich betone das »annähernd«, weil die Begrenzung nur den Zeichnungen entnommen wurde, und deshalb nicht ganz genau sein kann, weil der Polarfleck nahe dem Rande der Scheibe stand, wo ein Verzeichnen gleich einer Fehler von vielen Graden verursachen kann.

Die neue Marskarte.

Die beigegebene Marskarte entstand in folgender Weise. Auf ein Gradnetz trug ich zunächst alle Objecte ein, welche sich auf meinen Zeichnungen finden, nachdem ihre Lage natürlich vorher genau bestimmt worden war. Die Umrisse der Küsten ließen sich daraus mit Leichtigkeit feststellen; schwieriger war es aber mit den Kanälen. Hier trat es manchmal ganz deutlich zu Tage, daß mehrere dicht neben einander liegende Kanäle identisch waren und ihre abweichende Lage nur auf Fehler beim Zeichnen zurückzuführen war. Bei solchen Kanälen wurde natürlich jene Lage als am wahrscheinlichsten angenommen, welche sich auf der besten Zeichnung vorfand, also z. B. auf einer solchen, wo der Kanal central stand. Unter sonst gleichen Verhältnissen nahm ich das Mittel aus den abweichenden Lagen. Die so gereinigte Karte übertrug ich hierauf auf ein anderes Gradnetz und verglich zunächst alle Schiaparelli'schen Objecte mit meiner Karte. Was sich auf diese Weise identificiren liefs, wurde auf ein drittes Gradnetz übertragen. Dann verglich ich die restlichen Objecte mit der Lowell'schen Karte und trug die identificirten ebenfalls in das dritte Gradnetz ein. Was nun übrig blieb, konnte entweder neu oder nur auf Zeichenfehler zurückzuführen sein; deshalb untersuchte ich neuerdings die fraglichen Objecte in Bezug auf die Eintragungen im Journal und auf die Verläfslichkeit der betreffenden Zeichnungen. Was sich dabei als zweifelhaft herausstellte, wurde weggelöscht. Trotzdem stiefs ich auf einige Objecte, bei denen es mir zweifelhaft blieb, ob sie neu waren oder nicht. Diese Objecte nahm ich zwar schliefslich auch in die Karte auf (um mir die Priorität der Entdeckung zu wahren), aber ich machte im Text meine Zweifel ersichtlich. Übrigens steht es frei, die Namen jener Objecte wieder über Bord zu werfen, deren Identität mit anderen sich in der Folge vielleicht erweisen sollte.

Was die Nomenclatur der Karte betrifft, so habe ich selbstverständlich zunächst alle Schiaparelli'schen Namen beibehalten und auch diejenigen Lowell'schen, welche nicht mit den ersteren im Widerspruche stehen. Bei allen war diefs nicht möglich, weil Lowell vielen neuen Kanälen dieselben Namen gibt, welche Schiaparelli schon vorher anderen Kanälen gegeben hat (worauf auch im Texte jedesmal hingewiesen ist); denn die Lage der von Schiaparelli mikrometrisch bestimmten Fixpunkte weicht oft von der Lowell'schen Karte so beträchtlich ab, dafs auch die angrenzenden Objecte dann von Lowell falsch identificirt werden mussten.

Den neuen Objecten habe ich Namen gegeben, welche mit dem Schiaparelli'schen System im Einklang stehen (worauf Lowell z. B. gar nicht gesehen hat); also aegyptische Namen für die Gegend zwischen Thoth und Arsanias, indische für die Gegend zwischen Gehon und Fortuna, Namen aus der Unterwelt für die Gegenden um das Trivium, Namen von Riesen und Ungeheuern für die Gegenden um Gigas, Namen aus der griechischen und römischen Mythologie und Geographie für den Rest. Prof. Schiaparelli, dem ich die Namen für meine ersten 36 Objecte vorlegte, erklärte sich auch mit ihnen einverstanden, und machte mich darauf aufmerksam, dafs es nicht nur mein Recht, sondern auch meine Pflicht sei, den von mir entdeckten Objecten Namen zu geben. Ich gab daher auch den übrigen Objecten, welche sich nachträglich als neu herausstellten, Namen, welche im Einklang mit der ganzen Nomenclatur standen.

Die Zahl der neu entdeckten Objecte übertrifft jene der von mir in Nr. 3411 der »Astron. Nachr.« mitgetheilten um das doppelte, und auch ihre Lage wird man etwas verändert finden. Die Ursache liegt theils darin, daſs sich jene nur auf das Jahr 1896 bezogen, theils aber auch darin, daſs ich, so lange die Beobachtungen währten, mich damit begnügte, meine Zeichnungen mit der Schiaparelli'schen Karte zu vergleichen und die Identificirung nach Augenschätzung vorzunehmen. So kam es, daſs ich viele thatsächlich neue Objecte wegen ihrer Nähe zu bereits bekannten mit diesen für identisch hielt, während sich jetzt, bei sorgfältiger Bearbeitung der Beobachtungen, herausstellte, daſs eine Identität ausgeschlossen ist. Interessant ist, daſs manche meiner neuen Objecte von Schiaparelli bereits 1879 –1884 gesehen wurden, wie im Text ersichtlich gemacht ist. Der Mailänder Astronom glaubte jedoch an fehlerhafte Eintragung, als er sie in späteren Erscheinungen nicht wiedersah, und gab ihre ursprünglichen Namen anderen, benachbarten Objecten.

Kanäle.

Alle von mir während der letzten Erscheinung gesehenen Kanäle führe ich nachstehend in alphabetischer Reihenfolge und mit den Nummern an, welche sie auf meiner Karte führen. Die von mir entdeckten sind durch ', die Lowell'schen durch † kenntlich gemacht. Alle anderen sind Schiaparelli'sche.

1. 'Abudad. Am 5. Jan. entdeckt und am 8. März wiedergesehen.

2. Acheron. Am 1., 2., 3. Aug., 1., 7., 8. Sept. und am 6. Oct. gesehen; im September ziemlich breit, fast wie ein Meeresarm.

3. 'Aeakos. Am 5. Oct. entdeckt, am 9. Dec. und 5. Jan. wiedergesehen; manchmal ziemlich breit.

4. Aesacus. Am 1. Sept., 5. Oct. und 9. Nov. gesehen und notirt, dass die Richtung nicht genau mit der Schiaparelli'schen Karte übereinstimmt.

5. Aethiops. Am 1. Sept., 5. Oct. (breit), 9., 12. Nov., 9. Dec. (breit), 11. Dec. und 5. Jan. gesehen.

6. Agathodaemon. Am 8., 12., 15. Sept., 24. Nov., 29. Jan. und 8. März gesehen.

7. Alcyonius. Am 1. Sept. so breit wie Propontis; auch am 5. Oct. gesehen und am 9. Dec. zusammen mit Astapus und Padus eine verschwommene Linie bildend.

2*

8. **Ambrosia.** Nur am 24. Nov. gesehen.

9. **Amenthes.** Am 5. Oct., 30. Nov. und 11. Febr. gesehen.

10. **†Amystis.** Am 4. Aug. gesehen.

11. **Anian.** Am 5. Oct. gesehen. Er bildet die Fortsetzung meines Kanals » Aeakos «.

12. **Antaeus.** Am 12. Nov., 11. Dec. (sehr dunkel) und 24. März gesehen.

13. **Anubis.** Am 30. Nov. sah ich ihn bogenförmig bis zur Nilosyrtis ausgedehnt, während er bei Schiaparelli in den Kreuzungspunkt von Phison — Astaboras mündet. Seine Nordhälfte ist also neu; doch sah ich von einer Namengebung ab, weil das neue Stück mit dem alten augenscheinlich ein Ganzes bildet.

14. **˙Arachne.** Am 1. Sept. entdeckt und am 5., 6. Oct., 9. und 12. Nov. wiedergesehen. Fauth sah ihn am 16. Febr.[1]

15. **˙Arar.** Am 5. Oct. entdeckt und am 6. Oct., 9. Dec. (breit) und 11. Dec. wiedergesehen. Er scheint mit dem namenlosen Parallelkanal des Hyblaeus der Schiaparelli'schen Karte von 1881 identisch zu sein und findet sich auch auf Fauth'schen Zeichnungen vom 2. und 10. Nov.

16. **Araxes.** Am 8. Sept., 7. Oct. und 11. Dec. gesehen.

17. und 18. **†Arsanias.** Am 21., 28. Sept., 30. Nov. und 11. Febr. bald 17, bald 18 gesehen. Am 30. Nov. glaubte ich beide Arme zu sehen.

19. **˙Asclepiades.** Am 30. Nov. entdeckt und 11. Dec. wiedergesehen.

20. **Asclepius.** Am 5. Oct., 15. und 18. Febr. gesehen.

21. **Astaboras.** Am 16. Sept. und 30. Nov. gesehen.

22. **Astapus.** Am 9. und 11. Dec. gesehen.

23. **˙Asterios.** Am 5. Oct. entdeckt und am 11. Dec. wiedergesehen.

24. **Astusapes.** Am 30. Nov. und 5. Jan. gesehen. Am letztgenannten Tage durch seine Dunkelheit und Breite ein sehr auffälliges Object.

25. **Athyr.** Am 11. Dec. gesehen.

26. **˙Atropos.** Am 1. Sept. entdeckt und 9., 11. Dec. und 5. Jan. wiedergesehen. Fauth zeichnete sie am 2. Nov. (mit Padus verschmolzen) und 16. Febr. Schiaparelli hat ihr Ostende (zwischen Lacus Trasimenus und Hyblaeus) bereits 1881 gesehen, aber nicht benannt. Lowell's Karte

---

[1] Hr. Ph. Fauth, Besitzer der Privatsternwarte von Landstuhl, hat mir 78 Zeichnungen zugeschickt, die er vom Mars mit seinem 7-Zöller aufnahm. Einige darunter sind sehr gut gelungen und zeigen viele Kanäle. die ich zu identificiren vermochte. Soweit er solche zeichnete, die mit von mir entdeckten übereinstimmen, werde ich sie in der Folge erwähnen.

zeigt einen etwas südlicher laufenden Parallelkanal (den er »Boreas« nennt, obgleich er von dem Kanale dieses Namens ganz verschieden ist), welcher wahrscheinlich mit meiner Atropos identisch ist, weil ich bei Durchsicht meiner Zeichnungen aus der Erscheinung 1894–95[1] fand, daß ich Atropos thatsächlich am 12. und 14. Oct. gezeichnet, aber für Boreas-Hyblaeus gehalten hatte.

27. **Avernus.** Am 9. Dec. gesehen, aber nicht ganz so wie Schiaparelli ihn gezeichnet hat.

28. **'Axion.** Am 6. Oct. entdeckt, am 7. Oct., 9., 12. Nov. und 11. Dec. wiedergesehen, und auch von Fauth am 28. Febr. gezeichnet. Er könnte vielleicht mit dem »Cocytus« der Schiaparelli'schen Karte von 1881 oder mit Eurotas identisch sein.

29. **Boreas.** Am 1. Sept., 5., 6. Oct., 9., 12. Nov. und 11. Dec. gesehen; meist breit und sehr dunkel.

30. **Boreosyrtis.** Am 21., 28. Sept., 5., 6. Oct., 30. Nov., 11. Dec., 5. Jan., 11., 18. Febr., 24. März und 27. April gesehen; fast immer sehr dunkel und breit, manchmal sogar einem Meeresarme gleichend und fast schwarz.

31. **†Brontes.** Am 1., 2. Aug., 6., 7. Oct., 9. und 11. Dec. gesehen, doch hatte ich ihn unabhängig von Lowell bereits am 22. Nov. 1894 entdeckt.

32. **Callirrhoë.** Am 25. Oct. sehr breit und verschwommen gesehen.

33. **†Cambyses.** Am 9. und 12. Nov. gesehen.

33a. **†Cantabras.** Am 8. März gesehen.

34. **'Centaurus.** Am 1. Sept. entdeckt, am 8. Sept. wiedergesehen.

35. **Ceraunius.** Dieser Kanal glich fast beständig einem Binnenmeere oder wenigstens Meeresarme und war wegen seiner Dunkelheit und seines Umfanges stets zu sehen. Seine Ausdehnung schwankte aber,[2] und es scheint, daß der meeresartige Eindruck nur durch das Zusammentreffen der vielen in ihn mündenden Kanäle hervorgerufen wurde, weil ich letztere manchmal so verfolgen konnte, wie aus meiner Karte ersichtlich ist.

---

[1] Als ich bei der sorgfältigen Ortsbestimmung der Objecte auf meinen letzten Zeichnungen fand, daß ich viele Kanäle falsch identificirt hatte, der bloße Vergleich mit der Karte also unverlässlich sei, unterzog ich mich der Mühe, auch auf meinen Zeichnungen von 1894-95 die Lage der Kanäle genau zu berechnen. Dabei fand ich thatsächlich, daß ich 14 bez. 15 meiner neuen Kanäle bereits 1894-95 entdeckt hatte.

[2] Am 3. Aug. z. B. sah ich an seiner Stelle einen großen Binnensee in der Ausdehnung, welche man auf der Karte (in blasserm Tone gehalten) angegeben findet.

36. **Cerberus.** Vom 19. Juli bis 18. Febr. stets zu sehen, und zwar fast immer auffallend breit und dunkel; namentlich zwischen dem Trivium und dem Lacus Mortis.

37. ʿCharon. Am 11. Dec. entdeckt; aber bereits auf meiner ersten Zeichnung vom 10. Aug. 1894 zu finden und vielleicht auch mit Lowell's »Hades« identisch.

38. ʿChiron. Am 2. Aug. entdeckt und 8. Sept., 12. Nov., 11. Dec. wiedergesehen. Fauth zeichnete ihn am 1. März.

39. **Chronius.** Diesen Namen gab ich mit Zustimmung des Hrn. Prof. Schiaparelli einem von ihm entdeckten und von mir am 25. Oct. gesehenen Kanal von grofser Breite.

40. **Chrysorrhoas.** Am 8., 15., 16. Sept., 25. Oct., 24. Nov. und 8. März gesehen; manchmal sehr breit.

41. und 42. **Cyclops.** Zwischen 5. Oct. und 18. Febr. beständig gesehen, und zwar manchmal mit dem Meridian parallel, manchmal zu diesem geneigt, wie auf der Karte ersichtlich. Zieht man dazu Schiaparelli's Karte von 1881 in Betracht, so scheint es, dafs es sich thatsächlich um z w e i v e r s c h i e d e n e Kanäle handelt, die von mir abwechselnd, von Schiaparelli aber bisweilen gleichzeitig gesehen wurden.

43. ʿDanaïdes. Am 5. Oct. entdeckt, am 6. Oct. und 12. Nov. wiedergesehen, aber Identität mit Orcus-Eumenides nicht ausgeschlossen.

44. **Dardanus.** Am 4. Aug., 15., 16. Sept., 25. Oct. und 24. Nov. gesehen. Am 25. Oct. war er intensiv schwarz und so breit, dafs er eher einem Meeresarme glich.

45. **Deucalionis Fretum.** Diesen Namen gab ich mit Zustimmung des Hrn. Prof. Schiaparelli dem ursprünglich von ihm entdeckten Kanale, der das Ostende der Halbinsel Deucalion von ihr abtrennt. Ich hatte ihn schon 1894 gesehen und sah ihn jetzt wieder am 25. Oct., 9., 12., 24. und 30. Nov. und 5. Jan.

46. **Deuteronilus.** Vom 15. Sept. bis 15. März beständig gesehen, und zwar meistens breit und dunkel.

47. ʿDipsakos. Am 11. Dec. entdeckt.

48. **Doanos.** Am 24. Nov. gesehen.

49. ʿDryas. Am 2. Aug. entdeckt und 7. Sept., 11. Dec. und 8. März wiedergesehen.

50. ʿEchidna. Eigentlich schon 27. Sept. 1894 entdeckt und diefsmal am 7. Oct. wiedergesehen; doch könnte dieser Kanal nebst seiner Verlänge-

rung »Kanake« mit dem westlichen Arme des doppelten Pyriphlegethon identisch sein, wie er von Schiaparelli schon 1881 gezeichnet wurde.

51. †Elison. Am 3., 8. Sept., 7. Oct. und 11. Dec. gesehen.

52. Erebus. Am 1. Sept., 5., 6. Oct. gesehen.

53. °Eros. Am 7. Oct. entdeckt, doch ist Identität mit Sirenius nicht ausgeschlossen. Wahrscheinlicher ist jedoch seine Identität mit dem Lowell'schen »Sirenius«.

54. Eumenides. Am 2. Aug., 1. Sept., 6. Oct. und 12. Nov. gesehen.

55. Eunostos. Zwischen 1. Sept. und 24. März immer gesehen. Am 11. Dec. besonders breit.

56. und 57. Euphrates. Zwischen 15. Sept. und 15. März immer gesehen, und zwar bald den rechten, bald den linken Arm; nur am 30. Nov. glaubte ich beide Arme gleichzeitig zu sehen. Sonst scheint es, als ob beide zusammen den Eindruck eines sehr breiten Kanals hervorgebracht hätten, wie diefs überhaupt bei den meisten als »doppelt« bezeichneten Kanälen der Fall war.

58. Euripus. Am 11. Dec. als Meerenge sichtbar.

59. °Fama. Am 8. Sept. entdeckt.

60. °Fatua. Am 24. Nov. gesehen, aber schon am 8. Dec. 1894 entdeckt.

61. °Feronia. Am 1. Aug. entdeckt und 2. Aug. wiedergesehen, doch ist Identität mit Iris nicht ausgeschlossen.

62. Fortuna. Am 4. Aug., 8. Sept. und 24. Nov. gesehen.

63. °Furia. Am 8. Sept. entdeckt; von Fauth am 1. und 2. März gezeichnet.

64. Galaxias. Am 1. Sept. und 5. Oct. gesehen, aber nur bis zur Klotho reichend.

65. Ganges. Vom 20. Mai bis 8. März stets gesehen, und zwar so auffallend breit, dafs es keinem Zweifel unterliegt, dafs beide Arme entweder zu einem einzigen Meeresarme vereint waren oder mir wenigstens diesen Eindruck verursachten. Er zeichnete sich auch meist durch besondere Dunkelheit aus.

66. Gehon. Zwischen 7. Juli und 8. März stets gesehen, und zwar meistens breit und dunkel.

67. Gigas. Zwischen 25. Juli und 11. Dec. stets gesehen, aber niemals weiter als bis zum Pyriphlegethon reichend.

68. ˚Goliath. Am 1. Aug. entdeckt, doch könnte er auch mit Gigas identisch sein.

69. Gorgon. Am 2. Aug., 3. Sept. und 11. Dec. gesehen, und zwar schien er mir längs dem 146. Meridian zu laufen.

70. Gyndes. Am 1. Sept. und 5. Oct. gesehen.

71. Hades. Am 1. Sept., 5., 6. Oct., 9., 12. Nov., 9., 11. Dec. gesehen.

72. Heliconius. Am 5., 6. Oct., 30. Nov. und 27. April gesehen.

73. Herculis Columnae. Am 25. Juli, 1. Sept. und 11. Dec. gesehen.

74. Hiddekel. Zwischen 7. Juli und 15. März stets gesehen, und zwar meist sehr breit und dunkel.

75. ˚Horos. Am 16. Sept. entdeckt. Möglicherweise ist er mit dem Nordarme des doppelten Typhon der Schiaparelli'schen und Lowell'schen Karte und mit jenem des doppelten Orontes der Schiaparelli'schen Karte identisch. Nur stimmt damit nicht seine Ausdehnung bis zum Gehon.

76. Hyblaeus. Am 1. Sept., 5., 6. Oct., 9. und 11. Dec. gesehen, jedoch etwas abweichend von der Schiaparelli'schen Form.

77. Hydaspes. Am 15. Sept. und 5. Jan. gesehen.

78. Hydraotes. Am 12. Aug., 15., 16. Sept., 24. Nov. und 29. Jan. gesehen.

79 und 80. Jamuna. Vom 2. Juli bis 29. Jan. immer gesehen, aber nie beide Arme gleichzeitig.

81. ˚Jason. Am 1. Sept. entdeckt (aber bereits auf meiner Zeichnung vom 12. Oct. 1894 erkennbar) und 12. Nov. wiedergesehen, wo er durch Schwärze und Breite das auffallendste Object der Oberfläche war.

82. ˚Ichor. Am 24. Nov. entdeckt.

83. ˚Inachos. Am 16. Dec. entdeckt und im Südende wahrscheinlich mit dem »Antaeus« der Lowell'schen Karte identisch.

84. Indus. Vom 2. Juli bis 15. März stets sichtbar und zwar meist sehr breit und dunkel.

85. Jordanis. Am 25. Oct. und 9. Nov. verschwommen gesehen.

86. ˚Josis. Eigentlich schon am 12. Oct. 1894 entdeckt und diesmal am 12. Nov., 11. Dec. und 5. Jan. wiedergesehen. Auch Fauth zeichnete den Kanal am 16. Febr. Er dürfte mit dem Lowell'schen »Triton« identisch sein.

87. Iris. Vom 20. Mai (1896) bis 5. Jan. stets sichtbar.

88. Issedon. Am 24. Nov. gesehen.

89. ʼIxion. Am 5. Oct. entdeckt, am 6. Oct., 9. und 11. Dec. wiedergesehen. Vielleicht mit dem Südarm des Erebus der Schiaparelli'schen Karte,
oder mit dem »Erebus« der Lowell'schen identisch.

90. ʼKanake. Eigentlich schon am 27. Sept. 1894 entdeckt und diefsmal am 8. Sept. wiedergesehen. Auch von Fauth am 1. März gezeichnet.
Trotzdem ist Identität mit Pyriphlegethon nicht ausgeschlossen.

91. ʼKandulos. Am 1. Sept. entdeckt.

92. ʼKapys. Am 6. Oct. entdeckt.

93. ʼKlotho. Am 5. Oct. entdeckt.

94. ʼKneph. Am 29. bez. 30. Nov. entdeckt, wo er sehr dunkel,
breit und augenfällig war, und am 5. Jan. wiedergesehen. Fauth zeichnete
ihn am 29. Nov. Er dürfte jedoch mit dem »Astaboras« der Schiaparelli-
schen Karte von 1879 identisch sein.

95. ʼLacinia. Am 8. Sept. entdeckt und möglicherweise mit der »Fortuna« der Lowell'schen Karte identisch.

96. ʼLachesis. Am 12. Nov. entdeckt, doch ist Identität mit Cam-
byses nicht ausgeschlossen.

97. Laestrygon. Vom 1. Sept. bis 11. Dec. gesehen; meist dunkel
und breit.

98. ʼLamia. Am 1. Aug. entdeckt, am 8. Sept. wiedergesehen, doch
könnte sie vielleicht auch mit Furia oder Gorgon identisch sein.

99. ʼLapithus. Am 8. Sept. entdeckt und 12. Sept. und 11. Dec. wiedergesehen. Er scheint übrigens bereits 1881 von Schiaparelli gesehen
worden zu sein, weil er auf dessen damaliger Karte ohne Namen einge-
zeichnet ist.

100. ʼLevana. Am 2. Aug. entdeckt und 8. Sept. und 7. Oct. wiedergesehen. Scheint mit dem namenlosen Kanal der Lowell'schen Karte identisch zu sein, welcher Cyane Fons mit Lacus Phoenicis verbindet. Fauth
zeichnete ihn am 1. März.

101. ʼLiriope. Dieser Kanal wurde eigentlich von mir schon am
14. Oct. 1894 entdeckt und am 16. Nov. 1894 wiedergesehen. Diefsmal sah
ich ihn am 5. Oct., 12. Nov., 9. und 11. Dec.

102. ʼLybas. Entdeckt am 4. Aug., wiedergesehen 8. Sept.

103. ʼMaesolus. Entdeckt am 24. Nov., wo er sehr deutlich war. Sein
Südende ist vielleicht mit Lowell's Baetis oder Hebe identisch.

104. ʼManadas. Am 24. Nov. entdeckt, aber undeutlich gesehen.

105. ʿMelissa. Entdeckt am 1. Sept., wiedergesehen am 3. Sept.. 5. Oct. und 12. Nov.; könnte vielleicht mit Lowell's »Galaxias« identisch sein.

106. ʿMendes. Bereits 12. Oct. 1894 entdeckt und diefsmal am 5. Jan. wiedergesehen. Fauth zeichnete ihn am 2. und 30. Nov.

107. ʿMinos. Am 3. Sept. entdeckt, aber wahrscheinlich identisch mit dem Ostarme des Lowell'schen »Hades«.

108. ʿMnevis. Am 5. Jan. entdeckt. Seine Südhälfte entspricht dem Lowell'schen »Anubis«.

109. ʿNajade. Am 7. Oct. entdeckt und von Fauth am 28. Febr. gezeichnet. Könnte vielleicht mit Lowell's »Iris« identisch sein.

110. Nectar. Am 24. Nov. gesehen.

111. ʿNeith. Am 30. Nov. entdeckt und 5. Jan. wiedergesehen.

112. Nepenthes. Am 16. Juli, 30. Nov., 11. Dec. und 5. Jan. gesehen.

113. ʿNephthys. Am 30. Nov. entdeckt und 5. Jan. wiedergesehen.

114. Nilokeras. Vom 8. Sept. bis 8. März immer gesehen; am letztgenannten Tage zeigte er die merkwürdige Unterbrechung, welche man auf der Karte sieht.

115. Nilosyrtis. Vom 15. Juli bis 11. Febr. beständig breit und dunkel gesehen — manchmal durch »Brücken« unterbrochen. (Siehe Pontes Hectoris, Ajacis und Patroclis.)

116. Nilus. Am 8. (sehr breit), 12. Sept. (riesig breit), 24. Nov. und 8. März gesehen, und zwar um 10 Längengrade weiter reichend als auf der Schiaparelli'schen Karte.

117. ʿOkeanides. Am 1. Sept. entdeckt; vielleicht ist er aber mit dem Lowell'schen »Nymphaeus« identisch.

118. Orcus. Am 1. Sept., 5., 6. Oct. und 9., 12. Nov. gesehen.

119. ʿOreada. Am 8. Sept. entdeckt, am 12. Sept. und 11. Dec. wiedergesehen.

120. Orontes. Am 15., 16. Sept., 12., 24., 30. Nov. und 5. Jan. gesehen.

121. ʿOsiris. Eigentlich am 7. Oct. 1894 entdeckt und diefsmal am 9. Dec. wiedergesehen. Seine Südhälfte entspricht dem »Anubis« auf Schiaparelli's Karte von 1881.

122. Oxus. Am 15., 16., 21. Sept., 24. Nov., 4. und 5. Jan. gesehen. Anfangs war er so breit und dunkel, dafs der Unterlauf des (schmaleren) Indus ihm anzugehören schien.

123. Pactolus. Am 1. Sept., 9., 12. Nov. und 11. Dec. gesehen.

124. ʿPadus. Am 1. Sept. entdeckt, 5. Oct., 9., 12. Nov., 9. und 11. Dec. wiedergesehen und auch von Fauth am 2. Nov. gezeichnet. (Am 11. Dec. war er mit Gyndes und Heliconius verschmolzen.)

125. ʿParthenios. Ursprünglich schon am 14. Oct. 1894 entdeckt, sah ich ihn diefsmal am 5. Oct. und 11. Dec. wieder. Fauth zeichnete ihn am 2. Nov. und 16. Febr. Er könnte mit der Schiaparelli'schen Verdoppelung der Eunostos identisch sein.

126. ʿPersephonia. Eigentlich schon am 22. Nov. 1894 entdeckt und diefsmal am 11. Dec. wiedergesehen. Das Nordende könnte auch mit Schiaparelli's Avernus identisch sein, das Südende möglicherweise auch mit Lowell's Avernus oder Axius.

127. Phasis. Vom 18. Mai bis 24. Nov. immer gesehen.

128. ʿPhilia. Am 9. Dec. entdeckt und 11. Dec. wiedergesehen. Ihr Südende vielleicht mit Lowell's »Ammonium« identisch (?).

129. und 130. Phison. Vom 9. Juli bis 11. Febr. stets gesehen: manchmal den östlichen, manchmal den westlichen Arm.

131. Phlegethon. Am 1., 2., 3. Aug., 1., 3., 7., 8. Sept., 5., 6. Oct., 9. und 11. Dec. gesehen.

132. ʿPhtha. Am 30. Nov. zuerst vermuthet, am 5. Jan. mit Sicherheit gesehen und möglicherweise auch von Fauth am 25. Nov., da seine Zeichnung eine Linie zeigt, welche aus Sitacus und Phtha zusammengesetzt zu sein scheint. Trotzdem wäre es nicht unmöglich, dafs er vielleicht mit dem Westarme des Phison oder mit dem Ostarme des Euphrates identisch ist.

133. Pierius. Am 27. und 28. April gesehen.

134. Plutus. Am 1. Sept. gesehen.

135. ʿPolyphemus. Am 8. Sept. entdeckt und 12. Sept. wiedergesehen.

136. Protonilus. Vom 15. Sept. bis 27. April stets gesehen; meistens sehr breit und dunkel.

137. Pyriphlegethon. Am 18. Mai, 27. Juli, 1. Aug., 1., 3., 7., 8. Sept., 7. Oct., 11. Dec. und 8. März gesehen.

138. ʿRhadamantos. Am 1. Sept. entdeckt und 5., 6., 7. Oct. und 12. Nov. wiedergesehen. Auch von Fauth am 16. Februar gezeichnet. Er dürfte mit dem Westarme des Laestrygon der Schiaparelli'schen Karte von 1884 und mit dem Lowell'schen Laestrygon identisch sein.

3*

139. ˚Rhesos. Am 27. Juli entdeckt, 1., 2. Aug., 7., 8., 12. Sept. wiedergesehen. Möglicherweise sind die Lowell'schen Kanäle »Glaucus« und »Medus« Bruchstücke von ihm.

140. ˚Rhodope. Am 25. Oct. entdeckt und 24. Nov. wiedergesehen; dürfte aber mit dem in annähernd gleicher Gegend liegenden namenlosen Kanal der Schiaparelli'schen Karte von 1884 und mit der »Callirrhoë« der Karte von 1881 identisch sein.

141. ˚Ripheos. Entdeckt am 8. Sept., wiedergesehen am 7. Oct., 12. Nov. und 11. Dec., dürfte jedoch wahrscheinlich mit dem »Titan« der Schiaparelli'schen Karte von 1884 (und vielleicht auch mit dem Lowell'schen »Titan«) identisch sein. Ich habe jedoch den Namen »Titan« correcterweise jenem Kanale belassen, welcher ursprünglich von Schiaparelli so benannt worden war und der ebenfalls noch existirt.

142. Scamander. Am 22., 25. Juli und 11. Dec. gesehen.

143. ˚Serapis. Diesen bereits am 16. Nov. 1894 von mir entdeckten Kanal sah ich diefsmal am 18. Aug. wieder.

144. Simois. Nur am 25. Juli gesehen.

145. Sirenius. Am 27. Juli, 4. Aug., 7. Sept., 7. Oct., 11. Dec., 8. März gesehen, aber immer nur seine Südhälfte.

146. ˚Sisyphus. Am 5. Oct. entdeckt — oder eigentlich schon am 14. Oct. 1894 — und am 9. und 11. Dec. wiedergesehen; auch von Fauth am 10. Nov. gezeichnet. (Am 11. Dec. war seine Westhälfte sehr breit.)

147. †Sitacus. Am 18. Aug., 24. und 30. Nov. gesehen, wenngleich etwas anders als Lowell, bei dem sein Ostende eigentlich mein »Serapis« ist.

148. ˚Sothis. Eigentlich schon am 7. Oct. 1894 von mir entdeckt und diefsmal 5. Oct. wiedergesehen. Fauth zeichnete ihn am 29. und 30. Nov. und 19. Febr.

149. †Steropes. Am 1. Aug., 7. Sept., 6. Oct., 12. Nov. und 11. Dec. gesehen.

150. Styx. Am 1. Sept., 5. Oct., 9., 12. Nov. und 11. Dec. gesehen. Am 11. Dec. war er sehr breit.

151. Tanais. Am 25. Oct. gesehen; meeresartig.

152. Taphros. Am 24. Nov. und 11. Dec. gesehen.

153. und 154. Tartarus. Vom 22. Juli bis 11. Dec. stets gesehen und zwar bald den östlichen, bald den westlichen Arm. Da auch Schiapa-

relli beide Arme sah und Lowell den östlichen, unterliegt es keinem Zweifel, dafs wir es mit zwei verschiedenen Kanälen zu thun haben.

155. **Thoth.** Am 11. Dec. gesehen; ziemlich breit.

156. 'Tigris. Am 5. Jan. entdeckt.

157. **Titan.** Vom 24. April bis 11. Dec. fast immer gesehen. (Siehe Ripheos.)

158. **Triton.** Am 11. Dec. und 5. Jan. gesehen. (Am 11. Dec. war er breit.)

159. 'Tynna. Am 5. Jan. entdeckt, doch wäre Identität mit Jamuna nicht unmöglich.

160. **Typhon.** Am 16., 28. Sept., 24. und 30. Nov. und 5. Jan. gesehen.

161. **Uranius.** Am 8., 15. Sept. und 8. März gesehen.

162. **Xanthus.** Am 22. Juli und 11. Dec. gesehen.

163. 'Zaradres. Am 1. Aug. entdeckt und 2. Aug. wiedergesehen, doch ist Identität mit Fortuna nicht ganz ausgeschlossen. Allerdings entspricht er andererseits der »Fortuna« auf der Schiaparelli'schen Karte von 1879, so dafs es sich vielleicht doch um zwei verschiedene Kanäle handeln dürfte.

164. 'Zarathustra. Am 29. Jan. entdeckt und vielleicht mit Lowell's »Jamuna« identisch.

Wie ersichtlich enthält also meine Karte 165 Kanäle (mit 33 a), darunter 88 Schiaparelli'sche und 9 Lowell'sche[1]. Unter den übrigen 68 Kanälen befinden sich 15, die ich schon 1894 entdeckt hatte, aber auch etliche, welche wahrscheinlich mit solchen identisch sind, die Schiaparelli schon früher gesehen, aber nicht benannt, oder deren ursprüngliche Namen er später anderen benachbarten Kanälen gegeben hat, sowie solche, welche vielleicht mit Lowell'schen Kanälen identisch sind, aber von ihm irrthüm-

----

[1] Von den Kanälen der Schiaparelli'schen Karte, welche ich hätte sehen können, blieben mir folgende 9 diesmal unsichtbar: Arnon (den ich allerdings am 24. Nov. am Rande vermuthete), Xenius, Apis, Ascanius, Eosphorus, Hephaestus, Lethes, Alpheus und Peneus. Die 6 letztgenannten hatte ich aber 1894-95 gesehen. Alpheus, Peneus, Apis und Ascanius zählen zu den schwierigsten Kanälen und dürften diesmal wohl auch von keinem andern Beobachter gesehen worden sein. Arnon und Xenius lagen ungünstig nahe dem Rande; dagegen ist mir die Unsichtbarkeit von Hephaestus, Lethes (die ich allerdings am 9. Nov. am Rande zu sehen glaubte) und Eosphorus unbegreiflich.

lich für Kanäle der Schiaparelli'schen Karte gehalten und daher fälschlich mit deren Namen belegt worden. Dadurch erklärt sich das vermeintlich »Räthselhafte« mancher Veränderungen auf Mars. Es liegt auf der Hand, daſs die Kanäle nicht ihre Lage willkürlich um mehrere Grade ändern können; andererseits lehren die bisherigen Beobachtungen, daſs auch die ganz sicheren und leichten Kanäle niemals vollzählig sichtbar sind, sondern bald diese, bald jene, wie sie ja auch bald intensiv dunkel, bald verschwindend schattenhaft aussehen. Offenbar ist also die Sichtbarkeit der Mars-Kanäle an gewisse atmosphärische (oder sonstige) Bedingungen geknüpft. Anders wäre es nicht erklärlich, daſs z. B. manche Kanäle, die ich für neue Entdeckungen hielt, weil sie auf der Schiaparelli'schen Karte von 1888 fehlten, thatsächlich in gleicher Lage schon auf seinen Karten von 1879, 1882 und 1884 zu finden sind. Daſs es sich dabei nicht um periodische Ortsveränderungen handelt, ist durch den Umstand bewiesen, daſs ich gleichzeitig auch jene benachbarten Kanäle sah, welche Schiaparelli in späteren Oppositionen gesehen und deshalb mit seinen ersten Kanälen identificirt hat.

Dasselbe gilt von manchen Lowell'schen Kanälen[1].

Über die Schlüsse, zu welchen ich auf Grund meiner vierjährigen Beobachtungen gekommen bin, werde ich demnächst an anderer Stelle berichten.

Binnenseen.

165. †Aponi Fons. Am 12. Nov. gesehen, aber in etwas anderer Lage als bei Lowell.

166. ʹCrocodilorum Lacus. Am 11. Dec. entdeckt, doch scheint er von Schiaparelli bereits 1881 gesehen worden zu sein.

---

[1] Es mag vielleicht verwundern, daſs ich von den 44 die Meere durchkreuzenden Kanälen der Lowell'schen Karte (die übrigens auch in Flagstaff nur von Douglass, aber weder von Lowell noch von Pickering gesehen wurden) keinen einzigen gesehen habe. Es ist aber eigentlich noch viel verwunderlicher, daſs Douglass bereits als Anfänger im Beobachten zwar so seltsame Objecte sah — die selbst Schiaparelli's scharfen Augen durch 20 Jahre entgangen sein sollten — hingegen (gleich Lowell selbst) von so leichten und auffallenden Objecten, wie Noachis, den beiden Argyre, den drei Thyle und Taprobane nichts sah, wie auch, daſs Lowell die breiten Meeresarme zwischen Hellas und Ausonia, sowie zwischen Deucalion und Pyrrha als schmale Kanäle zeichnete! Solcher Unbegreiflichkeiten und Widersprüche enthält die Lowell'sche Karte eine Menge, und sie werden durch Vergleich mit den in seinem Werke »Mars« als auserlesene Muster gegebenen, aber sehr detailarmen Originalzeichnungen nur noch unerklärlicher.

167. 'Eurydicis Fons. Am 11. Dec. entdeckt. Meiner Überzeugung nach hat dieser See Hrn. Antoniadi auf die Vermuthung geführt, das »Trivium« sei doppelt. Die Definition war aber damals eine so ausgezeichnete und das Bild so scharf und deutlich, dafs ich darüber auch nicht den mindesten Zweifel hege.

168. 'Fucinus Lacus. Am 8. Sept. entdeckt und auch von Fauth am 1. März gezeichnet.

169. Ismenius Lacus. Am 24., 30. Nov. und 29. Jan. gesehen. Am 24. Nov. tiefschwarz und auffallendster Punkt der Scheibe.

170. 'Kopais Palus. Am 1. Aug. entdeckt, aber möglicherweise mit Lowell's »Bandusiae Fons« identisch.

171. †Labeatis Lacus. Am 4. Aug., 15. Sept. und 24. Nov. gesehen.

172. Lunae Lacus. Am 8., 12., 15. Sept., 24. Nov. und 8. März gesehen. Am 12. Sept. war er durch Dunkelheit und ungewöhnlichen Umfang das auffallendste Object.

173. Moeris Lacus. Am 30. Nov. und 11. Dec. sehr deutlich, sonst aber wie eine kleine Bai gesehen.

174. 'Mortis Fons. Am 9. Dec. entdeckt, am 11. Dec. und 15. Febr. (auffallend dunkel) wiedergesehen.

175. Niliacus Lacus. Vom 12. Aug. bis 15. März immer gesehen, aber bis auf ein einziges Mal (siehe Achillis Pons) stets mit dem Mare Acidalium vereint. Seine Ausdehnung schwankte beträchtlich, dagegen war er fast immer durch besondere Dunkelheit (am 24. Nov. tiefschwarz) auffallend.

176. Phoenicis Lacus. Nur am 11. Dec. mit Deutlichkeit gesehen. Scheint diefsmal viel kleiner und unauffälliger gewesen zu sein als 1894.

177. 'Prasias Lacus. Am 1. Sept. entdeckt und auch von Fauth am 2. Nov. gezeichnet. Er könnte vielleicht mit Lowell's »Clepsydra Fons« identisch sein.

178. Propontis. Vom 1. Sept. bis 11. Dec. beständig gesehen. Ihre Ausdehnung schwankte dabei wiederholt, und am 11. Dec. sah ich sie deutlich doppelt, so wie auf der Karte dargestellt ist. Meist war sie sehr dunkel und dann parallelogrammartig. Zu anderen Zeiten unterschied sie sich kaum von den angrenzenden Kanälen derselben Breitengrade, mit denen sie dann auch an Breite übereinstimmte.

179. ʻSalutis Fons. Am 11. Dec. entdeckt, doch wäre Identität mit Lacus Crocodilorum nicht unmöglich.

180. Solis Lacus. Vom 19. Mai bis 24. Nov. stets gesehen, aber niemals besonders scharf. In dieser Beziehung war ich ebenso unglücklich wie 1894-95.

181. ʻTamiatis Palus. Am 11. Dec. entdeckt, doch ist seine Existenz nicht ganz sicher, weil er zu nahe dem Rande stand.

182. Tithonius Lacus. Vom 7. Sept. bis 29. Jan. stets gesehen, und zwar diefsmal, gerade so wie in der letzten Opposition, genau so, wie ihn Schiaparelli zeichnete. Überhaupt kann ich bei dieser Gelegenheit gleich bemerken, dafs ich im Jahre 1894 diesen See einmal so scharf und deutlich begrenzt sah, dafs mir die Lowell'sche Darstellung einfach ein Räthsel ist.

183. ʻTrasimenus Lacus. Am 12. Nov. entdeckt, aber, wie es scheint, auch von Schiaparelli gesehen, weil seine Verdoppelungskarte von 1888 an nahezu gleicher Stelle einen namenlosen dreieckigen See aufweist.

184. ʻTrichonis Lacus. Am 5. Oct. entdeckt und auch von Fauth am 2. Nov. gezeichnet.

185. Trivium Charontis. Vom 22. Juli bis 5. Jan. stets gesehen, aber niemals viereckig, sowie es 1894-95 war, sondern immer rund. Seine Ausdehnung und Dunkelheit schwankten. Bezüglich seiner angeblichen Verdoppelung siehe unter »Eurydicis Fons«.

186. ʻVeritatis Fons. Am 12. Nov. entdeckt und 11. Dec. wiedergesehen; auch von Fauth am 2. Nov. gezeichnet. Scheint übrigens auch von Schiaparelli gesehen worden zu sein, da sich auf seinen Karten von 1879, 1881, 1884 und 1888 an annähernd gleicher Stelle namenlose Seen finden.

187. ʻVitae Fons. Am 5. Oct. entdeckt und 6. Oct. wiedergesehen; auch von Fauth am 2. März gezeichnet. Möglicherweise mit Lowell's »Ferentinae Lacus« identisch.

Wie ersichtlich, enthält meine Karte 23 Seen, worunter sich 9 Schiaparelli'sche und 2 Lowell'sche befinden. Aber auch von den übrigen 12 könnten etliche bereits vorher von Schiaparelli oder Lowell gesehen worden sein. Den von mir 1894 im Kreuzungspunkte von Alpheus und Peneus entdeckten kleinen See — den ich »Lacus Helladis« nannte — konnte ich diefsmal nicht sehen; ebensowenig die Schiaparelli'schen Seen: Arethusa, Dirce und Juventae Fons.

Meere und Meerbusen.

188. **Acidalium Mare.** Vom 16. Sept. bis 29. Jan. stets gesehen, aber immer mit dem Lacus Niliacus vereint. Nur am 29. Jan. zeigte es sich von ihm durch »Achillis Pons« getrennt.

Aonius Sinus. Vom 14. April 1896 angefangen, stets so gesehen wie die Karte zeigt.

Aurorae Sinus. Vom 19. Mai an gesehen und zwar oft von auffallender Dunkelheit.

Australe Mare. Diefsmal viel dunkler gewesen als 1894-95.

Chronium Mare. Diefsmal weniger deutlich gesehen, als während der Opposition 1894-95.

Cimmerium Mare. Vom 23. Juli an deutlich gesehen, und zwar war es meistens ziemlich dunkel. Ein Verblassen wie 1894 oder Theilung durch die Insula Cimmeria beobachtete ich niemals.

Erythraeum Mare. Stets dunkler gewesen als 1894-95, wo es bekanntlich auffallend blafs war.

189. **Hadriaticum Mare.** Dieses (von Lowell seltsamerweise als schmaler Kanal gezeichnete) Meer unterschied sich in nichts von seinem Aussehen im Jahre 1894.

190. **Margaritifer Sinus.** Vom 24. Mai ab gesehen; meist dunkel, oft sogar schwärzlich.

191. **Sabaeus Sinus.** Vom 6. Juli ab gesehen; anfangs in seiner ganzen Ausdehnung, später zeigte er sich wiederholt durch Xisuthri Regio in eine dunklere (am 4. Jan. tiefschwarze) Westhälfte und in eine weniger dunkele Osthälfte getrennt (siehe Xisuthri Regio).

Sirenum Mare. Vom 23. Juli ab gesehen, und zwar meist sehr dunkel (nur 3. Aug. auffallend blafs) und immer so wie auf der Karte gezeichnet, welche mit der Schiaparelli'schen Darstellung übereinstimmt. Die Lowell-sche Darstellung hat mich schon 1894 fremd angemuthet, weil das Mare Sirenum damals wiederholt äufserst scharf begrenzt von mir gesehen wurde, wobei es mit der Schiaparelli'schen Karte vollständig übereingestimmt hatte.

192. **Syrtis Major.** Vom 15. Juli ab gesehen und zwar meist sehr dunkel, namentlich gegen Norden zu. Bezüglich ihrer Form gilt dasselbe, was ich eben über jene des Mare Sirenum gesagt.

193. **Syrtis Minor.** Dasselbe zu bemerken.

Tyrrhenum Mare. Meist besonders dunkel.

Gegenden.

194. **Achillis Pons.** Siehe Mare Acidalium.

195. **Aëria.** Am 15. Juli auffallend glänzend.

196. *Ajacis Pons. Am 21. Sept. entdeckt und 28. Sept. wiedergesehen; vielleicht aber mit Hectoris Pons identisch (siehe diesen).

197. **Amazonis.** Am 14. und 15. April auffallend hell.

198. **Arcadia.** Am 15. April auffallend hell.

Argyre I. Vom 26. Mai ab gesehen.

Argyre II. Nur 15. Sept., 26. Jan. und 8. März gesehen, an welchen
Tagen diese Insel blendend hell glänzte.

Atlantis I. Vom 25. Juli ab (wo sie auffallend breit war) bis 12. Nov.
meist mit Leichtigkeit gesehen, manchmal aber unerkennbar.

Atlantis II. Nur am 12. Nov. und 11. Dec. gesehen; zudem am letzteren Tage nicht mit Sicherheit. Am 6. Oct. vermuthet.

Ausonia Australis. Vom 5. Mai ab mit Leichtigkeit gesehen.

Ausonia Borealis. Nur 11. Dec. und 5. Jan. gesehen.

199. **Baltia.** Am 25. Oct. gesehen.

200. **Cydonia.** In dieser Gegend glänzte am 29. Jan. ein heller Fleck.

Deucalionis Regio. Vom 5. Mai ab meist sehr deutlich gesehen.
Am 16. Sept. war diese Halbinsel auffallend breit und durch Xisuthri mit
Edom verbunden, welche Verbindung auch später noch oft gesehen wurde.
(Siehe Xisuthri Regio.)

Electris. Vom 10. Mai ab gesehen, manchmal sehr hell, aber Ende
Juli bis Sept., gleich Phaetontis, auffallend blafs.

201. **Elysium.** Am 9. und 11. Dec. und 9. Mai stach diese Gegend
durch ihre blendende Helle von dem Reste der Scheibe ab.

Eridania. Vom 10. Mai ab stets gesehen. Am 14. Juni glänzte sie
als hellster Theil der Scheibe.

202. *Hectoris Pons. Am 30. Nov. entdeckt (und auch noch 11. Febr.
gesehen) — falls er nicht mit dem schon am 21. Sept. gesehenen Pons
Ajacis identisch ist. Schiaparelli hat eine ähnliche Überbrückung der Nilosyrtis auf seiner Karte von 1881, aber unter +43°, wo sie die Boreosyrtis
abtrennt. (Siehe auch »Patroclis Pons«.)

Hellas. Vom 5. Mai ab gesehen; in der Ausdehnung schwankend;
ebenso in der Helligkeit.

Hesperia. Vom 14. Juni ab gesehen; in der Form schwankend, aber doch von der ihr von Schiaparelli gegebenen wenig abweichend. Bei dieser Gelegenheit mag bemerkt werden, dafs ich 1894 diese Halbinsel meist mit der wunderbarsten Schärfe sah, aber niemals in der eigenthümlichen Form, welche sie auf der Lowell'schen Karte hat und am allerwenigsten doppelt. Letzteres mufs entschieden auf irgend einen Irrthum zurückgeführt werden.

Japeti Regio. (Siehe Xisuthri Regio.)

Japygia. Schon 1894 hatte ich diese Insel der Schiaparelli'schen Karte als Halbinsel gesehen, welche von Hammonis Cornu gegen das Mare Hadriaticum zog. Während der letzten Opposition und zwar vom 21. Sept. ab (wo sie bis Hellas reichte), sah ich genau dasselbe. Die Ausdehnung und Helligkeit dieser Halbinsel schwankte wiederholt, ebenso ihre Richtung; einmal, am 5. Jan., überraschte sie mich sogar dadurch, dafs sie bis gegen Ausonia australis reichte. Dieser Verlängerung gab ich den Namen:

'Japygia Nova, und man findet sie auf dem rechten (westlichen) Ende der Karte dargestellt, während die gewöhnliche Form von Japygia auf dem linken Ende der Karte wiedergegeben ist.

203. Nerigos. Am 25. Oct. gesehen.

Noachis Regio. Vom 5. Mai ab sah ich die beiden Inseln, welchen dieser Name zukommt, theils vereint, theils einzeln, aber selten scharf begrenzt und meist wenig hell.

204. Oenotria. Vom 30. Nov. ab in der Form gesehen, welche diese Halbinsel auf der Schiaparelli'schen Karte von 1888 hat. Am 10. Juli hatte sie mit Japygia zusammen eine grofse Insel gebildet.

Ogygis Regio. Vom 16. Sept. ab wiederholt, aber meist nur matt und undeutlich gesehen; mitunter schienen Ogygis, Argyre I und Noachis ein zusammenhängendes Ganzes zu bilden.

205. 'Patroclis Pons. Am 5. Jan. entdeckt, doch ist es nicht unmöglich, dafs er mit Hectoris Pons (s. diesen) identisch ist.

206. Phaetontis. Vom 14. April ab stets gesehen.

Pyrrhae Regio. Vom 4. Aug. ab (wo diese Halbinsel so hell wie das Festland war) fast immer gesehen, jedoch mit wechselnder Helligkeit, Ausdehnung und Sichtbarkeit; manchmal sehr matt, manchmal ganz hell.

207. Thaumasia. Vom 14. April ab gesehen, aber niemals unter besonders günstigen Umständen.

4*

208. **'Terranova Bruciana**. Diese Halbinsel entdeckte ich bereits am 1. Sept. 1894, doch sah ich damals von einer Namengebung ab, weil Prof. Schiaparelli meinte, das Gebilde könnte vielleicht nur vorübergehender Natur sein. Während der letzten Opposition bildete es aber seit 15. Juli jederzeit ein sehr auffallendes Object (auch von Fauth wiederholt gezeichnet), ist also sicher permanenter Natur. In Ausdehnung und Helligkeit, ebenso wie in Richtung, notirte ich Schwankungen.

Thyle II. Nur am 14. und 22. Juni (wo sie mit Eridania Eins bildete und hell glänzte) und am 11. Febr. (hell) gesehen.

Thyle Novissima. Nur am 16. Sept. gesehen (hell).

209. **Xisuthri Regio.** Diese Insel, sowie die danebenliegende »Japeti Regio« der Schiaparelli'schen Karte sah ich wiederholt als eine Landenge, welche Deucalion mit Edom verband. Zuerst nahm ich diefs am 16. Sept. wahr, zuletzt am 15. März. Auch Fauth zeichnete Xisuthri am 25. Nov. in gleicher Weise.

Nachschrift.

Seitdem vorstehende Abhandlung geschrieben war (Juli 1897), sind noch drei Marskarten erschienen, von denen die eine — in Schiaparelli's »Memoria quinta« — sich auf das Jahr 1886, die andere (im »Bulletin de la Soc. belge d'astr.«) auf die Beobachtungen des Hrn. Cerulli in Teramo während der Jahre 1896-97 bezieht, während die dritte (in den »Memoirs of the British Astronomical Association« vol. VI part III) die Arbeiten aller Sectionsmitglieder (1896-97) zusammenfafst. Schiaparelli's Karte umfafst eigentlich nur die nördliche Halbkugel, und ihr neues Detail bezieht sich hauptsächlich auf diejenigen Gegenden, die während meiner letzten Beobachtungen vom Polarschnee bedeckt waren. Immerhin finde ich manche interessante Übereinstimmung. So z. B. scheint es mir sicher, dafs mein Kanal »Rhodope« mit Schiaparelli's neuem Kanal »Cedron« identisch ist; mein »Pons Ajacis« ist auch bei Schiaparelli zu finden; mein »Chronius« ist in seiner nördlichen Hälfte mit Schiaparelli's »Lacus Hyperboraeus« identisch (seine südliche Hälfte wurde aber von Schiaparelli ebenfalls gesehen — wahrscheinlich erst 1888); mein Kanal »Rhesos« erscheint in seiner Osthälfte bei Schiaparelli als Verdoppelung des »Nilus«; das Nordende meines Kanals »Polyphemus« dürfte mit einer Verdoppelung des Schiaparelli'schen »Gigas« identisch sein; die dunklen Querstriche im »Sirenius« der Schiaparelli'schen Karte (der vielleicht theilweise mit meiner »Dryas« identisch

sein könnte) würden sich sehr gut durch die vielen ihn kreuzenden Kanäle meiner
Karte erklären lassen: die Richtung des »Titan« bei Schiaparelli, welche von
derjenigen auf seinen vorhergehenden Karten abweicht, läfst keinen Zweifel darüber, dafs es eigentlich mein »Ripheos« war, den Schiaparelli 1886 gesehen und
für den östlicher liegenden »Titan« gehalten hatte; was Schiaparelli mit »Phlegethon« bezeichnet, ist mein Kanal »Axion«, während mein »Phlegethon« offenbar
mit dem von Schiaparelli mit ??? bezeichneten Kanal identisch ist; mein »Charon«
erscheint bei Schiaparelli als »Hades«, welcher Namen aber dem östlicher davon
liegenden Kanal zukommt, den man auf meiner, wie auf Schiaparelli's früheren
Karten in gleicher Richtung findet; mein »Lacus Trichonis« ist bei Schiaparelli
verschwommen angedeutet; ebenso sieht man dort die Osthälfte meines Kanals
»Atropos«, sowie die Südhälfte meines »Arar«, in gleicher Lage, aber ohne
Namen; mein »Lacus Veritatis« und mein »Fons Salutis« sind bei Schiaparelli
angedeutet; auch läfst sich aus der verschwommenen Darstellung des »Eunostos«
bei Schiaparelli schliefsen, dafs meine diesen Kanal flankirenden Kanäle »Asterios«
und »Parthenios« mit dem Eunostos zusammen diesen verschwommenen breiten
Schatten hervorgerufen haben.

Aus dem vorstehenden geht nun zweierlei hervor: erstens, dafs viele der von
mir gezeichneten neuen Objecte thatsächlich bereits früher von Schiaparelli gesehen wurden — ohne dafs ich diefs wufste — was also ihre reelle Existenz aufser
Frage stellt; und zweitens, dafs die Verschiedenheit in der Richtung und Lage
mancher Objecte auf den verschiedenen Karten von Schiaparelli nicht durch frühere
irrthümliche Bestimmungen oder durch wirkliche Veränderung jener Objecte
im Laufe der Jahre zu erklären ist, sondern einfach dadurch, dafs es sich in den
verschiedenen Fällen um verschiedene Objecte handelte, welche Schiaparelli
wegen ihrer Nachbarschaft für identisch hielt und mit dem alten Namen belegte,
während es thatsächlich neue Objecte waren. Denn das ist ja eine vollständig
erwiesene Thatsache, dafs niemals alle Objecte zugleich sichtbar sind, und dafs
selbst mehrere Erscheinungen vorübergehen können, ehe man ein einmal gesehenes
Object wiedersieht. Ebenso ist manchmal das eine Object auffällig, das andere
kaum wahrnehmbar und ein anderes Mal gerade das Gegentheil der Fall.

Was Cerulli's Karte anbelangt, so will ich mich hier nicht in eine Kritik
derselben einlassen, sondern nur die Punkte hervorheben, die sich mit meinen
neuen Objecten im Einklang befinden. Meine Halbinsel »Terranova« heifst bei
Cerulli »Jarmuk«, hat aber eine ganz andere Form, die mir geradezu unbegreiflich ist, weil alle anderen mir bekannten Beobachter sie so gesehen haben wie
ich sie gezeichnet habe. »Brontes« und »Cantabras« sind identisch mit denjenigen
meiner Karte. Das Nordende seines »Gigas« könnte mit meinem »Centaurus« identisch sein. Cerulli's »Titan« ist offenbar mein »Ripheos«; ebenso sein »Lycus«
meine »Levana«; auch sein »Tamyras« dürfte mit meinen Kanälen »Lapithus« und
»Oreada« identisch sein, das Nordende seines »Erebus« mit meinem »Kapys«, sein
»Bostrenus« mit meinem »Sisyphus«, — möglicherweise auch sein »Sares« oder

»Sarad« mit meiner »Persephonia« und seine »Iris« mit meiner »Najade«. Sein »Lacus Pambotis« entspricht meinem »Fons Mortis«, vielleicht auch sein »Hades« meinem »Minos«, sein »Styx« meinem »Charon«, sein »Hyblaeus« meinem »Arar«, möglicherweise sogar sein »Hephaestos« meinem »Fons Veritatis«. Das Südende seines »Lethes« ist identisch mit meinem »Josis«, sein »Pharphar« mit meinem Kanal »Danaides«, sein »Laestrygon« möglicherweise mit meinem »Rhadamantos«. Bezüglich der Karte der B. A. A. läfst sich nichts bestimmtes sagen, weil dieselbe ein Conglomerat ist, und ich nicht weifs, ob Hr. Antoniadi die Kanäle nach genauer Bestimmung der Lage der Objecte (in den Originalzeichnungen) eintrug, oder nur nach oberflächlicher Schätzung. Ich halte letzteres für das wahrscheinlichere und schliefse überhaupt aus Antoniadi's Bericht, dafs er bei seinen Identificirungen diejenigen Kanäle, welche annähernd bereits bekannten entsprachen, mit den letzteren identificirte. Diefs läfst aber die Möglichkeit offen, dafs manche meiner neuen Objecte auch von Mitgliedern der B. A. A. gezeichnet, aber von Antoniadi, dem ihre Existenz nicht bekannt war, wegen ihrer Nachbarschaft zu bereits bekannten Objecten mit solchen identificirt wurden. Denn schon aus dem Texte und den Kärtchen geht hervor, dafs Capt. Molesworth meinen »Lacus Trasimenus« sowie meine Kanäle »Manadas«, »Ichor«, »Asclepiades«, »Josis« und »Maeolus« sah und vielleicht auch »Aeakos«. Mithin wurden von meinen neuen Objecten 33 Kanäle (14, 15, 19, 26, 28, 37, 38, 43, 53, 63, 82, 86, 90, 94, 99, 100, 103, 104, 106, 107, 108, 109, 121, 124, 125, 138, 139, 140, 141, 146, 148, 163 und 164) 9 Seen (166, 167, 168, 177, 179, 183, 184, 186, 187) und 3 andere Objecte (196, 202, 208) bestimmt, 17 Kanäle (3, 23, 34, 49, 50, 75, 83, 89, 92, 95, 105, 117, 119, 126, 128, 132, 135) und 1 See (170) wahrscheinlich auch von anderen Beobachtern gesehen. Diefs dürfte am besten die Realität der neuen Objecte und die Verläfslichkeit meiner Beobachtungen beweisen.

11. März 1898.　　　　　　　　　　　　　　　　　　　　　　L. B.

Nummern-Erklärung zur Karte.

Kanäle.

1. *Abudad
2. Acheron
3. *Aeakos
4. Aesacus
5. Aethiops
6. Agathodaemon
7. Alcyonius
8. Ambrosia
9. Amenthes
10. †Amystis
11. Anian
12. Antaeus
13. Anubis
14. *Arachne
15. *Arar
16. Araxes
17. 18. †Arsanias
19. *Asclepiades
20. Asclepius
21. Astaboras
22. Astapus
23. *Asterios
24. Astusapes
25. Athyr
26. *Atropos
27. Avernus
28. *Axion
29. Boreas
30. Boreosyrtis
31. †Brontes
32. Callirrhoë
33. †Cambyses
33a. †Cantabras
34. *Centaurus
35. Ceraunius
36. Cerberus
37. *Charon
38. *Chiron
39. Chronius

40. Chrysorrhoas
41. 42. Cyclops
43. *Danaides
44. Dardanus
45. Deucalionis Fretum
46. Deuteronilus
47. *Dipsakos
48. Doanos
49. *Dryas
50. *Echidna
51. †Elison
52. Erebus
53. *Eros
54. Eumenides
55. Eunostos
56. 57. Euphrates
58. Euripus
59. *Fama
60. *Fatua
61. *Feronia
62. Fortuna
63. *Furia
64. Galaxias
65. Ganges
66. Gehon
67. Gigas
68. *Goliath
69. Gorgon
70. Gyndes
71. Hades
72. Heliconius
73. Herculis Columnae
74. Hiddekel
75. *Horos
76. Hyblaeus
77. Hydaspes
78. Hydraotes
79. 80. Jamuna
81. *Jason
82. *Ichor

83. *Inachos
84. Indus
85. Jordanis
86. *Josis
87. Iris
88. Issedon
89. *Ixion
90. *Kanake
91. *Kandulos
92. *Kapys
93. *Klotho
94. *Kneph
95. *Lacinia
96. *Lachesis
97. Laestrygon
98. *Lamia
99. *Lapithus
100. *Levana
101. *Liriope
102. *Lybas
103. *Maesolus
104. *Manadas
105. *Melissa
106. *Mendes
107. *Minos
108. *Mnevis
109. *Najade
110. Nectar
111. *Neith
112. Nepenthes
113. *Nephthys
114. Nilokeras
115. Nilosyrtis
116. Nilus
117. *Okeanides
118. Orcus
119. *Oreada
120. Orontes
121. *Osiris
122. Oxus

123. Pactolus
124. *Padus
125. *Parthenios
126. *Persephonia
127. Phasis
128. *Philia
129. 130. Phison
131. Phlegethon
132. *Phtha
133. Pierius
134. Plutus
135. *Polyphemus
136. Protonilus
137. Pyriphlegethon
138. *Rhadamantos
139. *Rhesos
140. *Rhodope
141. *Ripheos
142. Scamander
143. *Serapis
144. Simois
145. Sirenius
146. *Sisyphus
147. †Sitacus
148. *Sothis
149. †Steropes
150. Styx
151. Tanais
152. Taphros
153. 154. Tartarus
155. Thoth
156. *Tigris
157. Titan
158. Triton
159. *Tynna
160. Typhon
161. Uranius
162. Xanthus
163. *Zaradres
164. *Zarathustra

Binnenseen.	Meere und Meerbusen.	Gegenden.
165. †Aponi Fons	188. Acidalium Mare	194. Achillis Pons
166. *Crocodilorum Lacus	189. Hadriaticum Mare	195. Aëria
167. *Eurydicis Fons	190. Margaritifer Sinus	196. *Ajacis Pons
168. *Fucinus Lacus	191. Sabaeus Sinus	197. Amazonis
169. Ismenius Lacus	192. Syrtis Major	198. Arcadia
170. *Kopais Palus	193. Syrtis Minor	199. Baltia
171. †Labeatis Lacus		200. Cydonia
172. Lunae Lacus		201. Elysium
173. Moeris Lacus		202. *Hectoris Pons
174. *Mortis Fons		203. Nerigos
175. Niliacus Lacus		204. Oenotria
176. Phoenicis Lacus		205. *Patroclis Pons
177. *Prasias Lacus		206. Phaetontis
178. Propontis		207. Thaumasia
179. *Salutis Fons		208. *Terranova Bruciana
180. Solis Lacus		209. Xisuthri Regio
181. *Tamiatis Palus		
182. Tithonius Lacus		
183. *Trasimenus Lacus		
184. *Trichonis Lacus		
185. Trivium Charontis		
186. *Veritatis Fons		
187. *Vitae Fons		

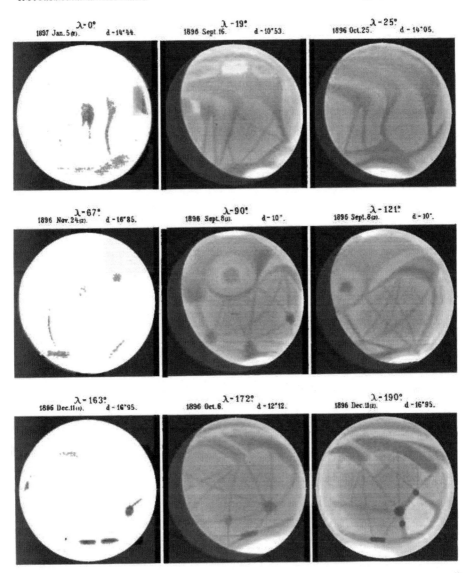

Leo Brenner : Mars - Beobachtungen 1896 - 97.
Taf. 1.

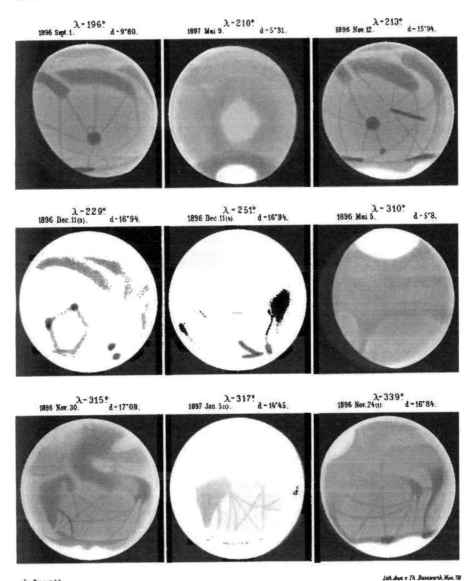

Leo Brenner: Mars-Beobachtungen 1896-97.
Taf. 2.

PHILOSOPHISCHE UND HISTORISCHE ABHANDLUNGEN.

Epigraphisches aus Aegina.

Von

Prof. Dr. MAX FRÄNKEL
in Berlin.

Vorgelegt in der Gesammtsitzung am 11. März 1897
[Sitzungsberichte St. XIV. S. 227].
Zum Druck eingereicht am gleichen Tage, ausgegeben am 31. Mai 1897.

Auf der im Herbst 1896 unternommenen zweiten Reise für das von mir zu bearbeitende *Corpus Inscriptionum Graecarum Peloponnesi et insularum vicinarum*, auf der ich mich wie auf der ersten der Begleitung des Herrn Dr. Karl Fredrich zu erfreuen hatte, habe ich mich neun Tage auch in Aegina aufgehalten. Inschriften trifft man hier, aufser einigen bekannten im Gebirge noch annähernd an ihren ursprünglichen Stellen im Freien liegenden archaischen Stücken und den in den massenhaften Gräbern, soweit man sie gerade nicht wieder zugeschüttet findet, aufgemalten, in privaten Grundstücken zerstreut und vor allem zahlreich in verschiedenen Räumen des Dimarchion und in oder vor dem grofsen Gebäude, das jetzt als Gefängnifs dient und ehemals Waisenhaus war. Ich habe gegen hundert Steine copiren können und verdanke diesen reichen Erfolg der thatkräftigen Unterstützung Einheimischer, zunächst dem stellvertretenden Dimarchen M. Emmanuil, dessen Machtwort oder Empfehlung mir in den öffentlichen Gebäuden jeden Winkel zugänglich machte und stets hülfreiche Hände zum Wenden der Steine bereit stellte; für die zerstreuten Inschriften hat mit unermüdlicher Liebenswürdigkeit der ortskundige Lehrer Antonios Pelekanos, der mich Tage lang begleitete, unschätzbare Dienste geleistet; ebenso auch der in Deutschland gebildete Vorsteher der hellenischen Schule Dr. P. Iriotis, der die epigraphische Wissenschaft durch eine als Schulprogramm 1893 veröffentlichte werthvolle Monographie über aeginetische Inschriften bereichert hat.

Die in den beiden öffentlichen Gebäuden vorhandenen Denkmäler sind der Überrest des ersten centralen Antikenmuseums, das der neue griechische Staat in dem damaligen Waisenhause von Aegina gegründet hatte. Es

1 *

wurde im März 1829 unter der Ephorie von A. Mustoxydis eröffnet; sein erster Vorsteher war der Archimandrit Leontios Kampanis, der bis Juli 1832 fungirte. Sein und zugleich Mustoxydis' Nachfolger A. Iatridis blieb im Amte, bis im October 1834 die aeginetische Sammlung ihrer Bestimmung als Centralmuseum entkleidet wurde und er die Schlüssel mit einem doppelt ausgefertigten Inventar an den Leiter der Kriegsschule zu übergeben hatte. Am 24. November 1836 wurde der Transport der Alterthümer nach Athen verfügt und im September 1837 ausgeführt; doch sollte in Aegina ein Localmuseum verbleiben, und es wurden daher laut Protokoll vom 28. September 1837 dem Dimarchen »eine Anzahl von Architekturstücken und werthlosen Gefäfsen, 48 Inschriften und 87 Reliefs« übergeben. Unter den Reliefs sind hier, wie der heutige Bestand zeigt, zu allermeist ebenfalls mit Inschriften versehene Grabsteine verstanden. Nach Athen kamen »neun mit Gefäfsen gefüllte Körbe, einige andere Altertümer und 95 Statuen und Reliefs«.

Diese Thatsachen, die ich aus Paul Kavvadias' Prolegomena zu seinen Γλυπτὰ τοῦ ἐθνικοῦ Μουσείου I (ἐν Ἀθήναις 1890–1893) wiederhole, zeigen, dafs die Provenienz der in den beiden öffentlichen Gebäuden von Aegina befindlichen Steine zunächst ganz unsicher ist. Nach Kavvadias' auf das Protokoll gestützten Mittheilung (a. a. O. p. 20) meinte man, »aufser zweien Reliefs alles auf der Insel selbst Gefundene und eine Anzahl hauptsächlich aus Delos stammender verstümmelter Reliefs« zurückgelassen zu haben. Aber dafs diefs keinen Anhalt gewährt, zeigt sich schon darin, dafs wir einerseits von den ehemals im aeginetischen Museum vereinigten Inschriften u. a. eine so wichtige aeginetischer Provenienz wie das Psephisma C. I. Gr. II add. 2139b^1 jetzt im Museum von Athen finden, andererseits in Aegina Steine, die sofort als megarisch und attisch zu erkennen sind. Unsere Mittel, eine Sonderung durchzuführen, würden ganz unzureichend sein, wäre nicht das Inventar aufgefunden worden, das Kampanis über die Eingänge des ihm unterstellten Museums von dessen Eröffnung bis zu seinem Abgange geführt hat, wobei er die Provenienz jeder Nummer angegeben hat. Diese unschätzbare Urkunde, die bei der General-Ephorie im Unterrichts-Ministerium zu Athen aufbewahrt wird, veröffentlicht zu haben (Γλυπτά I p. 11 ff.), ist eines der grofsen Verdienste von Paul Kavvadias.

---

[1] Vergl. das gleich zu erwähnende Inventar von Kampanis p. 32 Nr. 344.

Die einzelnen Actenstücke, aus denen das Inventar besteht, sind sämtlich am 10. Juli 1832 von Kampanis unterzeichnet worden[1], also begleitete es offenbar das Protokoll, durch das er die Sammlung seinem Nachfolger übergab[2]. Das entsprechende Inventar Iatridis' vom Jahre 1834 ist leider bisher nicht wieder zum Vorschein gekommen, und so bleiben wir über eine Anzahl von Steinen (S. 11 Anm. 1) noch in bedauerlicher Unsicherheit.

Die Pflicht, die Herkunft der von mir in Aegina gesammelten Inschriften nach Möglichkeit zu ermitteln, nöthigte zu einer Durcharbeitung des Verzeichnisses von Kampanis, unter Heranziehung der anderen Zeugnisse über den inschriftlichen Bestand des ehemaligen Central-Museums[3]. Das Ergebnifs dieser Arbeit will ich in der Weise vorlegen, dafs ich in übersichtlicher Aufzählung die Mittheilungen über die von mir gesehenen Steine mit dem aus den gedruckten Quellen zu Gewinnenden vereinige. Den Hauptzeugen Kampanis habe ich, um für die Benutzung meiner Listen weiteres Nachschlagen möglichst zu ersparen, fast überall mit seinen eigenen unverkürzten Worten sprechen lassen. Ausgeschlossen habe ich von den in seinem Verzeichnifs enthaltenen Stücken nur, was das zukünftige Corpus allein angeht, also das Peloponnesische und Aeginetische, dem nicht in der Litteratur fälschlich eine andere Herkunft zugesprochen worden ist.

Voranschicken möchte ich einigen einleitenden Ausführungen eine Provenienz-Liste der gesamten, also nicht blos der inschriftlichen von Kampanis verzeichneten Eingänge, wobei jedoch seine Aufzählung von Münzen, Terracotten und anderen kleinen Gegenständen (S. 33 ff.), die er ohne Numerirung gelassen hat, aufser Acht bleiben konnte. Die Zahlen geben Kampanis' fortlaufende Nummern an.

Aegina. 1—21. 47—56. 71—75. 80. 81[4]. 82. 83. 84[5]. 85. 135—137. 141—144. 153. 165. 168. 171. 174—176. 209. 210. 228. 303. 312. 315—320. 328. 329. 335. 339. 344. 346. 347.

---

[1] Die Jahreszahl 1830, die wir einmal, auf S. 26, lesen, ist gewifs nur Druck- oder Schreibfehler.

[2] Dazu stimmt sein unten S. 6 Anm. 5 abgedruckter Vermerk.

[3] Nicht benutzen konnte ich leider Mustoxydis' Ἡ Αἰγιναία, Ἐφημερὶς φιλολογικὴ (1831), die ich in den Bibliotheken von Berlin, Bonn, Göttingen und Halle vergeblich gesucht habe.

[4] «Ἔφερεν αὐτὸ .. ὁ ὑπότροφος τῆς κυβερνήσεως». Die Angabe der Provenienz würde nicht fehlen, wenn es nicht Aegina selbst wäre. Es ist gewifs das noch heute im Dimarchion befindliche Grabrelief, dessen Inschrift bei Le Bas, *Voy. Inscr.* II 1747 steht.

[5] Über die Provenienz von 83. 84 s. unten zu unserer Nr. 51.

Attika. 145. 146. 310. 311. 313. Athen 95. 96. 172. 173. 221.
226. Salamis 25–32. 36. 37. 88–90. 115–122. 150. 155–164. 169.
170. 301. 306. 307. 321–325. 334. 345. 354. Eleusis 123. 124. 133.
340. Eleusis und Megara 191–196. 198–206. **Megara.** 38–46. 69. 70. 97. 98. 309. 327. 338. 341. 350. 351. 353.
Peloponnes. Korinth 105–108. Nauplion 231. Myli[1] 227. Hagios Petros (Kynuria) 177–187. Hermione 66–68. 214–219.
Nordgriechenland. Theben 211–213. Naupaktos 109–112. Makedonien 102–104. **Inseln.** Poros 207. 208. 222–225. Keos 138. 139. 147–149.
Kythnos 33–35. Andros 125. 126. Tenos 132. Mykonos 242–297[2].
Aus Mykonos, ursprünglich rheneischer Provenienz 22–24. Rheneia[3]
57–65. 134. 188–190. 298–300. 302. 304. 308. 314. 326. 330–333. 336.
337. 342. 348. 349. 352. Syra 127–131. 154. 166. 167. Confiscirt in
Syra 232–241. Aus Syra, ursprünglich parischer Provenienz 91–94. Paros 76–79. 99–101. 113. 114[4]. 343. Kreta 151. 152.
Unbekannte Provenienz. 86. 87. 220. 229.[5]

Ehe wir die Kampanis'schen Listen benutzen, müssen wir prüfen, mit
welchem Zutrauen wir diefs thun dürfen. Es hat sich ergeben, dafs das
von Kavvadias (Γλυπτά I p. 10) ausgesprochene Urtheil lediglich zu wiederholen ist: es fehlt den andeutenden Beschreibungen jede Sachkunde
und Genauigkeit, aber die Angaben über die Herkunft sind sorgfältig und
zuverlässig. In der That werden diese in allen Fällen bestätigt, wo uns
eine ganz sichere Controle durch andere Zeugen möglich ist: man findet
Belege hierfür unten zu unseren Nummern 30. 32. 33. 43. 45. 46. 106–108.
111. 112. 115. Damit sind die Bestätigungen nicht einmal erschöpft; wir
können hierin also unbedingt auf das Inventar bauen, und die starken, bei

---

[1] »τῶν Μύλων«, gewifs das argivische Myli (Lerna); das euboeische wäre wohl näher
bezeichnet worden.

[2] S. unten S. 7 f.

[3] Es steht immer Δῆλος, womit bei Grabsteinen nur Rheneia, neugriechisch Μεγάλη
Δῆλος, gemeint sein kann. Das eine Mal, wo Kampanis Delos verstanden wissen will
(Nr. 244), sagt er unterscheidend Μικρὰ Δῆλος.

[4] Über die Provenienz von 113 und 114 s. unten zu unserer Nr. 113.

[5] Die Nummern 140 und 197 sind aus Versehen in dem Inventar übergangen, was
Kampanis bei der Übergabe ausdrücklich zu Protokoll gab: p. 25 »197. 140 Ἀριθμοὶ μὴ εὑρηθέντες εἰς τὸν παρόντα Κατάλογον, διὸ βεβαιοῦται παρὰ τοῦ ἰδίου Κ. Καμπάνη«.

der Lesung der Inschriften begangenen Fehler haben seinen hohen Werth
für unsern Zweck nicht wesentlich beeinträchtigt, da die Identificirung
dennoch zumeist mit Sicherheit möglich ist. Wo nur das Vorhandensein-
einer Inschrift ohne eine Andeutung ihres Inhaltes angegeben ist, habe ich
auf Vermuthungen verzichtet; es mag hier eine kunstarchaeologische Untersuchung, die dringend zu wünschen ist, noch einige Identificirungen heraus-
bringen können.

Einer Rechtfertigung bedarf die Zuteilung der Kampanis'schen Nummern 242—297 (unten in dem Abschnitt IV C) nach Mykonos. Diese Herkunft wird nämlich nicht angegeben; die Steine sind in einem besondern
Actenstück verzeichnet, das folgende Aufschrift trägt: »*Κατάλογος τῶν
ἀρχαιοτήτων, ἀποστελλομένων πρὸς τὴν ἐπιτροπὴν τῆς Οἰκονομίας διὰ τοῦ
ὑπ᾽ ἀριθ.* 4486 *ἐγγράφου*«, d. h. »Verzeichnifs der laut Begleitschreiben
Nr. 4486[1] an den Vorstand der Verwaltung eingesandten Alterthümer«. Die
Aufzählung erfolgt dann in kleinen, 1—12 Nummern umfassenden Abschnitten,
deren jeder eine Überschrift trägt: der letzte »*Δημογεροντία Μηκώνου*
(‚Ältestenrath von Mykonos‘) *δωρεαί*«, die übrigen je einen Personen-(Vor-
und Familien-)Namen, drei Mal ebenfalls mit dem Zusatz *δωρεαί*[2].

Offenbar war der Wohnsitz dieser Personen, selbstverständlich der Vor-
besitzer, mit dem Absendeort, der aus dem Begleitschreiben zu ersehen
war, identisch; denn wären, was an sich ja möglich wäre, die Stücke
aus verschiedenen Orten vorerst an eine Sammelstelle zusammengebracht
worden, um von da nach Aegina befördert zu werden, so ist es undenkbar, dafs man nicht zu den Personennamen die Wohnorte angegeben
hätte. Also ist die Provenienz aller dieser 56 Stücke eine einheitliche:
Mykonos. Nun berichtet der Bildhauer Emil Wolff in den *Annali dell' Instituto* 1829 p. 141 »*Riscontrai - - molti - - cippi presso diversi abitanti di Sira
e di Miconi ed in un magazzino dell' ultima isola ne vidi più di quaranta,
i quali per ordine del governo come effetti pubblici erano raccolti dai parti-*

---

[1] Diese authentische Übersetzung verdanke ich Hrn. Paul Wolters in Athen. Nach
gütiger Auskunft des Hrn. Kavvadias ist das Begleitschreiben nicht mehr vorhanden.

[2] Nach gütiger Belehrung des Hrn. Prof. Mitsotakis stammte die Dimogerontia
von Mykonos noch aus der türkischen Zeit; noch heute gäbe es diese Einrichtung in den
unter türkischer Herrschaft stehenden griechischen Inseln. Die Dimogeronten, die Vorsteher
der christlichen Gemeinde, von der sie gewählt werden, haben unter dem Vorsitz des Bischofs
die christlichen Schulen und Kirchen und die vormundschaftlichen Angelegenheiten zu verwalten und ihre Gemeinde gegenüber den türkischen Behörden zu vertreten.

colari possessori, che solevano formarsene una specie di commercio coi capitani de' bastamenti e co' viaggatori che approdavano all' isola. Aus diesem *magazzino* von Mykonos wird nach Wolff's Zeichnung in den *Annali* p. 146 die Inschrift veröffentlicht, die sicher als von Kampanis Nr. 274 (s. unten unsere Nr. 94) in unserer Rubrik aufgeführt zu erkennen ist, und die auch von den Mitgliedern der *Expédition de Morée* in Mykonos gesehen war; vergl. III S. 34 Nr. 20, mit der Angabe p. 8 *venant de Délos et dessinée* [T. 19, 1] *à Myconi*. Noch zwei weitere zugehörige Stücke haben die Mitglieder dieser Expedition in Mykonos gezeichnet: Kampanis' Nr. 262 (s. unten unsere Nr. 86) und die von Kekulé, Die antiken Bildwerke im Theseion S. 111 unter Nr. 274 als »abbozirte Harpyie« beschriebene Marmorfigur, die in dem grofsen französischen Werke III pl. 22, 1 mit der Angabe (p. 8) abgebildet ist *Cette figure, maintenant au musée d'Égine, a été dessinée à Myconi*. Denn diese Figur ist, wie mir Paul Wolters bemerkt, identisch mit der von Kampanis Nr. 242 sonderbar beschriebenen: »Ἄγαλμα μαρμάρινον, ὕψος τριῶν Ἀγγλικῶν ποδῶν, παρασταῖνον δαιμόνιον γυναικός, ἀπὸ ἐλεφαντίασιν πασχούσης«[1]. Man sieht, dafs der Schlufs auf einheitliche Provenienz aller dieser Stücke die Probe aushält. Ohne Zweifel hatten die aus Privatbesitz stammenden den Inhalt des von E. Wolff erwähnten Magazins gebildet, der von der Regierung zum Zwecke der Überführung nach Aegina theils durch Kauf, theils durch Schenkung erworben worden war: die vorherige »Sammlung« derselben bedeutete keine Confiscation, sondern nur die Sicherung gegen befürchtete Ausfuhr. Es ist sehr verständlich, dafs der Ältestenrat die in seinem Besitz, vermutlich in der Schule befindlichen fünf Stücke als Geschenk hinzufügte. Dafs für das aeginetische Museum auch durch Kauf gesorgt wurde, ist sicher durch mehrfaches Zeugnifs Kampanis'[2].

Das Museum war, wie die Liste S. 5 f. ergibt und natürlich ist, vorzugsweise aus Gegenden beschickt worden, von denen der Transport leicht war. Für unsere Vorstellung von den Provenienzen, die dennoch möglich

---

[1] Kekulé sagt nicht zutreffend, vermutlich auf mündliche, ungenau aus Kampanis' Inventar geschöpfte Auskunft von Evstratiadis (vergl. S. IX), dafs das Stück, ebenso wie seine Nr. 65 und 163, »von Leuten aus Mykonos, welche diese Sachen. in Delos (Rhenea) gefunden hatten, dem Gouvernement geschenkt wurde«. Nr. 65 ist gewifs Kampanis' Nr. 244.

[2] S. unten zu Nr. 33. 51, aufserdem Kampanis zu Nr. 221 und mehrfach zu den nicht numerirten kleinen Alterthümern: p. 34. 35. 36.

sind, ist am lehrreichsten unsere von Kampanis noch nicht verzeichnete,
also zwischen 1832 und 1834 eingegangene Nr. 50, die aus Mistra gekommen ist. Aufser der Insel selbst überwiegen Salamis, Megara, vor
allem aber die Cycladen. Unter den 352 Stücken, die Kampanis verzeichnet hat, waren aus Mykonos 59, aus Rheneia 31, aus Syra 21, zusammen 111 gekommen, und da man wufste, dafs vielfach antike Grabsteine
nach Mykonos und Syra von dem benachbarten Rheneia herübergebracht
wurden, kann es nicht Wunder nehmen, dafs sich den ersten unkritischen
Autopten für die in Aegina gesammelten Sepulcralsteine die Vorstellung
rheneischer Provenienz nahezu verallgemeinerte. Die Mitglieder der französischen Expedition nach Morea hatten eine beträchtliche Anzahl dieser Grab-
schriften aufgenommen, die Ph. Le Bas in der *Expédition de Morée* III, 1838,
p. 31 ff. und in den *Inscriptions Grecques et Latines recueillies en Grèce par
la commission de Morée* Cah. 5, 1839, p. 139 ff. unter der Überschrift »*Rhénée*« veröffentlichte. Der gleichen Übertreibung machte sich Pittakis
schuldig, dessen Scheden über die Le Bas'schen und andere in Aegina befindliche Inschriften Boeckh für die Addenda zum Corpus Inscriptionum
Graecarum II 2322*b* 1—99 benutzt hat; für einzelne Stücke zeigten zwei-
und dreifache Scheden Pittakis' ein Schwanken, das sofort die Unzuver-
lässigkeit seiner Angaben verrät: so hat er *b*20. 22. 24 einmal Salamis,
einmal Delos zugewiesen; 92 zweimal Delos, einmal Salamis; 43 einmal
Delos, einmal Mykonos. Es ist sehr natürlich, dafs Boeckh Pittakis nun
keinen Glauben schenkte, wenn er einmal richtig eine andere Provenienz
als Delos angab (*b* 42; s. unten Nr. 21). Als dann Le Bas die ehemals
aeginetischen Inschriften in der grofsen Sammlung seines Werkes »*Voyage
archéologique*« abermals veröffentlichte, hat er trotz einiger berichtigter Zu-
theilungen nicht blos durch Wiederholung alter Irrtümer, sondern auch durch
Hinzufügung neuer die Verwirrung vermehrt[1].

Um eine vollständige Übersicht zu gewähren, habe ich in das unten
folgende Verzeichnifs von den in den Addenden des Corpus unter Rheneia
gestellten Inschriften auch die aufgenommen, die nicht in Aegina gewesen sind. Es fragt sich, was von der ursprünglichen Provenienz der
Stücke zu halten ist, die sich ehemals in Mykonos, Syra und Tenos be-
fanden; sie sind unten getrennt unter IV *A, B, C* aufgeführt. Die von My-

---

[1] So sind fälschlich nach Rheneia verwiesen unsere Nr. 1. 4. 32, nach Aegina 2. 46. 47.
111—114, nach Salamis 19.

konos sind gewis zum allergröfsten Teile aus Rheneia; wenige davon
werden auf Mykonos selbst gefunden, wenige von anderwärts gebracht
worden sein. Denn dafs man von dem nächst gelegenen lebhaften Eilande
her die verlassene delische Totenstadt lange ausgebeutet hat, ist sicher;
Kampanis gibt für drei inschriftlose Denkmäler von Mykonos (Nr. 22–24)
rheneische Provenienz an, ein anderes Zeugnifs findet man bei Rofs, Reisen
auf den Inseln II 28; noch in unseren Tagen sind ja die kleineren delischen
Funde der Franzosen in Mykonos geborgen worden. — Aus Syra hatte
Boeckh Abschriften zur Verfügung, die Rofs aus einem von Kokkonis ver-
fafsten handschriftlichen Kataloge des Museums von Hermupolis im Sommer
1835 genommen hatte. Es ist anzunehmen, dafs Kokkonis für die im Corpus
Inscriptionum Graecarum zu Rheneia gestellten Stücke (s. unten Nr. 98) diese
Herkunft ausdrücklich angegeben und auch dafs er sie nicht generell ohne
Prüfung vorausgesetzt hatte; denn für einen Grabstein des von ihm ver-
walteten Museums, C. I. Gr. 2372d, hatte er Keos als Fundort vermerkt
und über b 78 nach Boeckh's Lemma vorsichtig nur ausgesagt, er scheine
rheneisch[1]. Für unsere Nr. 100 werden wir Kampanis' Ausdruck so auffassen müssen, dafs der Stein in Syra selbst gefunden sei. Für Nr. 99 ist
diefs zweifelhaft; ganz unsicher aber ist die Herkunft der noch übrigen
Stücke Nr. 101–103, die in Syra mit sieben anderen confiscirt worden waren[2],
und die Annahme von Rheneia willkürlich. So hat Kampanis unter Nr. 91–94
Stücke, die aus Syra nach Aegina gekommen waren, aber aus Paros
stammten (darunter unsere Nr. 109), und unsere Nr. 105 war über Syra
aus Andros gekommen. — Von den wenigen ehemals tenischen Stücken
sind unsere Nummern 66 und 71 ausreichend, 104 nicht so zuverlässig als
rheneisch bezeugt.

Jedenfalls steht für die unter IV C, D, E vereinigten Stücke fest, dafs
sie nicht aus dem Gebiete meines künftigen Corpus (und auch nicht aus
Attika) stammen. Dagegen verbleibt von den Steinen des ehemaligen aeginetischen Central-Museums ein beträchtlicher Rest, über deren Herkunft

---

[1] Später ist auch der von Thiersch in Paros abgeschriebene Stein C. I. Gr. II add.
2414k ins Museum von Hermupolis gekommen, aus dem ihn Conze (*Bullettino dell' Inst.*
1859, 169 Nr. 6) nochmals veröffentlichte. Der letzte wissenschaftliche Besucher des Museums
von Syra L. Pollak sagt (Mitt. d. athen. Inst. 1896, 194), seine Inschriften seien »von den
verschiedenen Kykladen nach Hermupolis, dem Sitz der Nomarchie, geschickt«.

[2] Emil Wolff (*Annali* 1829 p. 140) sah in Syra zwanzig einem französischen Reisenden
beschlagnahmte Grabsteine, die aus Rheneia gewesen sein sollen.

jeder authentische Anhalt fehlt, und diese werden aus Nothbehelf mit Vorbehalt unter den Inschriften von Aegina abzudrucken sein[1].

Besonders hervorheben möchte ich noch die auch für Archaeologen nicht unwichtige Thatsache, daſs beim Transport des aeginetischen Museums nach Athen sich ein Miſsgeschick ereignet hat: ein Teil der Steine ist im Piraeus verblieben, unter die Erde gekommen und, wenn sie wieder ausgegraben wurden, als dort ursprünglich verschüttet angesehen worden. Zwar zeigt z. B. unsere Nr. 112, daſs selbst eine datirte Fundangabe Pittakis', wie sie für Nr. 12. 15. 25 vorliegt (s. dort), auf Glauben keinen Anspruch zu haben braucht, und die übereinstimmenden Mitteilungen Rangabé's dürfen vielleicht nur als Wiederholungen angesehen werden. Aber eine Bestätigung gewährt Evstratiadis' Zeugniſs über Nr. 26, und daſs ferner Pittakis' Aussage gerade für drei aus Aegina überführte Steine wiederkehrt, daſs er einmal die Gegend des Piraeus, zweimal bestimmte Ausgrabungen, bei denen die Funde gemacht sind, bezeichnet, läſst einem Zweifel an der Thatsache keinen Raum.

Schlieſslich bemerke ich, daſs alle im Folgenden mitgetheilten neuen Lesungen und Vergleichungen, soweit es nicht anders angegeben ist, meine eigenen sind.

I. Attika.

A. Nicht im Corpus Inscriptionum Atticarum.

1. Im Dimarchion. Oberteil einer Herme. H. 0.41, br. 0.27. t. 0.095.

IΩNINEIKOMHΔ	'Ιων Νεικομήδ\ης
NE ΩTEPOΣ	νεώτερος
ME ΛITEYΣ	Μελιτεύς.

Bei Le Bas, *Voy. Inscr.* II 1958 als rheneisch. Die Inschrift wird, solange sich nicht ein glaubhaftes Zeugniſs für ihre Herkunft aus einer Kleruchie findet, mit Nr. 2 und 3 unter die attischen aufzunehmen sein, wie mit Recht bei Nr. 10, 11, und C.I.A. II 2300 geschehen ist, welcher Stein gleichfalls

---

[1] Von den Rheneia zugewiesenen sind dies C. I. Gr. 2322 *b* 4. 8. 16. 17. 19. 29—32. 37. 45. 49—53. 56. 60. 73. 77. 85. 86 (?, vergl. unsere Nr. 95). 88—90. 94. 96. 99 = Le Bas 1927. 1933. 1944. 1945. 1948. 1957. 1959—61. 1969. 1976. 1984. 1985. 1988. 1993. 1995. 1996. 1999. 2011. 2017 (?). 2018. 2020. 2023. 2024. 2028. 2030. 2031. 2033.

2*

12   M. FRÄNKEL:

im Museum von Aegina war (auch C. I. A. II 1866). — Eine Weihung an
Ion ist sonst nicht bekannt, sein Schatz aus C. I. A. I 210 Z. 8. Die Schrift
schien mir etwa dem ersten vorchristlichen Jahrhundert anzugehören.

2. Im Dimarchion. Fragment einer Platte aus hymettischem Marmor.
H. 0.19, br. 0.33, t. 0.17.

      Ψη]φισαμέ[νης τῆς
      π]όλεως Αἰλ(ίαν) Λυσ[ιστρά-
      τ]ην ἐκ Κεραμέω[ν ...
      .. ου, γυναῖκα Λ(ουκίου) Πο..
      ......ο|ν, Ὀτακ[ίλιος?

Bei Le Bas, Voy. II 1744 unter Aegina. Λυσ[ιστράτ]ην habe ich geschrieben wegen C. I. A. III 1724 Λυσίστρατος ἐ Κεραμέων; möglich ist auch
Λυσ[ιμάχ]ην.

3. Im Dimarchion. Grabstele mit Palmettenbekrönung; weifser Marmor. H. 0.83, br. 0.31, t. 0.08.

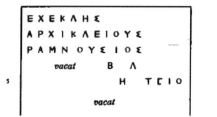

      Ἐχεκλῆς
      Ἀρχικλείους
      Ῥαμνούσιος.
      - - -
      - - -

Der Schrift nach wohl noch aus dem vierten Jahrhundert v. Chr., in welche
Zeit auch die Orthographie Ἀρχικλείους pafst; s. Meisterhans, Grammatik
der att. Inschriften S. 36, 4. — Zeile 3 und 4 scheinen nicht viel später
hinzugefügt; sie enthielten den Namen und Vatersnamen eines zweiten
Todten.

4. Im Dimarchion. Linke obere Ecke eines Grabsteins in Form eines
Naiskos; vom Relief erhalten verstümmelter Kopf eines Jünglings. Weifser
Marmor. H. 0.32, br. 0.40, t. 0.10.

      ΚΛΑΤΔΙΟCΆΡΤΕΜΑC

Kampanis p. 20, 156 »Ἔπεμψεν αὐτὰ [Nr. 155-164] ὁ κύριος Ἰατρίδης τὴν
9 Ἰανναρίου 1831 (Σαλαμῖνος) ... Ἀνάγλυφον ἔχον τό τε πρόσωπον καὶ
τὰς χεῖρας διεφθαρμένα· μὲ ἐπιγραφήν: Κλαύδιος Ἀρτεμᾶς«. Bei Le Bas
Voy. 1997 als rheneisch.

5. Kampanis p. 17, 115(–122) »Σαλαμίς¹. *Τμῆμα μαρμάρου μικροῦ, μὲ ἐπιγραφήν: Ἐπὶ ἄρχοντος Στρα.... | Καλλικράτους ....*.
6. Kampanis p. 17, 118 »Κολώνη μικρὰ ἔχουσα ἐπιγραφήν: *Μενεκράτης*«. Aus Salamis, s. zu Nr. 5. Identität mit C. I. A. II 1736 ist nicht möglich, da diese Inschrift nach Rofs, Demen p. 57 Nr. 34 schon im December 1832 in Athen war.

7. Kampanis p. 31, 325 »Ἐπιτύμ(βιον) ἀχυβαδ(ωτὸν)² σκαλισμένον — Ἀρχι Χαρίου κλπ. Σαλ(αμῖνος)«. Die Identität mit C. I. A. II 2184: ΑΡΧΙΑΣ ΧΛ ΙΛΕΩ..... ist nach der Beschreibung von Mylonas (*Bullet. de corr. hellén.* 4, 480 Nr. 8) »ἀπολῃγούσα ἄνω εἰς ἑλικοειδῆ κόσμον, πρὸς δὲ τὴν βάσιν ἀποτετμημένη« nicht unmöglich, und die Fundangabe »ἐν τοῖς πέριξ τῶν Ἀθηνῶν« hindert nicht sie anzunehmen (s. oben S. 11); doch kann, da ja Χαρίου ohne Anstofs ist, auch eine andere Inschrift gemeint sein.

[7a. Es sei die Gelegenheit benutzt, auf eine nach Korinth verschleppte attische Prytanenliste aufmerksam zu machen: Milchhöfer, Mittheil. des athen. Inst. 4, 160.]

B. Zum Corpus Inscriptionum Atticarum.

8. II 987. Im zweiten Hofe des Gefängnisses. Platte von blauem Marmor, auf Vorder- und Rückseite in gleicher Weise ornamentirt; s. die im Corpus nicht erwähnte Abbildung *Expédition de Morée* III T. 45, 3. H. 0.64, br. 0.70, t. 0.16. Die sehr sorgfältige Schrift zeigt zum Teil deutliche Apices; sie wird trotzdem etwa dem Ende des vierten Jahrhunderts angehören. Sie ist jetzt erheblich verstümmelt: Z. 1 endet mit ΘΙΗ, Z. 2 schon mit ΤΗΣ, Z. 5 mit ΕΝΕΙ und vorn sind nach ΔΕΓΣ von 9 Buchstaben nur die unteren Theile der drei ersten erhalten, auch in der ersten Hälfte von Z. 6 sind Theile von Buchstaben geschwunden; die stärkste Einbufse hat die Schmalseite betroffen, von der Z. 1–6 zerstört sind, von Z. 7 ist nur das schliefsende Σ übrig, von Z. 8 ΙΛΟΣ, von Z. 9 ΣΟΦΩΝ, von Z. 10 und 11 fehlt je der erste Buchstabe.

---

¹ Dieser auch für Nr. 6. 15. 30. 34 geltende Herkunftsvermerk ist im Druck durch Versehen ausgefallen, wie Hr. Paul Kavvadias die Güte hatte mir mitzuteilen.

² Hr. Prof. Mitsotakis hat mich belehrt, dafs diefs in dem Inventar öfter vorkommende Verbaladjectiv von ἀχυβάδα ‚Hohlmuschel‘ gebildet ist, also ‚muschelartig‘ bedeutet. Vergleicht man die bekannten Steine, bei denen das Wort angewendet ist (unten Nr. 10. 13. 23. 25), so zeigt sich, dafs Kampanis damit halbkreisförmige Bekrönung bezeichnen will.

9. II 1920. Im zweiten Hofe des Gefängnisses. Grabsäule von blauem Marmor, unten gebrochen. H. 0.32. Die Zeilen beginnen in der gleichen Linie, ο und α sind kleiner und stehen über der Zeile.

10. II 2123: Ἐπικράτης | Κηφισίου | 'Ιωνίδης. Kampanis p. 32, 345 »Ἀχυβαδωτὸν σκαλισμένον (μάρμαρον) μὲ ἐπίγραμμα — Ἐπικράκης κ.τ.λ. Σαλ(αμῖνος).« Nach Expéd. de Morée III p. 8 zu Taf. 23, 1.2 aus Delos ins Museum von Aegina gekommen: Pittakis (Ἐφημερὶς 1764) gibt die Herkunft richtig an, fälschlich aber »εὑρέθη τὸ 1833«. — Kekulé, Theseion 71.

11. II 2137. Im Dimarchion. Obertheil einer Grabsäule mit Profil von blauem Marmor. H. 0.21. Die flüchtige Schrift schien mir etwa dem dritten Jahrhundert v. Chr. anzugehören.

Γ Ρ Α Ξ Ω	Πραξώ,
Α Σ Α Ν Δ Ρ Ο Υ	Ἀσάνδρου
Ε Κ Κ Ε Ρ Α Μ Ε Ω Ν	ἐκ Κεραμέων
Γ Υ Ν Η	γυνή.

C. I. Gr. 2322b9, Expédition de Morée III 32 Nr. 10 und Le Bas, Inscriptions ... de Morée V Nr. 208 (Z. 1: ΓΡΑΞΑ) als rheneisch.

12. II 2275: Ἡγήσιππος | Κηφισοδώρου | Λαμπτρεύς. Offenbar identisch mit Kampanis p. 32, 346 »Πλάκα μαρμάρου μικρὰ — Ἡγήσιππος Κηφ. κτλ. Αἰγίνης«. Danach ist der Stein aus der Reihe der attischen zu streichen; er gehörte einem aeginetischen Kleruchen, stammt also noch aus dem fünften Jahrhundert, welcher Entstehungszeit das ionische Alphabet nicht widerspricht (s. Ulrich Köhler, Athen. Mittheil. 10, 378). — Der Stein ist nach Pittakis (Ἐφημερίς 275) am 22. Februar 1839 bei Ausgrabungen im Piraeus gefunden (auch Rangabé Antiquités 1535 sagt »trouvée au Pirée«), mufs also beim Transport von Aegina 1837 verschüttet worden sein; vergl. auch Nr. 15. 25. 26 und vorn S. 11. — Als rheneisch C. I. Gr. II add. 2322b 3 und Le Bas, Voy. 1934.

13. II 2358. Im Dimarchion. Obertheil einer marmornen Stele mit elliptischem Abschlufs, in dem Palmettenornament. H. 0.56, br. 0.31, t. 0.07. Von dem letzten Sigma fehlt die untere Hälfte. Kampanis p. 31, 322 »Ἐπιτύμβιον ἀχυβαδωτόν. Χαρίτης μ. κ. τ. λ. Σαλ(αμῖνος)«. Die Provenienzangabe Pittakis' ist also zutreffend.

14. II 2364. Salamis, das Kekulé, Theseion 210 als Fundort angibt, bezeugt Kampanis p. 15, 88 »Ἦλθον [Nr. 88–90] ἐκ τῆς Σαλαμῖνος τὴν

30 Αὐγούστου τοῦ 1830 — Ἀνάγλυφον κωνοειδὲς τριῶν προσώπων - - -.
Ἐπιγραφὴ Ἀριστοκλῆς Γοργὼ Ἀριστονίκη«.

15. II 2366 steht vollständig, aber fehlerhaft bei Kampanis p. 17, 116, mit der Angabe der Provenienz aus Salamis (s. zu Nr. 5), während Pittakis (Ἔφημ. 537) und Rangabé (*Ant.* 1566) aussagen, dafs der Stein 1840 bei Ausgrabungen im Norden des Piraeus gefunden ist; s. zu Nr. 12.

16. II 2445. Im Dimarchion. Obertheil einer Grabsäule von blauem Marmor. H. 0.40. Folgt hier wegen der Buchstabenformen.

ΕΠΙΚΡΑΤΗΣ
ΕΠΙΚΡΑΤΟΥ
ΠΕΙΡΑΙΕΥΣ

Kampanis p. 15, 90 »Ἦλθον ἐκ τῆς Σαλαμῖνος [s. zu Nr. 14] ... Κολώνη μὲ ἐπιγραφήν: Ἐπικράτης Ἐπικράτου Πειραιεύς«. Pittakis (Ἔφημ. 1792) hat also die Herkunft richtig angegeben.

17. II 2458 war zugleich mit Nr. 14–16 aus Salamis gekommen: Kampanis p. 15, 89 »Κολώνη μὲ ἐπιγραφὰς λεγούσας Φίλινος Διοφάντου Πειραιεὺς | γόνου δὲ Ἀριστομένου«.

18. II 2602. Im Dimarchion. Säule von blauem Marmor. H. 0.40. Die Publication ist correct; nur sind die Zeilen gleich lang.

19. II 2842: Κηφισόδωρος | Πολυάρχου Ἀ[χ]αιός, von Velsen im Waisenhause von Aegina abgeschrieben, ist zweifellos identisch mit Kampanis p. 11, 9 »(Ἐκ τῆς Αἰγίνης.) Μάρμαρον εἶδος κολώνας, μὲ βάσιν καὶ ἐπιγραφήν: Κηφ. Γολ.«. Die Inschrift ist also aus den attischen zu streichen, unter die sie aufgenommen ist, da sie Le Bas, *Voy.* 1664 als salaminisch hat.

20. II 3346. Kampanis p. 21, 172 (–173) »Εἶνε τῶν Ἀθηνῶν· ἦλθον τὴν 7 Φεβρουαρίου 1831. Ἀνάγλυφον ἥμισυ λέοντος μὲ ἐπιγραφήν: Λέων Σινωπεύς«.

21. II 3406. Kampanis p. 31, 334 »Κολωνίδιον μὲ ἐπίγραμμα — Χρηστοῦ Τέχνωνος κτλ. Σαλ(αμῖνος)«. Von Boeckh, C. I. Gr. II add. 2322 *b* 42 trotz Pittakis' richtiger Angabe Rheneia zugeteilt.

[22. II 3521, nach Kumanudis (Ἀττικῆς ἐπιγραφαὶ ἐπιτύμβιοι 2644) in Salamis gefunden, stammt nach dem Zeugnifs Kavvadias' (Γλυπτά I 759) aus Aegina, was hier mitangeführt sei, obwohl der Stein nicht im ehemaligen Central-Museum war.]

23. II 3783. Im Dimarchion. Obertheil einer marmornen Grabstele mit bogenförmiger Bekrönung, in der ein Blattornament. H. 0.72, br. 0.32, t. 0.07. Die dem vierten Jahrhundert angehörende Inschrift in der oberen linken Ecke des Feldes der Stele. — Kampanis p. 31, 323 »Ἐπιτύμβιον ἀχυβαδωτόν. — Θεόδοτος. Σαλ(αμῖνος)«. — Provenienz richtig bei Pittakis, Ἐφημερίς 1788.

24. II 3793 »columella« scheint identisch mit Kampanis p. 30, 310 »Κολωνίδιον μὲ ἐπίγραμμα Θεόφιλος. κ. τ. λ. Ἀχαρν(ῶν)«.. (Nach gütiger Auskunft des Herrn Kavvadias steht das als Angabe eines attischen Demos in der Handschrift vereinzelte Ἀχαρν. wirklich da.)

25. II 3968. Kampanis p. 31, 324 »Ἐπιτύμ(βιον) ἀχυβαδ(ωτὸν) σκαλισμένον ἄμορφον — Μνησιστράτη — Σαλαμ(ῖνος)«. Die Identität mit dem sehr schönen Steine bei Heydemann, Marmorbildwerke zu Athen 116; Friederichs-Wolters 1106 ist zweifellos, da er nach dem Zeugnifs der *Expédition de Morée* III p. 8 (zu Taf. 23, 3. 4) im Museum von Aegina gewesen ist; er erfährt hier die übliche Zuweisung nach Rheneia. Nach Pittakis, Ἐφημερίς 273 wurde er am 16. April 1838 im Piraeus gefunden; s. zu Nr. 12. — Dafs Pittakis, Ἐφημερίς 1789 von dem ebenfalls aus Salamis stammenden und eine gleichlautende Inschrift tragenden, aber mit figürlichem Relief versehenen Steine C. I. A. II 3969 sagt »μετεκομίσθη εἰς τὴν ἐν τῇ Αἰγίνῃ ἀρχαιολογικὴν Συλλογήν«, beruht gewifs nur auf Verwechselung mit dem unsrigen, obwohl er die Verschiedenheit der Steine ausdrücklich hervorhebt. Kavvadias, Γλυπτά I 826 ist Pittakis gefolgt.

26. II 4011 »tabula cum anaglypho« ist unzweifelhaft identisch mit Kampanis p. 29, 277 »Ἀνάγλυφον μὲ ἐπιγραφήν, τάφος Νικαίας γυναικός«, denn dafs jene angeblich attische Inschrift im Museum von Aegina war, ist sicher durch das Zeugnifs Virlet's (Le Bas, *Inscriptions* ... *de Morée* Cah. 5 p. 176 Nr. 250). Sie steht als rheneisch C. I. Gr. 2322 b 82 und Le Bas, *Voy.* 2043 und lautet: Νικαία Νέωνος | χρηστή· χαῖρε. Die zweite Zeile fehlt dem Abdruck im C. I. A., der nur auf eine Abschrift von Evstratiadis (bei Kumanudis, Ἀττικῆς ἐπιγρ. ἐπιτ. 3195 β) zurückgeht. Dafs dieser den Stein in einem Hause des Piraeus fand, beweist nichts gegen die Identität mit dem ehemals in Aegina befindlichen (s. zu Nr. 12). Er war dorthin aus Mykonos gekommen, ist also aus der Reihe der attischen zu streichen.

27. II 4208. Die Herkunft aus Salamis bestätigt Kampanis p. 30, 306. Als rheneisch C. I. Gr. 2322 b 95 und Le Bas, *Voy.* II 1986.

28. III 829. Im Dimarchion. Marmorplatte, oben und unten gebrochen.
H. 0.12, br. 0.32, t. 0.15.

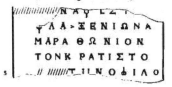

Kann jetzt mit Sicherheit hergestellt werden:

Τὸ]ν ἀφ' ἑσ[τίας
Φλά(βιον) Ξενίωνα
Μαραθώνιον,
τὸν κράτιστο[ν
5 μύσ]τ[η]ν, ὁ φίλο[ς.

In Zeile 4 stand hinter O nichts mehr; es mufs also rechts eine andere
Platte angeschlossen haben, die auch das Sigma von φίλος Z. 5 trug.
Für einen von Dittenberger als zweifellos angesehenen Genetiv wie τοῦ
πατρός wäre noch eine 6. Zeile erforderlich gewesen; aber die Nothwendigkeit eines solchen Zusatzes kann nicht zugegeben werden. Denn es ist
schon nicht undenkbar, dafs ein Erwachsener sich den Freund eines Knaben
nennt; noch weniger, dafs ein dem Geehrten Gleichalteriger von seinem
Vater die Mittel zu der Stiftung erhalten hat.

29. III 912 (aus Mustoxydes' Scheden). Im Dimarchion. Deckplatte
einer Rundbasis von hymettischem Marmor, rechts und links gebrochen.
H. 0.19, br. 0.35, t. 0.38.

Früher war viel mehr zu lesen:

Ἡ βουλή
. κνίαν Πολυχάρμου
Ἀ[ζηνιέως θυγατέρα
μ]υηθεῖσαν ἀφ' ἑστίας.

30. III 1689 (nach C. I. Gr. 633, aus Fourmont's Scheden): Εὐφά-
νης | Ἐπιγένου | Εὐ[ω]νυμεύς. — Kampanis p. 17, 117 »Τμῆμα μαρμάρου τὸ
κάτωθεν ἑνὸς ἀναγλύφου μὲ ἐπιγραφάς: Ἐκφάνης | Ἐπιγένους | Εὐω-
νύμου«. Aus Salamis (vergl. Nr. 5), wo in der That Fourmont den Stein
gesehen hatte. Ἐκφάνης wird, wie sicher Εὐωνύμου, ein Lesefehler Kampanis' sein; ob er aber das Sigma am Ende des Vaternamens eigenmächtig
hinzugefügt hat, steht dahin. — C. I. A. II 1161 haben wir eine Ehren-
basis, auf der Spon Ἐπιφάνην Ἐπιγένου Εὐωνυμέα las, der sicher ein
Mitglied derselben Familie war wie der Todte von III 1689, ja vielleicht
mit ihm identisch, indem Spon sehr wohl versehentlich den geläufigern
Namen Epiphanes zu erkennen geglaubt haben kann. Auch in der Epheben-

liste C. I. A. II 465 Z. 72 ist Εὐ- oder Ἐπιφάνη]s Ἐπιγένους Εὐωνυμεύs zu ergänzen.

31. III 2111. Aus Eleusis (s. das Lemma). Im Dimarchion. Relief im Giebel einer marmornen Grabstele, rechts und links gebrochen: Mann mit Ruder in einem Boot, links Delphin. H. 0.13, br. 0.15, t. 0.18.

<pre>
⌐ Ι Κ Ο Σ Δ Ι Ο Ν Υ Σ̅   - - τικὸς Διονυσ-
///// Λ Α Ρ Γ Ε Υ C   Χο]λαργεύς.
</pre>

Le Bas, *Voy.* 1935 als rheneisch.

32. III 2888. Im zweiten Hofe des Gefängnisses. Grabrelief von weifsem Marmor mit Giebel: in einer von einem Bogen abgeschlossenen Nische stehender Mann, von vorn, rechts ihm zugewandt Frau. H. 1.16, br. 0.50. t. 0.22. Oben:

<pre>
Δ Ι Ο Ν Υ Σ Ι Ο Σ   Διονύσιος
\ Π Ο Λ Λ Ω Ν Ι Ο Υ   Ἀ]πολλωνίου
Ζ Α Λ Α Μ Ε Ι Ν Ι Ο Σ   Σαλαμείνιος.
</pre>

Kampanis p. 11, 25 (–32) *Ἦλθον ἐκ τῆς νήσου Σαλαμῖνος — Ἀνάγλυφον μὲ ἐπιγραφήν: Διονύσιος Ἀπολλωνίου Σαλαμίνιοs*. Kampanis' Herkunftsangabe bestätigen die älteren Reisenden (s. Lemma zu C. I. Gr. 762).

33. III 3092: Διόδοτος) χαῖρε. Kampanis p. 21, 168: »Ἀνάγλυφον τὸ ὁποῖον σώζει μόνην τὴν κεφαλὴν ἀβλαβῆ [Heydemann, Marmorbildw. 154], καὶ τὴν ἀναγραφήν: Διόδοτος χαῖρε. Εἶνε τῆς Αἰγίνης· ἦλθεν τὴν 27 Ἰανουαρίου 1831· ἀγορασθὲν διὰ γρόσια τουρκικὰ 20«. Die Inschrift ist also aus den attischen zu streichen.

34. III 3412. Kampanis p. 17, 120 »Τμῆμα μαρμάρου λευκοῦ μὲ ἐπιγραφήν: Φιλοκράτης | Ἥρωs« mit dem Herkunftsvermerk Σαλαμίs (s. Nr. 5), wo Fourmont den Stein gesehen hat (C. I. Gr. 1017).

II. Megara.

35. C. I. Gr. Sept. 24. Im Freien vor dem Gefängnifs. Grofse Stele von weifsem Marmor. H. 1.36, br. 0.54, t. 0.24. Auf der einen Breitseite zwei Inschriften im Gegensinne: die eine (*A*), die von den früheren Augenzeugen Fourmont und Le Bas nicht mitgetheilt ist, hat grofse Buchstaben von etwa 5 Centimeter; die andere (*B*) ist klein und gedrängt geschrieben und namentlich rechts heute ganz abgescheuert, so dafs sie sehr schwer lesbar

ist und ich bei drängender Zeit eine hinlängliche Entzifferung nicht versuchen
konnte. *A* lautet

```
ʌ  P Á T H Σ
Ω  Σ Ψ P O ı
```

Der Verdacht, daſs diese Zeilen erst nach der Zeit Le Bas' (der den
Stein schon an der heutigen Stelle fand) entstanden sind, liegt nahe, obgleich ihm ja sehr starke Nachlässigkeiten zuzutrauen sind. Doch hat mich
der seltsame Inhalt schon vor dem Original veranlaſst, modernen Ursprung
zu erwägen, ohne daſs ich in der tief und scharf eingegrabenen Schrift
dafür ein Merkmal entdecken konnte, und es wäre dann wohl auch ein
Sinn und Zweck der monumentalen Aufzeichnung schwer abzusehen. *A* erscheint älter als *B*, etwa aus dem dritten Jahrhundert n. Chr., und auf
frühere Verwendung von *B* deuten auch das Profil und die Rosette, die
auf jeder Schmalseite vorhanden sind. Danach ist die Inschrift vollstän-
dig; sie wird also nur Ἀράτης | Ωσυροῖ gelesen und als die Weihung
eines Barbaren an eine barbarische Göttin aufgefaſst werden können.

36. C. I. Gr. Sept. 25. Im Freien vor dem Gefängniſs. Marmorbasis, oben
Profil. Unten gebrochen, links vorn bestoſsen. H. 0.58, br. 0.49, t. 0.60.
Unten ein Blatt und ein Vogel, der einen Zweig im Schnabel trägt. Wegen der
unregelmäſsigen, eigenartigen Schrift sei ein Facsimile meiner Copie gegeben.

Es ergibt sich, daſs eine oberste Zeile mit Ἀγαθῇ τύχῃ nur auf einem besondern Steine gestanden haben könnte. Z. 3 zu Anfang, wo die älteste Abschrift (des Petersburger Köhler) OHPOC hat, ist Ο[ὑ]ῆρος, wie allgemein angenommen wurde, des Raumes wegen unmöglich, vielmehr Β]ῆρος zu lesen. Zu Ende von Z. 4 gibt Le Bas (*Voy.* II 37) falsch noch My, das erst in Z. 5 stand.

37. C. I. Gr. Sept. 26. Der Stein ist zerschlagen, da ich ein Bruchstück im zweiten Hofe des Gefängnisses wiedergefunden habe. H. 0.17, br. 0.41, t. 0.45. Es zeigt oben und links den Rand und umfaſst von den ersten sechs Zeilen (im Corpus ist falsch gezählt) bis zu 12 Buchstaben; eine Variante ergibt sich nicht.

38. C. I. Gr. Sept. 36. Im zweiten Hofe des Gefängnisses in der Erde steckend. Basis von weiſsem Marmor mit Profil. H. mehr wie 0.45, br. 0.53, t. 0,35. Rechts bestoſsen; links schloſs ein anderer Stein an, da hier das Profil fehlt. Oben zwei Fuſsspuren und zwei Zapfenlöcher; unter der Schrift freier Raum. Sie ist jetzt durch Hammerschläge beschädigt, der Anfang der Zeilen 2−4 und einige andere Buchstaben zerstört. Publication correct; nur ist Z. 3 mehr nach rechts zu rücken: das erste OY steht unter TO, das letzte OY unter PO.

39. C. I. Gr. Sept. 70 Fragm. *b.* Im Freien vor dem Gefängniſs. Block blauen Marmors; rechts, links und oben gebrochen; in Zeile 6 nach ΑΝΕΣ und unter dieser Zeile freier Raum. H. 0.50, br. 0.57, t. 0.46. Nach der von Hrn. Dr. Fredrich genommenen und von mir revidirten Abschrift ist jetzt von Z. 1 oben ein Theil abgebrochen und fehlt αδρια gänzlich; Z. 3 ist etwa um den Raum eines Buchstabens mehr nach rechts zu rücken; zu Anfang von Z. 4 ist mehr zu lesen: ΛΙΟΥ. Die Buchstaben haben Apices.

40. C. I. Gr. Sept. 72. Ebenda. Grofse Basis von blauem Marmor mit Profil. H. 0.65, br. 1.07, t. 0.48. Oben zwei Fuſsspuren und vier Zapfenlöcher. Z. 2 ist etwas länger, Z. 3 und noch mehr Z. 4 kürzer wie Z. 1. Die Buchstaben haben Apices.

41. C. I. Gr. Sept. 73. Ebenda. Form und Material wie Nr. 40, auch die Maſse gleich bis auf die Breite: 1.46. In Z. 2 stehen je ein Punkt in mittlerer Höhe vor und nach ΠΑΜΦΥΛΟΙ und vor ΙΟΥ; in Z. 3 vor ΣΤΡΑΤΗ. Zeile 1 steht um zwei Buchstaben über Zeile 2 und 3, die gleich lang sind, hinaus.

42. C. I. Gr. Sept. 96. Ebenda. Grofse Basis mit Profil oben und unten. H. 0.80, br. 0.57, t. 0.46. Oben zwei Zapfenlöcher. Schrift langgestreckt und schmal; unten freier Raum. Die von Dr. Fredrich genommene Abschrift ergibt, dafs die mehr runde Interpunction auch in der Mitte von Z. 2 steht: ΛΑΙΝ€ΗΝ• und in Z. 4: ϸΗΤΟΝ•. Z. 2 zieht sich bis unter das Μ der oberen.

43. C. I. Gr. Sept. 102. Kampanis p. 32, 350 »Τετράγωνος στήλη μαρμάρου· ἐπὶ τῆς κορυφῆς σχηματίζει στῆθος καὶ λαιμὸν ἀνθρώπου ἄνευ κεφαλῆς. — Ἡ βουλὴ Νικίαν κτλ. Μεγ(άρων)«. In Megara hatten in der That Spon und Wheler den Stein an einer Kirche vermauert gesehen.

44. C. I. Gr. Sept. 106. Im Freien vor dem Gefängnifs. Block von weifsem Marmor; unten und oben Ansatzfläche. H. 0.88, br. 0.58, t. 0.54. Linke Seite der Schrift jetzt völlig abgerieben und unleserlich. Die Buchstaben haben starke Apices; Formen: Λ, € und €, Η, Κ, Λ, Μ; Ende von Z. 13 ΒΙΟ\. Keine Variante.

45. C. I. Gr. Sept. 107. Im zweiten Hofe des Gefängnisses. Vierseitige Basis mit Profil. H. 0.59, br. 0.77, t. 0.40. Zu verbessern wäre an der Publication nur die Stellung der Buchstaben unter einander. Kampanis p. 13, 39 »Ἦλθον ἐκ Μεγάρων ... Μάρμαρον μολυβδόχρωον, εἶδος κιβωτίου, μὲ ψήφισμα Φλαβίαν κλπ.«. Von älteren Reisenden in Megara gesehen.

46. C. I. Gr. Sept. 151. Im Dimarchion. Linke obere Ecke einer Stele von weifsem Marmor mit Giebel, in dem eine Schale. H. 0.38, br. 0.28, t. 0.10.

ΙΙΚΩΝΓΑΓΑⲤ
ΧΑΙΡ

Von Spon in Megara noch vollständig gesehen:
Νίκων Ἀγάθωνος·
χαῖρε.

Dafs der erste Buchstabe Ny, nicht My war, ist auch heute noch sicher. Kampanis p. 32, 351 »Θλάσμα ἐπιτυμβίου ΙΝΚΩΝΑγαθ. κτλ. Μεγ(άρων)«. Bei Le Bas, *Voy.* II 1729 als aeginetisch in dem jetzigen Zustande.

III. Antikyra.

47. Der bei Le Bas, *Voy.* II 1699 als aeginetisch mitgetheilte Stein wird im Gefängnifs bewahrt. Vierseitiger Block. H. 0.92, br. 0.48, t. 0.40. Nach Dr. Fredrich's Collation sind nur die Buchstabenformen incorrect

gegeben: Apices; Alpha nicht mit ungebrochenem Querstrich, sondern durchgängig Λ; м. Ihren Stifter gibt die Inschrift selbst an: ὁ δῆμος ὁ Ἀντικυρίων. Wir kennen drei Städte des Namens Antikyra. Daſs der Stein aus dem malischen Antikyra nach Aegina gebracht war, ist sehr unwahrscheinlich; er wäre aus jener Gegend der einzige. Als Ethnika der phokischen Stadt kennen wir Ἀντικυρεύς (Steph. Byz. Pausan. 10, 36, 5 f. Zwei nach Korinth verschleppte Inschriften, Mittheil. d. athen. Inst. 4, 161) und Ἀντικυραῖος (Steph. Byz.); schwerlich hat es noch eine dritte Form des Ethnikon gegeben. So bleibt das lokrische Antikyra übrig, und diese Provenienz wird dadurch beinahe zur Gewiſsheit, daſs nach Kampanis p. 16, 109−112 den 15. October 1830 eine bedeutendere Sendung aus dem nahen Naupaktos ankam: die Torsen zweier Statuen, einer kolossalen (109) und sicher der bei Kekulé, Theseion Nr. 257 aufgeführten (110+111), und eine Inschrift (112) »Πέτρα παχεῖα παραλληλόγραμμος μολυβδόχρωος ἔχουσα ἐπιγραφὴν τὴν ἑξῆς: Αὐτοκράτωρ . . . . .«. Hier paſst die Beschreibung völlig auf unsern Stein, und daſs er in Wahrheit mit Αὐτοκράτορα beginnt, kommt bei den sonstigen Lesefehlern Kampanis' nicht in Betracht. Er ist also entweder ursprünglich von der Nachbargemeinde in Naupaktos errichtet oder später dorthin verbracht worden. Für das lokrische Antikyra haben wir demnach neben dem in der Inschrift *Bullet. de corr. hellén.* 5, 138 Col. I Z. 25 bezeugten Ἀντικυράτας als Ethnikon Ἀντικυραῖος gewonnen.

IV. Rheneia.

[*b* bedeutet im Folgenden: C. I. Gr. II add. 2322*b*.]

A. Mit Unrecht Rheneia zugeschrieben.

b 3.   S. oben Nr. 12.

b 9.   S. oben Nr. 11.

48.   *b* 11: Τιμαρίσ|τα Ἀκανθία· χαῖρε. Kampanis p. 13, 72: »Εἶνε τῆς Αἰγίνης. -- Μάρμαρον μακρύ, ἄνωθεν σκαλισμένον μὲ ἐπιγραφὴν λέγουσαν: Τιμάριε Τααρηνία χαῖρε«. Bei Le Bas, *Voy.* II 1739 richtig unter Aegina. Der Stein befindet sich im Dimarchion, wo ich ihn abgeschrieben habe.

b 36.   S. unten Nr. 114.

b 42.   S. oben Nr. 21.

49. *b* 43 (Le Bas 1991). Kampanis p. 32, 339 »Μισὸν ἀνάγλυφον. Ἀγαθοκλῆς κ. τ. λ. Αἰγ(ίνης)«.

50. *b* 47 (Le Bas 2029). Ist von Virlet (*Expédition de Morée* II 79 und Le Bas, *Inscr.* ... *de Morée* Cah. 2 p. 151 Nr. 43) in Mistra abgeschrieben, stammt also aus Sparta. Der Stein befindet sich im Dimarchion; die Publicationen sind recht fehlerhaft. Meine Lesung ist: Ἄννα Ἀφροδειτὼ ἑαυτῇ | καὶ τῷ ἰδίῳ ἀνδρεὶ Κείθυι | [κα]ὶ τέκνῳ Γερυλλίωνι | [μ]νείας χάριν.

51. *b* 55 (Le Bas 1977). Kampanis p. 15, 83-84 »Ἦλθον τὴν 16 Αὐγούστου 1830 ἀγορασθέντα παρὰ τῆς Ἀ. ἐκλαμπρότητος τοῦ Προέδρου. — 83 Συνθλασμένον ἀνάγλυφον δύο σωμάτων [Heydemann, Marmorbildw. zu Athen 100], ἐχόντων ἐπιγραφὰς Ἀσιατικὸς Νεικήφα· καὶ ἄλλη«. Danach ist als sicher anzunehmen, dafs Mustoxydes Nr. 51 und 52 in Aegina selbst erwarb, und da nicht aufserdem eine Provenienz angegeben wird, dürfen wir an der Herkunft von dort nicht zweifeln, die auch in der ersten Veröffentlichung *Expédition de Morée* III 62 Nr. 33 bezeugt wird.

52. *b* 57 (Le Bas 1978). Kampanis p. 15, 84 »Ἀνάγλυφον σῶον δύο σωμάτων [Kekulé, Theseion 305] ἐχόντων τὰς ἑξῆς ἐπιγραφὰς Ἀφθόνητος Σωτηρίωνος. | Σωτηρὶς Φιλουμένης. ἔχον κάτωθεν ἕνα ἡμίονον«. — Vergl. zu Nr. 51.

53. *b* 62 (Le Bas 1980). Kampanis p. 19, 142 »Εἶνε τῆς Αἰγίνης. -- Μάρμαρον καθαρὸν ἐπιτύμβιον μὲ ἐπιγραφὰς λεγούσας: Δαμὼ Διογένου χαῖρε. | Ταραντῖνε Ταραντίνου χαῖρε«.

54. *b* 70 (Le Bas 1983): Θεόφιλος Εὐκλέους u. s. w. ist gewis identisch mit Kampanis p. 14, 74 »Εἶνε τῆς Αἰγίνης. -- Τεμάχιον μαρμάρου μὲ ἐπιγραφὴν Θόφιλος κλπ.«.

55. *b* 72. Kampanis p. 13, 71 »Εἶνε τῆς Αἰγίνης. Τεμάχιον μαρμάρου λευκοῦ, μὲ ἐπιγραφὴν λέγουσαν, Σιβοίτης Δαιμένου χαῖρε«. — Bei Le Bas 1727 richtig unter Aegina. Von mir im Dimarchion abgeschrieben.

56. *b* 74 (Le Bas 2008). Kampanis p. 14, 73 »Εἶνε τῆς Αἰγίνης. -- Τεμάχιον μαρμάρου μὲ ἐπιγραφήν, Κέρδων Ἀλεξάνδρου χαῖρε«. Von mir im Dimarchion abgeschrieben.

b 95. S. oben Nr. 27.

B. Rheneische Provenienz sicher.

57. *b* 10 (Le Bas 1932). Kampanis p. 30, 298 »Ἀνάγλυφον [Kekulé, Theseion 285] μὲ ἐπίγραμμα, Φιλόξενε Φιλοξένου. Δήλου«.

58. *b* 12 (Le Bas 1936). Kampanis p. 30, 299 »Ἀνάγλ(υφον) ἐλλειπὲς κατὰ τὴν κεφαλὴν — Ζήνων Ζην... Δήλ(ου)«. — Im Dimarchion. Untertheil eines Grabreliefs: stehender Mann. H. 0.33, br. 0.28, t. 0.07.

ΖΗΝΩΝΖΗΝΩΝΟΣΑ   Ζήνων Ζήνωνος Ἀ-
ΛΕΞΑΝΔΡΕΥΧΡΗΣ   λεξανδρεύ χρησ-
ΤΕ ΧΑΙΡΕ   τέ, χαῖρε.

59. *b* 20 (Le Bas 1949). Kampanis p. 30, 302 »Ἐπιτύμβιον τετράγωνον μὲ στέφανον — Εἰσίας Ἑρμίου κ. τ. λ. Δήλ(ου)«.

60. *b* 21. Kampanis p. 32, 348 »Ἐπιτύμβιον μαρμάρου — Διονύσιε Κοδίνιε κτλ. Δήλ(ου). — Ch. Lenormant (Le Bas, *Inscr.* ... *de Morée*, Cah. 5 p. 165 und *Expédition de Morée* III p. 37 Nr. 35) las Κοσσύνιε; Pittakis Κοσσινιε, was auch Le Bas, *Voy.* 2004 gibt.

61. *b* 23 (Le Bas 1950). Kampanis p. 31, 326 »Ἐπιτύμβ(ιον) ἀνάγλυφον ἀνὴρ ἑστηκὼς καὶ πλησίον αὐτοῦ ἐν παιδάριον [Kekulé, Theseion 278] — Γοργία δ.... κλπ. Δήλ(ου)«.

62. *b* 24 (Le Bas 1952). Kampanis p. 30, 300 »Ἀνάγλ(υφον) θλασμένον Μαλχίων κ. τ. λ. Δήλ(ου)«. — Im Dimarchion. Grabstein von Marmor, oben gebrochen. In vertieftem Felde zwischen Pfeilern nach rechts sitzender Mann, links neben ihm ein stehender Mann und eine kleinere Figur. H. 0.35, br. 0.37, t. 0.09.

ΜΑΛΚΙΩΝ
ΑΠΟΛΛΩΝΙΟΥ
ΛΑΟΔΙΚΕΥ
ΧΡΗΣΤΕ
5 ΧΑΙΡΕ

63. *b* 33 (Le Bas 1962). Kampanis p. 32, 337 »Ἐπιτύμ(βιον) ἀνάγλυφον μικρὸν [Kekulé, Theseion 44] ἡ ἐπιγραφὴ φθαρμένη ...... Ῥωμαῖα κ. τ. λ. Δήλ(ου)«. Die Identität wird nicht zweifelhaft sein: die erste schwer lesbare Zeile, die Pittakis und Le Bas recht verschieden geben, hat Kampanis nicht entziffern können und diefs durch Punkte angedeutet.

64. *b* 39 (Le Bas 1971). Kampanis p. 13, 65 »Ἐκ τῆς νήσου Δήλου. --- Τεμάχιον ἀναγλύφου μὲ ἐπιγραφὴν λέγουσαν: Ἀλέξανδρος Νικολάου. Ἀλέξας Ἀλεξάνδρου. Σύριοι χρηστοὶ χαίρετε«. — Im Dimarchion. Untertheil eines Grabreliefs von Marmor: von einem sitzenden und einem vor ihm stehenden Mann nur die Füfse erhalten. H. 0.19, br. 0.30, t. 0.08.

ΑΛΕΞΑΝΔΡΟϹΝΙΚΟ
ΛΑΟΥΑΛΕΞΛϹΑΛΕ
ΞΑΝΔΡΟΥϹΥΡΙΟΙ
ΧΡΗϹΤΟΙΧΑΙΡΕΤΕ

65. *b* 61 (Le Bas 2001). Kampanis p. 32, 336 »*Ναυάγιόν τινος Γλύ-κων Πρωτογένου κ. τ. λ. Δήλ(ου)*«. Boeckh gibt nach Pittakis *Γλαύκων*; wie Kampanis lesen auch Le Bas und Heydemann, Marmorbildwerke zu Athen 490.

66. *b* 68 (Le Bas 2038). Kampanis p. 23, 188–190 »*Εἶνε τῆς Δήλου. ἀφιέρωσεν αὐτὰ ὁ Κ. Γ. Μαυρογένης --- τὴν* 18 *Ἀπριλίου* 1831 *--* 190. *Ἀνάγλυφον δύο προσώπων ἔχον ἐπιγραφήν: Ζῶσα Φιλομήτωρ | χρη-στὴ χαῖρε*«. *Expédition de Morée* III; p. 8: »*venant de Délos et dessinée* [T. 17, 1] *à Tinos*«.

67. *b* 79 (Le Bas 2042). Kampanis p. 32, 352 »*Ἕτερον (θλάσμα) μι-κρούτζικον μελαινα. Δήλ(ου)*«. — Im Dimarchion. Linke obere Ecke einer Grabstele mit Giebel. H. 0.26, br. 0.21, t. 0.04.

ΜΕΛΑΙΝΙ   *Μέλαιν[α*.

68. *b* 84 (Le Bas 2016). Kampanis p. 13, 59 »*Ἐκ τῆς νήσου Δήλου. --- Ἀνάγλυφον μὲ ἐπιγραφὴν λέγουσαν. Κόϊντος· εὑρισκομένου εἰς τὴν κλίνην τοῦ ἀνδρός, παρακάθηται ἡ τούτου σύζυγος*«. Die Identität geht aus der Beschreibung des Reliefs hervor. — Kekulé, Theseion 238.

b 95. S. oben Nr. 27.

69. *b* 98 als rheneisch; als aeginetisch C. I. Gr. II add. 2140*a* 11 und Le Bas, *Voy.* 1724. — Kampanis p. 32, 349 »*Ἐπιτύμβιον μικρὸν — Ἕρ-ριος Ἀγοριος κτλ. Δήλ(ου)*«. — Im Dimarchion. Grabstein mit Giebel. H. 0.47, br. unten 0.29, oben 0.24, t. 0.06. Abschrift von Fredrich.

ΕΡΡΙΟϹΑΓΕΙΡΙ
ΟϹΧΡΗϹΤΕΧΑΙΡΕ

[70. Es seien hier die Stücke aufgezählt, deren Ursprung aus Rhe-neia durch andere Zeugen wie Kampanis festgestellt ist; s. die Lemmata: *b* 34. 40. 76. 93.]

71. Den rheneischen Inschriften hinzuzufügen ist die C. I. Gr. II add. 2346*c* als tenisch gegebene, nach Kampanis p. 23, 188 (den Herkunfts-vermerk s. oben zu Nr. 66) »*Ἀνάγλυφον* [Kekulé, Theseion 53. Cavvadias,

Γλυπτά 1028] μὲ καλὴν ἀρχιτεκτονικὴν ἄνωθεν· ἔχον ἐπιγραφὴν τὴν ἑξῆς: Νίκη Δωσιθέου Θασία ¦ χρηστὴ καὶ φιλόστοργε χαῖρε«. Rheneische Provenienz gibt auch *Expédition de Morée* III p. 8 an: »*venant de Délos et dessinée* [T. 18, 2] *à Tinos*«.

C. Ehemals in Mykonos.

[S. oben S. 7 f.]

72. Kampanis p. 29, 275 »Ἀνάγλυφον μὲ ἐπιγραφήν, γυναικὸς Διοδώρας Διονύκτου«. Ich zweifele nicht, dafs C. I. Gr. 2322 *b* 1 (Le Bas, *Voy.* 1925. Kekulé, Theseion 319) gemeint ist, deren erste Zeile lautet

ΔΙΟΔΩΡΑΑΦΡΟΔΙΣΙΟΥ, denn

wurde von dem zweiten Namen nur ΛΙΟΛΙ/ΙΟΥ gesehen, so konnte diefs ΔΙΟΝΥΚΤΟΥ mifsdeutet werden.

73. *b* 2 (Le Bas 1926). Kampanis p. 29, 280 »Ἀνάγλυφον μὲ ἐπιγραφήν, τάφος ἀνδρὸς Ζωΐλου«. — Im Dimarchion. Marmorstele mit Giebel. H. 0.90, br. unten 0.35, oben 0.43, t. 0.11. Unter einem Bogen ist ein sitzender Mann dargestellt, der einem stehenden die Rechte reicht; neben dem Stuhle ein kleiner Knabe, in der Rechten einen Kranz haltend.

ΙΩΙΛΕ ΚΑΙΙΩΙΛΕΙΩ
ΙΩΙΛΟΥΙΛΟΥΑΘΗΝΑΙΕ
ΧΡΗΣΤΟΙΧΑΙΡΕΤΕ

Ζωΐλε | Ζωΐλου | καὶ Ζωΐλε Ζωΐλου
Ἀθηναῖε χρηστοί· χαίρετε.

Die gleichnamigen Todten waren gewifs Vater und Sohn; bei diesem wird der Unterscheidung und der Ehre halber zugesetzt, dafs er das attische Bürgerrecht erlangt hatte.

74. *b* 5 (Le Bas 1928). Kampanis p. 27, 250 »Ἀνάγλυφον μὲ ἐπιγραφήν, τάφος Θεαγγέλου«.

75. *b* 7 (Le Bas 1930): Νικογένη Κόσ|μου κτλ. Kampanis p. 27, 248 »Ἀνάγλυφον [Kekulé, Theseion 220] μὲ ἐπιγραφήν, τάφος ἀνδρός· Νικογένικος«.

76. *b* 13 (Le Bas 1938). Kampanis p. 27, 254 »Ἀνάγλυφον [Heydemann, Marmorbildw. 499] μὲ ἐπιγραφήν, τάφος ἀνδρὸς Δημητρίου«.

77. *b* 14 (Le Bas 1939): Ζήνων ... (Ἔ)ρωτίς. Kampanis p. 27, 259 »Ἀνάγλυφον [Kekulé, Theseion 293] μὲ ἐπιγραφήν, τάφος ἀνδρὸς καὶ γυναικός, Ζέζωνος καὶ Ἑρώτας«.

78. *b* 22. Kampanis p. 29, 281 »Ἀνάγλυφον μὲ ἐπιγραφήν. τάφος γυναικὸς Γλαυκίνης«. — Im Dimarchion. Stele, oben gebrochen. H. 0.62, br. 0.37, t. 0.08. Darstellung: sitzende Frau.

ΓΛΥΚΙΝΝΑΛΛΟΔΙΚΙΣΣΛ
ΓΥΝΗΓΕΝΝΛΔΟΥ
ΛΛΗΟΙΝΩΣΧΡΗΣΤΗΚΑΙΑΛΥΠΕ

In der dritten Zeile wurde das erste Wort immer arg verlesen: ΑΛΓΟΙΝΩΣ Virlet (*Expédition de Morée* III 35 Nr. 24 und Le Bas, *Inscriptions* ... *de Morée*, Cah. 5 p. 157 Nr. 222); ...Λ.ΙΝΩΣ, ein anderes Mal - - - ΛΙΩΝ Pittakis; ΑΠΟΙΝΟΣ Le Bas, *Voy.* 1951. Es heifst:

Γλύκιννα Λαοδίκισσα,
γυνὴ Γεννάδου,
|ά|λη|θ|ινῶς χρηστὴ καὶ ἄλυπε.

79. *b* 25 (Le Bas 1953). Kampanis p. 26, 245 »Ἀνάγλυφον [Kekulé, Theseion 153] μὲ διπλῆν ἐπιγραφήν. Μύστας γυναικὸς καὶ Ἀπολλωνίου ἀνδρός«.

80. *b* 27 (Le Bas 1955). Kampanis p. 29, 292 »Ἐπιγραφὴ Φιλουμένης Διονυσίου«.

81. *b* 28 (Le Bas 1956). Kampanis p. 27, 247 »Ἀνάγλυφον [Kekulé, Theseion 310] μὲ διπλῆν ἐπιγραφήν. τάφος ἀνδρὸς καὶ γυναικός, Λυσιμάχου καὶ Λυσιμάχης«.

82. *b* 41 (Le Bas 1973): Ἑρμία Ἀπολ|λοδώρου ¦ Τύριε κτλ. ist gewifs identisch mit Kampanis p. 28, 263 »Ἀνάγλυφον μὲ ἐπιγραφήν, τάφος γυναικὸς Ἑρμείας, εἰς τρία κομμάτια«. Kampanis mifsverstand den Vocativ Ἑρμία, was um so leichter geschehen konnte, als die Darstellung ein sogenanntes Todtenmahl ist (Kekulé, Theseion 280) mit auf der Kline sitzender Frau.

83. *b* 46 (Le Bas 1981): Αὖλε Ἐγνάτιε κτλ. Kampanis p. 27, 251 »Ἀνάγλυφον [Kekulé, Theseion 302] μὲ ἐπιγραφήν. τάφος Αὐλωγνατίου«.

84. *b* 48 (Le Bas 1992): Ἀντίοχε Λαβινὲ κτλ. ist sehr wahrscheinlich Kampanis p. 29, 276 »Ἀνάγλυφον τεχνίτου Ῥωμαίου, μὲ ἐπιγραφήν, τάφος ἀνδρὸς Λαβίου«.

85. *b* 54 (Le Bas 1998): Ἀρτεμίδωρε Δη|μητρίου wahrscheinlich identisch mit Kampanis p. 28, 261 »Ἀνάγλυφον μὲ ἐπιγραφήν. τάφος ἀνδρὸς Ἀρτεμιάδου θραυσμένον«.

4*

86. *b* 64 (Le Bas 2034). Kampanis p. 28, 262 »Ἀνάγλυφον [Heyde-
mann, Marmorbildw. 491] μὲ ἐπιγραφήν. τάφος γυναικὸς Δημητρίας, εἰς
δύο κομμάτια«. — *Expédition de Morée* III p. 38 Nr. 46; T. 20 fig.
2 *»venant
de Délos et dessinée à Myconi«* (p. 8).

87. *b* 69 (Le Bas 2039). Kampanis p. 27, 255 »Ἀνάγλυφον [Kekulé,
Theseion 261] μὲ ἐπιγραφήν. τάφος γυναικὸς Ἡρακλείας«.

88. *b* 75 ΚΟΚΚΙΩΝΔΙΟ|ΠΕΙΘΟΥ u. s. w. ist sicher identisch mit Kam-
panis p. 29, 279 »Ἀνάγλυφον μικρὸν διεφθαρμένον, τάφος ἀνδρὸς Κορη-
νοδίου«; die Beschreibung stimmt mit der Virlet's (nach dessen Abschrift
Le Bas, *Inscriptions* ... *de Morée*, Cah. 5 p. 179 Nr. 257. *Expédition de Morée*
III 40 Nr. 60 und *Voyage* 2010) *»petit bas-relief* ... *très fruste représentant un
homme dgé«.* Er las ΚΟΚΧΙΩΝ, Boeckh gibt, gewifs aus Pittakis' Scheden,
das Obenstehende, was wahrscheinlicher ist, da Kampanis leichter κ in Η
verlesen konnte als χ.

89. *b* 80 (Le Bas 2012). Kampanis p. 29, 290 »Ἀνάγλυφον [Kekulé,
Theseion 212] μὲ ἐπιγραφήν. Μηνοδώρου Διονυσίου«.

90. *b* 81 (Le Bas 2015). Πόπλιος Ἄουιος | Νεῖγερ· χαῖρε *»sub magno
anaglypho eleganter facto«* scheint identisch mit Kampanis p. 27, 252 »Ἀνάγλυφον στήλης αὐλακωτῆς καὶ ἐπιγραφήν, τάφος Ποπλίου«. Der Ausdruck
αὐλακωτή, d. h. ‚mit Rinnen‛, soll gewifs bedeuten ‚mit gegliederten Profilen
versehen‛ (wie Kampanis 313 *»στήλη μικρὰ μὲ αὔλακας«*) und pafst nicht für
b 90, eine von mir im Dimarchion abgeschriebenen Stele in Form einer Aedi-
cula mit Giebel, an deren Inschrift (*Πόπλιε Σῆιε*) man sonst denken könnte.

[90*a*. *b* 82 (Le Bas 2043). S. oben Nr. 26.]

91. *b* 87 (Le Bas 2019): Παυσανία Μείδωνος κτλ. Dafs diefs Grabrelief in Mykonos war, bezeugt *Expédition de Morée* III p. 8: *»venant de
Délos et dessinée* [T. 21, 3. 4] *à Myconi«*.

92. *b* 91 (Le Bas 2047). Kampanis p. 29, 289 »Ἀνάγλυφον [Kekulé,
Theseion 240] μὲ ἐπιγραφήν Σιύδη« (wohl nur Druckfehler für Σίνδη).

93. *b* 92 (Le Bas 2022). Kampanis p. 27, 249 *»Μικρὸν ἕρμαιον γυναικός, μάρμαρον κοινόν* - - -. Λεύκιε Σόλφιε, Σπορίου υἱὲ κλπ.«. — Im
Dimarchion. Stele, oben gebrochen. H. 0.42, br. 0.38, t. 0.99. Dargestellt
ist in sehr roher Arbeit eine sitzende Frau, einem Vogel, den ein am Boden
hockendes Kind hält, eine Traube hinreichend.

ΛΕΥΚΙΕΣΟΛΦΙΕΣΠΟΡΙΟΥΥΙΕ
Α Λ Υ ΠΕΧΑΙΡΕ

Boeckh hatte drei Abschriften Pittakis', zu denen er zweimal die Provenienz Delos, einmal Salamis angab.

94. C. I. Gr. II 2328*b* (p. 250), besser in den Addenden p. 1051 (Le Bas 1942): Ἀμμία Ἀνδρομαχίδου Ἀρεθουσία χρηστὴ κτλ. Βόηθε Σάμου Ἀρεθούσιε χρηστέ κτλ. ist zweifellos Kampanis p. 28, 274 »Ἀνάγλυφον |Kekulé, Theseion 37] μάρμαρον Πάρου, μὲ ἐπιγραφάς. τάφος ἀνδρὸς καὶ γυναικός, οἰκογενείας Ἀρεθουνείας«. — S. oben S. 8.

Folgende drei von Kampanis aufgeführte Stücke scheinen nicht sicher identificirt werden zu können:

95. p. 28, 264 »Ἀνάγλυφον μὲ ἐπιγραφὴν στρατιώτου ἱππέως. τάφος Γαΐου φιλέλληνος«. Recht wahrscheinlich ist, dafs *b* 86 (Le Bas 2017) gemeint ist, ein jetzt im Dimarchion befindliches Relief, das einen Reiter neben einem Baum darstellt, mit der Inschrift ΓΑΙϹΟΦΕΛΛΙΕΠΟ|ΠΛΙΟΥ κτλ. Die Verkennung des Gentilnamens würde sich durch die in jener Zeit von dem Begriffe des Philhellenismus erfüllte Phantasie glaubhaft erklären lassen, die durch die Buchstabengruppe ΦΕΛΛ angeregt wurde. Aber da es möglich ist, dafs ein Römer der Kaiserzeit als φιλέλλην hervorgehoben wurde, könnte es sich auch um eine verschollene Grabschrift handeln, deren Gentilnamen Kampanis ausgelassen hätte.

96. p. 28, 266 »Ἀνάγλυφον μὲ ἐπιγραφήν, τάφος Γλαύκωνος«.

97. p. 28, 269 »Ἀνάγλυφον μὲ ἐπιγραφήν, τάφος Φιλουμένης Ἰερίσσας εἰς δύο κομμάτια«. Auf dem Steine stand gewifs Φιλουμενὴ [ἡ]ρ[ώ]ϊσσα.

D. Ehemals in Syra.
[Vergl. auch Nr. 105. S. oben S. 10.]

[**98.** Unter dieser Nummer fasse ich die von Rofs aus dem Museumskatalog von Syra copirten Stücke (s. oben S. 10) zusammen: *b* 6. 15. 18. 26. 35. 58. 59. 63. 65. 66. 67. 71. 78 (= Le Bas, *Voy.* 1929. 1941. 1946. 1954. 1966. 1979. 2032. 2002. 2035. 2036. 2005. 2007. 2041). Von diesen stehen *b* 18. 26. 35. 58. 59. 66 bei Le Bas, *Inscriptions ... de Morée*, Cah. 5 p. 146 ff. als Nr. 209. 215. 214. 238. 234. 235 unter der grofsen Rubrik »*Rhénée*« mit dem für die »*Inscriptions funéraires*« geltenden Vermerk (p. 139) »*toutes ces inscriptions ont été transportées dans le musée d'Égine, et c'est là que les membres de la commission les ont copiées*«. Diefs widerspricht aber dem Zeugnifs der *Expédition de Morée*, wo mehrere dieser Grabreliefs Pl. 14, 3. 16, 1. 16, 3.

15, 6. 14, 1. 14, 2 abgebildet sind und im Index als *dessinées à Syra* bezeichnet werden. Zu *b* 66 wird *Expéd.* p. 37 Nr. 38 und *Inscr.* p. 167 Nr. 235 angegeben, dafs diefs Stück in Syra copirt und danach ins Museum von Aegina gebracht worden sei; aber gerade für diesen Stein (wie für *b* 15) haben wir das Zeugnifs von Rofs (Inselreisen I 9), dafs er noch 1835 in Syra war, also zu einer Zeit, als das Museum von Aegina schon geschlossen war, und die Steine *b* 26. 58. 63. 71 haben sich noch 1858 im Schulhause von Syra befunden, wo sie Conze abschrieb (*Bullettino dell' Instituto* 1859 p. 169 Nr. 4. p. 170 Nr. 10. p. 169 Nr. 7. p. 170 Nr. 11). Der von Le Bas angerichtete Wirrwarr ist zweifellos dahin aufzulösen, dafs alle diese Stücke nicht nach Aegina gekommen sind; ich habe auch weder in Aegina eines davon gefunden, noch in den Katalogen der athenischen Sammlungen von Kekulé, Heydemann, Sybel. Wahrscheinlich sind sie noch heute im Museum von Hermupolis, über dessen Zustand Pollack, Mittheil. des athen. Inst. 21, 194 berichtet hat.]

99. *b* 83 (Le Bas 2014). Kampanis p. 21, 167 Ἦλθον ἐκ Σύρας τὴν 26 Ἰανουαρίου 1831 - - - Ἀνάγλυφον φέρον τῇ μὲν δεξιᾷ σπάθην, τῇ δ' ἀριστερᾷ ἀσπίδα [s. Kekulé, Theseion 258]· ἔχει ἐπιγραφήν: Νικηφόρε Χρηστὲ χαῖρε«.

100. C. I. Gr. II 2347*f* (aus Mustoxydes' Scheden) und Le Bas, *Voy.* 2009 als rheneisch. Danach C. I. Lat. III 486; p. 984 nach Abschrift von R. Schöll wiederholt; nochmals Supplementum Nr. 7243 nach Abschrift von Loewy. — Im Dimarchion. Grabrelief von Marmor: in vertieftem Felde Mann, der in der gesenkten Linken eine Tasche, in der erhobenen Rechten einen länglichen Gegenstand hält. Links kleiner Knabe in die Höhe blickend. H. 0.51, br. 0.24, t. 0.06.

L(ucii) P(ostumii) Cladi.
Λεύκιε Ποστούμιε
Κλά]δε· χαῖρε.

Z. 3 in den ersten beiden Publicationen noch vollständig. Die Ligatur in Z. 2 erklärt die Varianten: TOYM Mustoxydes, TYM Le Bas, TOM Schöll und Loewy. — Kampanis p. 18, 129 »Ἀνάγλυφον ... ἔχει ἐπιγραφὴν Λατινικὴν καὶ Ἑλληνικὴν λέγουσαν: Λούκιε Ποστόμιε Κλάδε χαῖρε. εἶνε τῆς Σύρας«.

101. *b* 38 (Le Bas, *Voy.* 1970). — Nach Kampanis' Zeugnifs (p. 26, 235) im Januar 1830 in Syra confiscirt, mit Nr. 102 und 103. »Ἀνάγλυφον μεγάλον γυναικὸς ἐχούσης θεράπαιναν [Kekulé, Theseion 156] μὲ ἐπιγραφήν: Στυμφαλία γυνὴ δὲ Σαραπίωνος χρηστὴ χαῖρε«. Nach Pittakis' Behauptung 1831 (!) in Rheneia gefunden.

102. *b* 44 (Le Bas, *Voy.* 2027). — Kampanis p. 26, 237 »Ἀνάγλυφον γυναικός, ἐχούσης τὸν δεξιὸν πόδα ἐπὶ τοῦ ἀριστεροῦ [s. Heydemann, Marmorbildwerke zu Athen Nr. 493]· ἔχει ἐπιγραφήν: Ἀγελαισισιδότου ἄλυπε χρηστὴ χαῖρε«. — Provenienz s. zu Nr. 101.

103. Im Dimarchion. Untertheil eines Grabreliefs in Form eines Naiskos: erhalten nur die beiden Füfse eines Stehenden. H. 0.17, br. 0.41, t. 0.07.

```
Α Υ Λ Ε ///////////////////////////////// Ι Μ Α Χ Ο Υ
Υ Ε Ν Ε Ω Τ Ε Ρ Ε Χ Ρ Ϛ Τ Ε Χ Α Ι Ρ Ε
```

Noch vollständig bei Le Bas, *Voy.* 2021 (als rheneisch) und Kampanis p. 26, 240 »Ἀνάγλυφον κομμένον εἰς τρία τμήματα, μὲ ἐπιγραφήν: Αὖλε Σουλπίκιε, Λυσιμάχου υἱὲ νεώτερε, χρηστὲ χαῖρε«. Dafs im Gentile ΟΥ geschrieben war, scheint der Raum auszuschliefsen, Υ müfstein Ο eingeschrieben gewesen sein wie in Nr. 100; vermutlich hat aber Le Bas richtig ΣΟΛΠΙΚΙΕ, denn zu dieser älteren Orthographie pafst der griechische Name des Vaters. Das Stück war in Syra confiscirt (s. zu Nr. 101), vielleicht stammt es aus Naxos, wo die Familie der Sulpicier durch ein gleichfalls den Vornamen *Aulus* führendes Mitglied bezeugt ist (C. I. Gr. 2416 Z. 18).

E. Ehemals in Tenos.
[S. oben S. 10.]

b 68. S. oben Nr. 66.

C. I. Gr. II add. 2346*c*. S. oben Nr. 71.

104. *b* 97 aus *Expédition de Morée* III p. 38 Nr. 43 (Abschriften von Ravoisié und Poirot), wozu p. 8 angegeben ist »*venant de Délos et dessinée* [T. 17, 3] *à Tinos*«. Gewifs identisch, nur rechts mehr verstümmelt ist Le Bas, *Voy.* 2049:

A. *Expédition.*	B. Le Bas, *Voyage.*
Χ Α Γ Α Δ Ν Δ Ι ϲ Δ Σ	Χ Α Ρ Ι Τ Ω Ν . . . . .
Χ Ρ Η Ϛ Ϝ Α Ι Α Α Ι ι	Χ Ρ Η Σ Τ Η . . . . .

Zu *A*, wo an ΧΑΡ als Anfang des Namens nicht zu zweifeln ist, bemerkte Boeckh »*mihi videtur nomen in ων desinens latere*«, was in *B* geboten wird. Die Beschaffenheit der controlirbaren Abschriften der *Expédition* macht die Fehler nicht im geringsten unwahrscheinlich. In *B* ist dann aus einem sehr häufigen Versehen in Z. 2 am Ende Η statt Ε gegeben. Es ist also zu lesen

$$\text{Χαρίτων Διοδώ[ρου}$$
$$\text{χρησ τ]ὲ κ]αὶ ἄ[λυπε,}$$
$$\text{[χαῖρε.}$$

V. Andros.

105. Im Dimarchion. Vierseitiger Block, links gebrochen, rechts vorn bestofsen. Oben zwei Einsatzlöcher. H. 0.12, br. 0.35, t. 0.20.

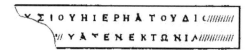

Διονυσία Διον?]υσίου ἱέρηα τοῦ Διο[νύσου
τὸν ναὸν ἐπ- oder κατεσκε]ύασεν ἐκ τῶν ἰ[δίων.

Dafs der Stein früher in Palaeopolis auf Andros war, steht fest durch Virlet's Zeugnis, nach dessen Abschrift er *Expédition de Morée* III p. 11 Nr. 1 und *Inscriptions ... de Morée*, Cah. 5 p. 53 Nr. 171 veröffentlicht ist (danach C. I. Gr. II add. 2349*e* und zwei Mal bei Le Bas, *Voy.*: 1686 als aeginetisch, 1797 als andrisch). Die Inschrift war nach Aegina über Syra gekommen: Kampanis p. 18, 131 »*Πέτρα μὲ ἐπιγραφήν: ἡ ἔρηα τοῦ Διός. ἐκ τῆς Σύρας*«. Virlet gibt am Ende von Z. 1 eine Hasta mehr als jetzt vorhanden ist: ΔΙΟΙ, und ich bin bei dem Ergänzungsvorschlage diesem keineswegs zuverlässigen Zeugen gefolgt, aber sicher ist nicht, ob nicht Kampanis mit seinem Διός Recht hat. Denn ein Heiligthum des Zeus Meilichios ist in Palaeopolis inschriftlich bezeugt (Mitth. des athen. Inst. 18 p. 9 Nr. 4), und eine Priesterin des Zeus wird nicht auffallender sein als die des Herakles in Thespiae (Paus. 9, 27, 6). Die Lesung Διο[νύσου] — die drei letzten Buchstaben haben dann auf einem rechts anstofsenden Blocke des Architravs, zu dem unser Stein gehört zu haben scheint, gestanden — wird aber wohl dadurch empfohlen, dafs sich aus ihr leicht eine Beziehung

der Personennamen zu dem des Gottes und dann vorn in Z. 2 eine genau
dem Raume von Z. 1 entsprechende Ergänzung ergibt. An sich wäre in Z. 1
auch *Λ*]*υσίου* oder *Πα*]*υσίου* u. A. möglich.

VI. Paros.

106. Kampanis p. 14, 76 «*Ἦλθον καὶ τὰ τέσσαρα ἐκ τῆς νήσου Πάρου.
Τμῆμά μαρμάρου μικρὸν μὲ ἐπιγραφήν: Παριὰς Μαῖα χρηστὴ χαῖρε*«.
C. I. Gr. II add. 2414*l*, Le Bas, *Voy.* 2143. In Paros hatte Virlet den Stein
copirt (Le Bas, *Inscriptions* ... *de Morée*, Cah. 5 p. 205 Nr. 277); Pittakis
hatte wieder Delos als Provenienz angegeben.

107. Kampanis p. 14, 77 (mit Nr. 106) »*Μάρμαρον εἰς εἶδος παραλ-
ληλογράμμου ἔχον δύο στεφάνους ὁ δὲ καθεὶς ἔχει ἐπιγραφήν· ἡ μία ἐπι-
γραφή: Ὁ Δῆμος στρατηγήσαντα· ἡ ἄλλη Ὁ Δῆμος πολίτας λυ-
τρωσάμενον*«. — C. I. Gr. 2375 aus Vidua, der die Inschrift in Paros sah,
wie auch noch Virlet (*Expédition de Morée* III 44 Nr. 1 und Le Bas, *Inscriptions*
... *de Morée*, Cah. 5 p. 195 Nr. 270). Le Bas, *Voy.* 2096. Pittakis gab Herkunft aus Thera an.

108. Kampanis p. 14, 79 (mit Nr. 106) »*Ἀνάγλυφον τὸ ἥμισυ* [Heyde-
mann, Marmorbildw. 122]· *τὸ δὲ λοιπὸν ἥμισυ μὲ ἐπιγραφὰς οὕτω Σωχάρ-
μου παραγ*........ | *ἐπικέαις φθιμένο*........ | *εἰ γὰρ καὶ παῦ-
ρας· ἔτη* ..... | *ἀξιαίας* .... | .... «. C. I. Gr. 2408
(nach Clarke, der die Herkunft aus Paros bestätigt; Pittakis gab einmal
Delos, einmal Mykonos an). Le Bas, *Voy.* 2119.

109. Kampanis p. 15, 92: »*Ἦλθον ἀπὸ τὴν Σύραν τὴν 4 Σεπτεμ-
βρίου* 1830. *Εἶνε τῆς Πάρου* --- *Ἀνάγλυφον δύο προσώπων ἐσθιόντων
μεθ' ἑνὸς βρέφους, ἔχον ἐπιγραφήν: Ἑρμογένης*«. — Im Dimarchion.
Sogenanntes Todtenmahl: Mann, Frau und Kind auf einer Kline liegend;
unten Speisetisch. H. 0.41, br. 0.40, t. 0.09. Die Herkunft aus Paros
giebt auch Virlet an, nach dessen schon in Aegina angefertigter Copie
die Inschrift sehr schlecht *Expédition de Morée* III 46 Nr. 10 und *Inscriptions*
... *de Morée*, Cah. 5 p. 207 Nr. 289 veröffentlicht ist; daraus wiederholt
C. I. Gr. II add. 2414*p* und Le Bas, *Voy.* 2137.

ΟΡ DΜΟ ϽΘ ΗꞰꞀꞀ ΕDꞶΙ C

Es wird zu lesen sein: Θερμο[ξ]ένα ἐρωῖς (für ἡρωῖς). Das Zeichen nach dem Alpha wohl Interpunction, nicht der Asper, der in dieser späten Zeit zwar auf Steinen vorkommt, aber nicht in dieser Form.   **110.** Kampanis p. 16, 99 »Ἦλθον ἐκ τῆς νήσου Πάρου τὴν 6 Ὀκτωβρίου 1830 - - Ἀνάγλυφον τριῶν προσώπων ἐχόντων ἐπιγραφὴν τὴν ἑξῆς: Ὠρότυχος Ζωσίμου | Νείκη Δώριδος«. — Im Dimarchion. Ganz spätes Grabrelief, oben gebrochen. Zwei lagernde Männer, auf der Kline sitzt eine Frau, anscheinend ein Wickelkind in der Linken. Unter der Kline Speisetisch. H. 0.41, br. 0.40, t. 0.06. Unten die Inschrift, die ausreichend Le Bas, Voy. 2122, schlechter C. I. Gr. II add. 24140 gedruckt ist. Die von Boeckh verworfene Lesung Ζωσίμου ist die richtige; er hatte sie aus Pittakis' Scheden, der wieder Provenienz aus Delos angab.

111. Kampanis p. 16, 100 (mit Nr. 108) »Βάσις ἀναγλύφου ἢ ἀγάλματος, ἔχουσα τὴν ἑξῆς ἐπιγραφήν: Εὐπορία Θεαγένου Χρηστὴ Χαῖρε«. — Im zweiten Hofe des Gefängnisses, an der Gitterthür im Boden steckend. Vierseitiger Marmor, unten und oben Profil. H. 0.22, br. 0.51, t. 0.18.

```
Ε Ι ΠΟΡΙΑ
Θ Ε Ο Γ Ε Ν Ο Υ
Χ Ρ Η Σ Τ Η Χ Λ Ι Ρ Ε
```

Kampanis' Herkunftszeugnifs bestätigt Prokesch, der den Stein in einer Kapelle auf Paros sah; aus seinen und Pittakis' Scheden (der Delos angab) C. I. Gr. 2409. Le Bas, der den Stein zweimal richtig als parisch veröffentlicht hatte (Expédition de Morée III 45 Nr. 5. Inscriptions ... de Morée, Cah. 5 p. 202 Nr. 274), gab ihn das dritte Mal Voy. 1734 als aeginetisch. — Θεογένους (Pittakis) stand nicht.

112. Kampanis p. 16, 101 (mit Nr. 110. 111) »Ἑτέρα βάσις ἔχουσα τὴν ἑξῆς ἐπιγραφήν: Διονυσόδωρος Ἀριστέου«. Wieder liegt eine Controle für Kampanis' Herkunftszeugnifs durch Vidua und Prokesch vor (C. I. Gr. 2404); bei Le Bas, Voy. 1720 als aeginetisch. Pittakis gibt (Ἐφημερίς 1893) Herkunft aus Salamis an, wo das in Wahrheit am 6. October 1830 nach Aegina gekommene Stück am 28. December 1830 gefunden sei.

113. Kampanis p. 17, 113-114 »Ἦλθον τὴν 23 Ὀκτωβρίου 1830. — 113 Βάσις χαμηλὴ ἐκ μαρμάρου λευκοῦ ἔχουσα τὴν ἑξῆς ἐπιγραφήν: Σωκράτης Ἀντιγόνου· καὶ Νίκη Ἀλεξάνδρου ὑπὲρ τοῦ υἱοῦ Θεοτέλους ......«. Die Herkunft aus Paros, die durch irgend ein Versehen bei

Kampanis nicht angegeben ist, steht durch Vidua's Zeugnis fest; s. C. I. Gr. 2390. Bei Le Bas, *Voy.* 1685 als aeginetisch.

114. Kampanis p. 17, 114 »*Βάσις χαμηλὴ ἐκ μαρμάρου λευκοῦ ἔχουσα τὴν ἑξῆς ἐπιγραφήν*: Δάμας | Βερενίκης | Σιδώνιος. | Χρηστὲ χαῖρε. — In einem Keller des Gefängnisses von Dr. Fredrich abgeschrieben. Basis einer Stele, oben und unten Profil. H. 0.25, br. 0.51, t. 0.35.

```
        ΔΑΜΑΣ
       ΒΕΡΕΝΙΚΗΣ
       ΣΙΔΩΝΙΟΣ
       ΧΡΗΣΤΕΧΑΙΡΕ
```

Die Provenienz des Steines ist dadurch gesichert, daſs er mit dem vorigen zusammen (s. dort) nach Aegina gekommen ist.   C. I. Gr. II add. 2322*b* 36 als rheneisch, Le Bas II 1736 als aeginetisch.

115. Kampanis p. 32, 343 »*Βάσις* 2 = ἀναγλύφων — Πρωτοκλης .. Προσθενη .. Πάρου«. C. I. Gr. II 2414 nach Prokesch, der wieder die Herkunft bestätigt, und gewiſs nur danach Le Bas, *Voy.* 2133 so: ΠΡΩ-ΤΩΑΛΚΙ ΠΡΟΣΘΕΝΟΥ.

Inhalt.

Kampanis Nr. = Unsere Nr.		Kampanis Nr. = Unsere Nr.		Kampanis Nr. = Unsere Nr.		Kampanis Nr. = Unsere Nr.	
9	19	100	111	237	102	275	72
25	32	101	112	240	103	276	84
39	45	109—112	47	242 S. 8		277	26
59	68	113	113	245	79	279	88
65	64	114	114	247	81	280	73
71	55	115	5	248	75	281	78
72	48	116	15	249	93	289	92
73	56	117	30	250	74	290	89
74	54	118	6	251	83	292	80
76	106	120	33	252	90	298	57
77	107	129	100	254	76	299	58
79	108	131	105	255	87	300	62
81 S. 5 Anm. 4		142	53	259	77	302	59
83	51	156	4	261	85	306	27
84	52	167	99	262	86	310	24
88	14	168	33	263	82	322	13
89	17	172	20	264	95	323	23
90	16	188	71	266	96	324	25
92	109	190	66	269	97	325	7
99	110	235	101	274	94	326	61

Kampanis Nr.	= Unsere Nr.	Kampanis Nr.	= Unsere Nr.	Kampanis Nr.	= Unsere Nr.	Kampanis Nr.	= Unsere Nr.
334	21	343	115	346	12	350	43
336	65	344 S. 4 Anm. 2		348	60	351	46
337	63	345	10	349	69	352	67
339	49						

Corpus Inscriptionum Graecarum

	Nr.		Nr.		Nr.		Nr.		Nr.		Nr.
2139 b	S. 4	2322 b 17*		2322 b 38	101	2322 b 59	98	2322 b 78	98	2322 b 97	104
2140 a 11	69	18	98	39	64	60*		79	67	98	69
2322 b 1	72	19*		40	70	61	65	80	89	99*	
2	73	20	59	41	82	62	53	81	90	2328 b	94
3	12	21	60	42	21	63	98	82	26	2346 c	71
4*		22	78	43	49	64	86	83	99	2347 f	100
5	74	23	61	44	102	65—67	98	84	68	2349 e	105
6	98	24	62	45*		68	66	85*		2375	107
7	75	25	79	46	83	69	87	86	95	2390	113
8*		26	98	47	50	70	54	87	91	2404	112
9	11	27	80	48	84	71	98	88—90*		2408	108
10	57	28	81	49—53*		72	55	91	92	2409	111
11	48	29—32*		54	85	73*		92	93	2414	115
12	58	33	63	55	51	74	56	93	70	2414 k S. 10 Anm. 1	
13	76	34	70	56*		75	88	94*		2414 l	106
14	77	35	98	57	52	76	70	95	27	2414 o	110
15	98	36	114	58	98	77*		96*		2414 p	109
16*		37*									

* bedeutet: S. 11 Anm. 1.

Le Bas, Voyage, Inscr. II

	Nr.		Nr.		Nr.		Nr.		Nr.		Nr.
1664	19	1932	57	1955	80	1985*		2010	88	2031*	
1685	113	1933*		1956	81	1986	27	2011*		2032	98
1686	105	1934	12	1957*		1988*		2012	89	2033*	
1699	47	1935	31	1958	1	1991	49	2014	99	2034	86
1720	112	1936	58	1959—61*		1992	84	2015	90	2035—36	98
1724	69	1938	76	1962	63	1993*		2016	68	2038	66
1727	55	1939	77	1966	98	1995*		2017	95	2039	87
1729	46	1941	98	1969*		1996*		2018*		2041	98
1734	111	1942	94	1970	101	1997	4	2019	91	2042	67
1736	114	1944*		1971	64	1998	85	2020*		2043	26
1739	48	1945*		1973	82	1999*		2021	103	2047	92
1744	2	1946	98	1976*		2001	65	2022	93	2049	104
1797	105	1948*		1977	51	2002	98	2023*		2096	107
1925	72	1949	59	1978	52	2004	60	2024*		2119	108
1926	73	1950	61	1979	98	2005	98	2027	102	2122	110
1927*		1951	78	1980	53	2007	98	2028*		2133	115
1928	74	1952	62	1981	83	2008	56	2029	50	2137	109
1929	98	1953	79	1983	54	2009	100	2030*		2143	106
1930	75	1954	98	1984*							

* bedeutet: S. 11 Anm. 1.

Phil.-hist. Abh. nicht zur Akad. gehör. Gelehrter. 1897. I.　　　　　6

Corpus Inscriptionum Latinarum
III 486 (= Suppl. 7243) Nr. 100.

Corpus Inscriptionum Atticarum

II 465	Nr. 30	II 2275	Nr. 12	II 2602	Nr. 18	II 3793	Nr. 24	III 912	Nr. 29
987	• 8	2358	• 13	2842	• 19	3968	• 25	1689	• 30
1161	• 30	2364	• 14	3346	• 20	3969 zu	• 25	2111	• 31
1920	• 9	2366	• 15	3406	• 21	4011	• 26	2888	• 32
2123	• 10	2445	• 16	3521	• 22	4208	• 27	3092	• 33
2137	• 11	2458	• 17	3783	• 23	III 829	• 28	3412	• 34
2184	• 7								

Corpus Inscriptionum Graeciae Septentrionalis

24—26	Nr. 35—37	70	Nr. 39	73	Nr. 41	102	Nr. 43	107	Nr. 45
36	• 38	72	• 40	96	• 42	106	• 44	151	• 46

Kekulé, Die antiken Bildwerke im Theseion zu Athen

Nr.	= Unsere Nr.	Nr.	= Unsere Nr.	Nr.	= Unsere Nr.	Nr.	= Unsere Nr.	Nr.	= Unsere Nr.
37	94	153	79	220	75	261	87	293	77
44	63	156	101	238	68	274 S.8		302	83
53	71	163 S.8 Anm. 2		240	92	278	61	305	52
65 S.8 Anm. 2		210	14	257	47	280	82	310	81
71	10	212	89	258	98	285	57	319	72

Heydemann, Die antiken Marmorbildwerke zu Athen

Nr.	= Unsere Nr.	Nr.	= Unsere Nr.	Nr.	= Unsere Nr.	Nr.	= Unsere Nr.
100	51	122	108	490	65	493	102
116	25	154	33	491	86	499	76

Druck:
Customized Business Services GmbH
im Auftrag der KNV-Gruppe
Ferdinand-Jühlke-Str. 7
99095 Erfurt